GESTOLEN ONSCHULD

Corban Addison

Gestolen onschuld

Vertaald door Els van Son

Uitgeverij Luitingh

Uitgeverij Luitingh en Drukkerij Koninklijke Wöhrmann BV
vinden het belangrijk om op milieuvriendelijke en duurzame wijze
met natuurlijke bronnen om te gaan.

Eerste druk november 2011
Tweede druk januari 2012

Oorspronkelijke titel: *A Walk Across the Sun*
Vertaling: Els van Son
Omslagontwerp: Marlies Visser
Omslagfotografie: Richard Jenkins
Foto auteur: Micah Kandros Photography

ISBN 978 90 245 3886 7
ISBN e-book 978 90 245 3888 1
NUR 332

www.boekenwereld.com
www.uitgeverijluitingh.nl
www.watleesjij.nu

Voor het ontelbaar aantal mensen
dat gevangenzit in de seksindustrie.
En voor de heldhaftige mannen en vrouwen die over de hele wereld
onvermoeibaar aan hun bevrijding werken.

Vol is het land met duistere oorden, holen van geweld.
ASAF (Psalm 74:20)

Als we geen vrede hebben, komt dit doordat we zijn vergeten dat we elkaar toebehoren.
MOEDER TERESA

DEEL EEN

1

Kinderen moeten spelen langs de kusten van de wereld.
RABINDRANATH TAGORE

Tamil Nadu, India

DE ZEE WAS KALM BIJ HET EERSTE OCHTENDLICHT op de dag dat hun wereld instortte. Ze waren zusjes – Ahalya, de oudste, was zeventien en Sita twee jaar jonger. Net als hun moeder waren het kinderen van de zee. Toen het gezin wegens het werk van de vader van de vlaktes van Dehli naar Chennai was verhuisd, een plaats aan de Golf van Bengalen, was het voor Ahalya en Sita alsof ze thuiskwamen. De zee was hun vriend, de pelikanen, zilvervissen en gekuifde golven hun kameraden. Het kwam niet in hen op dat de zee zich tégen hen zou kunnen keren. Ze waren jong en wisten nauwelijks hoe hard het leven kan zijn.

Ahalya werd wakker toen de aarde schokte in de schemering van de dageraad. Even keek ze naar Sita die naast haar in bed lag te slapen en vroeg zich af waarom haar zusje er niets van merkte. De trillingen waren hevig, maar snel voorbij en na afloop vroeg ze zich af of ze misschien had gedroomd. Beneden in huis verroerde niemand zich. Het was de dag na Kerstmis, een zondag, en heel India sliep.

Ahalya nestelde zich weer onder de deken, ademde de zoete, sandelhoutachtige geur van haar zusjes haar in en begon te mijmeren over de pauwblauwe *salwar kameez* die haar vader voor haar had gekocht om die avond aan te doen naar het conservatorium in Mylapore. Het was december en het muziekseizoen in Madras was in volle gang. Hun vader had kaartjes gekocht voor een vioolconcert dat om acht uur zou beginnen. Sita en zij leerden allebei vioolspelen.

Het huis ontwaakte in fasen. Om kwart over zeven stond de huishoudster van de familie Ghai, Jaya, op, wikkelde zich in een sari, pakte een klein potje kalkpoeder van het bureau aan het voeteneinde van haar bed en liep naar de voordeur van het huis. Daar veegde ze de aarde voor de voordeur met een harde bezem aan en strooide her en der een bergje van het witte kalkpoeder op de grond. Vervolgens verbond ze de witte bergjes in elegante lijnen met elkaar en zo ontstond er een tekening van een stervormige jasmijnbloem. Tevreden met haar werk legde ze haar handpalmen plat tegen elkaar en richtte zich in een fluisterend gebed tot Lakshmi, de Hindoestaanse godin van geluk, om te vragen om een goede dag. Toen het *kolam*-ritueel ten einde was, liep ze naar de keuken om het ontbijt klaar te maken.

Ahalya werd opnieuw wakker toen het zonlicht door de gordijnen stroomde. Sita, die altijd vroeg opstond, was al bijna aangekleed; haar zwarte haar glansde vochtig van de douche. Ahalya keek toe terwijl haar zusje haar make-up aanbracht voor een kleine spiegel en glimlachte. Sita was een fijn gebouwd meisje, gezegend met de verfijnde trekken en de enorme, expressieve ogen van Ambini, hun moeder. Ze was klein en spichtig voor haar leeftijd en de magie van de puberteit moest haar lichaam nog veranderen in dat van een vrouw. Als gevolg daarvan was Sita nogal onzeker over haar uiterlijk, ondanks de voortdurende geruststelling van Ahalya en Ambini dat de vrouwelijke vormen waar ze zo naar verlangde, mettertijd echt wel zouden komen.

Om gelijk tempo met Sita te houden en niet te laat te zijn voor het ontbijt, trok Ahalya haastig een gele *churidaar* aan – een jurk met een broek in dezelfde stof – en ze drapeerde een bijpassende sjaal om haar schouders. Ze deed arm- en enkelbanden om en maakte haar uiterlijk compleet met een ketting om haar hals en een verfijnde, met edelstenen bezette *bindi* op haar voorhoofd.

'Ben je klaar?' vroeg Ahalya in het Engels aan haar zusje. Het was een regel in het Ghaigezin dat de meisjes alleen Hindi of Tamil mochten spreken als ze door een volwassene in die taal werden aangesproken. Zoals de meeste Indiërs die zo bevoorrecht waren om tot de hogere middenklasse op te klimmen, droomden hun ouders ervan hen naar een universiteit in Engeland te sturen en geloofden ze er heilig in dat het beheersen van de Engelse taal het meest voor de hand liggende toegangskaartje was tot Cambridge of Oxford. De kloosterschool waar de meisjes zaten onderwees Hindi (de nationale taal), Tamil (de inheemse taal van het Indiase deelgebied Tamil Nadu) en Engels, maar de zusters van het klooster hadden het liefst dat hun leerlingen Engels spraken en de meisjes marchandeerden nooit met die regel.

'Ja,' antwoordde Sita somber, met een droefgeestige blik in de spiegel. 'Het zal wel moeten...'

'O, Sita,' gaf Ahalya haar op haar kop. 'Zo'n ontevreden frons zal je niet geliefd maken bij Vikram Pillai.'

Ahalya's opmerking had het gewenste effect. Sita's gezicht klaarde helemaal op toen ze herinnerd werd aan de plannen van het gezin voor de avond. Pillai was haar favoriete violist.

'Denk je dat we hem zullen ontmoeten?' vroeg Sita. 'De rij na zo'n voorstelling is altijd zo verschrikkelijk lang.'

'Geen idee, vraag het aan papa, zou ik zeggen,' antwoordde Ahalya, denkend aan de verrassing die zij en haar vader voor Sita hadden gepland – en geheim hadden weten te houden. 'Je weet het nooit met zijn connecties.'

'Ja, ik vraag het hem bij het ontbijt,' zei Sita en ze verdween de kamer uit en de trap af.

Vol binnenpretjes liep Ahalya achter Sita aan naar de woonkamer. Daar voerden de meisjes eerst samen hun *puja* uit, het ochtendritueel ter ere van de familiegoden van Ganesh, de olifantgod voor geluk, en Rama, de incarnatie van Visjnoe, die samen op een altaar in de hoek van de kamer stonden. Zoals de meeste mensen uit de koopliedenkaste waren de Ghais niet erg religieus en kwamen ze alleen op de zeldzame gelegenheden dat ze de goden om een gunst wilden vragen in een tempel of heiligdom. Maar als de grootmoeder van de meisjes op bezoek was, werden de wierookstokjes aangestoken en de puja klaargezet, en nam iedereen, klein of groot, deel aan het ritueel.

Toen ze de eetkamer binnenkwamen, zaten daar Naresh, de vader van de meisjes, hun moeder en hun grootmoeder al aan tafel voor het ontbijt. Voordat ze gingen zitten, raakten Ahalya en Sita de voeten van hun vader even aan – het traditionele teken van respect. Naresh glimlachte en gaf allebei zijn dochters een zoen op hun wang.

'Goedemorgen, papa,' zeiden ze.

'Goedemorgen, schoonheden.'

'Papa, kent u iemand die Vikram Pillai kent?' vroeg Sita prompt.

Naresh wierp een korte blik op Ahalya en knipoogde naar Sita. 'Na vanavond wel, lijkt me.'

Sita trok haar wenkbrauwen op. 'Hoe bedoelt u?'

Naresh voelde in zijn zak. 'Ik had tot later willen wachten, maar nu je het vraagt...' Hij haalde een vippasje tevoorschijn en legde dat op tafel. 'We hebben vóór zijn optreden een ontmoeting met hem.'

Sita wierp een blik op het pasje en er verscheen een grote glimlach op haar gezicht. Langzaam knielde ze neer en raakte de voet van haar vader voor de tweede keer aan.

'Dank u wel, papa. Mag Ahalya ook mee?'

'Ja, natuurlijk,' antwoordde Naresh, terwijl hij nog drie vippasjes naast het eerste pasje legde. 'En je moeder en grootmoeder ook.'

'We kunnen hem alles vragen wat we maar willen,' voegde Ahalya er opgewekt aan toe.

Sita keek van haar zusje naar haar vader en grijnsde van oor tot oor.

Toen de zusjes eenmaal aan tafel zaten, bewoog Jaya zich bedrijvig door de kamer en zette alles op tafel: kommen met rijst, kokoschutney, *masala dosa* – met aardappelen gevulde flensjes – en een plat brood dat *chapatti* heet. Het eten werd zonder bestek gegeten en aan het einde van de maaltijd zaten hun vingers onder de rijst en de chutney.

Als toetje serveerde Jaya versgeplukte *chickoo* – een kiwi-achtige vrucht – en *mysore pak*, een soort zoete koek. Terwijl ze een chickoo opensneed, herinnerde Ahalya zich de aardschokken van die ochtend.

'Papa, hebt u die aardbeving vanmorgen gevoeld?' vroeg ze.

'Welke aardbeving?' informeerde haar grootmoeder.

Naresh grinnikte. 'Wees blij dat u zo diep slaapt, Naani.' Hij antwoordde zijn dochter met een geruststellend lachje. 'Het waren heftige schokken, maar ze hebben gelukkig geen schade aangericht.'

'Aardbevingen zijn een slecht voorteken,' zei de oude vrouw, terwijl ze haar servet nerveus omklemde.

'Het is een wetenschappelijk fenomeen – een natuurgebeuren,' corrigeerde Naresh haar zachtmoedig. 'En deze had niets te betekenen. We hoeven ons echt geen zorgen te maken.' Toen richtte hij zich weer tot Ahalya en veranderde van onderwerp. 'Vertel eens hoe het met zuster Naomi is. Ze leek me helemaal niet in orde toen ik haar de laatste keer zag.'

Terwijl Ahalya haar vader vertelde over de gezondheid van het hoofd van de school van St. Mary's, at iedereen zijn dessert. Er waaide een verkoelend briesje door de open ramen naar binnen. Na een tijdje werd Sita onrustig en vroeg of ze van tafel mocht. Dat vond Naresh goed en na nog snel een stuk mysore pak in haar zak te hebben gestopt, stoof ze het huis uit in de richting van het strand. Ahalya moest glimlachen bij het zien van al die vrolijke energie van haar zusje.

'Mag ik ook van tafel, vader?' vroeg ze.

Hij knikte. 'Ik geloof dat onze kerstverrassing voor Sita een goed idee was.'

'Ja, volgens mij ook,' antwoordde Ahalya. Ze stond op van tafel, schopte haar sandalen uit en liep achter haar zusje aan het zonlicht in.

Om twintig over acht was iedereen, behalve Jaya en de grootmoeder van de meisjes, naar het strand vertrokken. De bescheiden bungalow van de familie lag aan de kust, ongeveer vijfentwintig kilometer ten zuiden van Chennai en zowat een kilometer van een van de vele vissersdorpjes in Tamil Nadu vandaan. Voor Indiase begrippen was dit het platteland, en Ambini, die was opgegroeid in de overbevolkte buurten van Mylapore, vond het erg afgelegen. Maar ze beschouwde het buiten de stad wonen als een kleine opoffering, nu ze haar kinderen zo dicht bij haar ouderlijk huis kon grootbrengen.

Ahalya liep over het strand, terwijl Sita langs de waterlijn rende en schelpen verzamelde. Naresh en Ambini wandelden in een gemoedelijke stilte achter hun dochters aan. Ze liepen noordwaarts, in de richting van het vissersdorpje. Onderweg passeerden ze een ouder echtpaar dat rustig in het zand zat en twee jongetjes die steentjes gooiden naar de vogels. Verder was het strand verlaten.

Vlak voor negen uur merkte Ahalya iets vreemds op aan de zee. De door de wind voortgestuwde golven kwamen lang niet meer zo ver het strand op als een paar minuten eerder. Ze keek aandachtig naar de waterlijn en zag dat die zich voor haar ogen terugtrok. Algauw lag er zo'n honderdvijftig meter drassig zand bloot. De twee jongens gilden het uit van de pret en joegen spetterend in de modder achter elkaar aan, in de richting van de zich terugtrekkende oceaan. Ahalya bekeek alles met een angstig voorgevoel, maar Sita was eerder nieuwsgierig dan bezorgd.

'Idhar kya ho raha hai?' vroeg ze, terugvallend op het Hindi, haar moedertaal. 'Wat gebeurt er?'

'Ik weet het niet,' antwoordde Ahalya in het Engels.

Ahalya zag de golf het eerst. Ze wees naar een smalle, witte lijn die over de hele breedte van de horizon te zien was. In minder dan tien seconden werd de lijn een dikke streep en veranderde in een kolkende watervloed. Alles ging zo snel dat de Ghais nauwelijks tijd hadden om te reageren. Naresh begon te schreeuwen en te gebaren, maar zijn woorden gingen verloren in het hongerige lawaai van de golf.

Ahalya greep Sita's hand en rukte haar mee naar een groepje palmbomen, zich met moeite afzettend in het mulle zand. Brak water kolkte om haar benen en toen sloeg de golf over haar heen, tilde haar op en gooide haar omver. Zout water drong haar neusgaten binnen, verstopte haar oren, prikte in haar ogen. Ze kreeg geen lucht en kokhalzend probeerde ze naar het licht te komen. Toen ze even later door het wateroppervlak heen brak, hapte ze naar adem.

Vanuit haar ooghoek zag ze vaag iets bewegen, een kleurige flits – het turkoois van de churidaar van Sita. Ze greep Sita's hand, maar moest die weer loslaten door de enorme zuiging van het water. Toen gleed ze met haar vingers over de gladde bast van een palmboom. Ze dook eropaf, trapte wanhopig tegen de stroom in, maar opnieuw lukte het haar niet om de stam vast te grijpen. Terwijl de zee haar verder landinwaarts sleurde, schreeuwde ze blindelings zo hard ze kon: 'Zwemmen! Sita, grijp je vast aan een boom!'

Ze tolde rond in de sterke stroom en opeens doemde er een boomstronk voor haar op, waar ze hard tegenaan sloeg. De pijn explodeerde in haar hoofd, maar ze wist haar armen en benen om de stam heen te slaan en dwong zichzelf niet los te laten. Toen verloor ze het bewustzijn.

Toen ze haar ogen weer opende, zag ze blauwe lucht boven de door de wind gegeselde palmbladeren. Het was onheilspellend stil om haar heen. Ahalya's hart bonkte in haar borstkas en het voelde alsof haar hoofd in tweeën was gespleten. Na een paar seconden begon de zee zich terug te trekken en kwam het land eronder weer tevoorschijn. In de verte ontdekte ze Sita en ze hoorde haar gillen.

'Ahalya, help!'

Ahalya probeerde iets te zeggen, maar haar mond zat vol met zout water. De woorden kwamen er schor uit: 'Wacht.' Ahalya spuwde en probeerde het nog een keer: 'Wacht! Sita! Wacht totdat het water zakt.'

En dat gebeurde ook. Uiteindelijk.

Ahalya liet zich voorzichtig langs de stam van de bananenpalm naar beneden glijden, totdat haar voeten het modderige zand raakten. Haar churidaar was aan flarden en haar gezicht zat onder het bloed. Ze waadde naar Sita toe en wurmde de armen van haar zusje los van de boomstam die haar redding was geweest. Met Sita stevig tegen zich aangeklemd, tuurde Ahalya door het palmbos naar het strand. In eerste instantie drong het niet tot haar door hoe verschrikkelijk het was wat ze zag. Van de doornstruiken langs het strand waren de bladeren afgerukt. Eromheen dreven donkere vormen op het modderige water.

Ahalya staarde naar die vormen. Toen stokte haar adem in haar keel. Plotseling wist ze wat het waren.

'*Idhar aawo!*' beval ze Sita in het Hindi. 'Kom!'

Met Sita's hand in de hare trok Ahalya haar zusje mee door het kniediepe water. Het eerste lijk dat ze zagen was dat van Ambini. Ze zat helemaal onder de modder en iedere centimeter van haar huid was opengereten door doornen. Haar ogen waren opengesperd en haar gezicht was een masker van angst.

Bij die groteske aanblik van hun geliefde moeder verstijfde Sita compleet. Ze omklemde de hand van haar oudere zusje zo stevig dat Ahalya het uitgilde van de pijn en haar hand losrukte. Ahalya viel huilend op haar knieën, maar Sita kon alleen maar staren. Na een lang moment viel haar mond open en barstte ze ook in tranen uit. Met haar gezicht in haar handen verborgen begon ze zo hevig te trillen, dat Ahalya bang was dat ze een stuip had.

Ahalya sloeg haar armen stevig om haar zusje heen en trok haar dicht tegen zich aan. Toen greep ze haar bij de hand en leidde haar bij Ambini vandaan. Even later zagen ze weer een lijk. Het was van een van de jongens uit de buurt. Sita verstijfde. Ahalya moest haar zusje zowat dragen om door de drassige rotzooi waarmee het strand was bedekt naar hun bungalow te komen. Ze hoopte maar dat ze haar vader zou kunnen vinden...

Als Sita op een gegeven moment niet was gestruikeld, zouden ze ongemerkt aan de stoffelijke resten van Naresh voorbij zijn gelopen. Ahalya bukte om haar zusje overeind te helpen en wierp tegelijkertijd een blik naar voren, waar ze nog een donkere massa in het nu kalme water van een zoutwaterlagune zag drijven. De golf had Naresh door het palmbomenbos meegesleurd en hem tussen de rotsblokken die de lagune omringden geworpen.

Ahalya sleepte haar zusje de paar meter die hen scheidde van Naresh' lichaam met zich mee. Een lang moment staarde ze niet-begrijpend naar haar dode vader. Toen besefte ze wat ze voor zich zag en opnieuw barstte ze in snikken uit – haar verdriet ging zo diep dat het haast ondraaglijk was. Zij was altijd de favoriet van Naresh geweest, zoals Sita die van haar moeder. Hij kón niet dood zijn. Hij had haar beloofd een respectabele echtgenoot voor haar te vinden en een prachtige bruiloft voor haar te regelen. Hij had zóveel dingen beloofd...

'Kijk,' fluisterde Sita, terwijl ze in zuidelijke richting wees.

Ahalya veegde haar tranen weg en volgde de blik van haar zusje over een vreemd buitenaards landschap dat was kaalgeslagen door de golf. In de verte stond hun bungalow. Ahalya was verrast dat het overbekende silhouet nog overeind stond, zoals de plotselinge kalmte van haar zusje haar ook verraste. Sita was gestopt met huilen en hield haar armen beschermend om haar bovenlijf geslagen. De pijn in haar ogen gaf Ahalya moed. Misschien had Jaya of haar grootmoeder het overleefd. De gedachte dat Sita en zij misschien helemaal alleen waren, kon ze niet verdragen.

Ahalya ademde diep in en omklemde Sita's hand. Samen waadden ze door het ondergelopen landschap naar de resten van de bungalow waar ze al bijna tien jaar woonden. Vóór de golf was het terrein om de bungalow een prachtige tuin geweest, met bloemen en fruitbomen. Naresh had, vlak nadat het gezin uit Dehli hierheen was verhuisd, een ashokaboom bij het huis laten planten ter ere van Sita. Als kind had ze vaak onder de groenblijvende bladeren van die boom gespeeld en zich ingebeeld dat ze de heldin van de Ramayana was, naar wie ze was vernoemd, en uit haar gevangenschap op het eiland Lanka werd gered, door Hanoeman, de nobele apengod. Nu waren de ashokaboom en al het groen eromheen nog slechts luciferhoutjes zonder bladeren, takken en bloemen.

Sita bleef naast het skelet van haar geliefde boom stilstaan, maar Ahalya trok aan haar hand en dwong haar in beweging te blijven. De ramen van de benedenverdieping waren weggeslagen en meubels die ooit in de woonkamer hadden gestaan dreven nu op de binnenplaats. Maar het gebouw zelf leek intact. Terwijl de meisjes naar de voordeur liepen – die wijd openstond – spitste Ahalya haar oren, in de hoop een menselijke stem te horen, maar ze hoorde niets. Het huis was zo stil als een grafkelder.

Samen gingen ze de hal binnen en Ahalya trok haar neus op tegen de stank. In de woonkamer zag ze haar oude grootmoeder met haar gezicht omlaag in het smerige water liggen, naast de met een laag modder bedekte bank. Er sprongen opnieuw tranen in haar ogen, maar ze was te uitgeput om nog te kunnen huilen. De ontdekking van het lijk van de oude vrouw kwam niet als een schok. Nadat ze haar vader dood had gevonden, had ze al half en half verwacht dat haar oma ook was omgekomen.

Met haar laatste beetje moed waadde Ahalya door de woonkamer naar de keuken, wanhopig biddend dat Jaya het wél had overleefd. De huishoudster had altijd bij de familie Ghai gehoord, al langer dan Ahalya leefde. Ze was als een familielid, uniek en onvervangbaar.

Toen Ahalya de keuken binnenging, met een lijdzame, lamgeslagen Sita in haar kielzog, trof ze daar een enorme puinhoop aan. Op het stilstaande water dobberden omgevallen manden, plastic flessen met schoonmaakmiddelen, potjes met zoetigheden, losse mango's, papaja's en kokosnoten. Onder het wateroppervlak was de vloer bezaaid met potten, pannen, schalen en bestek – als gezonken schepen. Maar er was nergens een teken van Jaya.

Ahalya stond op het punt om de keuken uit te lopen en naar de eetkamer te gaan, toen ze zag dat de deur naar de voorraadkast op een kier stond. Ze zag de hand eerder dan haar zusje en wrong de deur verder open. Geklemd in de benauwde ruimte van de kast zat Jaya. Van al haar overleden familieleden zag de huishoudster er het vredigste uit. Haar ogen waren dicht en ze zag eruit alsof ze sliep. Maar haar huid voelde koud en klam aan.

Zonder enige waarschuwing werd Ahalya overvallen door een vlaag van duizeligheid en viel ze bijna flauw. Terwijl ze daar tot aan haar bovenbenen in het water stond, drong hun lot als een mokerslag tot haar door: Sita en zij waren wezen. Hun enige nog levende familieleden waren tantes en ooms in het verre Dehli, die ze geen van allen in jaren hadden gezien.

Precies op het moment dat de gedachte door haar hoofd flitste dat alles nu verloren was, pakte Sita haar hand vast. Die onverwachte aanraking zorgde ervoor dat Ahalya zich vermande en haar verantwoordelijkheden als de oudste van de twee meisjes weer op zich nam. Ze draaide zich om en nam Sita de trap mee op naar hun slaapkamer.

De golf was hoger geweest dan de trap en boven was de vloer bedekt met een laag modder, maar de ramen en meubels op de eerste verdieping waren nog heel. Ahalya had maar één ding in haar hoofd: haar tasje vinden, want daarin zat haar mobiele telefoon. Als ze zuster Naomi kon bereiken en een manier kon vinden om met Sita naar St. Mary's in Tiruvallur te gaan, waren ze veilig.

Haar tas lag op het nachtkastje en even later toetste Ahalya het nummer van zuster Naomi in. Terwijl de telefoon overging, hoorde ze ergens ver weg in het oosten een vaag gerommel. Ahalya liep naar het raam en keek uit over het met slib bedekte landschap van de Golf van Bengalen. Ze kon haar ogen niet geloven. Er kwam nóg een muur van water uit de zee op de kust afstormen. In een paar seconden veranderde het gerommel in een donderend geraas waardoor de stem aan de andere kant van de lijn niet meer was te verstaan. 'Hallo? Hallo? Ahalya? Sita?' Ahalya dacht niet meer aan zuster Naomi. De wereld vernauwde zich tot Sita en die tweede, dodelijke vloedgolf.

De kolkende watermassa bereikte de bungalow en zette de begane grond onder water. Het huis schudde en kreunde op zijn grondvesten toen de golf tegen de fundering beukte. Ahalya smeet de slaapkamerdeur dicht en duwde Sita op het bed neer. Met haar armen stevig om haar bevende zusje geklemd, vroeg Ahalya zich af of de god Shiva water in plaats van vuur had gekozen om een einde te maken aan de wereld.

De verschrikking van de tweede golf leek eindeloos te duren. Er stroomde troebel water door de spleet onder de slaapkamerdeur de kamer in en binnen enkele seconden stond de vloer blank. De zusjes kropen met opgetrokken benen bij elkaar op de dekens, terwijl het water steeds hoger kwam. Plotseling verschoof het huis onder hen met een schok en hing de vloer scheef. De deur van de slaapkamer barstte open en er golfde bruin water naar binnen. Ahalya gilde en Sita verborg haar gezicht in de vochtige stof van haar zusjes smerige churidaar. Met haar ogen dichtgeknepen begon Ahalya in een gebed aan Lakshmi om vergeving voor hun zonden te vragen en hen te verzekeren van een veilige overgang naar een volgend leven.

Opgaand in haar gebed drong het niet direct tot haar door dat het geraas afnam en uiteindelijk ophield. Het huis stond nog overeind terwijl de stroming keerde en de tweede golf zich terugtrok in de zee. De zusjes zaten bewegingloos op het bed. De geruïneerde wereld die achterbleef na de twee vloedgolven was angstaanjagend stil.

'Ahalya,' fluisterde Sita na een tijd. 'Waar moeten we nou naartoe?'

Ahalya knipperde met haar ogen en werd zich weer bewust van haar omgeving. Toen ze haar zusje losliet, voelde ze het gewicht van haar telefoon nog in haar hand. Verdoofd toetste ze het bekende nummer in.

'We moeten naar St. Mary's zien te komen,' zei ze. 'Zuster Naomi weet wel wat we moeten doen.'

'Maar hoe dan?' vroeg Sita, terwijl ze haar armen om haar bovenlichaam sloeg. 'Er is niemand om ons erheen te rijden.'

Ahalya sloot haar ogen en luisterde naar het overgaan van de telefoon. Zuster Naomi nam op. Ze klonk heel ongerust. Wat was er gebeurd? Waren ze in gevaar? Toen Ahalya antwoordde, klonk haar stem onwezenlijk ver weg. Er was een vloedgolf geweest. Iedereen was dood. Sita en zij hadden het overleefd, maar hun thuis was verwoest. Ze hadden geen geld, alleen de mobiele telefoon.

De lijn kraakte een lang moment van de statische elektriciteit, voordat zuster Naomi haar stem weer vond. Ze instrueerde Ahalya naar de weg te lopen om te proberen een lift van iemand uit de buurt naar Chennai te krijgen.

'Alleen instappen bij iemand die je vertrouwt,' zei ze. 'Wij wachten hier op jullie.'

Ahalya verbrak de verbinding en probeerde vol vertrouwen te klinken toen ze tegen Sita zei: 'We moeten iemand met een auto zien te vinden. Kom. Eerst die natte kleren uit.'

Ze nam haar zusje mee naar een ladekastje, hielp haar haar natte, vuile kleren uit te trekken en gaf haar een schone churidaar aan. Toen trok ze zelf ook iets anders aan. Daarna probeerde ze de kraan om haar gezicht te kunnen wassen, maar er was geen waterdruk. Er zat niets anders op dan met alle viezigheid vastgekoekt op hun huid naar St. Mary's te vertrekken.

Sita liep al naar de deur om te gaan, maar Ahalya draaide zich nog een keer om en pakte een foto van het bureau. Het was een foto die het jaar daarvoor tijdens het kerstfeest was genomen en het hele gezin Ghai stond erop. Ze haalde hem uit het lijstje en duwde hem in de tailleband van haar churidaar. Daarna pakte ze nog een houten kistje en stopte dat, samen met haar mobiele telefoon, in een tasje. In het kistje zaten alle gouden sieraden die de meisjes door de jaren heen cadeau hadden gehad – hun 'rijkdom'. Ahalya keek nog één keer om zich heen en nam toen met een knikje afscheid van de kamer. De rest moest ze achterlaten.

De meisjes liepen voorzichtig de trap af en waadden de hal door naar de voorkant van het huis. Buiten scheen de zon, het was heet, en het stilstaande water dat de tweede golf had achtergelaten begon al naar dode vis te stinken. Ahalya nam Sita mee naar de achterkant van de zwaar beschadigde bungalow, en liep het pad af. Voor de komst van de golven hadden daar twee auto's gestaan, maar die waren nu nergens meer te zien. Ahalya wilde nog een laatste blik op hun bungalow werpen, maar deed het toch maar niet. De verwoeste wereld die na de twee golven was achtergebleven, was niet het thuis dat ze hadden gekend. Haar oude wereld en de mensen die daarin hadden gewoond, bestonden nu alleen nog in haar herinnering.

Toen ze bij de weg kwamen, bleek die vol rotzooi van het palmenbos te liggen. Er ging een steek van wanhoop door Ahalya heen. Wie zou er nou in deze omstandigheden de weg op gaan? Toen bedacht ze dat ze misschien wel een lift zouden kunnen krijgen van iemand uit het vissersdorp. Daar was maar een kleine kans op, wist ze. De meeste dorpelingen woonden in hutjes langs het strand die nu waarschijnlijk waren weggevaagd door de vloedgolven. Maar de overlevenden zouden spullen en hulp uit Chennai moeten halen en dus zou er binnen niet al te lange tijd iemand uit het dorp de tocht daarheen moeten ondernemen.

Zonder iets te zeggen liepen de twee meisjes een tijd naast elkaar. Ruim een kilometer lang zagen ze geen enkel teken van leven. Alle vegetatie was meegesleurd door de golf en het landschap aan beide kanten van de weg was kaal en desolaat. Toen ze in de buurt van het dorp kwamen, waren hun kleren doordrenkt van het zweet en hadden ze een ontzettende dorst. Zelfs in de winter is de zon in het zuiden van India genadeloos heet.

Ahalya ging voorop het weggetje af dat naar het vissersdorp leidde. Toen ze vlak bij de kust waren, zagen ze een man in een bemodderde witte rok – een *lungi* – met een kind in zijn blote armen hun richting op komen. Achter hem aan liep een slordige stoet dorpelingen met uit palmbladeren gevlochten manden op hun hoofd en felgekleurde tassen op hun schouders.

Voor Ahalya bleef hij stilstaan. '*Vanakkam*,' begroette Ahalya hem op de gebruikelijke manier. 'Waar gaat u naartoe?'

De man was zo van streek dat hij haar vraag niet leek te horen. Wild gebarend vertelde hij over de twee enorme vloedgolven.

'Ik was op mijn boot,' zei hij. 'En ik heb helemaal niets gemerkt. Toen ik terugkwam was álles weg. Mijn vrouw, mijn kinderen... ik weet niet wat er met hen is gebeurd.' Hij draaide zich om en wees naar het ontredderde groepje achter hem. 'Wij zijn de enigen die nog over zijn.'

Ahalya luisterde naar het verdrietige relaas van de man en probeerde haar eigen pijn niet te voelen. Ze moest zich nu op praktische zaken richten.

'De leider van uw dorp heeft een busje,' zei ze. 'Weet u waar dat is?'

De man schudde zijn hoofd. 'Dat is verwoest.'

'En uw drinkwater? U hebt vast vaten bewaard van de moessonregens.'

'Die zijn weggespoeld.'

'Waar gaat u naartoe?' vroeg Ahalya opnieuw.

'Naar Mahabalipuram,' antwoordde de man. 'We hebben daar familie.'

Ahalya deed haar best haar teleurstelling te verbergen. Mahabalipuram was zo'n acht kilometer de verkeerde kant uit. 'Wij moeten naar Chennai.'

De man keek haar aan alsof ze gek was geworden. 'Dat lukt nooit.'

Ahalya pakte Sita's hand vast en zei vastberaden: 'Jawel, we komen er heus wel.'

De zusjes liepen met de dorpelingen mee terug naar de hoofdweg, waar hun wegen zich scheidden.

'We moeten naar Kovallam gaan.' Voor het eerst in lange tijd zei Sita iets, al was het heel zachtjes. 'Misschien kunnen we daar een bus nemen.'

Ahalya knikte. Kovallam was een groter vissersdorp, drie kilometer verder naar het noorden. Zelfs al zou er waarschijnlijk geen bus rijden, dan zouden ze bijna zeker gefilterd water kunnen vinden op de markt daar. Water was nu hun eerste prioriteit. Vervoer moest wachten.

De kilometers gingen langzaam voorbij in de tropische zon. Af en toe waaide er een verkoelend briesje vanuit de zee dat wat verlichting bracht in de verzengende hitte. Voor de rest was het een monotone, pijnlijke tocht. Hun sandalen, doorweekt en met een dikke laag plakkerig zand bedekt, zorgden voor blaren onder hun voetzolen.

Toen ze Kovallam eindelijk bereikten, was Sita's gezicht vertrokken in een pijnlijke grimas en kon Ahalya nog maar met moeite haar zelfbeheersing bewaren. Aan de stand van de zon te zien moest het bijna elf uur in de ochtend zijn. De kans om het klooster voor het donker te bereiken werd steeds kleiner, tenzij hun kansen zich keerden.

In het dorp Kovallam was het een druk gekrioel van ossenwagens, handkarren, auto's en voetgangers die met elkaar wedijverden in de smalle, ondergelopen straatjes. Ahalya hield een oude vrouw in een modderige sari staande en vroeg haar waar de bus naar Chennai ging. De vrouw was echter volkomen buiten zichzelf van verdriet.

'Mijn zoon,' huilde ze. 'Hij was op het strand. Heb je hem gezien?'

Ahalya schudde droevig haar hoofd en draaide zich om. Vervolgens vroeg ze een man die een mand met rijpe bananen droeg om hulp, maar die staarde haar alleen maar wezenloos aan. Een andere man, die een handkar met druiven voortduwde, reageerde met een kort schudden van zijn hoofd.

'Weet je niet wat er is gebeurd?' vroeg hij, terwijl hij een straal *paan*sap uitspoog op de straat. 'Niemand weet of de bussen rijden of niet.'

Ahalya vocht tegen een plotselinge vlaag van wanhoop. Ze wist dat ze als ze haar kalmte niet kon bewaren, de kans liep een overhaaste beslissing te nemen en hen in gevaar zou brengen.

Samen met Sita liep ze markt van Kovallam op. Zoals ze al had verwacht, waren er maar een paar stalletjes open. Aan een man die suikerrietsap verkocht, vroeg ze of hij misschien een fles water voor hen had. Met haar beste glimlach vertelde ze hem dat haar tas met de vloedgolf was verdwenen en dat ze geen geld had. De verkoper keek haar geïrriteerd aan.

'Iedereen moet betalen,' antwoordde hij bot. 'Niks voor niks.'

Ahalya pakte Sita's hand en samen liepen ze verder in de richting van een groentestalletje. Ze vertelde de verkoper in welke situatie ze waren beland en de man reageerde met medelijden. Hij gaf hun twee flessen water en bood hun een plekje in de schaduw van zijn parasol aan.

'Nandri,' zei Ahalya, terwijl ze de flessen aanpakte en er een aan Sita gaf. 'Dank u wel.'

Eindelijk weg uit de brandende zon klokten ze het water gulzig naar binnen. Toen haar fles leeg was, legde Sita haar hoofd op Ahalya's schouder en doezelde weg. Ahalya verzette zich echter tegen de slaap en zocht de markt met haar ogen af naar een bekend gezicht. Haar vader had hier in Kovallam een aantal mensen gekend, maar ze kon zich hun namen niet herinneren.

Toen de tijd verstreek en ze niemand zag die ze herkende, begon Ahalya te berekenen hoeveel de sieraden die ze in haar tas had op straat waard zouden zijn. En wat zou het kosten om een chauffeur te huren om hen naar

Chennai te brengen? Ze wist wel dat ze beter geen taxi kon nemen, maar ze had ook nog geen enkele bus over het marktplein zien rijden en betwijfelde of er later die middag wel bussen zouden gaan. Ze konden niet te voet naar Chennai, in ieder geval niet binnen een paar uur, en ze wist geen plek buiten die stad waar ze de nacht veilig zouden kunnen doorbrengen.

De twee meisjes bleven meer dan een uur in de schaduw van de parasol zitten uitrusten. Sita verroerde zich niet en Ahalya doezelde uiteindelijk ook weg. Toen ze wakker werd, ontdekte ze dat de zon al over haar hoogste punt heen was. Ze moest snel iets beslissen.

Ahalya draaide zich al om naar de verkoper om te vragen of hij misschien een chauffeur wist, toen ze een gezicht in de menigte zag dat haar vagelijk bekend voorkwam. Een receptie in Mylapore, eerder dat jaar. De man had haar vader hartelijk begroet en haar vader was net zo vriendelijk tegen hem geweest. Ahalya wist zich de naam van de man niet te herinneren, maar een gezicht vergat ze nooit.

Snel schudde ze Sita wakker om te zeggen dat ze op die plek moest blijven zitten. Toen stond ze op en zigzagde tussen de koeien, auto's en riksja's door naar de man toe.

Toen ze voor hem stond, zei ze in het Engels: 'Sir, ik ben Ahalya Ghai. Mijn vader is Naresh Ghai. Herinnert u zich mij nog?'

De man keek haar aan en glimlachte. 'Natuurlijk,' antwoordde hij – hij sprak een zorgvuldig gearticuleerd Engels. 'Ik ben Ramesh Narayanan. We hebben elkaar afgelopen zomer bij het Tamil Historisch Genootschap ontmoet.' Hij keek haar vragend aan. 'Maar wat doe je hier? Ben je samen met je vader?'

Bij die vraag kreeg Ahalya een steek in haar hart. Even moest ze haar gezicht afwenden om haar emoties onder controle te krijgen. Toen deed ze haperend verslag van wat het gezin Ghai was overkomen.

Het bloed trok weg uit Ramesh' gezicht terwijl ze haar verhaal deed. Na afloop moest hij duidelijk naar woorden zoeken in een poging iets passends te zeggen. Uiteindelijk vroeg hij: 'Waar is je zusje?'

Ahalya wees naar het stalletje van de groenteverkoper. 'We willen naar onze kloosterschool in Tiruvallur gaan. Bij de zusters kunnen we terecht.'

Ramesh keek van Ahalya naar Sita en weer terug. 'Om in Tiruvallur te komen, hebben jullie een lift nodig.'

Ahalya knikte. 'We hebben tot nu toe gelopen, maar Sita is heel moe.'

Ramesh tuitte zijn lippen. 'Dan zitten we in hetzelfde schuitje. De bus waarin ik zat, rijdt niet meer. Ik ben bezig een chauffeur te zoeken die me naar Chennai terug kan brengen.' Hij zweeg even en glimlachte flauwtjes naar haar. 'Maak je geen zorgen, ik regel dat jullie voor het donker in Tiruvallur zijn. Dat is wel het minste wat ik kan doen voor de dochters van Naresh Ghai.'

Ahalya werd door een enorme opluchting overspoeld.

'Wacht daar maar samen met je zusje,' zei Ramesh. 'Ik kom jullie zo snel mogelijk halen.'

Een tijd later keerde Ramesh terug met een pezige man in een wijd shirt – een *kurta* – en een kakibroek. De man had ingevallen wangen, koude ogen en een litteken op zijn kin. Hij wierp een korte blik op de zusjes en knikte toen naar Ramesh. Ahalya had een instinctmatig wantrouwen tegen de man met het litteken, maar ze had geen andere keus dan Ramesh' hulp te aanvaarden.

'Waar gaan we naartoe?' vroeg Sita met een lichte trilling in haar stem.

Ramesh gaf haar antwoord. 'Deze man – Kanan heet hij – heeft een truck met vierwielaandrijving. Hij is de enige in heel Kovallam die moedig genoeg is om na de vloedgolf de weg op te gaan. En bovendien was zijn prijs opmerkelijk redelijk. We mogen ons gelukkig prijzen dat we hem hebben gevonden.'

Ahalya pakte haar zusjes hand. 'Het is oké,' zei ze.

Terwijl ze zo dicht mogelijk in de buurt van Ramesh probeerden te blijven, liepen de zusjes achter Kanan aan het marktplein over naar een steegje dat vol hing met felgekleurde lappen stof. De truck – een stoffige, blauwe Toyota – had betere dagen gekend. Roestig en gedeukt stond hij voor een apotheek geparkeerd. Ahalya deed gauw of ze last had van claustrofobie en sloeg Ramesh' uitnodiging om in de cabine te gaan zitten beleefd af. Het idee om vlak naast de man met het litteken te moeten zitten, vervulde haar met afkeer. Sita en zij klommen in de laadbak.

Kanan startte de motor en zette de auto in de eerste versnelling. De truck kwam hortend en stotend op gang en reed toen met een plotselinge schok weg. Na zich een weg te hebben gebaand door de nauwe straten van Kovallam, nam hij de snelweg naar Chennai.

De vloedgolven hadden het prachtige kustgebied veranderd in een kaal, met slib bedekt moeras. De weg was een modderpoel. De truck kwam maar langzaam vooruit in de dikke korst van aangekoekt zand. Hoewel er geen verkeer op de weg was, kostte het hun bijna een uur Neelankarai (de zuidelijkst gelegen voorstad van Chennai) te bereiken, en nóg een uur in Thiruvanmiyur (drie kilometer van de Adyar-rivier vandaan) te komen. De golven hadden de meeste huizen aan de kust verwoest, de weg onder water gezet, auto's omvergesmeten en hele vloten vissersboten op de kust geworpen. De East Coast Road was overvol met voetgangers en het verkeer kwam maar stap voor stap vooruit.

Ongeveer een halve kilometer ten zuiden van de rivierdelta stond het verkeer zelfs helemaal stil. Hoewel er aan alle kanten oorverdovend werd geclaxonneerd en de automobilisten obsceniteiten naar elkaar schreeuwden, kon niets de opstopping in beweging krijgen. Na tien frustrerende minuten keerde Kanan de auto en namen ze een binnenweg naar Saint Thomas Mount. De zon stond al laag aan de hemel toen ze via de brug bij Saidapet de rivier overstaken. De wegen ten noorden van de rivier leken geen schade te hebben opgelopen.

De chauffeur reed in oostelijke richting terug over de weg naar Mylapore en de kust. De bekende chaos van auto's, trucks, bussen, fietsers en riksja's stelde Ahalya enigszins gerust en ze gaf Sita een bemoedigend kneepje in haar hand.

'We zijn er zo,' zei ze, met een glimlach die ze niet weerspiegeld zag in de ogen van haar zusje.

'En wat doen we dan?' vroeg Sita.

'Dat weet ik niet,' moest Ahalya bekennen.

Ahalya vocht constant tegen het enorme verdriet dat ze in haar hart voelde, maar deze keer was de druk te groot. Ze kon zich niet meer inhouden: de tranen rolden over haar wangen en brandden in haar ogen. Ze trok Sita in haar armen en beloofde Lakshmi op het graf van haar vader dat ze ervoor zou zorgen dat haar zusje niets overkwam. Ze zou als een moeder voor haar zorgen en zich alle opofferingen getroosten die nodig waren om Sita, ondanks alle verschrikkingen van die dag, een goed leven te geven. Haar zusje was haar verantwoording.

En ze mocht niet falen.

Een paar minuten voor zes uur stopte de truck bij een luxueus flatcomplex. De schaduwen in de lommerrijke laan waren lang en de zon stond op het punt onder te gaan. Ramesh stapte de cabine uit, streek zijn overhemd glad en glimlachte vriendelijk naar de twee meisjes.

'Het spijt me dat ik jullie niet de hele weg naar Tiruvallur kan begeleiden,' zei hij, 'maar ik heb vanavond een afspraak in Chennai. Ik heb Kanan betaald om jullie de rest van de weg te brengen.'

Hij overhandigde Ahalya een visitekaartje met zijn mobiele nummer. 'Woorden schieten tekort om jullie te zeggen hoezeer ik meeleef met jullie verlies. Bel me als jullie ooit iets nodig hebben.' Met een lichte buiging nam hij afscheid.

Kanan zei niets tegen de meisjes nadat Ramesh was uitgestapt. Hij belde kort met zijn mobiele telefoon en keerde de auto, waarna ze in noordwestelijke richting naar het stadscentrum reden. Ze staken de rivier Kuvan over en sloegen links af een grote doorgangsweg in. Daarna reed Kanan in de richting van de westelijke randsteden.

Alles verliep zoals het moest, totdat ze bij het kruispunt op Jawaharlal Nehru Road kwamen. Zonder waarschuwing ging Kanan opeens linksaf en reed een industriegebied in.

'*Neengal enna seigirirgal?*' wilde Ahalya weten, terwijl ze op het raampje van de cabine tikte. 'Wat doe je?'

Kanan negeerde haar en begon steeds sneller over de onverharde weg te rijden. Ze belandden in een buurt vol verwaarloosde flatgebouwen. Er zwierven vervuilde kinderen en schurftige honden rond, mannen stonden te roken in de schaduwen van de portieken en oudere stellen zaten zwijgend op hun benauwde balkonnetjes. Ahalya kende de buurt niet, maar ze wist dat er ontelbaar veel van dit soort wijken waren in deze stad. Het waren plekken waar men al generaties lang op de rand van het bestaansminimum leefde, in de marge van de maatschappij, waar de mensen de andere kant op keken en geen vragen stelden. Ahalya wist dat niemand haar daar te hulp zou schieten als ze alarm zou slaan. Haar intuïtie bleek juist te zijn geweest: Kanan was niet te vertrouwen.

Ahalya voelde in haar tas naar haar mobiele telefoon. Precies op dat moment stond Kanan voluit op de rem en kwam de truck slippend tot stilstand. Ahalya greep haar telefoon beet en verstopte die snel in haar churidaar. Ze nam de omgeving in zich op. De truck stond aan het einde van een rij verwaarloosde flats, naast een hoge stenen muur. De omgeving was slecht verlicht en verlaten, op een groepje van drie mannen na dat in de duisternis stond. De mannen kwamen om de truck heen staan en een van hen, de jongste, klom de laadbak in. Hij hurkte voor hen neer en zei: 'Jullie hebben niets te vrezen van ons. Doe wat we zeggen en er overkomt jullie niks.' Zijn oog viel op Ahalya's tasje. 'En wat hebben we hier?' mompelde hij, terwijl hij zijn hand uitstak naar haar tas.

Maar Ahalya hield die stevig tegen zich aan geklemd. Zonder enige aarzeling sloeg de jongen haar met de achterkant van zijn hand in haar gezicht. Ahalya's wang brandde van de klap en ze proefde bloed op haar lip. Naast haar begon Sita te jammeren. Het plotselinge geweld had hen allebei geschokt. Haastig overhandigde Ahalya haar tas aan de jongen.

Die keerde hem om boven de vloer van de laadbak, pakte het houten kistje meteen op en deed het van het slot. De sieraden glinsterden in het licht van een straatlantaarn.

'Kanan, jij ouwe rat,' riep hij opgewonden uit, terwijl hij een van Sita's halskettingen omhooghield. 'Kijk eens wat je hebt meegebracht! Je moet de zegen van Ganesha hebben.'

'Mooi,' zei Kanan, terwijl hij zich omdraaide naar een dikke man met een pokdalig gezicht, 'dan moet je mijn beloning maar verdubbelen.' De man fronste zijn voorhoofd en Kanan bond meteen in. 'Oké, oké. Verdubbelen is te veel, maak er vijftig procent van.'

'Deal,' zei de dikke man en hij telde de geldbiljetten uit. 'En nou maken dat je wegkomt.'

De jonge man duwde de meisjes de laadbak uit, Kanan sprong weer in de cabine en racete weg in een wolk van stof.

De jonge man greep Sita bij haar arm en de dikke kwam naast Ahalya lopen. De derde, een man met een bril en een zilveren horloge, liep achter hen. Ahalya's hart bonkte in haar keel toen de mannen hen meenamen een donkere hal in en een trap op. De deur naar een van de flats stond open. Er hing een *hamsa*-amulet – een talisman van een handpalm tegen het Boze Oog – boven de ingang.

De mannen leidden de meisjes de woonkamer binnen. Daar zat een veel te dikke vrouw in een sari televisie te kijken op de bank. Ze wierp een korte blik op de meisjes en richtte toen haar aandacht weer op het programma. De jongen en de dikke man schudden de hand van de man met de bril, die ze Chako noemden. De dikke man voerde op gedempte toon een kort gesprek met hem. Ahalya kon het niet volgen, maar ving alleen op dat de man beloofde de volgende ochtend terug te komen.

Chako nam afscheid van de anderen en sloot de deur met twee grendels achter hen af. Met een nietszeggende blik in zijn ogen draaide hij zich om naar de meisjes.

'Hebben jullie honger?' vroeg hij.

Ahalya's maag rommelde. De gedachte aan eten was urenlang niet bij haar opgekomen. Ze wisselde een blik met Sita en knikte. Chako draaide zich om naar de vrouw en gaf haar kortaf een opdracht in het Tamil, waarop de vrouw van de bank opstond en met een geërgerde blik op de meisjes naar de keuken waggelde.

Een paar minuten later kwam ze weer tevoorschijn met twee borden dampende rijst, kikkererwten en aardappelchutney, plus een kan water. De zusjes aten gulzig. Het eten was veel te sterk gekruid en het water lauw en niet gefilterd, maar dat kon Ahalya intussen al niets meer schelen. Ze moest geduldig wachten tot ze alleen waren en zuster Naomi kon bellen.

Na de maaltijd beval Chako de meisjes naast zijn vrouw op de bank te gaan zitten. Hij nam plaats in een fauteuil ernaast. De vrouw ging helemaal op in een talkshow waarnaar de meisjes nooit hadden mogen kijken van hun moeder. De gast was een bekende Tamil-filmster en het onderwerp van gesprek was haar laatste film, een suikerzoet drama dat zich afspeelde tijdens de burgeroorlog in Sri Lanka.

Ahalya zat wezenloos en in een staat van verdoofd ongeloof naast haar zusje. Haar ouders en Jaya waren dood en Sita en zij ontvoerd. Op één dag. Wat wilden Chako en zijn vrouw met hen? Hadden hier andere meisjes gevangengezeten, of waren zij de eersten? Ahalya wist dat Kanan geld van de dikke man had gekregen. Dat suggereerde dat ze dit al eerder hadden gedaan. Maar waarom? Wat waren ze van plan?

De talkshow duurde een uur en daarna schakelde Chako over naar een internationale nieuwszender. Ahalya en Sita schoten rechtop, geboeid door de beelden van de verwoestingen die het gevolg waren van enorme vloedgolven langs de kust van de Indische Oceaan. Ze zagen baby's die huilden in de armen van reddingswerkers, vrouwen die voor de camera jammerden van verdriet en hele dorpen die volkomen waren weggevaagd door de muur van water die plotseling en zonder enige waarschuwing uit de zee was opgerezen.

Volgens de nieuwslezer waren de vloedgolven, die tsunami's werden genoemd, ontstaan door een enorme aardbeving voor de kust van Indonesië. De aardschokken hadden een reeks golven veroorzaakt die zich razendsnel vanuit het epicentrum hadden verspreid. In minder dan drie uur had de tsunami duizenden doden gemaakt langs de kusten van Indonesië, Thailand, Maleisië, Sri Lanka, India en de Andaman- en Nicobareilanden. Volgens sommige bronnen waren er vijftigduizend mensen verdwenen. Anderen dachten aan een getal dat vijf keer zo hoog was. De omvang van de ramp was onvoorstelbaar.

De televisie bleef aan tot tien uur en toen zette Chako eindelijk het toestel uit, waarna hij Ahalya en Sita naar een klein kamertje bracht waar twee bedden en een nachtkastje stonden. Chako zei dat de zusjes op het ene bed moesten slapen en dat het andere bed voor zijn vrouw bestemd was. Het kamertje had één raam dat met roestige luiken en ijzeren tralies was beveiligd.

Na een paar minuten kwam Chako's vrouw de kamer in, ze had een nachtjapon aangetrokken en hield een glas water plus twee pillen in haar hand. Chako zei dat de pillen hen zouden helpen in slaap te komen. Ahalya besloot snel de pil onder haar tong te verbergen en alleen het water door te slikken. Haar telefoon zat nog steeds verstopt in de plooien van haar churidaar en ze was van plan die te gebruiken als iedereen sliep. Maar Chako's vrouw wrong haar vinger in Ahalya's mond en ontdekte haar bedrog.

'Stomme meid,' beet de vrouw haar toe, terwijl ze Ahalya een klap op de achterkant van haar hoofd gaf. 'Ik zou maar luisteren, als ik jou was.' Ze wrong de pil opnieuw in Ahalya's mond en dwong haar die door te slikken.

Chako wierp een blik op zijn glimmende horloge en wenste de zusjes welterusten. Hij trok de slaapkamerdeur achter zich dicht en draaide de sleutel met een duidelijk hoorbare klik om. Zijn vrouw zeeg neer op het bed dat het dichtst bij het raam stond en keek Ahalya met een gemene blik aan.

'Je kunt hier niet weg,' zei ze, 'dus ik zou het ook maar niet proberen, anders krijg je met Chako's mes te maken. Dat hebben anderen al op een pijnlijke manier moeten leren. En zorg ervoor dat ik ongestoord kan slapen.'

Ahalya en Sita gingen naast elkaar op het bed liggen. Sita lag nog lang stilletjes te huilen, smoorde haar snikken in de lakens, totdat ze eindelijk in slaap sukkelde. Ahalya sloeg haar armen om haar zusje heen, in een wanhopige poging haar te beschermen tegen alle kwade krachten die hun wereld in een nachtmerrie hadden veranderd. Toen de slaappil begon te werken vocht ze om wakker te blijven, maar de pil verdoofde haar en maakte haar oogleden zwaar.

Met haar laatste beetje kracht stopte ze de mobiele telefoon dieper in de plooien van haar churidaar. Toen kon ze het niet langer volhouden en zakte ze in een diepe slaap.

2

> Het kwaad zwerft door het land,
> zijn geheime wegen ons onbekend.
> VOLTAIRE

Kiawah-eiland, South Carolina

DE OCHTEND NA KERSTMIS, in de ochtendschemering voor de opkomst van de zon, maakte Thomas Clarke een wandeling langs de kustlijn van Vanderhorst Plantation, een resort op het eiland Kiawah. Van de vriendengroep in het strandhuis was hij de eerste die op was. Het was een wild feest geweest de avond ervoor, de wijn en cognac hadden rijkelijk gevloeid en de meeste mannen hadden zichzelf volkomen lam gezopen. Thomas had zich ingehouden, maar alleen omdat zijn hoofd vol zat met andere dingen.

Achteraf had hij spijt van deze trip helemaal vanuit Washington D.C. Het was niet zijn idee geweest, maar zijn beste studievriend had over Priya gehoord en hem uitgenodigd om Kerstmis op dit eiland te vieren. Thomas stelde het op prijs dat Jeremy hem gezelschap aanbood, maar uiteindelijk had het uitstapje het omgekeerde effect gehad. Hij had zich in jaren niet zo eenzaam gevoeld.

Hij liep door de duinen in de richting van de zee. Het uitzicht voor hem was prachtig – een onbewolkte, roze gekleurde hemel, witte schuimkoppen op de loodgrijze golven die door de bulderende wind werden opgezwiept, en enorme stukken ongerept wit zand. Met zijn handen in de zakken van zijn jas liep hij naar de waterlijn toe en volgde die in oostelijke richting, tegen de wind in. Met zijn lengte van een meter vijfentachtig en een gewicht van negentig kilo was zijn lichaam gebouwd voor sport. In andere omstandigheden zou hij een stuk zijn gaan hardlopen. Maar vandaag werd hij door andere dingen in beslag genomen. Terwijl hij er stevig de pas in zette, probeerde hij zijn gedachten af te leiden met hersengymnastiek en zocht steeds zijn geheugen af naar weer een nieuw en veilig onderwerp. Maar uiteindelijk lukte hem dat niet meer en doemde het beeld van zijn vrouw in zijn hoofd op: ze stond naast de taxi en nam afscheid.

Haar naam was Priya, wat 'geliefde' betekent. Hij wist nog dat hij haar naam constant in zichzelf had herhaald toen ze elkaar net hadden ontmoet. De onschuld van die dagen leek nu onwerkelijk ver weg. Er was zoveel gebeurd en zoveel veranderd. De klappen die hun relatie had moeten verwerken waren verwoestend geweest en de puinhoop die was achtergebleven enorm. De blik in haar ogen toen ze van hem wegging sprak boekdelen. Achter bitterheid, woede en wanhoop, achter de emoties zelf, ligt een gebied van niets meer voelen. Ze had hem niet aangekeken, maar eerder door hem heen gekeken.

Hun verhaal had veel hoofdstukken, veel verschillende fases. Sommige daarvan waren nog begrijpelijk, maar het grootste gedeelte was een verwarde chaos van fouten en pijn. Er was tragiek, verraad, verscheurde loyaliteit en onuitgesproken behoeften, plus een cultuurverschil dat nooit was overbrugd. Maar zo ging het blijkbaar vaak in het leven. Vaste grond onder iemands voeten kon zonder enige waarschuwing in drijfzand veranderen. De wereld van de rede sloeg om in die van de waanzin en goede mensen verloren hun verstand.

Thomas was intussen aan het einde van de Ocean Golfcourse gekomen en draaide zich om. Het was kil in deze tijd van het jaar op het lege strand van de Vanderhorst Plantation, maar de opkomende zon schitterde op het water, waardoor het warmer leek dan het eigenlijk was. Op de terugweg naar het strandhuis versnelde Thomas zijn pas. Hij was opgevoed door een atletiekkampioene en een ex-marinier die nu een vooraanstaande rechter bij het gerechtshof van Virginia was: Randolph Truman Clarke, een rechter met staalharde ogen en het vermogen uiterst snel een oordeel te kunnen vellen. Zijn vader had altijd geloofd in vroeg opstaan en had Thomas en zijn jongere broer Ted van jongs af aan het verlangen naar een zonsopgang in de verte met de koude wind in je gezicht bijgebracht.

Toen Thomas het pad bereikte dat door de duinen leidde, bleef hij even staan om te luisteren naar het ritme van de golven – de cadans had een kalmerend effect op hem. Er lag een lange dag voor hem. Alleen de gedachte eraan deed hem al terugdeinzen, maar hij kon het echt niet langer uitstellen.

Sinds Priya en hij in dezelfde stad als zijn ouders woonden, hadden ze kerstavond in Alexandria, bij hen, gevierd. Die traditie had hij dit jaar voor het eerst en zonder enige uitleg doorbroken. Zijn vader had zijn afkeuring in een paar woorden geuit, maar zijn moeder was diep terneergeslagen geweest. Ze had willen weten wat hun plannen dán waren en hij had haar geen duidelijk antwoord gegeven. Hij kon het gewoon niet over zijn lippen krijgen dat Priya en hij uit elkaar waren.

Uiteindelijk hadden ze hem echter klemgezet. Zijn moeder had erop gestaan – gestáán – dat ze dan een andere dag kwamen dineren, voor of na de kerst, het maakte niet uit. Hij had haar uitnodiging nog proberen af te houden door te zeggen dat hij het veel te druk had met zijn werk, maar toen was zijn vader tussenbeide gekomen en had de hoorn overgenomen.

'De dag na Kerstmis is een zondag,' had hij gezegd. 'Dan is er echt niemand op kantoor, dus weet ik zeker dat je er wel even uit kunt.'

'Het kerstfeest van de firma is die avond gepland,' had Thomas daartegen ingebracht.

Dat had even gewerkt, totdat zijn vader had gevraagd hoe laat dat feest dan begon.

'Halfnegen,' had hij moeten bekennen.

'Dan kun je daarvóór best even langskomen,' had zijn vader geconcludeerd.

Thomas liep terug naar het strandhuis en pakte zijn tas in. De meesten van Jeremy's vrienden waren nog diep in slaap en het huis was een enorme puinhoop. Overal stonden vuile borden en glazen, en het stonk er vagelijk naar drank. Hij was niet jaloers op Jeremy, die dat allemaal zou moeten opruimen.

In de gang kwam hij Jeremy tegen, gekleed in een boxershort en een grijs T-shirt.

'Ga je er nu al vandoor?' vroeg hij. 'Ik maak straks nog een flink ontbijt, dan heb je een goede bodem voor de terugreis.'

Thomas streek met zijn hand door zijn haar. 'Dat klinkt aantrekkelijk, maar ik moet terug. Vanavond is de kerstborrel van Clayton en daarvoor heb ik nog een diner bij mijn ouders.'

'Soms lijkt het wel of er geen einde komt aan die feestdagen, hè?' antwoordde Jeremy met een grijns.

'In ieder geval heel erg bedankt dat je aan me hebt gedacht,' zei Thomas.

Jeremy legde een hand op Thomas' schouder. 'Ik weet dat het niet hetzelfde was als Kerstmis met Priya, maar ik vond het fijn je weer te zien. Als ik iets kan doen...'

'Bedankt.' Thomas glimlachte flauwtjes, pakte zijn tas en vertrok.

Afwezig reed hij naar de toegangspoort van het complex. Hij zag nogal op tegen de tien uur durende rit die voor hem lag. Toen hij het resortterrein af was, nam hij de snelweg naar Charleston. Er was weinig verkeer en al na veertig minuten bereikte hij de stad. Echt haast had hij niet, maar omdat de verkeerspolitie zich op een dag als deze wel niet zou laten zien, trapte hij het gaspedaal steviger in dan normaal. Hij deed zijn best om niet te denken aan het lege huis dat in Georgetown op hem wachtte, of aan de geur van jasmijn en seringen van Priya's parfum die nog tussen de lakens hing.

Na een tijdje zoeken vond Thomas een radiostation met klassieke muziek. Hij racete over de weg, zonder zich iets aan te trekken van de snelheidslimiet. De Audi maakte even weinig geluid bij tachtig als bij honderddertig kilometer. Rond het middaguur moest hij tanken en toen drong het ook tot hem door dat hij nog niet had ontbeten. Op aanraden van de pomphouder kocht hij een hamsandwich en reed daarna nog een kilometer door naar de Botanische Tuinen van Cape Fear. Het was intussen warm genoeg om zijn broodje in de buitenlucht op te eten.

Hij parkeerde op de bezoekersparkeerplaats en wandelde de tuin in. Het was een idyllische, weelderig begroeide plek. Er liepen een paar stelletjes te wandelen, een oudere man gooide rijstkorrels naar een groep duiven en er was een blonde vrouw met een hoed die foto's nam van een man met een zonnebril die onder een eikenboom voor haar poseerde. Niet ver van hen vandaan liepen een jonge moeder en een meisje van een jaar of tien het pad af dat naar de speeltuin leidde. Thomas zag het kind voor haar moeder uit rennen en voelde de bekende steek in zijn hart. Toen Priya zwanger was, had hij ervan gedroomd Mohini ooit haar eerste stapjes te zien doen in Rock Creek Park. Dat was een van de ontelbare dingen die waren vermorzeld door de dood van zijn kleine meisje.

Thomas liep naar een paviljoentje midden op een grasveld en ging daar op de trap zitten. Hij zag de moeder en haar dochter tussen een groep winterharde bomen verdwijnen. De vrouw met de camera verloor algauw haar interesse in het fotograferen van haar metgezel en richtte haar camera nu op de bloemen. Het toestel klikte en klikte, terwijl ze zomaar wat plaatjes van de omgeving schoot en uiteindelijk bij de ingang van de speeltuin belandde; haar vriend slenterde een eindje achter haar.

Thomas pakte zijn broodje uit en nam een hap. Hij keek op naar de wolken die lui door de lucht dreven en genoot van de rust van deze plek. Na een tijdje richtte hij zijn aandacht weer op de omgeving en zag dat de oudere man op een bankje aan de rand van de speeltuin was gaan zitten. Verder was iedereen verdwenen. Het was heel vredig en sereen. Het bos was een onbedorven stukje natuur, het was doodstil en de decemberzon hing als een lantaarn in de lucht.

Toen werd de stilte plotseling verscheurd door een snerpende gil.

Thomas schrok op, legde zijn broodje neer en kwam overeind. Weer die gil. Het was een vrouwenstem, afkomstig uit de speeltuin. Instinctief begon hij het pad af te rennen. Hij wist het zeker: dat gillen had iets te maken met het meisje.

Hij rende het bos op topsnelheid in. Het was een verlaten, donker pad in een dennenbos. Even later rende hij het groepje bomen alweer uit en zag de jonge moeder in elkaar gekrompen in het gras liggen. Ze klemde haar ene hand om haar buik en had de andere voor haar gezicht geslagen, terwijl ze steeds dezelfde naam herhaalde: 'Abby, Abby, Abby.'

Thomas keek om zich heen.

Het meisje was nergens te zien.

Hij rende naar de vrouw toe en knielde naast haar neer. Haar ene wang was knalrood door een gemene kneuzing die aan het opkomen was. Ze keek hem paniekerig aan.

'Alsjeblieft!' zei ze schor. 'Ze hebben haar! Ze hebben mijn Abby! Help me!'

Thomas' hart maakte een duikeling. 'Wie? Wie hebben haar?' vroeg hij, terwijl hij nog een keer om zich heen keek.

'Een vrouw met een fototoestel,' hijgde de vrouw, terwijl ze probeerde overeind te komen. 'En twee mannen. Eentje heeft me van achteren aangevallen.' Ze gebaarde naar de rij bomen die hen scheidde van de parkeerplaats. 'Ze zijn die kant op! Doe iets! Alstublieft!'

Op dat moment hoorden ze een motor starten en het geluid van banden die over het grind wegspoten. Thomas aarzelde maar een seconde en sprong toen op om het bos weer in te rennen. De takken striemden in zijn gezicht en hij struikelde bijna over een gevallen tak, maar vertraagde geen moment. Hij kon maar aan één ding denken – het meisje.

Thomas kwam nog net op tijd tussen de bomen uit rennen om een zwarte SUV het parkeerplaatsje af te zien scheuren en rechtsaf te zien gaan. Haastig trok hij zijn mobiele telefoon tevoorschijn en belde 911. Er werd onmiddellijk opgenomen.

‘Er is iemand gekidnapt,’ zei hij buiten adem, terwijl hij met zijn andere hand zijn autosleutels zocht. ‘In de Botanische Tuinen. Een meisje van een jaar of tien. Haar moeder is daar nog en ze is gewond. Ik heb een zwarte SUV zien wegrijden, maar kon het nummerbord niet lezen.’

Voordat de telefonist de tijd had om te reageren, had Thomas de verbinding al verbroken. Hij rukte het portier open, plofte neer op de bestuurdersstoel en startte de auto. Wild schakelend reed hij met een scherpe bocht de parkeerplaats af en schoot met piepende banden Eastern Boulevard op, in de richting van de Middle River Loop. Twee keer zo hard als was toegestaan racete hij over de snelweg in de hoop een glimp van de SUV op te vangen, voordat die ergens afsloeg naar een secundaire weg. Er was weinig verkeer, maar hij zag de SUV nergens.

Na nog een kilometer of twee te hebben gereden zonder de SUV te hebben gezien, stopte hij langs de kant van de weg. Wanhopig keek hij om zich heen. Iedere seconde die verstreek verminderde zijn kans op succes. Het landschap ten noorden van de Middle River Loop bestond voornamelijk uit bossen en eindeloze velden. Nog een keer zocht hij met zijn ogen de hele omgeving af of hij ergens een zwarte glimp door het groen zag schemeren. Er reden een paar auto’s voorbij over de snelweg, maar de SUV was nergens te bekennen.

Thomas omklemde het stuur stevig. De brutaliteit van de ontvoering maakte hem woedend. De SUV had op zijn hoogst een minuut op hem voor gelegen. Ze kónden gewoon niet ver weg zijn. Maar hij kende dit gebied niet en de kidnappers wel, dat was duidelijk.

Na een tijdje keerde hij de auto en reed de weg terug die hij was gekomen. Tijdens zijn afwezigheid waren er vier politiewagens en een ambulance bij de ingang van het park gearriveerd, allemaal met hun zwaailichten aan. Er stonden twee agenten achter de ambulance, naast een ambulanceverpleegster die de moeder van het meisje verzorgde. Een derde agent zei iets in zijn radio en de vierde was een eind verderop foto’s aan het maken.

Thomas liep op de agent af die in de radio stond te praten en wachtte. De man was lang van stof en leek hem niet op te merken. Voordat Thomas de kans kreeg zichzelf aan hem voor te stellen, voelde hij een hand zijn arm omklemmen. Toen hij zich omdraaide, keek hij in de onderzoekende bruine ogen van de moeder van het ontvoerde meisje.

‘Alstublieft, zeg me dat u ze hebt gezien?’ vroeg ze smekend, terwijl ze de verpleegster die probeerde haar mee terug te nemen naar de ambulance, van zich af duwde. ‘Alstublieft, zeg me dat u weet waar ze zijn.’

Thomas schudde zijn hoofd, zijn falen drukte zwaar op hem.

'O, god!' jammerde de vrouw. 'O, mijn god!' De pijn droop van haar woorden. 'Ze is vandaag elf geworden. Ik nam haar mee naar de film, maar ze wilde eerst nog langs de speeltuin.' Zonder waarschuwing begon ze met haar vuisten op Thomas' borstkas te roffelen. 'Ik had nee moeten zeggen!' gilde ze wild snikkend. 'Hoe heeft dit kunnen gebeuren?'

Thomas had geen idee wat hij moest doen. Hij wisselde een blik met een van de agenten, waarop die voorzichtig probeerde tussenbeide te komen, maar zijn halfhartige pogingen hadden geen effect.

Uiteindelijk kreeg de vrouw zichzelf weer voldoende onder controle om Thomas los te laten. 'Sorry,' zei ze, terwijl ze een stap naar achteren zette. 'Ik had gewoon...' Ze sloeg haar armen om zich heen. 'Abby is alles wat ik heb. Ik kán haar niet kwijtraken. Ik weet niet wat ik dan zou doen.'

De ambulanceverpleegster zag een kans en pakte de vrouw bij de hand. 'Ga maar even met mij mee, miss Davis. De politie doet alles wat ze kan. Kom, dan lappen we u een beetje op.'

Dit keer liep de moeder van het ontvoerde meisje zonder zich te verzetten met haar mee.

Thomas bleef verstijfd achter, diep geraakt en van slag vanwege de wanhoop van de vrouw. De agent met de radio begon hem vragen te stellen over het incident en hij gaf keurig antwoord, maar zijn gedachten dwaalden af naar een andere plek, een ander moment – naar een kleine heuvel op het Glenwood kerkhof, waar hij bloemen op het graf van zijn dochtertje legde.

Het duurde een kwartier voordat hij zijn verklaring had afgelegd. Tegen het einde kwam er een ongemarkeerde politieauto de parkeerplaats op rijden, waaruit een lange man in burgerkleding stapte. Nadat hij even met een van de agenten bij de ambulance had gesproken, kwam hij op Thomas aflopen.

'Ik ben rechercheur Morgan van bureau Fayetteville. Ik begrijp dat u degene bent die 911 heeft gebeld.'

'Dat klopt,' bevestigde Thomas.

'Mag ik vragen waarom u de auto hebt proberen te volgen?'

Thomas haalde zijn schouders op. 'Gewoon. Ik wilde helpen.'

'Agent Velasquez hier vertelde dat u de daders hebt gezien.'

'Alleen van een afstandje. Ze zagen er heel gewoon uit, als een doorsneestel in een winkelcentrum. Op dat moment is me niets aan hen opgevallen.'

'Zou u hen bij een confrontatie kunnen herkennen?'

'Dat betwijfel ik. Misschien de man, maar de vrouw niet.'

De rechercheur bekeek hem nieuwsgierig. 'Wat doet u voor de kost, als ik vragen mag?'

'Ik ben advocaat in Washington. Hoezo?'

De rechercheur glimlachte wrang. 'Een altruïstische jurist, die kom je niet vaak tegen.'

Een belachelijke opmerking vond Thomas en er ging een steek van ergernis door hem heen. Hij wierp een korte blik op de ambulance en zag dat de moeder van het meisje werd behandeld aan wonden op haar armen. Er was iets vreemds aan dit hele gebeuren; het zeurde in zijn achterhoofd. Er klopte iets niet.

'Wat is er hier eigenlijk aan de hand geweest?' vroeg hij. 'Er waren meerdere ontvoerders en ze hebben op klaarlichte dag toegeslagen. Hoe meer ik erover nadenk, hoe meer ik het gevoel krijg dat het allemaal precies zo was gepland.'

De rechercheur sloeg zijn armen over elkaar. 'Daar kan ik geen antwoord op geven.'

'Wilt u me vertellen dat dit een normaal misdrijf is? We zijn hier in North Carolina, niet in Mexico!'

De ogen van de rechercheur verduisterden. 'Dat kan ik niet bevestigen of ontkennen.' Zijn toon werd wat vriendelijker. 'Luister, misschien is het een geruststelling voor u te weten dat er een heel team capabele mensen op deze zaak zit. De FBI wordt er zelfs misschien bij ingeschakeld. Wij zullen er alles aan doen wat we kunnen.'

'Daar twijfel ik niet aan. Maar denkt u het meisje te vinden?'

De rechercheur staarde in de richting van het bos en even liet hij zijn professionele houding varen. 'Ik zal er niet om liegen: de statistieken voorspellen weinig goeds.'

Thomas ademde diep in. Hij had het gevoel alsof iemand een mes in zijn buik had gestoken. Toen stak hij zijn hand uit naar de rechercheur om afscheid te nemen.

Rechercheur Morgan overhandigde hem zijn kaartje en zei: 'Bel me als u nog iets te binnen schiet. En houd uw e-mail in de gaten. We hebben misschien nog meer vragen voor u.'

Thomas knikte en liep terug naar zijn auto, de woorden van de moeder van het meisje echoden nog na in zijn hoofd. *Abby is alles wat ik heb. Ik kán haar niet kwijtraken.* Hij probeerde de wanhoop van de vrouw van zich af te schudden, maar die liet hem niet los.

De rest van de rit naar Washington verliep in een soort verdoving. De ontvoering speelde zich aan de lopende band opnieuw af in zijn hoofd. Had hij het gevaar maar gezien en Abby's moeder kunnen zeggen dat ze dat bos niet in moest gaan. Had hij de kwade bedoelingen van de vrouw met de fotocamera en de man met wie ze was maar beseft. Was hij maar sneller geweest en had hij maar gewacht met 911 bellen totdat hij op de snelweg was. Wat waren de kidnappers van plan met het meisje? Zouden ze losgeld willen, of ging het om iets veel ergers?

Vlak voor zes uur was hij in Washington. Hij reed langs de Potomac-rivier en ging de brug over naar Georgetown. Voor zijn huis vond hij een plekje om te parkeren en met zijn weekendtas in zijn hand stapte hij een paar seconden later de hal binnen. In de drie weken dat Priya nu weg was, was hij nog niet gewend geraakt aan de stilte in huis. Hij knipte een paar lampen aan en liep de trap op naar de slaapkamer waar hij een andere broek en trui aantrok. Toen hij zichzelf in de spiegel bekeek, zag hij donkere kringen onder zijn ogen. Zijn moeder zou zeker zeggen dat hij niet goed voor zichzelf zorgde. En daar had ze gelijk in.

De rit naar de oude stad van Alexandria was een vage opeenvolging van lichten. Toen hij de oprit van het bescheiden, in tudorstijl gebouwde huis van zijn ouders op reed, bleef hij nog een tijdje in stilte voor zich uit zitten staren. Toen liep hij de paar treden van de trap naar de voordeur op en bleef daar staan. De gedempte stem van Gene Autry begroette hem met een of ander lied over de Kerstman. Even had hij het onwerkelijke gevoel dat hij droomde. Een jaar geleden hadden Priya en hij hier op dezelfde plek gestaan, hand in hand, niet alleen uit verliefdheid, maar vooral omdat ze zwanger was en zich verheugde op het moederschap, en hij tevreden was met zijn leven als de rijzende ster bij Clayton|Swift. Hij werkte aan de verdediging voor Wharton Coal in een zaak die een grote stap in zijn carrière kon betekenen. Financieel hadden ze het prima. Hoe had alles toch zo verschrikkelijk mis kunnen gaan?

Hij klopte twee keer voordat hij de deur opendeed. Elena Clarke kwam hem in de hal tegemoet, ze had een schort voor en haar gezicht glom van de hitte van het fornuis. Haar ogen vernauwden zich toen ze zag dat hij alleen was. Even stonden ze in stilte tegenover elkaar – geen van tweeën wilde de eerste zijn die er iets over zei.

Toen vatte Thomas moed en zei hij: ‘Priya komt niet. Ze is drie weken geleden bij me weggegaan.’ Het was er eindelijk uit.

Even zette zijn moeder grote ogen op, maar ze herstelde zich snel. ‘Dat had je ons niet verteld,’ zei ze zachtjes.

‘Ik wist niet hoe ik het moest zeggen.’

‘Waar is ze heen?’

Hij ademde diep in. ‘Naar huis.’

Elena kwam naar hem toe lopen, in eerste instantie een beetje aarzelend en vervolgens met meer zelfvertrouwen. Hij accepteerde haar omhelzing zonder verzet.

'We wisten dat het een heel moeilijke tijd voor jullie was, maar hoopten dat het niet zover zou komen.' Ze deed een stap naar achteren en keek hem onderzoekend aan. 'Hoe voel je je?'

Thomas haalde zijn schouders op. 'Kan beter.'

Elena knikte. 'Je vader zit in zijn werkkamer.' Ze rolde met haar ogen. 'Verdiept in een of ander ongelooflijk dik en vreselijk ingewikkeld boek over de Peloponnesische Oorlogen.'

Thomas deed zijn best om te glimlachen. 'Is het weer zover?'

Hij liep langs alle ingelijste schoolfoto's uit zijn jeugd de gang door en ging het heiligdom van zijn vader binnen. De werkkamer had meer weg van een bibliotheek. Zijn vader zat in een leren stoel met een enorm boek op zijn schoot en een vulpen in zijn hand. Het was een vreselijk dikke pil, bijna zo groot als een woordenboek. Thomas zag eindeloos gekriebel in de marges: de rechter becommentarieerde alles wat hij las. Zijn werk bestond uit oordelen vellen en in zijn vrije tijd deed hij hetzelfde: auteurs waren een gemakkelijke prooi.

De rechter keek naar hem op. 'Gelukkig kerstfeest, Thomas.'

'Gelukkig kerstfeest, vader.' Thomas bleef een beetje ongemakkelijk in de deuropening staan, niet wetend wat hij moest zeggen.

De rechter nam het woord. 'Ik hoorde wat je je moeder vertelde over Priya. Was het Mohini of werd de Whartonzaak haar te veel?'

Thomas moest even met zijn ogen knipperen. Zijn vader was altijd nogal direct, op het botte af. 'Van allebei een beetje, denk ik,' antwoordde hij, zonder te vertellen dat er méér was gebeurd, dat zijzelf net zo schuldig waren als de omstandigheden.

'Ze heeft altijd al een hekel gehad aan die verdomde Whartonzaak,' vervolgde zijn vader.

'Het is moeilijk géén hekel te hebben aan een bedrijf dat een school vol kinderen heeft vermoord.'

De rechter knikte en stond op. 'De vloek van de advocaat,' zei hij, terwijl hij voorging naar de eetkamer. 'Die kan zijn cliënten niet kiezen.'

'Priya zou de zaak hebben geweigerd.'

'Ja,' zei zijn vader. 'Priya is altijd al een idealist geweest.' Hij draaide zich om en legde zijn hand op Thomas' schouder. Ergens in de buurt sloeg een klok. Zeven keer. 'Het spijt me, zoon. Het spijt me enorm. Je hebt het zwaar te verduren gehad het laatste halfjaar.'

'Bedankt,' zei hij, geraakt door de emotie die zijn vader toonde, iets wat zelden gebeurde.

Elena was al in de eetkamer, ze had een mandje dampende, hete broodjes in haar handen. 'We hebben gevulde kalkoen, aardappelpuree, cranberry's, broccoli, de hele mikmak,' zei ze opgewekt, in een poging de stemming wat te verbeteren. 'Ted en Amy hebben er op kerstavond al flink van gegeten, maar ik heb de kalkoen opnieuw gevuld.'

Het eten rook heerlijk en Thomas stond zichzelf een klein glimlachje toe. Zijn jongere broer werkte in de financiële wereld van New York en Teds vrouw, Amy, maakte furore als model voor een hele reeks modebladen. Ondanks hun glanzende carrières, waren het heel gewone en pretentieloze mensen.

'Ik durf te wedden dat Ted daar meer mee te maken heeft gehad dan Amy,' reageerde Thomas gevat.

Zijn vader grinnikte. 'Die meid lijkt nooit ook maar één hap te eten.'

'Het spijt me echt dat ik er niet bij was,' zei Thomas. Hij had niet verwacht dat hij dat meende, maar voelde dat dat wel zo was.

'Het is al goed,' zei zijn moeder. 'Nou, tast toe, zou ik zeggen.'

Tijdens het eten probeerden ze het gesprek luchtig te houden. Maar de ernst van de actualiteit haalde hen in toen ze het hoofdgerecht bijna op hadden. Zijn moeder vroeg aan Thomas of hij al had gehoord over de tsunami in de Indische Oceaan.

'Ja, er werd over gepraat op de radio,' antwoordde Thomas.

'Je moeder heeft de hele middag aan de televisie gekluisterd gezeten,' merkte zijn vader op.

'Het is gewoon niet voor te stellen,' zei Elena hoofdschuddend. 'Al die mensen...' Haar stem haperde even van emotie. 'Hoe kan zoiets nou gebeuren?'

'Ik weet het niet,' zei Thomas. Het was al de tweede keer op één dag dat hij die vraag hoorde. Hij dacht terug aan Abby's moeder, wanhopig huilend, en richtte het woord tegen zijn vader.

'Nu we het toch over deprimerende onderwerpen hebben, wil ik graag weten wat uw indruk is van iets wat me op weg hierheen is gebeurd.'

Thomas deed zijn verhaal over de ontvoering en het gesprek daarna met rechercheur Morgan. Zijn vader zat aan de top van een van de machtigste juridische districten van het land. Als er iemand was die op de hoogte was van de criminaliteit in Amerika, dan was hij het wel.

Toen Thomas was uitverteld, streek zijn vader bedachtzaam over zijn kin. 'Hmm, Fort Bragg ligt in Fayetteville.' Na een tijdje ging hij verder: 'Het is misschien geen gewone ontvoering geweest. Het laatste jaar merken we dat de zaken die met mensenhandel te maken hebben behoorlijk toenemen.'

Thomas fronste zijn voorhoofd. 'Wat heeft Fort Bragg daarmee te maken?'

'Heel eenvoudig: het fort garandeert pooiers een substantiële klantenkring.'

Elena sloeg een kruis en stond plotseling op om de tafel af te ruimen. Thomas wisselde een blik met zijn vader en kwam overeind om haar te helpen. Toen ze klaar waren gingen ze naar de zitkamer. Thomas nam kleine slokjes van zijn glas cognac en zijn vader stookte de haard op.

Toen ze alle drie rondom de kerstboom zaten, pakte Elena een oude, in leer gebonden bijbel van een bijzettafeltje. Ze sloeg hem open bij het evangelie van Lucas, zoals altijd met Kerstmis. Maar het enige wat ze deed was naar de letters staren. Na een tijdje sloeg ze het boek weer dicht.

'Ik geloof niet dat ik nu kan voorlezen,' zei ze.

'Dan doe ik het wel,' zei zijn vader en hij nam de bijbel van haar over.

De rechter bladerde naar de juiste pagina en las de eeuwenoude woorden hardop voor.

Thomas luisterde beleefd, zoals hij ieder jaar van zijn leven had gedaan, maar het zei hem allemaal weinig meer. Hij was net als ieder katholiek jongentje godsdienstig opgevoed, maar zijn geloof was tijdens zijn jaren op Yale vervaagd. In de werkelijkheid was 'twijfel' de enige waarheid.

Toen zijn vader klaar was met voorlezen, pakte zijn moeder een klein, in goudkleurig papier gewikkeld pakje onder de kerstboom vandaan. Het horen van het Bijbelverhaal leek haar wat te hebben gekalmeerd. Ze keek Thomas glimlachend aan en wierp een korte blik op zijn vader.

'Je vader heeft ze uitgekozen,' zei ze.

Thomas haalde het papier eraf en opende een juweliersdoosje waar een paar zilveren manchetknopen in zaten, met daarin zijn initialen gegraveerd: TRC. De 'R' stond voor Randolph.

'Priya probeerde je altijd zover te krijgen dat je die dandyachtige Franse overhemden met dubbele manchet ging dragen,' zei zijn vader met een klein lachje. 'Ik dacht dat deze misschien zouden helpen.'

'Ze probeerde me altijd zover te krijgen dat ik ik weet niet wat allemaal deed,' zei Thomas.

Elena haalde een tweede pakje tevoorschijn. 'Dit had ik als cadeau voor haar,' zei ze met een zucht. 'Ik heb het gevonden in een tweedehandsboekwinkel. Ik kan het natuurlijk ook zelf houden, maar ik heb eigenlijk liever dat jij het meeneemt.'

Thomas schudde zijn hoofd. 'Ze komt niet terug, mam, dus ik zou niet weten waarom.' Hij wilde niet bot zijn, maar vond het belangrijk om dat echt duidelijk te maken.

Elena zuchtte. 'Neem het toch maar mee, Thomas, alsjeblieft.'

Thomas nam het cadeau met tegenzin aan. 'Wilt u dat ik het uitpak?'

Zijn moeder knikte.

In het papier zat een boekje in pocketformaat met gedichten van Sarojini Naidu.

'Een goede keus,' zei hij. 'Ze houdt van Naidu.'

'Waarom lees je er niet iets uit voor?'

Het liefst had hij nee gezegd, maar hij wilde zijn moeder niet teleurstellen. Dus sloeg hij het boekje open bij een willekeurig gedicht. Het bleek 'Vergankelijkheid' te heten. Hoewel het van een hartbrekende schoonheid was, voelde Thomas er helemaal niets bij.

'Nee, huil niet; nieuwe hoop, nieuwe gezichten, nieuwe dromen
het plezier van de jaren die nog komen,
zal ervoor zorgen dat je hart verraad pleegt aan je verdriet
en je ogen ontrouw maken aan de tranen die je vergiet.'

Het bleef stil in de kamer toen hij was uitgesproken. Niemand wist iets te zeggen. Ze werden gered door het slaan van de antieke klok. Acht keer.

'Het spijt me, maar ik moet er alweer vandoor,' zei Thomas, terwijl hij zijn best deed te verbergen dat het een opluchting was. 'Maar ik moet me nog verkleden, voordat ik naar de kerstborrel van de zaak ga.'

'Ja, natuurlijk,' zei Elena, maar haar ogen stonden verdrietig.

Zijn ouders liepen met hem mee naar de voordeur. In tegenstelling tot de opgewekte stemming die ze er aan het begin van de maaltijd in hadden proberen te houden, keken ze nu allebei ernstig.

'Bel ons als je iets nodig hebt,' zei Elena. 'Dag en nacht, het maakt niet uit.'

'Ik red me wel,' zei Thomas, terwijl hij zijn moeder een zoen op haar wang gaf en zijn vader de hand schudde. 'Maak je geen zorgen over mij.'

Maar hij wist dat ze hem niet geloofden.

Thomas reed terug naar huis om snel zijn smoking aan te trekken. Hij was eigenlijk doodmoe. Het was natuurlijk belachelijk om helemaal naar South Carolina te rijden voor kerstavond. Al het gedoe om Kerstmis en Nieuwjaar heen leek best leuk, maar zelfs als het goed met hem ging kreeg hij koppijn van al dat gezellig doen. Hij had behoefte aan een borrel. Dat was zo ongeveer het enige leuke aan de kerstborrel bij Clayton|Swift – de drank vloeide er altijd rijkelijk.

Hij hield een taxi aan en liet zich naar het Mayflowerhotel brengen. Het was negen uur toen hij voor de ingang werd afgezet. Uit ervaring wist hij dat het feit dat hij laat was niet zou opvallen. De borrels bij Clayton gingen altijd de hele nacht door.

Toen hij de lobby van het oude Beaux Arts-gebouw binnenliep, kwam hem al een druk geroezemoes tegemoet. In de vestiging van Clayton|Swift in Washington, een van de twintig kantoren die verspreid zaten over de hele wereld, werkten zo'n tweehonderd juristen plus nog ongeveer twee keer zoveel partners en ondersteunend personeel. Als de hele groep bij elkaar was en er werd gedronken, moest je altijd schreeuwen om jezelf verstaanbaar te maken.

Thomas wandelde de balzaal binnen en begroette een groepje vrienden. Na een paar grappen en wat kantoorroddels, excuseerde hij zich om een drankje te gaan halen. Aan een van de bars bestelde hij een Manhattan en keek toe terwijl de barman whisky, vermout en bitter met elkaar mixte. Met zijn drankje in zijn hand keek hij, terwijl hij af en toe een slokje nam, naar de verhitte feestvierders, hun gezichten rood van opwinding en drank.

Als hij zich tussen zijn collega's van Clayton|Swift bevond, voelde hij zich altijd opgewonden en trots dat hij erbij hoorde. Clayton|Swift was een van de meest prestigieuze advocatenkantoren ter wereld. De laatste tien jaar, met de vlucht die de huizenmarkt had genomen, de toename van internationale fusies en overnames, en de groei van de wereldenergiesector, had de partners in de firma geen windeieren gelegd – ze waren allemaal multimiljonair. Medewerkers zoals Thomas zagen hen als voorbeeld van het goede leven dat hun wachtte.

Priya had echter alles waar de firma voor stond gehaat. Toen Thomas had gesolliciteerd bij Clayton|Swift, was ze daar fel op tegen geweest. Priya vond dat de non-profitadvocatuur de enige betekenisvolle en zinnige weg was. Hij had naar haar geluisterd. Hij had altijd naar haar geluisterd. Maar hij was het niet met haar eens geweest. Keihard werken voor een hongerloontje bij een mensenrechtenorganisatie was dan misschien heel bevredigend, maar voor je carrière was dat een doodlopende weg. Hij wilde wat zijn vader had – een hoge functie bij de rechtbank. En om daar te komen, moest hij bij een bedrijf dat iets in de melk te brokkelen had hebben gewerkt.

'Hé, grote onbekende.'

Hij schrok op, draaide zich om en keek in de aquamarijnblauwe ogen van Tera Atwood.

'Ik heb je het hele weekend gebeld, maar je nam niet op,' zei ze. Ze kwam dicht naast hem staan en raakte zijn arm aan. 'Heb je iets leuks gedaan?'

Tera was afgestudeerd aan de Universiteit van Chicago en een jaar later dan Thomas bij Clayton|Swift komen werken. Ze was slim, energiek en knap. Die avond was ze gekleed in een met zilveren pailletten geborduurde avondjurk, waardoor ze eerder op een filmster leek dan op een juriste bij een grote firma.

'Ik ben naar het strand geweest met een stel vrienden,' zei hij, terwijl hij om zich heen blikte om te zien of er iemand naar hen keek. 'Ik was mijn BlackBerry vergeten.'

Hij probeerde te ontspannen, maar kon het niet. Tera's effect op hem was overrompelend. Haar aanwezigheid kon in twee woorden worden samengevat: lust- en schuldgevoelens.

Ze glimlachte koket naar hem. 'We kunnen hier verdwijnen en op zoek gaan naar een plekje waar we wat meer privacy hebben.'

Zijn schuldgevoelens vlamden op. 'Dat lijkt me geen goed idee.'

Tera keek hem enigszins verward en een beetje gekwetst aan. 'Lieve Thomas, je vergeet dat Priya je heeft verlaten. Hoezo moet je nou nog iets verborgen houden?'

Hij wierp een blik op de rest van de mensen. 'Maar dat weten zíj niet.'

'En hoe lang ben je van plan dat geheim te houden?'

'Geen idee,' antwoordde hij, in stilte wensend dat dit gesprek niet plaatsvond.

'Schaam je je voor mij, Thomas?' Tera's stem klonk luchtig, maar had een staalharde ondertoon.

'Natuurlijk niet,' antwoordde hij snel. Waarom deed hij zo zijn best om haar tevreden te stellen?

Tera legde haar hand weer op zijn arm. 'Wat vind je van morgen?'

Thomas zag dat een van de partners een blik op hen wierp en wendde zijn ogen af. 'Morgen is beter,' zei hij, in de hoop dat ze zou snappen dat ze hem nu met rust moest laten.

'Ik kan niet wachten,' antwoordde ze en ze liep weg om een vriendin te begroeten.

Hij keek haar na en was het liefst meteen verdwenen. Tera was een van die onbegrijpelijke delen uit zijn verhaal van het afgelopen jaar. Hij had een enorme hekel gehad aan de overspelcultuur die op de zaak heerste – de handtastelijkheden van collega's onder elkaar en de minnaressen ernaast... Hij was Priya altijd trouw en toegewijd geweest. Tera had drie jaar met hem aan de Whartonzaak gewerkt, maar hij had haar altijd beschouwd als een vriendin en meer niet. Toen sloeg het noodlot toe en waren de regels opeens veranderd. Ze had hem op precies het verkeerde moment de hand gereikt – toen Priya's rouw omgeslagen was van stil verdriet in keiharde bitterheid.

De affaire was onschuldig genoeg begonnen: een lachje hier, een schouderklopje daar. Maar ergens in die maalstroom van de voorbereiding op de Whartonzaak, Priya's verdriet en depressie was hij de grens gepasseerd van iemand aantrekkelijk vinden naar verliefdheid. Hij bleef steeds langer op kantoor, bang voor het gezeur en gevit thuis over alles wat hij volgens Priya fout deed. Over Mohini kon hij niet met haar praten. De naam van zijn dochtertje mocht niet eens worden uitgesproken. Thomas was ontzettend kwetsbaar geweest en Tera was aantrekkelijk. Meer dan aantrekkelijk: betoverend.

Hij had haar fysieke avances kunnen weerstaan totdat Priya hem had verlaten; in de laatste drie weken was hij al twee keer in haar appartement in Capitol Hill geweest. Hij was nooit de hele nacht gebleven. Daar voelde hij zich veel te schuldig voor. Maar hij had wel toegegeven aan de verleiding om met haar naar bed te gaan, omdat ze gevoelig en beeldschoon was, en zijn vrouw hem had verlaten.

Thomas wierp een blik op zijn horloge en zag dat het al tien uur was. Hij vermande zich en maakte nog een rondje, wisselde scherpzinnige grapjes uit met een aantal van de partners van de firma en vertrok toen weer. Eenmaal buiten, liep hij via 18th Street naar K Street. Het was een koude, onbewolkte nacht. De helderste sterren waren door het waas van vervuiling heen te zien. Thomas dook dieper in zijn winterjas. Even overwoog hij een taxi te nemen, maar hij verwierp het idee meteen weer. Hij ging te voet.

Vijfentwintig minuten later arriveerde hij, redelijk verfrist en energiek, bij zijn appartement. Eenmaal binnen liep hij regelrecht naar de keuken en schonk daar een glas whisky voor zichzelf in. Hij nam de fles mee naar de zitkamer, ging op de bank zitten en probeerde zijn hoofd leeg te maken. Maar het schuldgevoel over zijn ontmoeting met Tera bleef hangen.

Zijn gedachten dwaalden af naar de ontvoering in Fayetteville. Had zijn vader gelijk met de gedachte dat die iets te maken had met mensenhandel? Was Abby Davis nu in handen van een pooier? Hij stelde zich Mohini voor, zoals zijn dochtertje er op haar elfde zou hebben uitgezien – en huiverde. Wat zou hij gedaan hebben als *zíjn* kind zoiets was overkomen?

Thomas keek om zich heen, op zoek naar de poëziebundel die zijn moeder hem had gegeven en zag het boekje op het tafeltje bij de telefoon liggen. Zonder een idee te hebben waarom, kwam hij overeind om het te pakken en liep ermee terug naar de bank. Daar begon hij het gedicht 'Vergankelijkheid' opnieuw te lezen. Dit keer werd hij wel door een van de strofes geraakt.

'Nee, treur niet, hoewel het leven vol problemen is.
De tijd staat niet stil en wacht niet.
Wat vandaag zo eindeloos, zo pijnlijk en zo bitter lijkt
zal morgen een vergeten gisteren zijn.'

Thomas leunde naar achteren en sloot zijn ogen. Het drong pijnlijk helder tot hem door dat het gat waarin hij was gevallen, heel diep was. En daarmee was ook duidelijk dat er maar één weg terug naar het licht was. Er moest iets veranderen. Hij had een nieuwe horizon nodig, een nieuw doel. Hij wist niet precies wat, maar alles zo laten als het was, was in ieder geval geen optie.

Niets doen betekende een langzame maar zekere dood.

3

Ieder mens bergt de hele begrijpbare wereld in zich.
PLONTINUS

Chennai, India

AHALYA WERD WAKKER in een mist van vage indrukken. Ze had een enorme kater van de slaappil en besefte niet onmiddellijk waar ze was. Eén kostbaar moment dacht ze dat ze thuis was, naast Sita in bed lag en haar ouders beneden zaten om hen straks te overladen met hun liefde en het nieuws van die dag. Maar toen drongen de afgrijselijke omstandigheden langzaam tot haar door.

Sita lag tegen haar aan, hun lichamen als twee lepeltjes in elkaar, zoals ze in hun vorige leven ook zo vaak hadden gelegen. Maar het bed voelde onbekend en hobbelig, en aan de muren hing niets, geen wandkleden zoals ze thuis, samen met hun moeder, hadden opgehangen. Er doemde een vrouw op in de schemering en Ahalya's hart maakte even een sprongetje. Maar het silhouet leek niet op dat van Ambini.

'Opstaan,' beval Chako's echtgenote kortaf. 'De trein wacht.'

Sita bewoog zich en allebei de meisjes gingen rechtop in het bed zitten. Het digitale klokje op het nachtkastje gaf 5 uur 40 in de ochtend aan.

'Welke trein?' vroeg Ahalya, terwijl ze de hand van haar zusje vastgreep.

'Daar komen jullie snel genoeg achter.'

Chako's vrouw liep naar de deur en draaide zich toen weer om naar Ahalya. 'En trouwens, ik heb dat kunstje van je door met je mobiele telefoon. Dus waag het niet nog eens iets voor ons verborgen te houden, anders zal je zusje ervoor boeten!'

Instinctmatig raakte Ahalya haar middel even aan en ze voelde dat haar telefoon was verdwenen. Haar hart werd loodzwaar.

'Waar gaan we naartoe?' vroeg ze in een poging dapper te zijn.

'Geen vragen,' snauwde de vrouw. 'Het ontbijt staat op tafel. Jullie hebben een kwartier om te eten. Prakash en Vetri zijn hier om zes uur om jullie naar de trein te brengen.'

De meisjes liepen het kamertje uit en naar de tafel toe, waar ze twee *idli*cakejes en twee *dosa*flensjes op een bord aantroffen, met ernaast twee bekers water. Het was een heel karig ontbijt. Ahalya ging zitten en zei tegen haar zusje dat ze geen honger had. Sita moest alles maar opeten. Sita keek haar onderzoekend aan en weigerde het tweede idlicakeje, dat Ahalya dankbaar verorberde.

Prakash en Vetri arriveerden klokslag zes uur. Er werd op de deur geklopt en Chako deed open. De jongeman – Vetri – kwam binnen en gebaarde dat ze mee moesten. Toen ze de flat verlieten, zeiden Chako en zijn vrouw geen woord tegen hen.

De buurt lag er armoedig bij en was nog verlaten onder de donkere hemel, toen Ahalya en Sita het appartementengebouw uit kwamen. Er was niemand te zien, er lagen alleen wat zwerfhonden in de portieken te slapen. De dikke man – Prakash – stond hen op te wachten naast een zilverkleurige SUV die nogal opviel in de verkrotte omgeving. Hij had zijn armen over elkaar geslagen en bekeek hen van top tot teen.

'*Caril utkarungal*,' zei hij, terwijl hij het achterportier opendeed. 'Instappen.'

Sita klom de auto in en Ahalya deed hetzelfde. De auto rook nieuw en Ahalya moest opeens denken aan de landrover van haar vader. Ze duwde de herinnering weg en pakte Sita's hand.

'Gaat het?' vroeg ze in het Engels, hopend dat de mannen dat niet zouden verstaan.

'Praat Tamil,' blafte Prakash hun toe, terwijl hij voor in de auto plaatsnam.

Sita keek haar zusje aan. Haar ogen glansden in het schemerduister van de auto.

'Gaat wel,' fluisterde ze, en ze legde haar hoofd tegen Ahalya's schouder.

Vetri ging op de passagiersstoel zitten en Prakash trok hard op in de verlaten straat. Ze reden de buurt uit, in de richting van de oceaan. De straten van Chennai waren op dit vroege uur nog bijna leeg. Een paar minuten later draaide Prakash de parkeerplaats van het Centraal Station op. Vetri sprong de auto uit en verdween in het publiek dat op de eerste treinen stond te wachten. Prakash wierp via de achteruitkijkspiegel een korte blik op de meisjes en klikte de portieren op slot.

'Waar gaan we naartoe?' vroeg Ahalya.

Prakash gromde. 'Geen vragen,' zei hij.

Vetri was algauw weer terug met een stapel papieren in zijn hand, die hij aan Prakash overhandigde. De man keek ze even door en knikte. Toen draaide hij zich om en zei tegen Ahalya en Sita: 'De treinkaartjes zijn in orde. Vetri reist met jullie mee, Amar ook. Die zul je zo ontmoeten. Doe alles wat ze zeggen, zonder vragen te stellen. Spreek niemand aan of je zult ervoor boeten. En blijf uit de buurt van de politie. De hoofdinspecteur is een goede vriend van me.'

De zusjes stapten de auto uit en liepen door de menigte achter de twee mannen aan. Toen ze in het station waren, volgden ze Prakash een trap op naar een voetgangersbrug over de rails. Bij spoor vier gingen ze de trap weer af, naar het perron. De trein strekte zich als een blauwe slang voor hen uit, er waren te veel wagons om ze allemaal te kunnen zien in het schemerduister. Op een bord stond: CHENNAI EXPRESS. Ahalya had nooit iets over die trein gehoord.

Prakash zei dat de meisjes met Vetri in een nis aan de voet van de trap moesten wachten en verdween even. Toen hij terugkwam, had hij een andere man bij zich. De man was klein, had zwart haar, een grote kin en de bleke huidskleur van iemand uit het noorden van India. Hij bekeek de meisjes van top tot teen en draaide zich toen glimlachend naar Prakash om.

'Goed werk, vriend,' zei hij in het Tamil, maar met een zwaar accent. Dat bevestigde dat hij niet uit Chennai kwam.

'Ik vermoedde al dat je dat zou vinden.'

De man overhandigde Prakash een zwarte tas. 'Twaalfduizend roepie, zes per persoon. Dat is tweeduizend meer dan normaal.'

Prakash kneep zijn lippen op elkaar. 'Ik heb om vijftien gevraagd.'

'Dertienduizend, meer niet,' antwoordde de man, terwijl hij in zijn zak voelde en daar twee biljetten van vijfhonderd roepie uithaalde.

Prakash knikte en pakte het geld aan. Hij vertrok zonder een woord.

De man stelde zich voor aan de twee zusjes. 'Mijn naam is Amar. Vetri is mijn assistent. Hij reist met jullie mee. Het is een lange reis en de trein zit vol. Gedraag je normaal, maar moedig geen gesprekken aan. Als een van jullie niet gehoorzaamt, zal de ander ervoor boeten.'

'Waar brengt u ons naartoe?' vroeg Ahalya, terwijl ze een kneepje in Sita's hand gaf om haar gerust te stellen. Ze herinnerde zich verhalen over mannen uit de stad die vrouwen weglokten van hun families om als dienstmeid te gaan werken tegen weinig of geen vergoeding. Bij het idee dag en nacht als slaafje voor de een of andere man in een stad ver weg te moeten werken, ging er een rilling door haar heen.

Amar kneep zijn ogen tot spleetjes. 'Daar komen jullie vanzelf wel achter.' Hij wisselde een blik met Vetri en wees naar het perron. 'Breng ze naar hun plaatsen.'

Vetri knikte en nam de meisjes mee naar een slaapwagon, bijna aan het einde van de trein. Ze gingen aan boord en zagen dat de meeste plaatsen al bezet waren. Vetri nam de twee meisjes mee naar een paar zitplaatsen ongeveer in het midden van de wagon. Er zat een oude vrouw op de bank tegenover hen. Ze schonk Ahalya een rimpelige glimlach, maar zei verder niets. Naast haar zat een grote man van middelbare leeftijd te dutten. De bank zakte door onder zijn gewicht en hij hield een koffer tussen zijn benen geklemd.

Hoewel het een koele ochtend was, begon het in de slaapwagon al warm te worden vanwege de drukte en de hitte van al die mensen in een beperkte ruimte; het stonk doordringend naar zweet. Voor in de wagon huilde een baby en ergens achter hen waren twee mannen in een luide discussie verwikkeld over de politieke situatie van de Tamils. Hun gesprek vulde de benauwde ruimte. Ahalya wist nu al dat het een heel oncomfortabele reis zou worden.

Ze gaf Sita de plek aan het raam en ging tegenover haar zitten. Haar zusje keek haar aan en fluisterde in het Engels: 'Waar gaan we volgens jou naartoe?'

Ahalya wierp een korte blik op Vetri, maar die was verdiept in een tijdschrift en toonde geen interesse in hun gesprek.

Ze haalde diep adem en antwoordde: 'Ik weet het niet. Ik heb nog nooit van deze trein gehoord.'

'Ik ben bang.' Sita's woorden waren nauwelijks hoorbaar in het rumoer.

'Sterk zijn, kleine bloem,' zei Ahalya. Dat was Sita's favoriete koosnaampje. 'Als mama hier was, zou ze hetzelfde zeggen.'

De trein uit Chennai vertrok tijdens het opkomen van de zon. Zwoegend reed hij door het uitgestrekte platteland, langs dorpjes en rijstvelden en eindeloze stukken bewerkte grond die waren verschroeid in de hitte. Om wat afleiding te hebben en de tijd door te komen, deden Sita en Ahalya allerlei taalspelletjes, zoals ze zo vaak op St. Mary's hadden gedaan.

'Wie is de dichter?' zei Ahalya. '*Het licht schittert als goud op iedere wolk, mijn schat, en het regent edelstenen in overvloed.*'

'Tagore,' zei Sita. 'Da's makkelijk.'

'En deze dan? *De weg van de liefde maakt het leven; zonder is de mens slechts een met huid bedekt stel beenderen.*'

'Thiruvalluvar,' antwoordde Sita direct.

Ahalya probeerde een onbekender citaat: '*De windvlaag die bij de morgenstond de ongeopende bloesemknoppen meeneemt in de kou, brengt straks een warme bries naar jou.*'

Sita dacht er een tijd over na. 'Weet ik niet.'

'Rahman Babatlafiz,' zei Ahalya.

'Maar dat was geen Hindoe, maar een moslim,' protesteerde Sita.

'Dat maakt niet uit voor de poëzie.'

Met het verstrijken van de uren werd de wagon voller en voller. De temperatuur liep op tot ze haast verstikkend was. Ahalya zag zweetdruppeltjes parelen op het voorhoofd van haar zusje en ook haar eigen churidaar voelde plakkerig en vochtig. En om het nog erger te maken had ze nog honger ook. Op elk station waar ze stopten kwamen er hordes verkopers op de trein afstormen die eten en drinken aanboden, maar terwijl Vetri eerst een lunch en later avondeten voor zichzelf kocht, kregen de meisjes alleen een banaan.

Om een uur of zeven ging de zon onder en de afkoelende lucht bracht enige verlichting. Sita geeuwde en wierp een vragende blik op haar zus. Ahalya begreep wat ze zich afvroeg. De wagon was overvol, de mensen zaten op de banken opeengepakt, sommigen stonden en deinden heen en weer op de cadans van de trein, en anderen waren op de vloer gaan zitten. Hoe iemand hier straks moest slapen was een raadsel.

Maar dat gebeurde toch. Kinderen strekten zich uit onder de banken of zochten een plekje tussen de bagage. De vrouwen verzamelden zich op een kluitje zodat ze beschermd waren en niet bang hoefden te zijn om hun ogen dicht te doen. En de mannen wrongen zich in de overgebleven vrije plekjes en propten hun armen en benen in de onmogelijkste ruimtes.

Ahalya sloeg haar armen om Sita heen en fluisterde een gebed dat ze van Ambini hadden geleerd. Het was bestemd voor Lakshmi en vroeg om geluk, gezondheid en moed. Ahalya wist dat ze die drie dingen hard nodig zou hebben, waar ze ook naartoe op weg waren.

Terwijl de nacht zich langzaam voortsleepte, bewogen de lichamen onrustig heen en weer, huilden de baby's en jammerden de kinderen, maar zelfs Ahalya en Sita vielen uiteindelijk in slaap. Ergens in de donkere uren van de vroege ochtend dommelden ze eindelijk in, geveld door uitputting.

Toen Ahalya haar ogen weer opendeed, merkte ze dat de trein steeds langzamer begon te rijden. Bovendien was de wagon minder vol. Veel van de mensen die ze zich herinnerde waren verdwenen. In eerste instantie zag ze buiten maar af en toe een lichtje, maar algauw doemden er gebouwen op. De angst die ze tijdens de reis had weten te onderdrukken, kwam weer in volle hevigheid terug. De meesten van de resterende passagiers sliepen nog, maar er waren er ook die zich al uitrekten en overeind kwamen. Alles wees erop dat de trein zijn eindbestemming naderde.

Ahalya keerde zich om naar het raampje en zag dat Sita wakker was en naar de naderende stad tuurde. 'Groter dan Chennai,' zei ze zachtjes.

'Ja,' was Ahalya het met haar eens, terwijl ze haar zusje even tegen zich aan drukte.

De trein minderde vaart en er doemde een perron op. Op de geschilderde borden boven de bankjes stond DADAR. Ahalya's adem stokte in haar keel. Ze had wel gehoord over dit station.

Het lag in Mumbai.

Terwijl de trein tot stilstand kwam, baanden de passagiers zich een weg naar de achterdeur, tassen en kinderen met zich meesleurend. Amar kwam de wagon binnen en waadde door een zee van mensen naar hen toe.

'Meekomen,' zei hij, zonder verdere uitleg.

Het Dadarstation was een gekkenhuis in de ochtendschemer voor de opkomst van de zon. De lichtpeertjes die er hingen wierpen een blauwachtig licht op het perron. Een constante stroom van *taxi-walla's* riep in een vreemde taal allerlei aanbiedingen in Amars richting. Ahalya keek om zich heen, op zoek naar een politieagent, maar ze zag er geen. Als ze nú wegrende, lukte het misschien om te verdwijnen in de menigte. Maar ze zag geen kans Sita een seintje te geven of ervoor te zorgen dat ze veilig weg kon komen.

Amar stak zijn hand in het borstzakje van zijn *kurta* en haalde daar iets uit wat leek op treinkaartjes.

'Opschieten,' zei hij, terwijl hij naar een ander perron wees. 'De lokale trein kan ieder moment arriveren.'

Ze klommen de trap op naar de voetgangersbrug over de rails en daalden na korte tijd de trap weer af naar een ander perron. Een paar seconden later kwam er een trein vanuit het noorden het station binnenrijden. De wagons puilden uit van de mensen. De passagiers stonden op elkaar geperst in de geopende deuren en hingen zelfs uit de trein. Er leek bij lange na niet genoeg plaats te zijn in de trein voor de menigte die op het perron stond te wachten.

Amar zei gehaast: 'Bij Vetri blijven. Je moet flink wringen om de trein in te komen.'

Toen de trein stopte, golfde de mensenmassa naar de deuren. Ahalya greep Sita's hand vast en stortte zich in de menigte. Toen ze bijna bij de trein waren, werden ze als vanzelf door de menigte naar voren gestuwd. Het enige wat ze konden doen was mee hollen. Even leek het of het gewoonweg onmogelijk zou zijn om aan boord te klimmen, maar toen ontstond er opeens een kleine opening waar de meisjes zich doorheen konden wurmen. Ze wrongen zich achter Vetri aan naar het midden van de wagon en grepen de metalen handvatten beet die boven hun hoofd hingen, terwijl de mensen om hen heen even uiteenweken, één stapje opzij deden om hen door te laten en zich daarna weer als een levende muur om hen heen sloten.

De trein reed behoorlijk snel en ze passeerden een paar stations. Na een minuut of tien baande Vetri zich een weg naar hen toe en zei dat ze er bij het Centraal Station van Mumbai uit moesten.

Even later reden ze het station binnen: het was er een chaos van felle lichten en krioelende mensen. De meisjes volgden Vetri naar het perron, waar Amar hen opving en door de dubbele deuren naar een wachtende taxi bracht. Hij mompelde een paar onverstaanbare woorden tegen de taxi-walla en ze reden weg.

Het werd steeds lichter door de opkomende zon. Ze waren in een dichtbevolkte buurt van de stad. Zwart met gele taxi's zwermden als bijen over de straten en de voetgangers zigzagden tussen het verkeer door. Na een tijdje door een hoofdstraat te hebben gereden sloeg de auto af, een stoffig straatje in dat weer door nog smallere steegjes werd doorkruist. Op straat waren een paar vrouwen met verkopers aan het onderhandelen, maar verder was het vreemd rustig.

De taxi parkeerde langs de stoeprand en Ahalya zag een man in een grijs shirt en zwarte jeans naar hen toe komen. Hij was ongeveer zo oud als haar vader en zijn haar was al spierwit. Amar stapte uit en schudde de man de hand. Vetri zei dat de meisjes de auto uit moesten en even later stonden ze met zijn tweeën tegenover de man met het witte haar.

'Verzegeld pakketje?' vroeg de man.

'Ja,' antwoordde Amar.

'Veertigduizend,' zei de man gedecideerd.

'Vijfenzeventig,' antwoordde Amar snel.

De man fronste zijn voorhoofd. 'Zestigduizend, meer niet.'

'Oké,' zei Amar. 'Dat heb je zo terugverdiend.'

De man wierp een blik op de meisjes en zei: 'Meekomen.'

Amar en Vetri bleven op straat achter en de meisjes volgden de man. Ze gingen ergens naar binnen en liepen een bochtige trap op. De trap was smal en steil. Bovenaan stond een deur open. Daar wachtte een jonge man in een donker shirt en een spijkerbroek hen op.

'Breng ze naar de zolderkamer,' zei de man.

De jongeman knikte. 'Hierheen,' zei hij tegen de zusjes.

Achter de deur was een lege ruimte met alleen een L-vormige bank erin. Een van de wanden bestond uit spiegels en de rest van de muren was geel geverfd. Verder was er een raam met een rolgordijn ervoor en nog een deur. De jongen nam hen mee die tweede deur door, waarna ze in een gang van ongeveer zes meter lang terechtkwamen met aan beide kanten deuren, allemaal gesloten. Ahalya hoorde wel zacht gepraat en geschuifel uit de kamers erachter komen, maar er kwam niemand tevoorschijn om hen te begroeten.

Ze liepen achter de jongen aan naar een grote houten boekenkast die aan het einde van de gang tegen de muur stond. De jongen stak zijn hand uit en tastte naar iets links van de kast en trok eraan. Zonder geluid kwam de kast in beweging, schoof langzaam open, en erachter bleek een verborgen trap te zijn. De jongen glipte door de opening en gebaarde dat de meisjes hem moesten volgen. Ahalya omklemde de arm van haar bevende zusje, maar verzette geen stap.

'Ik ga niet verder als je me niet vertelt waar we zijn,' zei ze in Hindi, met alle kracht die ze nog kon opbrengen.

De jongeman keek haar geërgerd aan. 'Je hebt hier geen eisen te stellen.'

Ahalya's hart klopte in haar keel, maar ze diende hem toch van een kattige repliek. 'Je kunt niet zomaar met ons doen wat je wilt. We zijn hier te gást. Gedráág je!'

De jongen vloekte. '*Kutti!* Kutwijf!' Hij deed een stap naar Ahalya toe en sloeg haar in het gezicht. Door de plotselinge klap viel ze tegen de muur aan. Er sijpelde bloed uit haar lip.

'Als je je verzet, zal het je berouwen!' siste hij haar toe. 'Suchir heeft verdomme zestigduizend roepie voor jullie betaald. Jullie zijn van óns, dus doe wat ik zeg, dan kun je je schulden aan ons afbetalen.'

Sita keek Ahalya smekend aan. 'Doe wat hij zegt.'

Ahalya voelde even aan haar pijnlijke wang. Toen pakte ze Sita's hand vast en liep achter de man aan de donkere trap op. De muren erlangs waren bijna zwart van het roet en de schimmelplekken. Boven was een klein kamertje met een bed, een ladekastje, een toilet en een wasbak. De jongen knipte het licht aan: een peertje dat aan de houten balken boven hun hoofd bungelde.

'Hier wonen jullie totdat Suchir anders beslist. Je krijgt regelmatig iets te eten. Als er een noodsituatie is, kun je op de vloer bonken. Dan hoort iemand je wel.'

'Hoe moeten we die schuld terugbetalen?' vroeg Ahalya zachtjes.

De jongeman grijnsde neerbuigend. '*Bajaana*. Door seks met mannen te hebben, natuurlijk.' Hij lachte hardop. 'Je dacht toch zeker niet dat het hier een hotel was? Dit is Kamathipura.' En na die opmerking draaide hij zich om en trok de deur achter zich dicht.

Sita zakte op de vloer neer en begon stilletjes te huilen. Ahalya sloeg haar armen om haar zusje heen, terwijl de woorden van de jongen nog in haar hoofd nadreunden. Na alles wat ze hadden meegemaakt kon ze gewoonweg niet bevatten dat die witharige man, Suchir, hen voor hoer wilde laten spelen. Sita was nog een kind. Geen van hen had ooit met een man geslapen. Het was té afgrijselijk.

Even later hoorde Ahalya zachtjes op de deur kloppen. Toen ze opkeek stond er een vrouw van middelbare leeftijd in de deuropening. Haar flinke postuur was in een paarse sari gewikkeld en haar zwarte haren werden in een wrong bijeengehouden. In haar ene hand had ze een kom water en in de andere slingers van tere *malati*bloemen.

'Spreken jullie Hindi?' begon ze.

Ahalya knikte.

'Goed. Ik ben Sumeera, maar de andere meisjes noemen me *Badi Ma*.'

Sumeera ging voor hen zitten en pakte een washandje uit de kom met water. Dat wrong ze uit en bood het aan Ahalya aan. 'Jullie zullen wel moe zijn van de reis.'

Ahalya pakte het washandje van haar aan, haar ogen duister van wantrouwen. Ze gaf het natte washandje door aan haar zusje en keek toe terwijl Sita haar gezicht afveegde en het washandje tegen haar voorhoofd aan drukte.

'Ik heb slingers voor in jullie haren meegebracht,' zei Sumeera, terwijl ze Ahalya aankeek. 'Mag ik?'

Ahalya gaf geen antwoord. Er woedde een storm aan tegengestelde gevoelens in haar binnenste. Ieder jaar op haar verjaardag had haar moeder haar haren met goudsbloemen en jasmijn doorvlochten. En als Sita jarig was natuurlijk ook bij haar. Een bloemenslinger was een feestelijk symbool waarmee je iemand geluk toewenste. Dit hier was een zondig huis. Hoe kon deze vreemde vrouw van haar verlangen dat ze die slinger door haar haren vlocht?

Sumeera knikte en keek Ahalya met een gelaten blik aan. 'Ooit ben ik hier op dezelfde manier gekomen als jullie,' zei ze. 'Ik werd ontvoerd uit mijn huis en hierheen gebracht door mannen die ik niet kende. Het leven in de *adda* is hard, maar je kunt er beter in berusten. Het heeft geen zin om je tegen je karma te verzetten. Accepteer de wil van God en misschien word je dan in je volgende leven op een betere plek geboren.'

Sumeera drapeerde de slingers over de rand van de kom, kwam met moeite overeind en verdween uit de kamer.

Toen ze weer alleen waren, doopte Sita het washandje in de kom met water en gaf het aan Ahalya.

'Is dat waar?' vroeg Sita fluisterend. 'Is dit ons karma?'

Ahalya pakte het washandje aan en staarde naar de grond, er sprongen tranen in haar ogen.

'Ik weet het niet,' zei ze.

En dat was de waarheid.

4

De hoogste morele wet is dat we onophoudelijk moeten werken
aan het goede voor de mensheid.
MAHATMA GANDHI

Washington, D.C.

THOMAS CLARKE ZAT IN DE VERGADERZAAL op de negende verdieping van Clayton|Swift en staarde uit het raam naar Marquise & Le Clair, de juridische firma aan de overkant van de straat. Om de donkerhouten vergadertafel was plaats voor vierentwintig mensen en op dit moment zaten er achttien personen – twaalf juristen, vier juridisch medewerkers en twee stagiaires. De Whartongroep, zoals ze werden genoemd, vormde het grootste team in de geschiedenis van de firma.

Het discussieonderwerp van vandaag was het hoger beroep van Wharton. Van de twaalf juristen die er waren, voerden er vijf overwegend het woord. De rest, Thomas incluis, hield voornamelijk zijn mond, terwijl hun BlackBerry's de wegtikkende seconden registreerden met een geavanceerd softwareprogramma, dat de gegevens aan het eind van de dag automatisch zou versturen naar de computers waarin de te declareren uren werden bijgehouden. De bijeenkomst was cruciaal. De directie van het steenkolenbedrijf Wharton was woedend over de uitspraak van de jury en wilde bloed zien.

Niemand had verwacht dat het zo zou lopen. Claytons juristen hadden het rechtssysteem in de afgelopen drie jaar als een marionet bespeeld, op zoek naar een manier om de één miljard dollar die wegens 'dood door schuld' werd geëist niet-ontvankelijk te laten verklaren of de zaak voor een schijntje te regelen. Ondanks het feit dat alle bewijzen op het ongelijk van de verdediging wezen: de ontploffing tijdens de ontginningswerken van het steenkolenbedrijf in West Virginia was door activisten voorspeld. Naar de aannemer, die had verklaard dat het slik veilig lag opgeslagen in de schachten van de mijnen, was een regeringsonderzoek gaande. En dan was er nog het probleem van de kinderen. Er waren eenennegentig scholieren verdronken toen er door de ontploffing tweehonderd miljoen liter afvalwater uit de berg vrijkwam en hun school, die lager op dezelfde berg lag, werd weggespoeld. De Whartongroep had maar één strategie gehad om de aanklagers (de families van de slachtoffers) te verslaan en dat was koste wat kost voorkomen dat het verhaal ooit aan een jury zou worden voorgelegd.

Die strategie had bijna gewerkt. De druk om een rechtszaak te beginnen tegen een steenkolenbedrijf met haast ongelimiteerde middelen, had de eisende partijen onderling op de rand van een burgeroorlog gebracht en ze hadden Whartons laatste aanbod om de zaak te schikken bijna aanvaard. Maar uiteindelijk hadden ze toch volgehouden, waarmee een rechtszaak met een jury een voldongen feit werd. De enige vraag die toen nog restte was hoe ver de uitspraak zou gaan. Na drie afgrijselijke weken had rechter Hirschel de juryleden weggestuurd om te overleggen. En een uur later waren ze alweer terug geweest met een uitspraak die zelfs de meest doorgewinterde, dikhuidige rechtbankveteranen schokte: driehonderd miljoen dollar aan smartengeld en zeshonderd miljoen aan boete. Negentiende deel van de geëiste één miljard dollar. Het was niet zomaar een uitspraak – het was een uitspraak die insloeg als een bom.

Een bom die onmiddellijk een spoor van verwoestingen aanrichtte. Binnen vierentwintig uur zakten de aandelen Wharton met vijftig procent. Maar Claytons werk was nog niet gedaan. Op de trappen voor het gerechtsgebouw had Whartons hoogste baas verklaard dat het bedrijf onschuldig was en gezworen dat hij de uitspraak zou uitvechten tot in de hoogste regionen van het Amerikaanse Hooggerechtshof. In werkelijkheid wilde hij niets liever dan de handdoek in de ring gooien. Zelfs al zou de uitspraak uiteindelijk bevestigd worden, dan nog zouden de eisers vijf jaar op hun geld moeten wachten. En wie wist hoeveel van hen tegen die tijd met een schijntje genoegen zouden nemen?

Ondanks het belang van de vergadering, moest Thomas zijn best doen om zijn hoofd erbij te houden. Zijn gedachten dwaalden af naar de ontvoering waarvan hij getuige was geweest in Fayetteville, naar Tera Atwood die tegenover hem aan de vergadertafel zat, naar de schoolfoto's die de advocaten van de eisende partij aan de jury hadden laten zien. Wat hij de avond daarvoor tegen zijn vader had gezegd was waar: het was moeilijk sympathie op te brengen voor een bedrijf dat schuldig was aan de dood van zoveel kinderen. Aan de andere kant was sympathie voor Wharton volkomen irrelevant voor zijn werk. Het was de taak van een advocaat om voor zijn cliënt te vechten en het aan anderen over te laten te beslissen wat goed en wat fout was.

Toen Maximillian Junger opstond van zijn plaats aan het hoofd van de tafel was Thomas' aandacht er weer helemaal bij. Junger was directeur van de afdeling gerechtelijke procedures en leidde de Whartongroep. En hij was ook een persoonlijke vriend van Thomas' vader.

'Het team dat het beroep gaat voorbereiden, staat onder leiding van Mark Blake,' zei Junger met zijn orakelende stem die al meer dan dertig jaar jury's charmeerde. 'Daarin wordt hij bijgestaan door Hans Kristof en een klein groepje medewerkers.'

Junger pakte een afstandsbediening om een flatscreentelevisie aan te zetten, die achter twee wegschuivende houten panelen aan de muur hing. De namen van degenen die tot dat kleine groepje waren uitverkozen, verschenen op het scherm. Thomas' hart maakte een duikeling: zijn naam stond er niet bij. Hij wierp een snelle blik op Tera. Haar naam stond er wél bij. Ze glimlachte naar hem, maar haar ogen stonden bedroefd. Hun dagen van nauwe samenwerking aan dezelfde zaak waren voorbij.

Thomas richtte zijn blik weer op Junger. 'Wat betreft de rest van jullie,' zei hij, 'sta me toe jullie namens de firma te bedanken voor jullie inzet van de laatste veertig maanden. De uitspraak is een teleurstelling, maar, zoals we hebben besproken, zijn er veel gronden om in beroep te gaan. Als u niet tot het team dat het beroep voorbereidt behoort, vraag ik u contact op te nemen met uw supervisor. Er zijn andere zaken die dringend aandacht vereisen.'

Junger wierp een blik op de klok aan de muur. Het halfuur dat voor deze vergadering gereserveerd was, was voorbij. 'Dank voor uw aanwezigheid,' zei hij. 'Ik sluit hierbij de vergadering.'

Thomas stond snel op en liep haastig in de richting van de deur, in de hoop de andere medewerkers, en voornamelijk Tera, te kunnen ontlopen. Max Junger ving hem op in de gang en liep met hem mee naar de lift. Toen ze erin stonden, drukte Junger op de knop naar de elfde verdieping. Thomas stak zijn vinger al uit naar de knop voor de zesde, toen Junger hem tegenhield.

'Het is alweer een tijd geleden dat we elkaar hebben gesproken,' zei hij. 'Kom even mee naar mijn kantoor, dan praten we even bij.'

Thomas knikte, maar zijn gedachten snelden vooruit. Wat had deze uitnodiging te betekenen? Een privégesprek met Junger voorspelde weinig goeds. Positieve berichten werden altijd via de normale weg, die van directe superieuren, meegedeeld.

'Hoe gaat het met je vader?' vroeg Junger om een praatje te beginnen.

'Goed,' zei Thomas; hij deed zijn best om niet nerveus te zijn. 'Hij heeft het vaak over u.'

'Zeker om grapjes over me te maken,' zei Junger met een ironisch lachje. 'Dat doet hij al sinds ik hem van de universiteit ken.'

Voordat hij rechter werd, was zijn vader een van de steradvocaten van Clayton geweest en een collega van Junger. En jaren daarvoor waren ze studiegenoten geweest aan de rechtenuniversiteit van Virginia.

De deur van de lift ging open en Junger liep voor hem uit, door de rijk gedecoreerde hal van de elfde verdieping naar zijn kantoor. Het kantoor was zo ruim dat er zeker vijftien van de hokkerige kantoortjes in pasten die medewerkers als Thomas tot hun beschikking hadden. De wanden waren bekleed met kersenhouten panelen, er stond een aantal imposante boekenkasten en er hing echte kunst. Zelfs onder gunstige omstandigheden was het een intimiderende ruimte, en onder slechte voelde het gewoon benauwend, vond Thomas.

'Ga zitten,' zei Junger, en hij gebaarde naar een zithoek waar een comfortabele bank en twee fauteuils stonden. Thomas nam in een van de stoelen plaats en Junger ging op de bank zitten. Hij sloeg zijn benen over elkaar en zette zijn vingertoppen tegen elkaar, terwijl hij Thomas met zijn doordringende bruine ogen aankeek.

'Hoe gaat het met je?' vroeg hij. 'Het was in september, is het niet, dat je je dochtertje verloor?'

Thomas haalde diep adem en knikte. 'Ik heb goede en slechte dagen. Zoals te verwachten, neem ik aan.'

'Hm.' Junger knikte peinzend. 'Toen Margie en ik Morgan kwijtraakten, had ik het gevoel dat ik constant onder water zat met geen enkel idee waar het wateroppervlak was.'

Thomas had het verhaal wel eens van zijn vader gehoord: Jungers dochter was een jaar of tien geleden, op haar zestiende, omgekomen bij een frontale botsing met een vrachtwagen.

'Zo voelt het wel ongeveer, ja,' antwoordde Thomas, terwijl hij wenste dat Junger opschoot met wat hij te zeggen had.

'Weet je wat me eruit heeft gehaald? Wat me weer het gevoel gaf een doel, een richting in mijn leven te hebben?'

Thomas schudde zijn hoofd.

'Het was een idee van Margie. Zij vond dat ik een tijd bij de firma weg moest. Ik weet nog dat ik erom moest lachen, als je partner bent in een firma als deze komt het nooit uit om er een tijd tussenuit te gaan. Maar uiteindelijk liet ze me weinig keus. Dus belde ik Bobby Patterson – een vroegere studiegenoot die decaan was aan de Universiteit van Virginia, en vroeg hem of hij een oude veteraan kon gebruiken om les te geven. En dat bleek het beste besluit te zijn dat ik ooit heb genomen. Het gaf me weer een nieuw leven.'

Junger zweeg en Thomas wachtte tot de guillotine zou vallen. Ergens in de buurt hoorde hij een klok tikken. Het was het enige geluid in het kantoor, op het hameren van zijn eigen hart na.

'Ik heb met Mark Blake gesproken,' zei Junger, waarmee hij Thomas' vermoedens bevestigde. 'Hij heeft me over de Samuelsonzaak verteld.'

Thomas kneep zijn lippen op elkaar en begon niet bij voorbaat al met excuses.

'Mijn intuïtie zegt me dat Mark wat overgevoelig reageerde, maar aan de andere kant mag je de druk op hem niet onderschatten. Wharton Coal heeft deze firma meer dan twintig miljoen dollar betaald sinds we hen vertegenwoordigen – een enorm bedrag. Jack Barrows, CEO van Wharton, wilde onder geen voorwaarde dat de jury die computersimulatie van de ramp te zien kreeg. Al die computergestuurde kindertjes die renden voor hun leven... het slijk dat hen overspoelt... de stippen waar de lijkjes lagen... rood voor de jongens, blauw voor de meisjes. Het was een opruiende, bevooroordeelde simulatie die uitging van een hele reeks onbewezen aannames. Maar je kent de argumenten. Jij hebt het verweer ertegen zelf opgesteld.'

Thomas knikte.

'De uitspraak in de Samuelsonzaak was de crux van Marks betoog. En dat ligt voor de hand: de jurist die het verweer in die zaak voerde, is een persoonlijke vriend van rechter Hirschel. Het verweerschrift bevatte een hele rits prachtige uitspraken over de gevaren van onwetenschappelijke bewijzen die gericht zijn op het bespelen van de jury. Zoals je je kunt indenken, voelde Mark zich verschrikkelijk te kakken gezet toen rechter Hirschel hem wist te vertellen dat die uitspraak in hoger beroep teniet was gedaan. En Jack Barrows was buiten zichzelf van woede. Ik vind dat van Jack ook een overtrokken reactie. Ik denk dat de rechter toch wel had toegestaan dat de eisers de simulatie aan de jury toonden. Maar Barrows wees

Mark aan als de schuldige voor het feit dat de simulatie in het proces is vertoond.'

Junger keek hem oplettend aan. 'Maar niets van dit alles komt als een verrassing voor je, denk ik.'

Thomas schudde zijn hoofd.

'Maar er is méér, en dit is vertrouwelijk. Toen de uitspraak een feit was, heeft Barrows gedreigd Clayton|Swift te vervolgen wegens wanprestatie. Die dreiging is nog niet van tafel. Op dit moment weten nog maar heel weinig mensen ervan. We hopen dat het hoger beroep de boel zal oplossen.'

Thomas verbleekte. Hij had er geen idee van gehad dat Wharton Coal de zaak zo ver op de spits had gedreven.

'In ieder geval,' vervolgde Junger, 'ben ik ervan overtuigd dat jouw visie op wat er is gebeurd verschilt van die van Mark. Maar dat doet er niet toe. Mark heeft flink op zijn donder gehad en de firma moet het vertrouwen van Wharton weer terug zien te winnen. Er zijn partners in de firma die drastische maatregelen eisen, maar daar heb ik een stokje voor kunnen steken. Ik heb hun gezegd dat het niet alleen jóúw fout was, maar net zo goed de fout van de firma. We hebben ons met z'n allen vergist.' Junger spreidde grootmoedig zijn armen. 'En we moeten de consequenties daarvan met z'n allen dragen.'

Junger wachtte even en veranderde toen van tactiek. 'Thomas, weet je waarom ik je vader zo graag mag?'

'Nee, niet echt.'

'Hij is briljant, ja, hij is loyaal, ja, en hij is een verdomd goede jurist en rechter. Maar hij is bovendien meedogenloos, eist het uiterste van zichzelf. Hij stopt nooit voordat zijn werk helemaal perfect is. Ik herken diezelfde kwaliteit in jou. Ik weet hoezeer je toegewijd was aan de Whartonzaak. Ik bewonder je volhardendheid en je kunde. Maar ik denk ook dat je persoonlijke omstandigheden hun weerslag hebben gehad op je werk. Denk je ook niet?'

Thomas dacht dat helemaal niet. Hij had Mark Blake gezégd dat er beroep was aangetekend tegen de Samuelsonzaak. Hij had hem gezégd dat er waarschijnlijk snel een uitspraak zou komen. En hij had Mark dringend geadviseerd om dat gegeven aan rechter Hirschel kenbaar te maken. Uiteindelijk had Blake zichzelf zo te kakken gezet omdat hij te eigenwijs was geweest om naar Thomas te luisteren. Maar dat kon hij moeilijk zeggen. Niet tegen een van de partners van de firma. Niet na een veroordeling tot negenhonderd miljoen dollar terwijl hun de dreiging van een aanklacht voor wanprestatie boven het hoofd hing.

Hoe bitter het ook was, hij moest zich voegen naar Jungers beoordeling van de toestand. 'Ik denk dat u gelijk hebt.'

Junger knikte. 'Ik reken het je niet aan. Maar het komt erop neer dat je toe bent aan een pauze. Dus bied ik je twee opties aan. De eerste is een vakantie. Ik heb het nagekeken en je hebt meer dan acht weken aan vakantiedagen gespaard. Ga naar Bali of Bermuda. Ga *mai tais* op het strand drinken. Blijf lekker lang in bed liggen met Priya. Hervind je kompas.'

Thomas was furieus, maar hij hield zijn mond. 'En de tweede optie?' informeerde hij, hopend op een straf die hij kon uitzitten zonder van de aardbodem te hoeven verdwijnen.

Junger glimlachte. 'De tweede optie past je waarschijnlijk beter. Een ouder komt nooit over het verlies van een kind heen. Maar er zijn manieren om weer door te kunnen gaan met je leven. Je moet je aandacht richten op iets wat de moeite waard is.'

Junger pauzeerde even en vouwde zijn handen samen. 'Zoals je weet, geeft Clayton ieder jaar een pro bono-beurs aan een van onze medewerkers. Een all-in betaalde reis naar welke uithoek van de wereld dan ook. Om een goed doel te dienen. Onze pro bono-medewerkers hebben contacten met de Verenigde Naties, de Europese Gemeenschap, en topnon-profitorganisaties. De selectieprocedure voor het komende jaar is al geweest, maar de partners hebben ermee ingestemd een extra beurs voor jou te creëren. Als je dat wilt, tenminste.'

Thomas was verbijsterd. Hij kon Priya bijna sarcastisch naar hem zien grinniken. Een sabbatical van een jaar bij een non-profitorganisatie? Hij voelde zich een lepralijder.

'Ik waardeer uw eerlijkheid,' antwoordde Thomas, 'maar het voelt alsof ik naar Siberië word verbannen.'

Junger haalde zijn schouders op. 'Noem het zoals je wilt. De keuze is aan jou.'

Thomas ademde diep in en liet de lucht langzaam weer ontsnappen. 'Oké, laten we aannemen dat ik uw advies opvolg en voor een tijdje ergens heen ga. Hoe gaat u dat binnen de firma uitleggen? De mensen zullen zich erover verbazen.'

Maar terwijl hij de vraag stelde, wist hij het antwoord al.

'We vertellen hun dat je een jaar vrij hebt genomen vanwege persoonlijke redenen,' zei Junger. 'Iedereen weet het van je dochtertje.'

Jungers tactiek was uitstekend gepland: schaak en schaakmat. 'En wat gebeurt er als ik terugkom?' vroeg Thomas verslagen.

Junger stak zijn handen uit. 'Ik zal erop toezien dat je op de beste zaak wordt gezet die de firma op dat moment onder handen heeft. En dan herinnert zich al snel niemand zich meer dat je er een tijd tussenuit bent geweest.'

Thomas keek uit het raam en probeerde zijn geknakte trots te overwinnen. 'Ik zal erover nadenken en het u laten weten.'

Jungers gezichtsuitdrukking verraadde niets, maar hij ontspande zijn schouders. 'Meer vraag ik niet van je.'

Om zes uur die avond verliet Thomas het kantoorgebouw van Clayton|Swift in de wetenschap dat hij er lange tijd niet zou terugkeren. Er viel een ijskoude regen en de stoepen waren glad. Hij ontweek de groep medewerkers die op weg was naar het happy hour van het Hudson Restaurant & Lounge en nam de metro naar het McPhersonplein. Hij stapte uit bij Foggy Bottom en nam een taxi naar Georgetown. De eerste sneeuwvlokken begonnen te vallen toen hij bij zijn huis arriveerde.

Eenmaal binnen liet hij zijn doorweekte schoenen in de hal staan en liep naar boven om zich te verkleden. Toen hij op het punt stond naar de keuken te gaan om iets te eten te maken, hoorde hij een seintje van zijn BlackBerry dat er een e-mail was. Het bericht was van Andrew Porter, een vroegere studiegenoot van de juridische faculteit en tegenwoordig werkzaam op het ministerie van Justitie.

Porter had gemaild: *Hé, jongen, gaan we nog tennissen vanavond? Zeven uur bij EPTC?*

Thomas kon zichzelf wel voor zijn kop slaan. Dit had hij al een maand geleden afgesproken. Even speelde hij met het idee om af te zeggen, maar dat verwierp hij meteen weer. Tennissen was een veel beter idee dan maar een beetje rondhangen.

Nadat hij een broodje tonijnsalade naar binnen had geschrokt en een appel had gegeten, ging hij het huis weer uit en stak de straat over naar zijn Audi. De rit naar het East Potomac Park duurde langer dan hij had verwacht vanwege het weer. Porter zat in de kleedkamer op hem te wachten. Zijn vriend was iets kleiner dan hij maar een stuk compacter en hij was verslaafd aan fitness dus zijn lichaam leek wel van staal.

Porter schudde hem de hand en daagde hem meteen goedmoedig uit. 'Ben je er klaar voor om afgeslacht te worden? Wacht maar tot je met mijn nieuwe service te maken krijgt.'

'Ja, ook leuk om jou weer te zien,' antwoordde Thomas. 'Voordat je me inmaakt, moet ik wat roest zien kwijt te raken. Hoe lang is het geleden? Twee maanden?'

'Voor jóú, ja. Voor mij een week. Clayton gunt je geen leven, jongen.'

'Ja, en dan weet je de helft nog niet.'

Thomas trok zijn tenniskleren aan en liep samen met Porter naar de baan. Het East Potomac Tennis Center was een enorm complex met negentien buitenbanen en vijf binnenbanen, die overkoepeld werden door een opblaasbare tent die 'de bel' werd genoemd. Hoewel het buiten sneeuwde, was de temperatuur in de bel een aangename eenentwintig graden. Ze renden een paar rondjes om de baan om hun spieren los te maken en deden wat rek- en strekoefeningen.

'En hoe staat het met de opvolgers van *Hustler*baas Larry Flynt?' vroeg Thomas.

Porter schoot in de lach. 'Die Flynt is een watje vergeleken bij de onderkruipsels met wie wij te maken hebben.'

Porter was zijn carrière begonnen als officier van justitie, met beveiligingsfraude als specialisme. Het werk was echter saai en kleurloos gebleken en zijn meerderen waren er al snel achter dat ze hem echte actie moesten bieden als ze hem wilden houden. Dus plaatsten ze hem over naar het CEOC; de afdeling Child Exploitation and Obscenity (kindermisbruik en -exploitatie) en gaven hem de gruwelijkste kinderpornozaken. Het was het soort werk waar de meeste keurige juristen niets mee te maken wilden hebben. Maar Porter leek er energie uit te halen.

'Oké, zullen we beginnen?' zei Porter, terwijl hij zijn racket pakte. Hij liep naar de achterlijn en sloeg een paar services om op te warmen, voordat hij een strakke bal in het hoekje van het serveervak plaatste.

Thomas floot bewonderend. 'Niet slecht.' Hij sloeg zelf een paar oefenservices en liep toen naar voren. 'Laat maar zien wat je kunt.' Balancerend op zijn voeten en met zijn racket stevig in zijn handen kon hij zich bijna voorstellen dat zijn leven weer normaal was.

Bijna.

Ze speelden twee sets en Porter won maar een handjevol games. Thomas wist dat de afranseling die hij Porter gaf zijn vriend irriteerde, maar Porter verloor nooit zijn goede humeur. Na afloop van de wedstrijd liepen ze allebei naar het net toe.

'Je bent te goed,' zei Porter, terwijl hij Thomas de hand schudde. 'Ik heb je de bal nog nooit zo hard zien raken. Weet je zeker dat je geen pepmiddelen slikt?'

Thomas lachte. 'Ik moest gewoon wat agressie kwijt.'

Porters gezichtsuitdrukking werd serieus. 'Hoe gaat het met Priya?'

Thomas aarzelde even maar besloot toen zijn vriend in vertrouwen te nemen. Hij gaf Porter een korte samenvatting van Priya's vertrek en het gesprek met Max Junger.

Porter schudde zijn hoofd. 'Het spijt me te horen dat Priya en jij uit elkaar zijn. Jullie leken altijd iets speciaals te hebben. Is er nog een kans dat het weer goed komt tussen jullie?'

'Nee, ik denk het niet.'

'Dat gedoe van Clayton vind ik echt misselijkmakend,' zei Porter, van onderwerp veranderend. 'Het is toch ongelooflijk dat ze je op die manier aan de kant zetten. Wharton verdient die uitspraak. Wat mij betreft ging die nog lang niet ver genoeg. Het is werkelijk idioot dat ze met wanprestatie dreigen.'

'Dat kan wel zo zijn, maar ze hebben in het afgelopen jaar wel de salarissen van de helft van de afdeling gerechtelijke procedures betaald.'

'En, heb je al besloten wat je gaat doen?'

Thomas haalde zijn schouders op. 'Geen idee. Heb jij een voorstel?'

'Als ik jou was, zou ik maken dat ik wegkwam. Het weer is hier toch vreselijk om deze tijd. Ik zou die sabbatical overwegen. Clayton heeft veel te veel van je gevergd, ik zie het aan je.'

Porters analyse was van een chirurgische precisie en Thomas had er geen weerwoord op. Ze stopten hun rackets weer in de hoes en liepen naar de kleedkamer.

'Heb je ooit gehoord van een organisatie die CASE heet?' vroeg Thomas op weg daarheen. 'Volgens mij hebben ze iets te maken met het ministerie van Justitie.'

Porter knikte. 'Coalition Against Sexual Exploitation. Een organisatie die strijdt tegen seksuele uitbuiting in ontwikkelingslanden. Ze werken aan mensenhandel- en seksueelgeweldzaken. Degene die die organisatie heeft opgezet is een of andere hotshot van de mensenrechtendivisie. Hoezo?'

'Ze stonden op Claytons pro bono-lijst.'

Porter trok zijn wenkbrauwen op. 'Overweeg je daar een stage?'

Thomas haalde zijn schouders op. 'Verbaast je dat?'

Porter deed de deur naar de kleedkamer open. 'Laat ik gewoon zeggen dat de bordelen in Cambodja een heel eind af liggen van Clayton|Swift in K Street.'

Thomas wist dat zijn vriend gelijk had. Een week geleden zou hij nog niet over CASE hebben gepiekerd. Mensenhandel was een tragedie, net zoals kinderarbeid en een aidsepidemie. Maar in zijn wereld deden ze er weinig toe, waren ver van zijn bed. Het incident in Fayetteville had dat veranderd. Door Abby Davis was het iets persoonlijks geworden.

Thomas ging op de bank zitten. 'Er is me gisteren iets overkomen,' zei hij om het te verklaren. 'Ik ben getuige geweest van een ontvoering.'

Porter stopte abrupt met het losmaken van zijn veters en keek op. 'Echt?'

Thomas knikte. 'Van een elfjarig meisje.'

Hij vertelde Porter in het kort wat er was gebeurd en wat zijn vader er die avond over had gezegd.

Toen hij klaar was, was Porter een tijdje stil. 'Je vader zou wel eens gelijk kunnen hebben dat het om mensenhandel gaat. Alles is mogelijk. Maar ik zou zeggen dat de kans groot is dat ze wordt verkocht.'

'De rechercheur in Fayetteville had het erover dat de FBI er misschien bij betrokken zou worden,' zei Thomas.

Porter kneep zijn ogen tot spleetjes. 'Zou kunnen.'

'En als dat zo is, komt daar dan ook iets van bij jullie terecht?'

Porter zag er nogal ongemakkelijk uit. 'Misschien. We zijn bezig met een onderzoek naar enkele organisaties in het Verre Oosten.' Hij zweeg even. 'Dat is vertrouwelijke informatie, trouwens.'

Thomas knikte; hij begreep de positie waarin zijn vriend verkeerde goed. 'Ik hoef verder niets te weten. Maar kun je me één plezier doen? Als je haar naam ergens tegenkomt, laat je me dat dan weten?'

Porter knikte. 'Zal ik doen. Maar ik zou er niet op hopen. In mijn soort werk lopen maar weinig zaken goed af.'

Op de parkeerplaats van het tennispark namen ze afscheid van elkaar en Thomas reed terug naar Georgetown. Toen hij parkeerde, zag hij dat alle lichten in zijn huis nog aan waren. Hij was zo haastig vertrokken dat hij was vergeten ze uit te doen. De sneeuw viel nu in dikke vlokken. Tijdens zijn afwezigheid was er al een paar centimeter gevallen.

Thomas sloot zijn auto af en liep de paar flagstone treden op. Hij hoorde haar pas toen ze opeens naast hem stond en haar hand op zijn arm legde.

'Hoi,' zei Tera.

Hij was compleet overrompeld. Verbijsterd staarde hij haar een tijdje aan en deed zijn best weer bij zinnen te komen. Ze droeg zwarte laarzen, een zwart-wit geruite jas tot op haar knieën en een paarse das. In haar oren bungelden diamanten. Tera was de meest modebewuste vrouw die hij kende.

'Hoe kom jij nou hier?' vroeg hij.

'Ik heb geprobeerd je te bellen, maar je was er niet. Ik wilde je zien.' Ze praatte zachtjes maar vastberaden en haar ogen lieten die van hem niet los. Ze greep zijn hand. 'Ik heb je gemist.'

Thomas bleef even nogal verstard staan, totdat hij zich de beleefdheidsregels herinnerde. 'Waarom kom je niet even binnen, dan drinken we wat.'

Hij liet haar voorgaan door de voordeur en eenmaal binnen trok Tera haar jas en das uit. Eronder bleek ze een rode coltrui, een grijze rok, zwarte kousen en een ketting van grote parels aan te hebben.

Tera liep door naar de keuken en keek om zich heen; ze was nog nooit eerder in zijn huis geweest.

'Ik hou van dit soort oude huizen,' zei ze. 'Je hebt het hier mooi laten opknappen.'

Thomas liep naar de wijnkast en koos daar een bourgogne uit. Hij pakte de opener uit de la en ontkurkte de fles. Alles ging volkomen automatisch, omdat hij een innerlijke strijd met zichzelf voerde. Hij kon het niet helpen dat hij zich tot haar aangetrokken voelde.

Nadat hij twee glazen wijn had ingeschonken, overhandigde hij er een aan haar. Daarna gingen ze allebei in een stoel bij het raam zitten en tuurden ze naar buiten, naar de vallende sneeuw.

'Je lijkt zorgelijk,' begon ze. 'Is alles in orde?'

Hij nam een slokje van de rijke, stevige wijn en genoot even van het rustgevende effect ervan. 'Ja, hoor.'

'Jammer dat je niet bij het groepje zit dat het hoger beroep moet voorbereiden.'

Hij twijfelde even of hij haar zou vertellen over Junger, maar besloot dat niet te doen. Hij haalde zijn schouders op. 'Ach, de partners beslissen. *C'est la vie.*'

Ze keek hem op een ongewone manier aan. 'Er ís wat. Ik weet het zeker.'

Over een understatement gesproken, dacht hij.

'Het gaat echt wel, hoor,' zei hij. Hij loog liever dan de waarheid nu te moeten vertellen.

'Wil je erover praten?'

'Niet echt.'

Ze leek min of meer gerustgesteld en nam een slokje van haar wijn, haar oorbellen schitterden in het lamplicht.

'Waarom doe je dit?' vroeg ze.

'Wat doe ik?'

'Waarom drink je een glas wijn met me?'

Het antwoord leek duidelijk: ze had voor zijn huis op hem staan wachten. Maar hij voelde dat ze iets anders bedoelde.

'Ik weet het niet,' zei hij. 'Je bent aangenaam gezelschap.'

Haar ogen vonkten, maar hij kon niet bepalen of dat van woede of verdriet was.

'Wil je dat ik wegga?' vroeg ze zachtjes.

Daar was-ie dan: de vraag van de dag. De vraag waarop hij geen definitief antwoord wist. Ja, hij wilde dat ze wegging. Nee, hij wilde niet dat ze wegging. Hij wilde zijn oude leven terug, maar dat kwam niet terug. Hij wilde bevrijd worden van de spoken die in zijn huis rondwaarden. Hij wilde de warmte van huid op huid voelen, hij wilde liefde voelen, liefde die overging in passie. Maar het gezicht in zijn dromen was niet van Tera. Het was van Priya, zoals het altijd al was geweest. Het meisje dat zijn hart had gestolen in de collegezaal van Cambridge, terwijl haar vader, de professor, over kwantummechanica praatte. De vrouw die zijn kind had gedragen en ter wereld had gebracht.

Tera zette haar glas op een bijzettafeltje, stond op en kwam naar hem toe. Ze liet zich op zijn schoot zakken, haar gezicht maar een paar centimeter verwijderd van dat van hem.

'Ik wil niet weg,' fluisterde ze.

Toen ze hem kuste, verzette hij zich niet. Jungers ultimatum verdween uit zijn gedachten. Hij vergat de geesten van zijn vrouw en kind die nog voelbaar waren in zijn huis. Zijn verstand ging op nul, zijn hart was verdoofd door lust en wanhoop. Alleen zijn lichaam bestond nog.

Maar voor even was zijn lichaam genoeg.

Hij lag in het donker, naast hem sliep Tera. Boven hen draaide de plafondventilator met langzame bewegingen rond en bracht de lucht nauwelijks in beweging. Hij herinnerde zich dat hij per ongeluk tegen het knopje had gestoten toen Tera hem de kamer had binnengeduwd. Hij herinnerde zich de rest ook, alles, met een buitengewone helderheid, maar hij kon er niet over nadenken. Zijn geweten was weer terug en schold hem uit voor dingen die hij verdiende.

Thomas glipte tussen de lakens uit, trok een sweatshirt en een joggingbroek aan en liep naar beneden. In de keuken en de woonkamer brandden de lichten nog. Hij deed ze een voor een uit. Het enige lichtschijnsel kwam nu nog van een straatlantaarn dat bleek weerspiegelde in de geboende houten vloer. Het sneeuwen was opgehouden, maar alles was wit en hij schatte dat er zo'n centimeter of tien was gevallen. Thomas wierp een blik op zijn horloge. De lichtgevende wijzers gaven na middernacht aan.

Thomas bleef een tijd bewegingloos staan luisteren naar de geluiden op straat. Toen liep hij naar de kelderdeur en ging de trap af. Hij wist waar de doos stond. Hij had hem daar na haar vertrek tenslotte zelf neergezet. Even later kwam hij de woonkamer weer binnen en ging in de stoel bij het raam zitten. Tera's parfum hing nog in de lucht. Hij zette de doos op zijn knieën en haalde het deksel eraf. De foto's lagen allemaal door elkaar. Het was ook zijn bedoeling geweest om de herinneringen uit te wissen, niet om ze zorgvuldig te bewaren.

De eerste foto was van Priya in haar bruidsjurk. Ze stond in een tuin naast een door bloemen omringd bankje. Haar houding had een ontspannen nonchalance, ze zat lekker in haar vel, iets wat hij altijd aantrekkelijk had gevonden. Ze had bruine ogen en een olijfkleurige huid die sterk contrasteerde met haar witte jurk. Ze glimlachte om iets in de verte. Er waren kinderen aan het spelen geweest op een veldje er vlakbij, herinnerde hij zich. Ze was altijd dol geweest op kinderen.

Ze waren getrouwd op River Farm, een enorm landgoed aan de Potomac ten zuiden van Alexandria. De ceremonie was een mengeling van twee culturen geweest waar, behalve de bruid en bruidegom, niemand echt tevreden mee was geweest. Na de traditionele christelijke riten hadden ze hun huwelijksbelofte afgerond met de *spatapadi*, oftewel de Zeven Stappen, rondom een ceremonieel vuur. Priya had de zegeningen in Hindi voorgedragen en zich daarmee overgegeven aan haar nieuwe leven. Ze was tegen de wil van haar vader met Thomas getrouwd. Nu vroeg hij zich af of er daardoor misschien op de een of andere manier een vloek op hun huwelijk had gerust.

Hij legde de foto opzij en pakte de volgende uit de doos. Het verdriet keerde terug alsof het nooit was weg geweest. Het was een foto van Priya met de drie maanden oude Mohini in haar armen, genomen in Rock Creek Park. Moeder en dochter keken elkaar glimlachend aan. Het was hun lievelingsfoto van hun baby geweest. Haar zachte huid, die de eerste twee maanden vlekkerig was geweest, was nu helemaal gaaf. Haar chocoladebruine ogen waren open en ze bruiste van leven.

De tranen begonnen over zijn wangen te biggelen, maar hij veegde ze niet weg. Die afschuwelijke ochtend in september toen ze haar hadden gevonden stond hem weer voor de geest. Hij herinnerde zich de schrille kreten van Priya, hoe hij de trap op was gestormd en Mohini had moeten ontworstelen aan Priya's armen. Hij herinnerde zich het klamme, kille gezichtje en de intense angst die hem overviel toen zijn mond-op-mondbeademing niets uithaalde. Hij kon de gillende sirene van de ambulance nog horen toen die langs de stoep stilhield, hij kon de ziekenhuisgeur van de spoedeisende hulp nog ruiken, hij kon zijn woede op de steriele efficiëntie van de artsen nog voelen terwijl ze aan Mohini's lijfje duwden en trokken, op zoek naar de verklaring die ze nooit zouden vinden. Het rapport van de lijkschouwer had het SIDS genoemd – Sudden Infant Death Syndroom – wiegendood. Mohini was in haar slaap gestorven. Oorzaak onbekend.

De dienstdoende arts had hun een kwartier gegund om afscheid van haar te nemen voordat hun dochtertje naar het mortuarium zou worden gebracht. Alleen in het kale kamertje had Priya hun dochtertje in haar armen genomen en voor haar gezongen in het Hindi. Terwijl hij luisterde naar zijn vrouw en haar fluisterend gezang voor hun dode dochtertje, was Thomas' gevoel van verlies alleen nog maar groter geworden. Uiteindelijk had Priya Mohini op een wit laken neergelegd en haar voor de laatste keer een kus gegeven. Toen draaide ze zich om. Ze had niet meer achteromgekeken.

Thomas deed het deksel weer op de doos met foto's. Na een tijdje klom hij de trap op en maakte de deur van Mohini's kamertje open. Het babybedje stond tegen de muur, leeg, de vrolijk gekleurde perpetuum mobile die erboven hing hield in stilte de wacht. Alles was precies hetzelfde als op de avond voor haar dood, toen ze haar in haar bedje hadden gelegd.

Hij liep erheen en streek met zijn vinger over de houten spijlen. Thomas had het bedje zelf gebouwd. Niet omdat hij geld had willen uitsparen, maar om wat Priya van hem zou denken. Hij wilde laten zien dat hij het kon – meer, dat hij het *wílde* doen, dat zijn lange dagen op kantoor niet betekenden dat hij geen interesse had in de baby. Hij herinnerde zich haar glimlach toen hij het spijltjesbedje af had. Die nacht hadden ze de liefde bedreven, voor het eerst in vele weken. Haar dikke buik zat in de weg, maar dat maakte niet uit. De climax was puur geweest, een bevrijding. Hoe anders was het met Tera. Bij iedere aanraking voelde hij dat de strop om zijn nek strakker werd aangetrokken.

Thomas knielde voor het bedje neer en liet zijn voorhoofd tegen de spijltjes rusten. In deze houding voor een gebed, een smeekbede, zong hij het refrein van 'You are my sunshine', zoals hij dat elke avond voor Mohini had gezongen. Hij besefte dat het liedje eigenlijk een soort gebed was, een bidden tot de god van de kinderen, een smeekbede om hun veiligheid en vrede. Maar in Mohini's geval was die bede niet verhoord. Opnieuw welden er tranen in zijn ogen op en hij fluisterde de woorden die het gevoel uitdrukten dat hij constant met zich meedroeg.

'Het spijt me, lieve meid. Het spijt me dat ik niet bij je was. Ik wist het niet.'

Thomas verliet Mohini's kamertje en liep zijn kantoor binnen. Hij startte zijn laptop op en opende zijn webbrowser. Peinzend over de twee opties van Junger zocht hij met Google naar een eiland op de Bahama's waar hij wel eens over had gelezen in een tijdschrift. De foto's waren inspirerend. Palmstranden, kristalheldere golven, spierwit zand. Hij stelde zichzelf voor met een pina colada in zijn hand, kijkend naar de zonsondergang. Toen probeerde hij zich in te beelden hoe de rest zou zijn. Hij zou alleen zijn. Hij kon niet de hele dag zitten lezen. Hij zou al snel genoeg hebben van het leven in een resort. Hoezeer hij het ook haatte om toe te geven: Junger had gelijk. Een vakantie zou een zwart gat voor hem zijn. Wat hij nodig had was een reden om iedere ochtend zijn bed uit te komen.

Toen hij de foto's weg had geklikt, zag hij dat hij twee nieuwe e-mailberichten had. Het eerste was van zijn moeder, dat ze een paar uur geleden aan hem had gestuurd. Het vakje achter 'onderwerp' was leeg, maar dat verbaasde hem niet: Elena had de computer nooit echt onder de knie gekregen.

Ze had geschreven:

> Thomas, vandaag bedacht ik iets, iets wat je gerust naast je neer mag leggen als je dat liever doet, maar ik moet het toch even kwijt. Je vertelde dat Priya is vertrokken, maar je hebt niets over een scheiding gezegd. Als dat gewoon bij toeval niet ter sprake is gekomen, vergeet dan de rest van deze mail. Maar als dat niet zo is, overweeg dan het volgende. Stel dat je haar achternareist naar India? Om je huwelijk nog een laatste kans te geven? Ik weet dat het belachelijk klinkt. Misschien wijst ze je af. Misschien loop je een blauwtje. Maar dan zou er in ieder geval een duidelijk einde aan jullie relatie zijn, iets wat ik nu niet proef uit je woorden. Een carrière opbouwen kan altijd nog, maar liefde is zeldzaam. Je vader zal het waarschijnlijk niet met me eens zijn, maar dat doet er niet toe. Ik vond het fijn je te zien gisteren.

Thomas was verbaasd. Het idee om Priya achterna te reizen was nooit in hem opgekomen en nu hij erbij stilstond, leek het hem dat het alleen maar op een ramp kon uitdraaien. Het was waar, Priya had het niet over een scheiding gehad, maar haar vertrek was zo vastberaden, zo koud en zonder enige emotie geweest, dat hij er nooit aan had getwijfeld dat ze wilde scheiden. Sterker nog, juist het gevoel dat het definitief voorbij was, had ervoor gezorgd dat hij zich door Tera had laten verleiden. En daarin lag meteen het volgende probleem: zelfs als Priya op de een of andere manier de deur naar een verzoening op een kiertje had laten staan, dan was er geen manier om zijn gedrag van na haar vertrek ongedaan te maken. Hij was haar ontrouw geweest. Tera lag te slapen in hún bed. Zijn verbroken beloftes waren een aanklacht tegen hem.

Thomas sloot de e-mail van zijn moeder en opende de volgende. Die kwam van Andrew Porter.

Hé, jongen, ik moet bekennen dat ik nog steeds mijn wonden zit te likken van de afranseling die ik van je heb gehad, maar het was verdiend. Ik weet altijd van tevoren al dat ik het ga verliezen, maar ondanks dat blijf ik het proberen. Luister, ik hoop dat je het me niet kwalijk neemt, maar ik heb een vriendin van me gebeld die bij CASE werkt (ze is onderdirecteur operaties) en heb haar gevraagd of ze op dit moment vacatures hebben voor juridische medewerkers. Je raadt nooit wat ze zei! Er is net een plek vrijgekomen in hun kantoor in Mumbai. Is dat geen toeval? Ik weet niet of je interesse hebt, Priya zit daar natuurlijk ook, maar ik wou het je toch even laten weten. Laat maar horen als je het verder wilt onderzoeken.

Thomas leunde naar achteren in zijn stoel en staarde uit het raam naar de nachtelijke hemel, die opgloeide door de lichtvervuiling. Mumbai! Het was een absurd idee. Claytons pro bono-programma bestreek de hele wereld. Europa, Zuid-Amerika, China, Afrika – de keuzes waren ongelimiteerd. En ook al wilde hij voor CASE werken, dan had die organisatie kantoren in veertien landen. Misschien zou hij even geduld moeten hebben, maar er zou zeker ergens een plekje vrijkomen. Mumbai! Dat was wel de allerlaatste plek op de wereld waar hij weer met zichzelf in balans zou kunnen komen.

Hij liet de laptop openstaan, stond op en dwaalde onrustig door het huis. Hij schuimde de koelkast af op zoek naar niets in het bijzonder; hij deelde zijn wijnrek opnieuw in op streek; hij keek een stukje van een film van John Wayne op de televisie. Na een tijdje liet hij zich neervallen in de stoel bij het raam en pakte de doos met foto's weer op.

Na even zoeken vond hij de foto die hij zocht. Hij lag bijna onderop. Thomas had hem op maat geknipt, zodat die in zijn portefeuille paste. Het was een foto van Priya bij de ingang naar Fellows Garden. Ze hadden elkaar daar vaak ontmoet tijdens zijn zomer in Cambridge, altijd in het geheim, haar vader mocht er niets van weten. Vanaf de foto glimlachte Priya over alle jaren heen naar hem terug, haar ogen sprankelden ondeugend en gelukkig. De liefde had hen allebei overrompeld. Het was zoiets groots geweest. Bestond er echt een kans dat ze die weer terug konden vinden?

Ergens in de kleine uurtjes van de ochtend gaf Thomas zich eindelijk over. Hij hield op met ijsberen en liep langzaam naar de trap, gedreven door een vastbeslotenheid die hij in de verste verte niet begreep. Hij keerde naar zijn laptop terug en verstuurde twee e-mails.

Aan Porter schreef hij: *Regel maar een afspraak. Ik kan altijd.*

En aan Max Junger: *Ik heb besloten uw raad op te volgen. Ik denk erover om naar India te gaan om bij* CASE *te gaan werken. Ik hoop dat Mark Blake en Wharton daar genoegen mee nemen.*

Toen liep hij de slaapkamer in en keek naar de slapende Tera aan Priya's kant van het bed. Ze lag met haar rug naar hem toe gekeerd en haar haar was over haar gezicht gevallen. Dit is de laatste keer geweest, besloot hij. Het lag niet aan haar; ze was lief voor hem geweest. Maar de maskerade had nu lang genoeg geduurd. De volgende ochtend zou hij het haar zeggen. Natuurlijk zou ze boos zijn, maar ze overleefde het wel. En hij, hij was er klaar voor zich ergens in vast te bijten. India? Een gevecht tegen de moderne vorm van slavernij? Zijn vrouw weer onder ogen komen?

Hoe moest hij dit in vredesnaam allemaal aan zijn vader uitleggen?

5

> Duisternis – tastbaar, zwart en ondoordringbaar – is over me neergedaald. O, ochtendstond, kom en verban het donker.
>
> RIG VEDA

Mumbai, India

NA EEN PAAR DAGEN IN SUCHIRS BORDEEL begonnen Ahalya en Sita het besef van tijd te verliezen. Elke dag nam hetzelfde ritme aan als het jaar heeft in India: twee seizoenen die werden bepaald door de aan- of afwezigheid van de zon. De dag was goedaardig en vol met allerlei huiselijke geluiden – het geklets van de meisjes die op de etage onder hen woonden, de verschillende geluiden van de handel op straat. Maar de nacht was kwaadaardig: een kakofonie van rennende voeten, dronken geschreeuw, gilletjes van verleiding en protest, en een onophoudelijk kreunen.

De meisjes hadden die eerste paar dagen maar weinig bezoek. Sumeera kwam regelmatig kijken hoe het ging en bracht het eten. Ahalya deed haar best haar te haten, maar haar vijandigheid bleek moeilijk vol te houden. Sumeera sprak altijd vriendelijk, ze commandeerde hen nooit en behandelde hen als dochters.

Op een ochtend bracht ze een arts mee om hen te onderzoeken. In eerste instantie verzette Ahalya zich tegen een inwendig onderzoek, maar Sumeera vertelde dat het iets heel gewoons was; alle jonge vrouwen in Mumbai ondergingen het. Ahalya dacht aan Suchir en gaf toe; ze wilde zijn woede en wraak niet over zich afroepen. Sita, die zag dat haar zusje capituleerde, deed snel hetzelfde, hoewel ze het onderzoek duidelijk pijnlijk en beschamend vond.

Na het onderzoek sprak Sumeera op zachte toon met de dokter.

'Jullie zijn allebei gezond,' zei ze even later, terwijl ze haar handen ineensloeg, 'en dat willen we graag zo houden. Dus komt de dokter eens in de maand bij jullie langs. Wees beleefd tegen hem.'

Als Sumeera er niet was, zochten de twee meisjes de zolderkamer af naar een manier om te ontsnappen. De kamer was min of meer vierkant, ongeveer vier bij vier meter. Er was geen raam, alleen twee kleine ontluchtingsgaten. De enige deur werd van buitenaf op slot gedaan. Achter die deur lag een trap die geen uitgang had als de boekenkast ervoor stond. En het mechanisme waardoor de boekenkast wegschoof, kon natuurlijk alleen vanaf de andere kant worden bediend, dat wist Ahalya wel zeker.

Na vele vergeefse pogingen ging Ahalya naast Sita op de vloer zitten en streelde over haar zusjes haar.

'Er móét een manier zijn waarop we kunnen ontsnappen,' zei ze.

'Maar waar kunnen we dan heen? We kennen niets en niemand hier in Mumbai.'

Ahalya had er geen antwoord op. Iedere nacht lag ze wakker en luisterde ze naar de geluiden die van beneden kwamen. Het was haar verbeeldingskracht die ervoor zorgde dat ze niet kon slapen. Ze dacht aan de meisjes beneden en de mannen die bij hen op bezoek kwamen. Ahalya was wel maagd, maar niet naïef. Ze wist hoe het ging als een man en vrouw seks hadden. Ze wist wat mannen van vrouwen wilden. Wat ze niet kon begrijpen was waarom een man een hoer, een *beshya*, voor seks wilde betálen.

Terwijl de dagen zich voortsleepten begon Ahalya zich af te vragen of Suchir hen ooit zou komen halen. Het was vrijdag, drie dagen na hun aankomst, en er was nog geen enkele man naar hun kamer gebracht. De enige verklaring die Ahalya daarvoor kon bedenken was dat de bordeeleigenaar iets bijzonders met hen van plan was. Die gedachte maakte haar doodsbang. Soms, als ze Suchirs stem door de planken vloer heen hoorde, werd ze overvallen door duizelingen. De enige remedie die ze daartegen had, was plat op haar rug gaan liggen. Sita maakte zich zorgen om haar, maar Ahalya zei dat het door de hitte kwam. Maar het was de angst die haar vanbinnen verteerde.

Het moment kwam toen Ahalya het 't minst verwachtte. Het was oudejaarsavond en midden in de nacht. Ze was steeds even in slaap gedommeld en weer wakker geschrokken. Vanaf de straten hoorde ze feestgeluiden en het gekreun van beneden deed er niet voor onder. Toen de deurknop geluidloos werd omgedraaid, merkte ze het niet, maar de scharnieren piepten en daar werd ze wakker van. Plotseling werd het licht aangeknipt en stond Sumeera aan de voet van het bed met een stoffen buidel in haar handen.

'Wakker worden, meisjes,' zei ze nerveus. 'Tijd om je aan te kleden.'

Ahalya's hart klopte opeens in haar keel, maar ze wist dat ze beter geen vragen kon stellen. Ze kon zich de klap die ze in haar gezicht had gekregen op de ochtend dat ze waren gearriveerd nog goed herinneren. Sumeera had een prachtige, paars met gouden churidaar in haar handen en maakte duidelijk dat Ahalya die moest aantrekken. Aan Sita gaf ze een sari in de kleur van pauwenveren. Daarna volgden arm- en enkelbanden. Vervolgens borstelde Sumeera de haren van de meisjes, versierde die met bloemenslingers, bracht een dun laagje foundation aan op hun gezicht en maakte hun ogen op met een dun lijntje zwarte eyeliner. Ze deed een stap naar achteren en bekeek ze goedkeurend.

Na een ogenblik verscheen Suchir in de deuropening en gromde goedkeurend.

'Kom,' zei hij. 'Shankar wacht.'

De zusjes liepen achter Sumeera en Suchir aan de trap af en kwamen beneden in de benauwde gang, waar een stuk of twintig meisjes bleken te zijn. Sommigen leunden tegen de muren, anderen zaten in de deuropeningen op de grond. Een paar van hen gniffelden toen ze dichterbij kwamen, maar de meesten waren op hun hoede. Tot Ahalya's verrassing zagen de meeste beshya's er heel gewoontjes uit. Er waren er maar twee of drie die voor knap konden doorgaan en er was maar één meisje echt mooi.

Ahalya ving in het voorbijgaan gefluister op.

'Vijftigduizend,' schatte een van de meisjes.

'Meer,' zei haar buurvrouw.

Suchir snoerde hun met een nijdige blik de mond. Hij gebaarde dat Sita bij de deur moest wachten en nam Sumeera en Ahalya mee de lobby van het bordeel in. Er zat een man op een van de banken tegenover de spiegelmuur. Hij was ruim veertig, had een hoofd vol zwarte krullen en een gouden horloge om zijn pols. Terwijl Suchir het rolgordijn voor het raam dichtdeed, bekeek de man Ahalya goedkeurend. Intussen nam Sumeera met gebogen hoofd plaats op de andere bank.

Suchir schakelde een knop om en er floepte een rij ingebouwde spots boven de spiegel aan, die de kamer fel verlichtte. Zachtjes beval hij Ahalya onder de spots te gaan staan en Shankar aan te kijken. Ahalya gehoorzaamde: ze keek de man heel kort aan en richtte toen haar blik weer op de grond.

'Shankar, mijn vriend,' begon de bordeeleigenaar. 'Ik heb iets geweldigs voor je vanavond. Twee meisjes – allebei verzegelde pakketjes. Dit is de oudste.'

Shankar mompelde van genoegen. Hij stond op en liep naar Ahalya toe.

Zijn ogen gleden bewonderend over haar huid, hij raakte haar haren aan en streek met de rug van zijn hand langs haar linkerborst.

'*Ravas*,' zei hij met een zucht. 'Fantastisch. Ik hoef er niet nóg een te zien. Bewaar dat andere kind maar voor een volgende keer. Hoeveel voor deze? Zonder condoom.'

'Condooms zijn verplicht. Je kent de regels,' antwoordde Suchir.

Shankar haalde zijn schouders op. 'Regels zijn waardeloos. Hoeveel wil je hebben?'

Suchir leek even te aarzelen en gaf toen haastig toe. 'Voor een meisje als dit exemplaar, zestigduizend en alleen voor deze keer.'

'Suchir, je maakt het me moeilijk,' zei Shankar. 'Ik heb maar vijftigduizend cash bij me.'

'Je kunt altijd even langs de geldautomaat,' zei Suchir. 'Het meisje is iedere roepie waard.'

Shankar deed een stap naar achteren. 'Zestigduizend dan. Ik betaal je de rest na afloop.' Hij gaf een bundel duizendroepiebiljetten aan Suchir.

Suchir wierp een blik op Sumeera. 'Neem ze mee naar boven,' zei hij. 'En zorg dat dat andere kind in het trappenhuis zit. Dat zal een goede les voor haar zijn.'

Terwijl de mannen onderhandelden, stond Ahalya er als verlamd bij. In het harde licht van de spots had ze het gevoel dat ze in een andere wereld was. Haar hart hamerde in haar borstkas en ze voelde een tinteling in haar nek, die zich langzaam naar beneden verplaatste. In haar hoofd was Shankar geen man, maar een geest uit de onderwereld. En door een geest kon ze niet ontmaagd worden. Maar tegelijkertijd wist ze best dat die gedachte een dwaas trucje van haar verbeelding was. Het was een man, een man van vlees en bloed.

Toen ze Suchirs opmerking over Sita hoorde, keek ze vol afgrijzen op, maar ze was niet in staat iets uit te brengen. Haar angst had zich met de laatste resten van haar verzet uit de voeten gemaakt. Ze zou zich zonder weerstand te bleden laten nemen door Shankar, zodat ze Sita het voorbeeld gaf dat ze zich niet moest verzetten. Want verzet, besefte ze nu, betekende pijn en pijn maakte de hel van dit afgrijselijke bestaan alleen maar erger. Na vanavond zou ze een *awara* zijn, een gevallen vrouw. De weg van de prostitutie leidde maar één kant op.

'*Bolo na, tum tayor ho?*' vroeg Sumeera haar. 'Ben je klaar om mee te gaan?'

Ahalya knikte. Ze liet Shankar haar hand vastpakken en haar mee de gang in voeren. Maar ze kon zich er niet toe brengen een blik op Sita te werpen.

Terwijl Shankar haar met zich mee de trap optrok, dacht ze aan haar vader. Van hem had ze geleerd dat ze sterk was, dat haar talenten oneindig waren en dat ze alles kon zijn wat ze maar wenste. Het was een prachtige gedachte, maar een kansloze. Ahalya dacht aan haar moeder, terwijl Sumeera de kussens opschudde en een kaars aanstak. Ambini was vriendelijk en beschaafd geweest, een voorbeeld om na te streven. Maar ze waren dood nu, allebei, hun lichamen waren als drijfhout achtergebleven op de verwoeste resten van een ooit prachtig strand. Alles wat was gebleven, was *jooth ki duniya* – een wereld vol leugens.

Sumeera deed de deur achter zich dicht en liet haar alleen met Shankar. Ahalya staarde bevend naar een punt op de grond. Ze kon zich er niet toe brengen om de man die haar had gekocht aan te kijken. Hij kwam naar haar toe en tilde haar kin op, totdat ze zijn blik ontmoette. Met een glimlach maakte hij zijn broek open.

'Dit is je bruidsnacht,' zei hij en hij duwde haar achterover op het bed.

Sita zat in het donkere trappenhuis en huilde bij alles wat ze kon horen van de verkrachting van haar zusje. Op haar vijftiende had ze nog weinig weet van vleselijke lusten, maar ze wist heel goed wat aanranding was. Toen de geluiden van Shankars genot eindelijk ophielden, hoorde ze haar zusje huilen. Na een paar minuten verscheen Shankar in de deuropening. Met een glazige blik in zijn ogen liep hij langs haar heen, terwijl zijn kleren er slordig bij hingen. Hij zei niets en verdween gewoon.

Sita liep stilletjes de kamer in. Haar zusje lag op het bed in een wirwar van lakens, haar churidaar in een hoopje op de vloer. De kaarsvlam wierp dansende schaduwen op de wanden. Ahalya had haar ogen gesloten en haar voorhoofd voelde heet aan. Sita kuste haar wang en knielde naast het bed neer. Algauw kwam Sumeera tevoorschijn en ze nam Ahalya mee naar de wastafel. Daar waste ze haar en trok haar een los vallend nachthemd aan. Toen bracht ze haar weer terug naar het bed.

Sumeera probeerde Ahalya te troosten. 'Wat je hebt meegemaakt is moeilijk. Dat je je schaamt is heel natuurlijk. Dat heeft iedereen de eerste keer. Maar je zult het overleven. Je zult leren om het te accepteren.'

En met die woorden liet ze hen alleen.

Sita kleedde zich uit en glipte het bed in, waar ze Ahalya in haar armen sloot. Haar zusje was altijd haar steunpilaar, haar rots in de branding geweest. In de eenzaamste nachten op St. Mary's was haar zusje er altijd om haar te troosten. En bij de tsunami had Ahalya haar lichaam tussen Sita en de golf geworpen. Nu was het Sita's beurt om te troosten en te beschermen. Zachtjes begon ze een deuntje te neuriën dat ze van hun moeder had geleerd. Ze kende het liedje uit haar hoofd en zong het met de passie van een gebed.

Ahalya werd de ochtend van Nieuwjaarsdag wakker als een vogel met een gebroken vleugel. Ze sprak wel, maar het plezier was uit haar stem verdwenen. Ze at haar ontbijt zonder commentaar op het voedsel te leveren. Ze onderging Sumeera's bezoekjes zonder een woord. Overdag, als de straatverkopers hun waren aanprezen en de beshya's beneden hun huishoudelijke klusjes deden, bleef ze op bed liggen en staarde ze wezenloos voor zich uit. Af en toe draaide ze zich om, maar ze kwam zelden overeind.

In haar hoofd hield de adda op te bestaan, de geluiden en beelden ervan werden gereduceerd tot nietszeggende prikkels en vage impressies. Alleen Sita bleef. Ahalya was verbaasd door de houding van haar zusje. Het leek wel of ze in een paar dagen jaren volwassener werd. Ze maakte een doek nat en legde die op Ahalya's voorhoofd. Ze zong liedjes die Ambini en Jaya hun hadden geleerd en citeerde stukken uit Ahalya's favoriete gedichten. Toen ze op een gegeven moment een gedicht van Sarojini Naidu voordroeg, prevelde Ahalya de woorden geluidloos met haar mee.

> O, mijn liefste, laat ons onze dode dromen verbranden
> Laten we hout verzamelen en een brandstapel vormen
> Met gevallen witte bloemblaadjes en bladeren die zoet en rood zijn
> Laten we ze verbranden in de vlammende vuurtoortsen van de middag.

De rest van het weekend verstreek in relatieve eenzaamheid, Suchir liet hen met rust. Sumeera smeerde een geneeskrachtig zalfje op de plekken waar Shankar haar huid had geschaafd. En steeds weer herhaalde ze haar refrein dat Ahalya haar lot moest accepteren. Een andere manier om uit die donkere tunnel van schaamte te komen was er niet. Hoewel Ahalya iedere nieuwe dag wat actiever werd, bleven haar ogen trieste poelen van verdriet.

Vroeg in de week daarop kwam Suchir Ahalya weer halen. Sumeera had dezelfde paars met gouden churidaar voor haar bij zich om aan te trekken, maar Sita hoefde zich deze keer niet om te kleden. Ahalya sloot haar ogen en deed zonder iets te zeggen alles wat ze moest doen. De beshya's stonden weer langs de muren in de gang beneden, maar nu waren ze niet zo rustig. Terwijl Ahalya langs hen liep, raadden er twee naar de prijs die Suchir voor haar zou vragen.

'Twintigduizend,' zei de ene.

'Tien,' zei de andere. 'Ze is al gebruikt. Er zal geen bloed achterblijven op de *dhoor*.'

Ahalya probeerde hun woorden te negeren en hield haar ogen strak op de grond gericht. Bij de deur bleef ze staan wachten totdat Suchir haar binnenriep en toen moest ze weer als een kermisattractie onder de felle spots gaan staan. Er zaten twee klanten op de kussens naast Sumeera. De ene was een man van middelbare leeftijd en de andere een jongen die niet ouder kon zijn dan zijzelf. De man praatte opgewonden tegen de jongen en ze begreep uit zijn woorden dat de jongen zijn zoon was. De jongen was jarig. En Ahalya was zijn cadeau.

De jongen stond aarzelend op en liep naar haar toe. Hij wierp nog een korte blik op zijn vader om bevestiging en zijn vader moedigde hem aan. Toen raakte de jongen haar lippen aan en liet zijn vingertoppen naar haar borsten glijden. Ahalya rilde en vroeg zich af wat de jongen met haar zou gaan doen.

De man pingelde over de prijs met Suchir en uiteindelijk stemde hij in met vijftienduizend roepie. Toen pakte de jongen haar hand en liepen ze achter Suchir aan naar het eerste peeskamertje in de gang. Een ouder, te dik meisje deed een stap opzij en keek Ahalya boos aan. Het kamertje was klein maar groot genoeg voor een bed, een wasbak en een wc. Dit was het lot van iedereen die awara was, besefte Ahalya: een leven in eeuwige schaamte.

Toen Suchir de deur achter zich had dichtgedaan, bleef de jongen stijf staan, niet wetend hoe het nu verder moest. Ahalya las een mengeling van ontzag en angst in zijn ogen. Hij kwam dichterbij en kuste haar mond. Zijn opwinding nam toe toen ze geen weerstand bood. Ahalya ging achterover op het bed liggen en onderwierp zich aan zijn verlangens. Hij was niet zo ruw als Shankar, maar toch deed hij haar pijn.

Toen het afgelopen was, bleef ze, starend naar het plafond en met het gevoel dat ze intens smerig was op de dunne matras liggen. Na een tijd stond ze op en waste zichzelf bij de wasbak. Toen ze op de wc zat, drongen de brute feiten van haar bestaan ongenadig tot haar door. Een beshya kon niets meer van het leven verwachten dan zuurstof in haar longen, water en eten in haar maag, een dak boven haar hoofd en misschien de genegenheid van haar eigen soort. Om zich in die wereld staande te kunnen houden, zou ze haar hart van haar lichaam moeten lossnijden. Een andere keus had ze niet. Ze dacht aan Sita die boven in de zolderkamer op haar wachtte, angstig, beschadigd, maar om de een of andere reden nog niet bezoedeld na anderhalve week in Suchirs bordeel. Sita had haar nodig als buffer tegen alle verschrikkingen die haar te wachten stonden.

Ze mocht niet toegeven aan haar wanhoop.

6

De Slag om Bombay is de strijd van het zelf tegen de massa.
SUKETU MEHTA

Ergens boven Zuid-Azië

TOEN THOMAS WAKKER WERD, had hij geen idee hoe laat het was. Hij keek op zijn horloge en besefte dat dat nog op de tijd in Washington stond. Het was donker in de cabine van de Boeing 777 en de meeste passagiers in de businessclass sliepen. Hij moest naar de wc, maar de passagier naast hem was totaal van de wereld en omdat zijn stoel in slaapstand stond blokkeerde hij Thomas' doorgang naar het middenpad.

Thomas deed het schermpje voor het raampje omhoog. De zon ging onder boven met sneeuw bedekte bergen en hulde die in henna- en okerachtige kleuren. Afghanistan, dacht hij. Vanaf deze hoogte, vijfendertig duizend voet, deed het door oorlog verscheurde land hem denken aan Colorado. Dezelfde overrompelende schoonheid – streng en sereen tegelijk.

Voor de honderdste keer vroeg Thomas zich af waarom hij deed wat hij deed. Het voor de hand liggende antwoord – dat hij zich er uit schuldgevoel en door de omstandigheden in had gestort – was niet echt afdoende. Hij had ook op een vlucht naar Bora Bora, Amsterdam of Shanghai kunnen zitten. Maar in plaats daarvan zou hij over twee uur landen in Mumbai, met een koffer die uitpuilde van alle regeringsrapporten, academische studies en nieuwsberichten over de wereldwijd verbreide gedwongen prostitutie die hij maar had kunnen verzamelen.

Thomas was als een wervelwind vertrokken – hij was nou eenmaal geen uitsteller. Lunch met Ashley Taliaferro, hoofd buitenlandse operaties van CASE, tussen allerlei briefings door die ze voor hem had gearrangeerd met congresleden die hen steunden. Een afspraak voor een spoedvisum, geregeld door Max Junger. Een ritje naar het winkelcentrum om reisspullen aan te schaffen. De nodige vaccinaties halen. Regelen dat Clayton de pro bono-toelage naar zijn bankrekening overmaakte om alle kosten te dekken. Een e-mail-uitwisseling met Dinesh – zijn kamergenoot van Yale – om diens uitnodiging van jaren geleden te accepteren om een bezoek te brengen aan Mumbai en bij hem te komen logeren. En lezen, lezen, oneindig veel lezen – in de metro, wachtend in een rij, en thuis, tussen alle zoeksessies op internet door.

Zo leerde hij een verbijsterende, afgrijselijke wereld kennen: een ondergrondse werkelijkheid bewoond door pooiers en mensenhandelaren, corrupte ambtenaren, fel actie voerende juristen die naar hen op jacht waren en een schijnbaar eindeloze voorraad vrouwen en kinderen die gevangenzaten, werden geschofferd en waren tot slaaf gemaakt. Hij vroeg zich af hoe Porter in staat was daarmee om te gaan: de gezichten, de namen, de verhalen van mishandeling, even divers als de menselijke wreedheid. En nu stond hij op het punt die wereld binnen te gaan. Van de vele steden die bekendstonden om hun mensenhandel, was Mumbai een van de ergste.

'Wát ga je doen?' had zijn moeder gevraagd toen Thomas even de tijd had genomen hen te bellen. 'Maar dat is geváárlijk, Thomas. Er kan je iets overkomen. Ik zei dat je Príya achterna moest reizen, niet dat je jezelf in de onderwereld moest storten.'

Op dat ogenblik had zijn vader de telefoon van zijn moeder overgenomen en gevraagd waar al die drukte over ging. Hij luisterde lang genoeg om Max Jungers ultimatum aan te horen en barstte toen meteen los: 'Waarom heb je me niet gebeld, jongen? Ik had dat wel kunnen oplossen.'

'Clayton had een zondebok nodig, vader,' had Thomas geantwoord, terwijl hij zich de niet-helemaal-volwassen-geworden zoon voelde die hij in de ogen van zijn vader was. 'Wharton eiste dat er koppen zouden rollen en Mark Blake was niet van plan om zich op te offeren.'

'Mark Blake is een egocentrische idioot,' had zijn vader woedend gereageerd. 'Die vent heeft de logica van een kind van drie.' Hij raasde nog een tijdje door en werd uiteindelijk weer kalm. 'Heeft je moeder het goed gehoord? Je vertrekt naar India om voor CASE te werken?'

'Dat klopt, ja.'

Zijn vader was een hele tijd stil gebleven. 'Dan zul je een heleboel moeten inhalen als je weer terug bent.'

'Ja, ik weet het,' had Thomas gezegd. Wat dat soort dingen betreft had de rechter altijd gelijk.

Hij richtte zich weer op het heden en Thomas zag een stewardess door het gangpad zijn richting op lopen. Toen ze merkte dat hij wakker was, vroeg ze fluisterend of hij misschien zin had in een maaltijd voordat ze zouden landen. Hij schudde zijn hoofd maar vroeg om een fles water.

Opnieuw tuurde hij uit het raampje. De duisternis was nu ingevallen over het ruige landschap, maar de wolken waren nog altijd gekleurd in licht. En weer stelde hij zich die onbeantwoordbare vraag: waarom?

Tera was de eerste die die vraag hardop had gesteld. De ochtend na haar onverwachte bezoek was hij wakker geworden op de bank, met barstende hoofdpijn en vreselijke spijt. Na een hete douche was hij naar de keuken gegaan, waar ze hem had aangeboden een ontbijtje voor hem te maken. Hij had haar bevreemd aangekeken. Ze was nooit eerder een nacht gebleven en hier stond ze met een garde in haar hand en een doos eieren op het aanrecht.

'Ik ga een tijdje weg,' had hij gezegd.

'Wat?' vroeg ze met de garde in de hand. Ze knipperde met haar ogen. 'Waarheen?'

'Dat weet ik nog niet,' had hij geantwoord. Hij vertelde liever een leugentje dan nog meer vragen te moeten beantwoorden.

Ze zag er gekwetst uit. 'Hoe zit het dan met Clayton?'

'Ik neem verlof op.'

'Voor hoe lang?'

'Een behoorlijke tijd, neem ik aan.'

'Heb ik iets verkeerds gedaan?' vroeg ze, terwijl ze de garde op het aanrecht legde.

'Natuurlijk niet,' had hij geantwoord en hij besefte meteen hoe bot dat klonk. 'Luister, ik weet dat het plotseling is, maar het heeft niets met jou te maken. Het spijt me.'

En toen had ze de vraag gesteld: 'Waarom doe je het dan?'

Hij had allerlei antwoorden overwogen, maar uiteindelijk besloten voor het eenvoudigste: 'Dat weet ik niet.'

Ze had hem een tijdlang aangestaard – haar blauwe ogen vol verdriet en pijn. Even deed ze haar mond open, maar ze zei niets. In plaats daarvan zocht ze haar spullen bij elkaar en vertrok zonder nog een woord te zeggen.

'Dames en heren,' zei een mechanische stem. 'Het vliegtuig heeft de daling naar Mumbai ingezet. Controleert u alstublieft of uw riemen vast zijn en klap het tafeltje...'

De stem drensde voort, maar Thomas besteedde er geen aandacht aan. Hij keek uit het raampje en zag de enorme stad als een schitterende sterren-uitbarsting uit de leegte oprijzen. Het beeld deed hem denken aan Los Angeles, maar de vergelijking met die Amerikaanse stad ging verder niet op. Mumbai had drie keer zoveel inwoners op een oppervlakte die een derde van die van Los Angeles besloeg.

Thomas was enorm nerveus toen het vliegtuig afkoerste op het internationale vliegveld Chhatrapati Shivaji. Door de jaren heen had Priya hem onderwezen in het Indiase denken en de zaken die er gevoelig liggen, en ook geprobeerd, met weinig succes, hem Hindi te leren. Maar dat alles was in het Westen geweest – de stad aan het einde van de landingsbaan lag in het echte India, een hem onbekende wereld die volkomen verschilde van de cultuur waar hij vandaan kwam. Het kolonialisme en de globalisering hadden wel bruggen geslagen over die kloof, maar de verschillen tussen oost en west bleven enorm.

Het vliegtuig maakte een zachte landing en taxiede naar de gate. Het echte India begroette hem al voordat hij het vliegtuig uitstapte. Vanuit het raampje kon hij een uitgestrekte wirwar aan sloppenwijken zien liggen, die alleen werden verlicht door een netwerk van kale peertjes dat als een snoer kerstlampjes van huisdeur naar huisdeur hing. Er speelden kinderen op de straten en hij zag gestalten in de schaduwen. Thomas keek gefascineerd naar de sloppenwijkkinderen. In het Westen bestonden ook getto's en sloppenwijken, maar niet zoals deze hier.

Nadat hij zijn bagage had opgehaald, ontmoette hij Dinesh bij de taxistandplaats.

'Thomas!' riep zijn vriend met een licht Indiaas accent uit, terwijl hij hem stevig omarmde. 'Welkom in Mumbai!'

Dinesh nam een van Thomas' koffers over en nam hem door een dichte menigte van taxi-walla's en met bordjes zwaaiende hotelchauffeurs mee naar een zwarte auto die op een ongeasfalteerde parkeerplaats stond.

'Ik hoop dat je het niet erg vindt om een beetje krap te zitten?'

'Geen probleem,' zei Thomas, terwijl hij zijn bagage in de achterbak legde en in de auto stapte.

Het was een koele, droge avond en Dinesh draaide het raampje naar beneden. 'We hebben hier twee maanden geen airconditioning nodig en de rest van het jaar zweten we maar gewoon,' zei hij met een lach.

Dinesh reed de auto het vliegveldterrein af de chronische verstopping van het stadsverkeer in. Lange tijd kwamen ze maar stapvoets vooruit in het vastzittende verkeer, waarin ze aan alle kanten ingesloten werden door voertuigen in alle soorten en werden verstikt door uitlaatgassen. Na een tijd kreeg Dinesh er genoeg van en manoeuvreerde hij de auto naar het midden van de straat. Toen gaf hij plankgas en met een hand op de claxon schoot hij de baan voor het tegemoetkomende verkeer op om een autoriksja te passeren, waarbij hij op een haar na een bus miste. Thomas greep zich vast aan de deurkruk, geschrokken van de manoeuvre.

Dinesh schoot in de lach. 'Je went er wel aan. In Amerika rijd je met je stuur, in India met je claxon.'

Even later reden ze een snelweg op waar het verkeer wat meer in beweging was. 'Dit is de Western Express Highway,' schreeuwde hij boven de wind uit. 'De straten zaten hier zo belachelijk verstopt, dat de stad besloot er een weg overhéén aan te leggen.'

Tien minuten later reden ze langs een brede baai. De stank van urine en zout water sloeg Thomas als een moker in het gezicht.

'Mahim Bay,' zei Dinesh. 'Die stank is nog iets waar je wel aan zult wennen.'

'Is het altijd zo?' vroeg Thomas. Hij had moeite met ademen.

'Vanavond is het erg. Morgenochtend zal het wel weer wat beter zijn. Het riool komt uit in de oceaan. Ik zou je niet aanraden hier in Mumbai te gaan zwemmen.'

De snelweg maakte een bocht van honderdtachtig graden en liep dood in een keurige woonbuurt. Dinesh reed de auto een heuvel op en sloeg een verharde weg in waarna ze in een straat terechtkwamen waar aan weerskanten hoge appartementsgebouwen stonden die werden omgeven door weelderig groen.

'Dit is Mount Mary,' vertelde hij. 'De oceaan ligt één blok verder naar het westen.'

Even later draaide Dinesh een parkeerterrein op aan de voet van een tien verdiepingen tellend appartementsgebouw. Aan beide kanten van de toegangspoort zat een bewaker op een stoel sigaretten te roken.

Ze parkeerden de auto in een garage en namen een lift met een ouderwets vouwhek ervoor naar de bovenste verdieping. Het was smerig binnen; aan de laag vuil te zien moest het gebouw een jaar of veertig oud zijn en was het nooit schoongemaakt of opgeknapt.

Maar het appartement van Dinesh was daarentegen mooi en modern ingericht. De deurknoppen waren van gepoetst koper, de meubels van hout en leer, op de betegelde vloer lagen perzen, en aan de muren prijkten wandkleden. Maar het allermooiste van het appartement was het uitzicht. De ramen aan de westkant keken uit op een adembenemende Arabische Zee en de openslaande deuren kwamen uit op een terras dat het appartement omringde.

Dinesh liet Thomas de logeerkamer zien en nodigde hem toen uit voor een biertje op het terras. Ze namen plaats op houten tuinstoelen en keken uit over de zee die in het maanlicht lag te glinsteren. De lichten langs de kust liepen tot ver in het noorden door en eindigden op een punt dat in de zee leek te liggen.

'Daar ligt Santa Cruz West en verderop Juhu,' zei Dinesh, terwijl hij de blik van zijn vriend volgde. 'Daar wonen veel Indiase beroemdheden.' Hij zweeg even. 'Nou, vertel eens, wat brengt je naar Mumbai? Ik hoorde van een vriend dat Priya terug is en kort daarop kreeg ik van jou een e-mail dat je een tijdje een logeerplek nodig had.'

'Het is een lang verhaal,' zei Thomas.

'Dat geldt voor alle goede verhalen.'

Thomas aarzelde even. Hij wist dat hij zijn vriend wel enige uitleg schuldig was, maar de gedachte om indringende vragen over zijn familie te moeten beantwoorden trok hem niet aan.

'Priya's grootmoeder heeft een beroerte gehad,' begon hij. 'Ze is hier om bij haar te kunnen zijn.'

'O, dat had ik niet gehoord,' antwoordde Dinesh. 'Ik kwam haar broer een paar maanden geleden in Colaba tegen, maar daar zei hij niets over.'

'Het is ook nog maar kort geleden gebeurd. Totaal onverwacht.'

Hij dacht terug aan de dag waarop Priya hem het nieuws had verteld. Hoe doodmoe ze eruit had gezien terwijl ze hem in de keuken vertelde over het telefoontje van haar broer. Het Whartonproces was pas drie dagen aan de gang en hij was supergestrest geweest. Toen ze hem haar ticket voor een enkele reis naar India liet zien, had hij daar niet best op gereageerd en haar verweten dat ze hem in de steek liet. Hij wist nog hoe haar ogen brandden van woede. 'Hoe dúrf je dat te zeggen? Jíj bent degene die míj in de steek hebt gelaten.'

Dinesh nam een slok bier. 'Dus dat is de komst van Priya. En hoe zit het met die van jou?'

Thomas ademde diep in. 'Ik moest even weg van mijn werk. De firma heeft me op sabbatical gestuurd.' Hij zag dat zijn vriend zijn ogen wat toekneep en stelde zich voor dat hij dacht: waarom logeer je dan bij míj? Hij besloot zijn leugen te kruiden met een vleugje waarheid. 'Het gaat niet zo geweldig tussen Priya en mij. Daarom heb ik contact gezocht met jou.'

Dinesh keek hem een tijdje peinzend aan en haalde toen zijn schouders op. 'Spijtig om dat te horen. Je bent hier welkom zo lang je wilt.' Hij veranderde van onderwerp. 'Je had het in je e-mail over een organisatie die CASE wordt genoemd. Daar heb ik nog nooit van gehoord.'

Thomas liet de adem die hij onbewust had ingehouden ontsnappen. 'Dat is een organisatie die juridische hulp biedt. Ze strijden tegen gedwongen prostitutie in ontwikkelingslanden.'

Dinesh nam zijn laatste slokje bier. 'Dan zullen ze het hier in Mumbai wel druk hebben.'

Daarna kletsten ze nog een tijdje verder, ontspannen als oude vrienden, over hun jaren op Yale, wisselden verhalen uit over vroegere vriendinnetjes en lachten om de kunstjes die ze – Dinesh meestal – hun studiegenoten hadden geflikt. Dinesh' humor en onweerstaanbare, goede humeur vrolijkten Thomas een beetje op en zorgden ervoor dat hij met wat meer optimisme tegen zijn verblijf in Mumbai begon aan te kijken. Als het uiteindelijk niets zou opleveren, was het in ieder geval leuk om weer met zijn oude kameraad in één huis te wonen.

Na een tijdje geeuwde Dinesh hartgrondig en rekte hij zich uit. 'Ik moet maar eens naar bed,' zei hij, terwijl hij opstond met zijn lege bierflesje in zijn hand. 'Maar ik vind het geweldig dat je er bent.'

Thomas antwoordde: 'Als je het niet erg vindt, blijf ik hier nog even zitten. Mijn lichaam denkt dat het nog dag is.'

Dinesh lachte. 'Tuurlijk. Ik zie je morgenochtend wel.'

Thomas pakte zijn BlackBerry en e-mailde zijn moeder en Andrew Porter dat hij goed was aangekomen. Toen liep hij naar de balustrade en staarde naar het noorden, naar Juhu Beach. Zijn gedachten dwaalden naar Priya. Hij vroeg zich af of ze al sliep, of dat ze, net als hij, ergens op een terras naar de zee stond te kijken.

Thomas ademde de ziltige lucht diep in en probeerde zich haar jeugd in te denken. Haar bevoorrechte opvoeding had hij altijd heel onwerkelijk gevonden. Ze was geboren in een familie van onroerendgoedmagnaten uit Gujarati, die zich in de stad hadden gevestigd toen de Britten nog bezig waren land te winnen op de zee. Haar grootvader bezat zo ongeveer een kwart van de appartementen in Zuid-Mumbai en had daarnaast nog diverse holdings in de rest van de wereld.

Met een ander soort ouders was Priya misschien snobistisch en pretentieus geworden. Maar haar vader had een sober leven in Cambridge verkozen boven alle luxe waarop hij recht had door zijn geboorte. Professor Patel had zijn gezin meegenomen naar Engeland toen Priya een tiener was en ze had de vormende jaren van haar adolescentie doorgebracht tussen de klimop en de rode bakstenen van de oude campus.

Ze was in Cambridge kunstgeschiedenis gaan studeren. En daar, een jaar voor haar bachelorexamen, had Thomas haar tijdens een zomeruitwisselingsprogramma met Yale ontmoet. Hij dacht terug aan het college dat Priya's vader op King's College had gegeven en de paraplu die ze had laten liggen. Door haar verstrooidheid had hij een excuus gehad zich aan haar voor te stellen en die ontmoeting had geresulteerd in een gesprek in een koffieshop dat hun levens veranderde.

Thomas haalde de foto tevoorschijn die hij in Fellows Garden van haar had gemaakt en die hij voor zijn vertrek naar het vliegveld nog gauw in zijn portefeuille had gestopt. Hij dacht terug aan de manier waarop ze hem in de schaduw van een oude, knoestige eik had gekust. Het was een verlegen kus geweest, beladen met de taboes van haar cultuur en de gedachte aan haar vader. Maar het feit dat ze het deed, had hem duidelijk gemaakt hoe diep haar gevoelens voor hem waren.

Thomas deed de foto weer terug in zijn portefeuille en nam zijn laatste slok bier. '*Namaste*, Mumbai,' zei hij, terwijl hij over de stad uitkeek. Toen draaide hij zich om en liep naar binnen.

De volgende ochtend werd hij wakker door het wekalarm van zijn BlackBerry. Het was halfacht en de lucht was geel van de smog. Thomas checkte zijn e-mail en zag dat hij twee berichten had. Het eerste was van Ashley van CASE, waarin ze hem informeerde dat hij zijn antecedentenonderzoek goed was doorgekomen en dat ze hem bij Jeff Greer, de directeur van het CASE-kantoor in Mumbai, had geïntroduceerd. Het tweede kwam van Greer zelf, die hem uitnodigde voor een kop koffie in Café Leopold, om tien uur.

Dinesh was in de keuken bezig een pot chai te maken. Ze ontbeten op het terras, met uitzicht op de zee. Thomas vertelde Dinesh over zijn afspraak met Greer.

'Mooi,' zei zijn vriend. 'Dan kun je met me meerijden naar mijn werk en van daaruit een taxi nemen. Alle taxi-walla's kennen het Leopold.'

Om acht uur hield Dinesh een autoriksja aan om naar het Branda treinstation te gaan. Het voertuig leek op een logge, gele tor op wielen. De onafgedekte motor klonk als een kettingzaag. Toen de chauffeur zich op Hill Road tussen een aantal van dezelfde riksja's voegde, moest Thomas de neiging onderdrukken zijn vingers in zijn oren te stoppen.

De rit naar het station was een chaotische reeks van bijna-botsingen. De chauffeur was of de brutaalste man op aarde, of gewoon compleet gestoord. Hij gebruikte zijn claxon met een fanatiek soort vasthoudendheid alsof het schrille getoeter hen kon beschermen tegen de gevaren van zijn rijstijl.

'Die vent is knettergek,' schreeuwde Thomas tegen zijn vriend boven het oorverdovende lawaai uit.

Dinesh moest lachen. 'Dan is iedere riksjachauffeur hier krankzinnig.'

Bij het treinstation kochten ze allebei een eersteklaskaartje en daarna volgden ze een gestage stroom passagiers naar het perron. Toen de trein het station binnenreed, puilden de passagiers al uit de wagons, maar de menigte stoof onverschrokken naar voren.

Dinesh greep Thomas beet en duwde hem naar voren. 'Gauw, gauw, gauw,' riep hij. Het geluid van zijn stem ging bijna verloren in de chaos.

Het was een wonder dat ze bij de wagon wisten te komen en een plekje veroveren in de overvolle wagon leek zonder meer onmogelijk. Maar opeens was hij binnen en voelde de trein onder zich in beweging komen. Er renden nog mensen mee over het perron en verbazend genoeg lukte het nog een enkele om aan boord te klauteren.

Dinesh genoot ervan dat Thomas zich zo slecht op zijn gemak voelde. 'Ik wed dat je dacht dat het er in de eerste klas een stuk beschaafder aan toe zou gaan,' riep hij.

Thomas wilde lachen, maar zijn borst werd zo ineengedrukt dat het er meer uitkwam als gegrom.

'Het enige verschil tussen de klassen,' legde Dinesh uit, 'is dat we elkaar in de eerste klas in het Engels uitschelden, en in de tweede in het Marathi.'

De trein ploegde zuidwaarts in de richting van Churchgate Station, het eindpunt van de lijn. Een kwartier later reden ze het station binnen dat in het hart van het commerciële gedeelte van de stad lag. Voordat de trein tot stilstand was gekomen, werden ze al door de menigte de trein uit gestuwd en daarna over het perron meegevoerd als bladeren in een snelstromende rivier. Thomas liep achter Dinesh aan naar de uitgang en haalde opgelucht adem toen ze eindelijk op straat waren.

'Hoe hou je dat iedere dag vol?' vroeg hij.

Zijn vriend haalde zijn schouders op en wiegde met zijn hoofd van links naar rechts – een gebaar waarvan Thomas al snel begreep dat het zowat alles kon betekenen wat een Indiër maar wilde dat het betekende.

'Er is maar één wet in Mumbai,' zei Dinesh. 'Je moet je leren aanpassen.'

Dinesh werkte als investeringsanalist bij het belangrijkste bijkantoor van de Hongkong-Shanghai Banking Corporation, een paar minuten lopen van het station. Hij kocht een stadsgids voor Thomas bij een straatverkoper en hield toen een taxi voor hem aan. Na een paar woorden tegen de chauffeur in staccato Marathi keek hij Thomas grijnzend aan.

'Als je verdwaalt, zeg je dat je naar het Leopold moet. Maar je verdwaalt niet.'

Thomas stapte in en de taxi voegde zich in het drukke verkeer. Een paar minuten later zette de taxi-walla hem af voor de rode luifel van Café Leopold. Thomas voelde in zijn zak naar een paar losse roepie en betaalde, na een blik op de meter, de ritprijs.

Het was een groot en ruim café. De tafels waren voor ongeveer de helft bezet met, voornamelijk Europees uitziende, zakenmensen. Thomas ging aan een tafeltje aan de straatkant zitten. Greer kwam om een paar minuten over tien binnenwandelen. Hij droeg een kakibroek, een gekreukt oxford-overhemd met opgerolde mouwen en leren schoenen die hoognodig een poetsbeurt moesten hebben. Hij had een ontspannen houding, was niet dik en niet dun, had intelligente bruine ogen en lachte gemakkelijk.

'Thomas?' vroeg hij, terwijl hij zijn hand uitstak. 'Jeff Greer. Fijn kennis met je te maken.'

'Insgelijks.'

Greer ging aan het tafeltje zitten en bestelde een kop koffie toen de ober opdook.

'Wat is hier lekker?' vroeg Thomas, met een blik op de drankkaart.

'Alles zo ongeveer. Maar als je geen cafeïne wilt, zou ik een *lassi* bestellen.'

Thomas volgde zijn raad op en bestelde. Toen kletsten ze een tijdje. Thomas hoorde dat Jeff vijfendertig jaar was en niet getrouwd, afgestudeerd was aan de Harvard Business School en nu al twee jaar voor CASE in Mumbai zat. Greer was een goed luisteraar en een innemend gesprekspartner en Thomas mocht hem al snel.

'En?' vroeg Jeff. 'Wat vind je van Mumbai?'

'Het lijkt meer op een rit in een achtbaan dan op een stad.'

Greer lachte. 'Ja, het duurt even voordat je eraan gewend bent.'

De ober arriveerde met hun drankjes. Thomas nam een slokje van de lassi. Het was een drankje dat licht naar vanille smaakte en prettig voelde op de tong.

'Heb je het dossier dat Ashley je heeft gegeven gelezen?' vroeg Greer.

'Twee keer,' antwoordde Thomas.

'Dus je kent je taakomschrijving.'

Thomas knikte. 'De opsporingswerkers krijgen al het sexy werk en de juristen het duffe papierwerk.'

Greer lachte. 'Dat vat het zo ongeveer samen. Onze advocaten worden niet toegelaten aan het gerechtshof, maar ze kunnen wel stukken indienen namens de slachtoffers. Daar zul je het grootste deel van de tijd mee bezig zijn – het lezen, opstellen en indienen van stukken.'

'Komen we ooit ons kantoor uit?' vroeg Thomas.

'Hoe bedoel je?'

'Ik bedoel, krijgen we ooit te zien wat de opsporingswerkers zien?'

Greer dacht even na. 'Wat zijn je plannen voor de rest van de ochtend?'

'Ik hoopte dat jij wel wat voor me te doen zou hebben.'

Greer glimlachte. 'Ik denk dat ik daar wel voor kan zorgen.'

Nadat hij had afgerekend, hield Greer een taxi aan en sprak een paar onverstaanbare woorden in het Marathi tegen de taxi-walla. De chauffeur keek Greer bevreemd aan. Greer herhaalde zijn woorden, dit keer met meer nadruk. Hoofdschuddend voegde de taxichauffeur zich in de verkeersstroom.

'Waar gaan we heen?' vroeg Thomas.

'Ik ga een tipje van de sluier oplichten, zodat je kunt zien waarom je hier bent,' antwoordde Greer.

De taxi reed in noordelijke richting Colada uit, passeerde het enorme Victoria Terminus treinstation en ging vervolgens Mohammed Ali Road op. Thomas verwachtte dat Greer hem uitleg zou geven over hun bestemming, maar Jeff hulde zich in stilte en leek daar tevreden mee te zijn. Thomas draaide zijn raampje omlaag, op zoek naar verkoeling. De stadslucht was verstikkend vanwege de smog en rook naar brandend rubber, maar het briesje maakte de stank weer goed.

Twintig minuten later verliet de taxi de snelweg en reden ze westwaarts door een drukke winkelstraat. De chauffeur begon weer in rap Marathi te praten, duidelijk bezig Greer ergens van te overtuigen. Greer stak zijn handen omhoog en reageerde op kalme, vastbesloten toon. Hij stopte de taxi-walla een biljet van honderd roepie toe en gaf hem nog eens korte, maar krachtige instructies. De chauffeur stak het geld in zijn zak en deed er verder het zwijgen toe.

Ze gingen een zijstraat in en sloegen daarna nog een paar keer af, ieder straatje was nog smaller dan het vorige. De eerstewereldstad van drukke trottoirs en schreeuwende reclameborden was verdwenen. Daarvoor in de plaats kwam de Derde Wereld in een jungle van ongeplaveide straatjes en bouwvallige gebouwen, ossenkarren, koeien en straatkinderen tevoorschijn.

Greer zei nog een paar woorden tegen de taxi-walla en stopte hem nog meer geld toe. De taxi minderde vaart en sloeg een armoedig steegje in met vervallen huizen en *chawls* van meerdere verdiepingen met krakkemikkige balkonnetjes. Behalve een handvol straatverkopers met houten karren en een paar fietsers, was er nagenoeg geen verkeer op straat. De voetgangers en vervoermiddelen die ze in de straten in de buurt hadden gezien, leken dit steegje te vermijden, waardoor het een griezelige, verlaten indruk maakte.

'Dit is Kamathipura,' zei Greer. 'De grootste hoerenbuurt van Mumbai.'

De woorden van Greer zorgden ervoor dat Thomas op een andere manier om zich heen keek. Plotseling waren de oude mannen die in de schaduwen rondhingen geen gewone oude mannen, maar bordeeleigenaars. En de jonge mannen die in de portieken stonden te roken waren geen daklozen, maar pooiers. De vrouwen die de gangen stonden schoon te vegen geen huisvrouwen, maar hoerenmadams.

'Waar zijn de meisjes?' vroeg Thomas, en het viel hem op dat er nergens een jonge vrouw te bekennen was.

'Sommigen slapen en anderen doen huishoudelijke karweitjes. Ze mogen het bordeel niet uit, behalve in gezelschap van een *gharwali*. Zo wordt een madam hier genoemd.'

Greer wees naar de bovenverdiepingen van de huizen waar ze voorbijreden. De minderjarige meisjes zitten daar, verstopt in zolderkamertjes. Ze zijn onzichtbaar. Als we onze opsporingswerkers niet hadden, die deze straten op hun duimpje kennen, zouden we ze nooit vinden.'

De chauffeur gaf gas, maar Greer raakte de schouder van de man even aan en stopte hem meer roepies toe.

'Hij voelt zich niet op zijn gemak omdat wij blanken zijn,' vertelde Greer. 'De taxi-walla's krijgen *bakshees* – provisie – van de pooiers als ze klanten brengen en de pooiers weten van het bestaan van CASE. Als ze zien dat *wíj* in zijn taxi zitten, is dat schadelijk voor zijn business.'

Aan het eind van de steeg zag Thomas een jonge man met donkere ogen staan praten met een witharige man die met zijn rug naar hen toe stond. De jonge man keek even naar de taxi en kneep zijn ogen tot spleetjes toen hij de passagiers in het oog kreeg. Hij wierp de taxi-walla een grimmige blik toe die de chauffeur blijkbaar angst aanjoeg.

Op slag verloor de taxi-walla alle interesse in zijn ritje. Hij raakte het *hamsa*-amulet aan dat aan zijn achteruitkijkspiegel bungelde en barstte in een nerveuze woordenstroom uit. Greer probeerde hem te kalmeren, maar zonder succes. De taxi-walla reed zo snel mogelijk Kamathipura uit en zette hen een paar straten verder af op een hoek.

'We nemen wel een andere taxi,' zei Greer, terwijl hij tussen de straathandelaren en venters door over het trottoir liep.

Thomas voelde zich ongelooflijk slecht op z'n gemak. Greer en hij waren de enige twee blanken in een zee van bruin. Er kwamen drie bedelaarskinderen naar hen toe; ze gebaarden met hun handen dat ze honger hadden. Toen Thomas niet reageerde, grepen ze zijn arm beet en probeerden ze in zijn zakken te voelen. Hij schudde ze van zich af en trapte bijna op een blinde man die naast een hoop brandend afval op de straat zat.

Greer wierp een blik over zijn schouder en zag hoe ongemakkelijk Thomas zich voelde.

'Gewoon doorlopen,' zei hij.

Uiteindelijk hield Greer een andere taxi aan en droeg de chauffeur op hen naar het Centraal Station van Mumbai te brengen. Toen Thomas ingestapt was en op de achterbank zat, haalde hij met een tastbaar gevoel van opluchting diep adem.

'Dus nu heb je gezien wat de opsporingswerkers te zien krijgen,' zei Greer. 'Overdag, tenminste.'

'Het is moeilijk te geloven dat er zoveel meisjes achter die muren verstopt zitten,' antwoordde Thomas, met zijn gedachten bij de twee mannen, waarschijnlijk bordeelhouders of pooiers, voor wie de taxi-walla zo bang was geweest.

'Het zijn er duizenden,' zei Greer, 'sommigen nog maar twaalf, dertien jaar.'

Op het Centraal Station van Mumbai sprongen ze op een trein naar het noorden. De middagmenigte was minder erg dan de gekte van die ochtend. Thomas vond een plekje bij de deur naast een oudere man en leunde naar buiten om de wind te voelen. De trein reed landinwaarts, richting Parel en de centraal gelegen buitenwijken. Na een stop bij Dadar reed hij langs de rafelranden van Dharavi – Mumbais grootste sloppenwijk, volgens Greer – en stak daarna een mangrovemoeras over om even later het Bandra Station binnen te rijden.

Thomas volgde Greer een trap op en een loopbrug over, waarop hij uitzicht had op een kleinere krottenwijk. Er zaten bedelaars langs de kanten van de brug: handpalmen naar boven, smekende ogen. Sommigen waren oud; anderen jong, met kinderen. Een aantal van hen was mismaakt en spreidde gips, krukken en geamputeerde ledematen tentoon. Niemand in de menigte forenzen besteedde enige aandacht aan hen. Thomas had medelijden met een meisje van een jaar of tien dat een baby'tje in haar armen hield en gaf haar een muntstuk van vijf roepie. Toen liep hij achter Greer aan de trap af naar de straat.

Daar stond een groep riksja's op een kluitje, de chauffeurs wachtten op klanten.

Er kwam een jonge man naar hen toe: 'Waarheen? Bandra? Juhu? Santa Cruz?'

'Pali Hill,' antwoordde Greer.

Greer wierp een blik op Thomas. 'Het kantoor sluit vanmiddag om twaalf uur, maar ik dacht dat je wel even langs kon komen om iedereen te ontmoeten.'

Hij stapte in de riksja en Thomas perste zich op de plek naast hem. De chauffeur gaf gas en ze reden weg.

Zwijgend genoten ze een tijdje van de verkoeling die de warme wind bracht. De middagzon brandde boven hun hoofd, maar de winterlucht was niet heel vochtig en de temperatuur nog aangenaam. De hemel was nu blauwer dan eerder op de dag. Het leek alsof er iets minder smog was.

Een kwartiertje later tikte Greer de riksjachauffeur op de schouder en zei: '*Bas. Bas.*'

De chauffeur stopte langs de kant van de weg en Greer betaalde de ritprijs minus één roepie – een gewoonte in Mumbai vertelde hij Thomas, zonder verdere uitleg. Ze bevonden zich in een gemengde buurt, vlak bij de vele winkels op Linking Road. Het kantoor van CASE was in een onopvallend gebouw gevestigd en er hing nergens een bordje om dat kenbaar te maken.

Greer ging Thomas voor een trap op naar een deur met een toetsenpaneeltje ernaast. Achter de deur bevond zich een modern kantoor met airconditioning. Greer vertelde dat CASE negenentwintig medewerkers had in Mumbai. Ongeveer een derde daarvan bestond uit tijdelijke vrijwilligers uit de Verenigde Staten, Australië en Groot-Brittannië. Twee van de fulltimemedewerkers waren afkomstig uit het Westen, de rest kwam uit alle delen van India. Thomas was meteen onder de indruk van de gedrevenheid van het personeel. Zelfs op oudejaarsdag barstte het er van de activiteit.

Greer nam Thomas mee om kennis te maken met de directie. De directeur juridische zaken, Samantha Penderhook, was een blonde vrouw uit Chicago. Ze was fijn gebouwd, leuk om te zien en een toonbeeld van bedachtzame efficiency. Ze schudde Thomas de hand en gebaarde dat hij moest gaan zitten.

'Ik ben ervan overtuigd dat Jeff je een eerlijk beeld heeft proberen te geven van wat we hier doen,' begon ze. 'Maar ik ben een stuk botter dan hij. Mumbai is geen Washington D.C. Het rechtssysteem hier heeft een enorme achterstand en barst bijna uit zijn voegen, en in het werk kom je allerlei eigenaardigheden tegen waar je gestoord van wordt, ook als je ze al kent. Om dat te compenseren kunnen we je twee opkikkers bieden: de kans om werkelijk een verschil te maken in het leven van een aantal meisjes hier in Mumbai en Sarahs zelfgemaakte chai.' Samantha zweeg even en wierp een blik op de deur. 'Wat een timing!'

Er kwam een jonge Indiase vrouw met een blad met een paar dampende mokken erop het kantoor binnen. Ze glimlachte terwijl ze de koppen chai ronddeelde.

Thomas keek Samantha aan. 'Nou, ik hou in ieder geval van chai. En de rest kan ik wel aan.'

Samantha wierp hem een wrang lachje toe. 'Als je dat over twee maanden nóg zegt, geloof ik je pas.'

Vervolgens nam Jeff hem mee naar Nigel McPhee, directeur veldoperaties, een praatgrage beer van een vent. Hij was geboren in Lockerbie, Schotland, en had als special force commando bij MI-5 gezeten voordat hij 'het licht zag', zoals hij het zelf noemde, en voor CASE was gaan werken.

'Mumbai is wel heel iets anders dan Lockerbie,' merkte Thomas op.

'Het had net zo goed op de maan kunnen liggen,' kaatste Nigel terug. 'Het grootste deel van het jaar is het hier even aangenaam als in een malariamoeras. Maar ik ben hier niet om vakantie te vieren. Mumbai zit vol slechteriken – straatbandieten, mensenhandelaars, pooiers, gangsters, drugsdealers, bordeeleigenaars. Zulke slechteriken heb ik graag. Voorspelbaar. Maar de politie is een ander verhaal. Ongeveer het meest corrupte en incompetente stelletje dat ik ooit heb gezien. Op een paar na. Voor die jongens zou ik mijn leven geven.'

'Had dit kantoor niet beter ergens in het zuiden van Mumbai gevestigd kunnen zijn?' vroeg Thomas. 'Hier ligt het zo'n eind weg van waar het allemaal gebeurt.'

'Ik heb hem M.R. Road laten zien,' legde Greer aan Nigel uit.

Nigel grinnikte. 'Jongen, Kamathipura is nog maar het topje van de ijsberg. Er zijn dichters die deze hele stad één groot Golpitha, één grote hoerenbuurt, noemen. Het kwaad ligt hier vlak onder de oppervlakte.'

Thomas fronste zijn wenkbrauwen. 'Mijn vrouw komt uit Malabar Hill. Maar dat heeft ze me nooit verteld.'

'Het zijn geen dingen waar de rijken graag over nadenken.' Nigel wierp een blik op zijn horloge. 'Excuses dat ik zo abrupt ben, maar ik moet nog een verslag afmaken. Kom maar langs als je iets wilt horen wat je 's nachts uit je slaap houdt. Mijn verhalen werken veel beter dan een sloot koffie.'

Rachel Pandolkar, directeur rehabilitatie, was de laatste op Jeffs lijstje. Ze was een magere, Indiase vrouw van een jaar of vijfendertig met vriendelijke gelaatstrekken en grote ogen. Toen Jeff op haar deur klopte, zat ze aan de telefoon. Ze bleven even buiten haar kantoor staan wachten, totdat het gesprek was afgelopen.

'Fijn je te zien, Jeff,' zei ze, terwijl ze de telefoon neerlegde.

'Van hetzelfde, Rachel. Dit is Thomas Clarke, een nieuwe juridische vrijwilliger.'

'Welkom,' zei ze. 'Wat wil je van me weten?'

'Geef hem maar een overzicht van de lopende zaken,' zei Jeff.

Rachel vouwde haar handen. 'We hebben op het moment vijfentwintig meisjes, tien in tehuizen van de overheid en vijftien in privétehuizen. Ze zijn allemaal minderjarig. Onze mensen gaan wekelijks bij ze langs. We werken nauw samen met het Child Welfare Committee om ervoor te zorgen dat ze behoorlijk onderwijs, gezondheidszorg, begeleiding en aandacht krijgen.'

'Ik wil niet cynisch klinken,' merkte Thomas op, 'maar er zijn duizenden minderjarige prostituees in deze stad. Vijfentwintig lijken dan een druppel op de gloeiende plaat.'

Rachels ogen schoten vuur. 'Dat is het ook. Heb jij een beter idee?'

'Zo bedoelde ik het niet,' zei Thomas. 'Maar het probleem is zó overrompelend groot.'

Rachel knikte. 'Iemand heeft Moeder Teresa eens gevraagd hoe ze tegen de wereldwijde armoede aankeek. Weet je wat ze zei? "Doe wat je hand vindt om te doen." En dat gaat hier ook op. De academici hebben het over statistieken, wij vertellen verhalen. Wat is overtuigender?'

Rachel liet de vraag in de lucht hangen en keek op het klokje op haar bureau. 'Het is twaalf uur, Jeff. We kunnen hier het beste een einde aan maken.'

'Al twaalf uur?' riep Greer uit, terwijl hij opsprong. 'Ik had de tijd niet in de gaten.' Na Rachel bedankt te hebben nam hij Thomas mee terug naar de gemeenschappelijke ruimte.

'Dus nou weet je wat ons werk inhoudt,' zei hij. 'Dat opgepoetste gedoe uit de brochures is maar een klein gedeelte van ons werk.' Hij nam Thomas inschattend op. 'Ik weet dat je al een keuze hebt gemaakt door hier als vrijwilliger naartoe te komen. Maar één ding wil ik zeker weten: of je er echt voor wilt gaan. Dus als je het gevoel hebt dat je je misschien zult bedenken, kun je je maar beter nu al terugtrekken.'

Thomas keek om zich heen naar de werknemers die hun bureaus opruimden vanwege de komende vrije dagen. Wat CASE hem te bieden had trok hem aan, maar stootte hem ook af. De plek zinderde van kameraadschap en het werk was uitdagend, maar volkomen gespeend van alle voorrechten waar hij in Washington aan gewend was geraakt. Hij besefte dat de juristen die hij kende bij Clayton wel een excuus zouden hebben verzonnen om hier niet aan te hoeven beginnen. Maar hij wás hier nu eenmaal en moest een jaar zoetbrengen. Er was geen weg terug.

'Je kunt op me rekenen,' zei hij met zoveel overtuiging als hij kon opbrengen. 'Ik zal er maandag zijn.'

Greer knikte. 'Welkom in ons team.'

7

Met miljoenen als brandstof,
blijft het vuur van de natuur branden.
GERARD MANLEY HOPKINS

Mumbai, India

VOOR AHALYA EN SITA WAS DE ZOLDERKAMER een gevangenis vol verveling en angst, in gelijke mate. Na de eindeloos durende, monotone uren voelde de angst bijna als een opluchting, omdat die menselijke interactie betekende. Maar die opluchting was van korte duur. Iedere keer dat de traptreden kraakten en de deurknop werd omgedraaid, keken de zusjes elkaar aan met een blik waarin een wereld van angst schuilging: wat moeten ze nou weer van ons?

Tijdens de lange dagen, als de zon op het dak brandde en de beshya's beneden sliepen, aten, kletsten en ruzieden, deed Ahalya haar uiterste best om een sprankje hoop voor haar zusje levend te houden. Ze vertelde Sita verhalen van vroeger – verhalen over hun ouders en sagen uit het oude India. Verhalen waren Ahalya's enige wapen tegen de wanhoop die hen dreigde te overspoelen. Het ritme van haar woorden voerde haar zusje weg van Golphita, in ieder geval totdat de traptreden kraakten en de deurknop weer werd omgedraaid.

Sita's favoriete verhalen gingen over de bungalow bij de zee. Ze leek er nooit genoeg van te krijgen om Ahalya te horen vertellen wat hun moeder altijd zei, zoals ze hun grammatica verbeterde, zeurde dat ze hun kamer moesten opruimen en hen riep om met het avondeten te helpen. Of over hun vader, de dingen die hij hun leerde over de zee, het getij en de planten langs de kust, of hoe hij hun voorlas uit de Ramayana.

Iedere morgen maakte Ahalya, op verzoek van Sita, een van Jaya's kolampatronen na aan het voeteneinde van het bed, van rijstkorreltjes die ze van het eten van de avond ervoor hadden uitgespaard. Jaya's tekeningen waren altijd van bloemen of Hindisymbolen geweest en allemaal hadden ze een persoonlijke betekenis voor haar. Sita hield het meest van de bloemen en Ahalya probeerde ze heel precies na te maken.

Sumeera bracht hun iedere avond een maaltijd van dal en chutney. Ze zag de kolamtekeningen wel, maar gaf hun nooit op hun kop omdat ze daarmee hun voedsel hadden verspild, iets wat Suchir en zijn jonge assistent – de meisjes kenden hem nu als Prasad – waarschijnlijk wel zouden doen. In plaats daarvan bleef Sumeera vaak een tijdje bij hen in de kamer en vertelde ze zelf een verhaal.

Als Sumeera weg was, aten de zusjes de dal met hun handen en bewaarden ze alleen de rijst die ze nodig hadden voor de kolamtekening van de volgende dag. Een halfuur later kwam Sumeera de borden dan weer ophalen. Tegen die tijd was de duisternis ingevallen over Kamathipura. De eerste klanten van het bordeel arriveerden meestal een paar minuten nadat Sumeera hen gedag had gezegd. Ze herkenden de mannen aan de geluiden die uit de peeskamertjes opklonken.

In de uren tussen het avondeten en het tijdstip waarop ze gingen slapen, zaten de zusjes tegenover elkaar op de grond en vertelde Ahalya verhalen aan Sita. Iedere avond, als de ogen van Sita zwaar begonnen te worden, nam Ahalya haar zusje mee naar de wasbak en wasten ze hun gezicht en handen. Daarna gingen ze in het bed liggen, als lepeltjes tegen elkaar aan, net als vroeger thuis. Sita leek gemakkelijk in slaap te vallen, ondanks het lawaai in het bordeel. Maar Ahalya kon de slaap niet vatten.

Overdag werd ze afgeleid door het zorgen voor Sita, maar 's nachts kwam de wanhoop en woekerde haar schaamte in haar binnenste. Dan lag ze op de dunne matras en dacht ze aan Shankar en de verjaardagsjongen en piekerde ze erover hoe lang ze dit nog aan zou kunnen. Ze was sterk, maar kon dit niet eeuwig volhouden. Op een dag zou ze geen verhalen meer te vertellen hebben.

's Nachts werd Ahalya wakker omdat ze door iets werd aangeraakt. Ze deed haar ogen open en probeerde iets in het donker te onderscheiden. Ze draaide haar hoofd naar de deur en haar ogen begonnen aan de duisternis te wennen. Er stond iemand naast haar bed. Bijna had ze het uitgegild van schrik. Naast haar sliep Sita gewoon door, zich niet bewust van de indringer.

Het silhouet veranderde van vorm en ze voelde iemands hete adem in haar hals. Een mannenstem fluisterde iets in Hindi in haar oor: 'Doe wat ik zeg en maak geen geluid.'

De man greep haar hand en trok haar het bed uit. Ahalya wankelde, maar hij ving haar op en voorkwam dat ze viel. De man nam haar mee de trap af. Nog maar halfwakker drong het nauwelijks tot Ahalya door dat het gekreun was opgehouden en het stil was in de adda. Zelfs de straatgeluiden klonken gedempt en veraf. Het leek alsof heel Mumbai sliep.

Nadat ze de geheime deur door waren trok de man haar met zich mee naar een van de peeskamertjes. Zijn huid was ruw en zijn greep omklemde haar als een bankschroef. Ahalya stootte tegen het bed en bezeerde haar teen, maar onderdrukte een kreet van pijn omdat ze verschrikkelijk bang was.

De man duwde haar op de matras en deed de deur achter hen dicht. Hij worstelde met zijn kleding en toen lag hij boven op haar, terwijl hij met zijn handen haar lichaam betastte. Ahalya verzette zich en probeerde hem weg te duwen, maar de man was sterk en hield haar lang genoeg in zijn greep om te doen wat hij wilde. Toen er een zachte kreet aan haar lippen ontsnapte, klemde hij zijn hand over haar mond. Hij maakte dezelfde geluiden als alle anderen, maar Ahalya wist dat dit geen klant was. Klanten bleven niet 's nachts en hadden ook geen toegang tot de zolderkamer. De man was kort van stuk en jong, dus kon het Suchir niet zijn.

Het was Prasad, dat kon niet anders.

Toen de man klaar was, bleef hij hijgend naast haar liggen. Ahalya bedekte haar lichaam met haar sari en begon stilletjes te huilen. Het gewelddadige en onverwachte van alles liet haar verdoofd van schaamte achter.

Toen begon hij te praten, hij fluisterde woorden van aanbidding en liefde, woorden die hij had gestolen uit gedichten. Maar uit zijn mond klonken ze verminkt. Ahalya moest zich bedwingen om niet naar hem uit te halen, haar nagels niet in zijn oogkassen te klauwen zodat hij voor altijd blind zou zijn. Ze wist dat dat niets zou oplossen. Sita en zij waren volkomen aan Suchirs genade overgeleverd.

Uiteindelijk zweeg Prasad. Hij keerde zijn gezicht naar Ahalya toe en gaf haar een kus op haar wang. Toen stond hij op, pakte haar hand en bracht haar weer terug naar de zolderkamer. Prasad was helemaal weg van haar, dat was duidelijk. Maar zijn verliefdheid werd misvormd door het leven in het bordeel. In Golphita was liefde seks en seks was verkrachting. Ze besefte dat hij zijn genegenheid niet op een andere manier wist te uiten.

Ahalya liep zachtjes naar het voeteneind van het bed en zag dat haar zusje nog steeds lag te slapen. Ze wist dat Sita's onschuld maar al te kwetsbaar was. Ze was nog niet ontmaagd, maar dat was slechts een kwestie van tijd.

Prasad boog zich naar haar toe en fluisterde: 'Dit is ons geheim. Vertel het aan niemand.'

Ahalya knikte, net zo goed tegen zichzelf als tegen haar verkrachter. Ze gleed onder de lakens en zag dat Prasad de kamer uit sloop en de deur achter zich dichtdeed. Ze luisterde naar de geluiden van de straat. Die klonken luider nu. Ze hoorde de claxon van een riksja en het dreunende passeren van een bus. De stad werd wakker, de dageraad gloorde.

En daarmee begon er een nieuwe dag.

Prasad kwam haar de nacht daarop weer halen, en de nacht daarna ook, als de rest van de beshya's sliep. Overdag probeerde Ahalya de routine aan te houden waaraan Sita en zij intussen gewend waren geraakt. Ze verloor wat bloed, maar niet heel veel en wist haar verwondingen te maskeren. Maar vanbinnen voelde ze zich leeg en hol. Als ze Sita verhalen vertelde, klonk haar stem vlak en nietszeggend en had ze de grootste moeite om te glimlachen. Ze werkte lusteloos aan Jaya's kolamtekeningen en lachte niet als Sita een van de grapjes van hun moeder maakte.

Sumeera moest Ahalya's somberheid hebben opgemerkt, want op een avond ging ze nadat ze het eten had gebracht, naast de meisjes op de grond zitten en vertelde ze hun een van de godsdienstlessen die ze zich uit haar jeugd herinnerde. Het was een verhaal van een reizende Brahmin, een hindoepriester, zo vertelde ze, dat in de adda iets was geworden waaraan ze zich kon vasthouden.

'Verlangen is de vijand,' zei ze. 'Verlangen naar het verleden, verlangen naar de toekomst, verlangen naar liefde, verlangen naar een gezin. Alles. Een beshya moet zichzelf leren losmaken van alle gevoelens en haar karma accepteren. Je zult hier nooit gelukkig zijn, maar je hoeft ook niet alleen maar ongelukkig te zijn.'

Toen Sita die avond in slaap viel, bekeek Ahalya haar met een spoortje jaloezie. Sita leek wel een van de engelen in de glas-in-loodramen op de kloosterschool, haar vrede was nog niet verstoord. Ahalya liet zich achterover in het kussen zakken en staarde naar het plafond. Ze wist wat haar die nacht weer te wachten stond. Ze kon niet slapen. Hij zou altijd terugkomen.

De nacht ging over in de ochtend en de geluiden in het bordeel verstomden. Ahalya lag wakker en hield de deur in de gaten. Hij kwam op het moment dat ze het verwachtte. Zij tweeën waren nog de enigen die wakker waren in de adda. Hij raakte haar arm aan en ze stond zonder een geluid te maken uit het bed op. Het had geen zin zich te verzetten.

Het peeskamertje wachtte op hen, het bed nauwelijks groot genoeg voor hen beiden. Ze deed wat hij vroeg. Het was beschamend en walgelijk, maar het bewees dat Sumeera gelijk had. Niets voelen was de enige manier om te ontsnappen.

Toen Prasad zijn lusten had bevredigd, liet hij zich van haar afrollen en begon hij te praten. Het verbaasde haar dat het over zijn familie ging.

'Suchir is mijn vader, wist je dat? Hij heeft veel kinderen op de wereld gezet, maar ik was de eerste. Mijn moeder was een beshya en ze stierf toen ik nog maar een jongetje was. Ik ben in de adda opgegroeid.'

Prasad bleef verder vertellen en zo hoorde Ahalya dat Suchir zijn zoon op zijn dertiende verjaardag had ingewijd in zijn mannelijkheid. Het meisje was een van de jongste aanwinsten van de malik geweest. Ze heette Manasi en Prasad beschouwde haar als zijn eerste liefde. Hij was vaak naar haar toe gegaan op zolder. Ze was tot haar negentiende in de adda gebleven. Dat jaar bleek ze een geslachtsziekte te hebben opgelopen.

'Ik weet niet meer hoe die heette,' vertelde Prasad. 'Maar het was geen hiv.'

Toen Sumeera dat aan Suchir had verteld, had hij Manasi op straat gezet. Het meisje had nog wekenlang om de adda heen gezworven, smekend om eten, totdat Suchir een politieagent had betaald om haar in de gevangenis te zetten. Prasad had haar nooit meer gezien.

Ahalya hoorde Prasads verhaal met verbijstering en afkeer aan. Voor haar was de jongen een duivel in het lichaam van een man. Ze vond het akelig verwarrend dat hij zo menselijk klonk. En erger nog – véél erger, eigenlijk – ze voelde zelfs een steekje medelijden toen hij vertelde dat het bordeel het enige was wat hij kende. Het was een moment van zwakte dat ze meteen weer wegduwde. De pijn tussen haar benen herinnerde haar eraan dat zijn zonden onvergeeflijk waren. Zijn jeugd was geen excuus.

Niets was een excuus.

Toen Prasad ophield met praten, bleef hij nog een tijd in stilte naast haar liggen. Hij maakte geen aanstalten om haar naar de zolderkamer terug te brengen. In plaats daarvan greep hij haar hand vast en gaf er een kneepje in. Door de intimiteit daarvan moest ze bijna kokhalzen. Ze slikte het braaksel in haar keel weg en dacht aan haar zusje. *Stel dat Sita wakker wordt en merkt dat ik weg ben?* Toen kwam er een gedachte in haar op. Het was een risico, maar ze moest het weten. En Prasad kon het haar vertellen. Het was de eerste keer dat ze zich rechtstreeks tot hem richtte.

'Wat is Suchir van plan met mijn zusje?' vroeg ze.

'Sita is net zoiets als jij,' zei hij. 'Iets speciaals. Een verzegeld pakketje. Maar Suchir zal haar zegel verbreken.'

Ahalya kon haar woede inhouden. 'Wanneer?'

'Binnenkort,' antwoordde hij raadselachtig. En toen bracht hij haar terug naar bed.

De volgende dag was het zondag, de enige dag van de week wanneer Golphita leek uit te rusten. Bij het ontbijt bracht Sumeera een doos met kleurige kralen en rijgdraad mee en de zusjes waren de hele dag bezig met sieraden maken. Ondanks de hitte was Sita vrolijk, verdiept in haar werk en leek ze bijna gelukkig. Ahalya beoefende de kunst van de onthechting. De pijn in haar onderbuik was nu een deel van haar bestaan geworden, als de muren om haar heen en de vloer onder haar voeten. Ze kon haar karma betreuren, of ze kon de pijn als een teken beschouwen dat ze in ieder geval nog leefde. Het was allemaal gewoon een kwestie van hoe je ertegenaan keek.

Toen het tijd werd voor haar avondverhaaltje, begon Ahalya aan de sage van de Mahabharata – een beroemd, episch verhaal over liefde en oorlog. Maar Sita onderbrak haar; ze had een verzoek en wilde het verhaal over haar naamgenote horen. Ahalya haalde diep adem. Dat verhaal zou lang duren en ze had de afgelopen drie nachten nauwelijks geslapen.

'Weet je zeker dat je het verhaal van Arjuna's fantastische overwinning niet wilt horen?' vroeg ze.

Sita schudde haar hoofd. 'Je hebt gisteravond al over hem verteld. Ik wil het verhaal van de prinses van Mithilda.'

Ahalya slaakte een zucht. Ze had nooit weerstand kunnen bieden aan haar zusjes vragen. 'Sita van Mithilda,' begon ze, 'was een vrouw met vele deugden. Maar in haar vriendelijkheid was ze niet erg wijs. Zonder nadenken gaf ze Ravana, de koning van de onderwereld, haar vertrouwen. Die nam haar met geweld mee naar het eiland Lanka, waar ze in verbanning zat totdat de held Rama en Hanoeman haar kwamen redden.'

'Vertel eens over Hanoeman,' zei haar zusje, haar grote ogen stonden aandachtig.

'De nobele aap Hanoeman had bij zijn geboorte een gave meegekregen,' ging Ahalya verder. 'Hij kon elk formaat aannemen dat hij maar wilde, van klein tot groot. Toen hij hoorde dat Ravana Sita door de lucht had meegevoerd naar Lanka, werd Hanoeman zó groot dat hij in één stap over de zee was. Hij had Rama's zegelring bij zich en gaf die aan haar...'

Ahalya hield op met praten toen de trap naar de zolderkamer kraakte.

De zusjes draaiden hun hoofd om en staarden naar de deurknop. Ahalya verwachtte Sumeera te zien met een of ander huishoudelijk werkje, maar Suchir verscheen in de deuropening. Hij bleef op de drempel staan en bestudeerde Sita in stilte. Zijn gerimpelde gezicht drukte niets uit, maar zijn berekenende ogen bezorgden Ahalya kippenvel. Prasads woorden schoten haar weer te binnen: Sita is net zoiets als jij. Iets speciaals. Een verzegeld pakketje. Maar Suchir zal haar zegel verbreken.'

Uiteindelijk zei de bordeelhouder: 'Meekomen, jij.' Hij had het tegen Sita.

Ahalya schoot wanhopig overeind en probeerde tussenbeide te komen. 'Neem mij. Laat haar met rust.'

Suchir draaide zich naar Ahalya om en fronste zijn voorhoofd. 'Jij blijft hier,' zei hij op kille toon. Hij stak zijn hand uit en greep Sita bij haar arm. Sita wierp een angstige blik op haar zusje en ging met Suchir de trap af.

De klik van de deur klonk als een pistoolschot in Ahalya's oren. Ze begroef haar gezicht in haar handen en barstte in huilen uit. Het bloed stroomde naar haar hoofd en de muren leken op haar af te komen. Het idee dat haar zusje nu onder een man zou liggen die zijn vleselijke lusten op haar botvierde, haalde haar pogingen om niets te voelen in één keer volledig onderuit. Ze balanceerde op de rand van instorten en vroeg zich wanhopig af hoe ze straks de kracht moest vinden om Sita te troosten.

Suchir leidde Sita langs een groepje kwebbelende beshya's de lobby van het bordeel binnen. Het was altijd rustig op zondag. De mannen waren thuis bij hun gezinnen, keken naar voetbal of cricket op de televisie en hadden seks met hun echtgenotes.

Op instructie van Suchir ging Sita onder de spots voor de spiegel staan. Ze klemde haar handen in elkaar zodat ze niet zouden beven. Er zat een man op de bank die niet ouder kon zijn dan een jaar of vijfendertig. Hij droeg dure kleren en een zilveren horloge om zijn pols. De man taxeerde haar openlijk van top tot teen, maar bleef zitten.

'Suchir zegt dat je wees bent,' zei hij in Hindi. 'Klopt dat?'

Sita knikte in verwarring.

'Hij zegt dat je gezond bent en niet zwanger.'

Sita knikte opnieuw.

De man richtte zich tot Suchir en ze wisselden een paar woorden uit in een onverstaanbare taal. Uiteindelijk knikte de man en schudde hij Suchirs hand. Hij nam Sita nog één keer goed in zich op en verliet toen het bordeel weer. Tijdens het hele gesprek had hij geen enkele poging gedaan om haar te benaderen.

Sita was opgelucht – ontzettend opgelucht – maar ook bezorgd. Zowel het gedrag van de man als dat van Suchir was een mysterie voor haar. Ze dacht terug aan oudejaarsavond, toen Shankar Ahalya's maagdelijkheid had gekocht. Sumeera had hen beiden in de prachtigste sari's gekleed, hen juwelen omgedaan en bloemenslingers in hun haar gevlochten. Hun mooie uiterlijk was ter verleiding van de koper geweest, een verlokking om zijn geld te spenderen. Maar vanavond was Suchir uit het niets verschenen en had hij haar meegenomen zoals ze was.

Sita liep achter Suchir aan de bedompte houten trap naar de zolderkamer weer op. In de deuropening keek ze meteen naar Ahalya en zag dat ze in tranen was. Sita rende naar haar zusje toe en klemde zich aan haar sari vast. Toen begon ze te huilen, hoewel haar niets was overkomen. Ze huilde om de dood van haar ouders. Ze huilde omdat haar zusje had gehuild.

Na een tijdje maakte Sita zich los en gaf ze antwoord op Ahalya's onuitgesproken vraag. 'Er is niks gebeurd,' fluisterde ze. 'Er was een man, maar hij heeft me niet aangeraakt.'

'Heeft hij iets tegen je gezegd?'

'Hij wilde weten of ik wees was. En of ik zwanger was.'

'En Suchir, wat zei hij?'

'Ik kon hem niet verstaan. Ze spraken geen Hindi.'

Plotseling sloeg Ahalya haar armen weer om haar heen en drukte ze haar tegen haar borst. 'Rama heeft over je gewaakt, Kleine Bloem,' zei ze. 'Hij heeft je behoed voor het kwaad.'

'Nee, niet Rama,' corrigeerde Sita Ahalya. 'Papa. Hij heeft beloofd dat hij me altijd zou beschermen.'

Sita sloot haar ogen en zag haar vaders gezicht voor zich. Zijn sterke kin, het peper-en-zoutkleurige haar dat zich terugtrok richting zijn kruin, zijn vriendelijke, goudgevlekte ogen vol wijsheid. Dat had hij haar beloofd toen ze vijf jaar oud was. En ze had nooit aan hem getwijfeld.

'Je hebt gelijk,' beaamde Ahalya, terwijl ze haar zusjes haren streelde. 'Het was papa.'

8

Als u de duivel nooit hebt gezien, kijk dan naar uzelf.
JALAL-UDDIN RUMI

Mumbai, India

THOMAS' EERSTE WEEK BIJ CASE voelde alsof hij in het diepe was gegooid. De dagen begonnen om halfnegen met een vergadering van het hele kantoor die werd geleid door Jeff Greer. De drie directieleden rapporteerden dan over de nieuwe ontwikkelingen uit het veld – hoe de onderzoeken verliepen, welke sporen werden gevolgd, zaken die voor de rechter zouden komen en hoe geredde meisjes het maakten. Alles kwam onomwonden op tafel, zonder het verhaal mooier te maken dan het was. Of het nou om afschuwelijke dingen ging of een hoopgevend verslag, de directeuren van CASE hielden niet van sensationele verhalen of ergens omheen draaien.

Op zijn eerste dag op kantoor besefte Thomas al dat werken voor CASE lichtjaren afstond van een doorsnee non-profitbaan, of tenminste zoals hij en zijn collega's bij Clayton daarover dachten. De uren waren lang, de professionele standaard was hoog, en de zaken vergden veel van je verstandelijke vermogens. Bovendien was het werk niet zonder gevaar. CASE had weinig vrienden gemaakt in Mumbai en veel machtige vijanden. De meeste vaste stafleden waren al eens bedreigd of lastiggevallen door een pooier of souteneur, een aantal zelfs meer dan eens.

Het leven op de juridische afdeling van CASE leek veel op het leven in de loopgraven bij Clayton. Maar de overeenkomsten eindigden waar de wet zelf begon. Thomas was voor een groot deel onbekend met de details van de Indiase jurisprudentie en in de taal van de Indiase wetgeving wemelde het van vreemde uitdrukkingen en archaïsche termen, een overblijfsel uit de dagen van de Raj. Thomas had altijd een pen bij de hand en maakte uitgebreide aantekeningen, maar meestal maakten die de boel nog onduidelijker dan iets te verhelderen.

Zijn kennis maakte een reuzenstap toen Samantha Penderhook hem vroeg het verslag te lezen dat door een van de Indiase juristen van CASE was opgesteld. De zaak ging om een pooier die een tijdelijk bordeel in de sloppen van Jogeshwari had geleid. Hij had een vriend die in meisjes handelde en ze uit dorpen in het verre noorden van India haalde door ze te beloven dat hij ze in Mumbai aan een baantje als serveerster of kindermeisje zou helpen. De pooier had vijf meisjes in zijn stal toen de politie met behulp van CASE zijn bordeel binnenviel. Alle vijf meisjes waren minderjarig. Twee van hen zelfs nog maar amper dertien. De bewijzen tegen de pooier waren vernietigend. Maar de rechtszaak sleepte al vier jaar voort en de pooier liep nog altijd vrij rond.

De Jogeshwarizaak was exemplarisch voor het falende rechtssysteem in Mumbai. De pooier had zijn misdaden toegegeven aan de politie, maar de bekentenis was niet toelaatbaar als bewijs omdat men ervan uitging dat het politiekorps corrupt was. De politie had bovendien een zooitje gemaakt van het First Information Report dat op de plaats delict moest worden opgesteld. De FIR sprak de verklaring tegen die was afgelegd door de *pancha* – de onafhankelijke getuige – waardoor de advocaat van de pooier een opening had om de geloofwaardigheid van dat rapport en van de politie aan te vechten.

Daarbij was de rechtszaak een toonbeeld van inefficiëntie geweest. De slachtoffers werden een halfjaar na de inval opgeroepen om te getuigen, maar de aanklager moest twee jaar wachten voordat hij de pooier kon onderwerpen aan een kruisverhoor. Tegen die tijd konden zowel de rechter als de juristen zich niet precies meer herinneren wat de slachtoffers hadden gezegd. Het enige wat was vastgelegd, waren 'getuigenverklaringen' die in steno door een griffier op een oude computer waren ingetypt. En helaas spraken die 'getuigenverklaringen' van de slachtoffers de aantekeningen tegen van de CASE-jurist, die de aanklacht had helpen opstellen.

En ten slotte was er nog het probleem van de taalbarrière. De meisjes kwamen uit een streek in Uttar Pradesh, in de buurt van Nepal, en spraken een dialect dat Awadhi wordt genoemd. Het kostte CASE twee maanden om een Awadhi vertaler te vinden. Toen de meisjes eindelijk onder ede stonden, bekende de vertaler dat hij hardhorend was. Hoewel hij vlak naast de meisjes stond, onderbrak hij hen doorlopend met de vraag of ze hun woorden konden herhalen.

De Jogeshwarizaak was een complete ramp. Nadat hij de aanklacht had gelezen, ging Thomas naar Samantha's kantoor. Ze zat aan de telefoon, maar gebaarde dat hij gewoon binnen kon komen.

Toen ze had opgehangen, stak hij het rapport omhoog. 'Is dit een grap?'

Ze glimlachte. 'Geen grap. Ik zei al dat je gek zou worden van het rechterlijk systeem in Mumbai.'

Thomas gaf lucht aan zijn woede: 'Vier jaar geleden heeft die pooier die kleine meisjes aan zijn vriend in de sloppenwijken verkocht en vandaag beweert zijn advocaat dat zijn cliënt niet vervolgd moet worden omdat de politie in de FIR geen samenhangende zin op papier kon krijgen, de griffier de meisjes niet kon verstaan toen ze getuigden en de pooier zogenaamd onder druk van de politie heeft bekend, hoewel er vijf getuigen en twee onafhankelijke pancha's aanwezig waren toen die vent z'n verhaal deed. Wat is dit voor corrupte rechtbank hier?'

'Het is een circus,' gaf Samantha toe. 'Daarom krijgen we zo weinig veroordelingen voor elkaar. Zelfs als de bewijslast waterdicht is, neemt de dader de benen, weigert het slachtoffer te getuigen of haalt de advocaat een stunt uit met de rechter en wordt de zaak zo lang aangehouden dat het dossier begint te schimmelen.'

'Als het hele rechtssysteem niet werkt, waarom doen we dit dan allemaal?'

Samantha gebaarde naar de stoel tegenover haar bureau en zei: 'Ga zitten.'

Zodra hij zat vervolgde ze: 'Ik weet zeker dat je ooit wel hebt gehoord van Kenneth Burke en zijn bekende stelregel dat het kwaad overwint als goede mensen niets doen. Het is een mooi cliché. Iets waarmee politici graag rondstrooien of om op een sticker te zetten. Maar Burke had gelijk. Mumbai krioelt van de criminelen omdat de mensen er niets tegen hebben ondernomen en het hebben laten gebeuren. Toen CASE hier een kantoor opende, dacht iedereen dat we binnen een jaar wel weer verdwenen zouden zijn.'

Ze zweeg even en maakte een weids armgebaar.

'Maar we zitten hier nog steeds, en mijn hemel, we maken écht een verschil. De pooiers zijn bang voor ons. De politie denkt wel twee keer na voordat ze zich laat omkopen. Meisjes die ooit vijftien keer per dag werden verkracht, zitten nu in privéhuizen om te herstellen. Het is een klein resultaat, maar het is een begin. De vraag die je moet beantwoorden is eenvoudig: wil je eraan meewerken of niet?'

Ze leunde naar voren in haar stoel en legde haar beide handen op het bureau. 'Ik neem aan dat Jeff je zijn standaardvraag heeft gesteld over het uitzitten van de hele rit. Dat doet hij bij iedereen. Maar dit is mijn afdeling. Als je er op een bepaald moment uit wilt stappen, zal ik je verdedigen bij het hoofdkantoor. En ik hoef je er toch zeker niet aan te herinneren dat je niet betaald wordt, wel?'

Dat laatste was als een grapje bedoeld, maar Thomas kromp ineen. Samantha kon onmogelijk weten dat hij nu gewoon in Washington zou zitten en 325 dollar per uur zou schrijven, als die lafaard van een Mark Blake en de dreigende aanklacht van Wharton Coal er niet waren geweest. Het werk van CASE was bewonderenswaardig, maar hij was hier niet op morele gronden. Daarin verschilde hij van de rest van de vrijwilligers. De wereld van de mensenhandel maakte hem ziek, maar hij zat op een carrièrepad met een duidelijk einddoel: de federale rechtbank. Hij zou het hier uitzitten omdat het de enige manier was om weer in genade te worden aangenomen bij Clayton.

'Maak je om mij geen zorgen,' zei hij, terwijl hij opstond. 'Ik doe mee.'

'Dat dacht ik al.' Samantha grinnikte. 'Dan heb je hier je vuurdoop: zorg dat het hoger beroep in de Jogeshwarizaak indruk maakt. Zorg ervoor dat je zo overtuigend bent dat de rechter zit te popelen om die klootzak naar de gevangenis op Arthur Road te sturen.'

Die zaterdagavond nodigde Dinesh Thomas uit om met een aantal van zijn vrienden uit eten te gaan in Bandra. De vrienden waren vrijgezelle witteboordentypes die allemaal in Engeland hadden gestudeerd. Ze aten op het terras van Soul Fry, een hippe tent waar traditioneel, maar met een moderne flair werd gekookt. Dinesh' vrienden vertoonden geen enkele interesse in het werk van Thomas bij CASE en ondervroegen hem het grootste gedeelte van de avond over Amerikaanse vrouwen. Thomas vermeed het onderwerp Priya, omdat een van de mannen haar familie misschien kende. Maar niemand vroeg naar haar en Dinesh was zo verstandig er niet over te beginnen.

Na het eten namen ze met z'n vieren een paar riksja's naar Dinesh' favoriete club, de White Orchid, twintig minuten verderop. De club was gevestigd op de derde verdieping van een pand waarin ook een kledingboetiek en een reisbureau huisden.

Terwijl de lift omhoogging hoorde Thomas al het gedempte gedreun van de bassen en een schril gezongen liedje. In de lobby werden ze ontvangen door drie uitsmijters gekleed in wit overhemd en zwarte broek. Een van Dinesh' vrienden schudde de hand van een van hen en fluisterde iets in zijn oor. De man knikte en gebaarde dat het goed was. Daarna verwees hij de groep naar een volgende deur.

Zodra Thomas de White Orchid binnenkwam, besefte hij dat de belangrijkste attractie hier niet werd gevormd door alcohol of het gezelschap. De ruimte had de vorm van een cirkel en was rondom ingericht met tafeltjes en pluchen banken. Daarop zaten mannen van alle leeftijden met een drankje voor zich. In het midden van de ruimte bevond zich een houten dansvloer met daarop twee koperen, tot aan het plafond reikende palen. Tussen de palen stonden acht jonge meisjes die als prinsessen met goud en juwelen waren opgetuigd en elegante gewaden droegen. Anders dan de danseressen in een Amerikaanse stripclub waren deze meisjes volledig gekleed. Maar er zat toch een onmiskenbare sensualiteit in hun houding, de manier waarop ze naar de mannen keken en hoe ze dansten.

De meisjes wisselden elkaar af op het midden van het podium en er danste steeds één meisje tegelijk. De rest stond ernaast en keek verleidelijk in het publiek. Als een van de meisjes een man beviel, stak hij een geldbiljet in de lucht en bood haar dat aan. Het meisje trippelde dan naar de man toe, nam het biljet met een glimlach in ontvangst en keerde weer terug naar de rij. Soms gebeurde het dat een man een stapeltje roepiebiljetten ophief en naar een meisje knipoogde. Voor zo'n royaal bedrag danste ze dan even vlak voor hem – voor hem alleen. Maar het gebeurde nooit dat een meisje en haar bewonderaar elkaar aanraakten.

Om die regels kracht bij te zetten, stonden er een paar gespierde obers in de buurt, die de bezoekers in de gaten hielden en opletten of iedereen zich wel fatsoenlijk gedroeg. De obers namen ook bestellingen op en brachten de drankjes, maar hun belangrijkste taak was duidelijk. Thomas ging naast Dinesh zitten en probeerde er niet zo ongemakkelijk uit te zien als hij zich voelde. De meisjes hielden hem in het oog, op zoek naar een teken van interesse of een geldbiljet in zijn handen. Thomas' opties waren beperkt. Hij kon of onbeschoft zijn ten opzichte van zijn vriend en de club verlaten, of met de rest blijven en toekijken.

Hij wierp een korte blik op Dinesh. Zijn vriend zag er ontspannen en op zijn gemak uit. Hij en zijn vrienden hadden een drankje besteld en knabbelden van de pinda's die de club aanbood. Thomas gebaarde naar een ober en bestelde een biertje. Hij wilde dat Dinesh hem had gewaarschuwd over wat hij kon verwachten. Dan zou hij waarschijnlijk niet zijn meegegaan.

Thomas keek naar een meisje dat in haar eentje in een smaragdgroene salwar kameez op het podium stond te dansen. Ze was prachtig, met lotusvormige ogen en een amandelkeurige huid. Het meisje sloot haar ogen en bewoog zich zo sensueel dat het Thomas niet onberoerd liet. Even later vermande hij zich en wendde zich af, overspoeld door schuldgevoelens. Daarna deed hij zijn best om een beleefd excuus te bedenken om weg te kunnen, maar hij kon niets verzinnen. Hij baalde van Dinesh en was boos op zichzelf.

Ergens rond middernacht stond een van Dinesh' vrienden plotseling op. Al de hele avond had hij een van de meisjes overladen met vijfhonderdroepiebiljetten. Nu wierp hij een blik op haar en knikte even naar een ober in de buurt. Vervolgens schudde hij Dinesh de hand en verdween in de richting van de uitgang. Tegelijkertijd verliet het meisje de dansvloer en liep naar de achterkant van de club.

'Waar gaat hij naartoe?' schreeuwde Thomas in Dinesh' oor.

Zijn vriend opende zijn handen alsof hij het niet wist, maar opeens begreep Thomas het. Hij leunde naar achteren en bestudeerde Dinesh nog eens. Zijn vriend was in de ban van een lang meisje met prachtige wimpers. Hij had haar in de loop van de avond al op zijn minst drieduizend roepies gegeven en ze had al een paar maal alleen voor hem gedanst. Nu stond ze in de rij en deinde lichtjes mee op een melodie die Thomas vagelijk herkende. Dinesh tastte in zijn portefeuille en haalde daar acht biljetten van vijfhonderd roepie uit die hij naar haar opstak, als een valkenier die zijn prijsvogel bij zich roept.

De ogen van het meisje lichtten op en ze gleed door de ruimte naar hem toe, waarna ze recht voor hem ging staan. Met haar ogen op Dinesh gericht begon ze elegant te dansen, eerst haar handen, toen haar armen, haar schouders en daarna haar hele lichaam totdat alles zich op haar middelpunt concentreerde. Thomas zag het spektakel zich voor zijn ogen ontvouwen en zag nu wat hij eerst niet in de gaten had gehad. Hij keek naar een ritueel dat al zo oud was als de wereld.

Dinesh keerde zich naar hem toe en riep over het kabaal heen: 'Je weet hoe je thuis moet komen?'

Thomas keek zijn vriend aan en knikte.

'Dan zie ik je morgenochtend,' zei Dinesh en hij stond op. De ober nam hem mee naar de uitgang en het meisje trok zich terug van het podium en liep naar achteren.

Thomas begreep hoe het verder zou gaan: Dinesh en het meisje zouden elkaar op straat weer ontmoeten en een taxi nemen naar een hotel ergens in de stad. In de beslotenheid van hun hotelkamer zou Dinesh zijn passie over haar uitstorten totdat hij niet meer kon. Dan zou het meisje zijn geld aanpakken en vertrekken. Een zoveelste avond, een zoveelste vent. Ze zou het geld gebruiken om haar kinderen te eten te geven of misschien wel om een nieuwe jurk te kopen op Linking Road. En dan zou ze weer gaan dansen. Morgen, waarschijnlijk, en de dag daarna en de dag daarna. Het ritueel zou zich steeds herhalen en Dinesh zou vergeten zijn.

Tot hij besloot haar opnieuw te betalen.

Thomas dronk zijn bierglas leeg en liet een biljet van honderd roepie achter voor de ober. Hij nam afscheid van de resterende vrienden van Dinesh en verliet de White Orchid, walgend van zichzelf. Hij vroeg zich af wat de mensen bij CASE ervan zouden vinden dat hij zo'n soort club bezocht. Hij vroeg zich af wat Priya ervan zou vinden en of het haar iets zou kunnen schelen.

Hij hield een riksja aan en zei tegen de chauffeur dat hij hem naar de Bandstand moest brengen. Terwijl hij het lawaai van de motor niet probeerde te horen, worstelde hij opnieuw met het idee van zijn moeder. In de afgelopen week had hij twee keer op het punt gestaan om Priya's nummer in te toetsen, maar het beide keren niet gedaan. Waarom was de gedachte om haar in de ogen te kijken zo angstaanjagend voor hem?

Op zoek naar afleiding haalde hij zijn BlackBerry tevoorschijn en bekeek zijn e-mails. Die ochtend had hij een boodschap naar zijn moeder gestuurd om haar angsten te bezweren – ze was altijd al een tobber geweest – en om zijn vader ervan te verzekeren dat een week in India zijn langetermijnplannen niet had veranderd.

Elena had geantwoord:

> Thomas, ik ben zo blij dat je veilig bent aangekomen. Je vader heeft weer een nieuwe obsessie. Sinds je weg bent, leest hij non-stop over de sekshandel. De post heeft net een doos boeken afgeleverd die hij besteld heeft. Ik zou het liever over een wat meer doorsnee-onderwerp hebben tijdens het avondeten, maar ik mag niet klagen. Ik ben al blij dat hij niet saai is. Hou alsjeblieft contact en kom gauw weer thuis.

Haar tekst bracht een glimlach op Thomas' gezicht. Hij scrolde verder door de lijst van ongelezen e-mails. Tussen een hele berg spam kwam hij een bericht van Andrew Porter tegen.

> Hoi, Thomas. Je wilt vast weten dat de politie van Fayette het incident waar jij het over had bij ons heeft gemeld. Verder nog geen

concreet nieuws, maar we zijn ermee bezig. Het is rotweer hier – natte sneeuw en ijs. Geniet daar van de warmte. Ik ben jaloers op je.

Thomas typte terug:

Bedankt dat je me op de hoogte houdt. Op dit moment stik ik zowat in de uitlaatgassen. Niet echt paradijselijk, maar toch beter dan natte sneeuw, denk ik.

Nadat hij het bericht had verzonden, scrolde hij verder door zijn inbox en ontdekte haar naam. Hij sloot zijn ogen en vroeg zich af waarom het leven toch zo gecompliceerd moest zijn. Hij had haar duidelijk moeten maken dat het echt voorbij was. Even voelde hij de neiging haar e-mail te verwijderen, maar zijn nieuwsgierigheid won het.

Tera had geschreven:

Thomas, ik ben een idioot, maar ik kan het niet helpen dat ik je mis. Waar zit je? De partners laten niets los, behalve dat je een sabbatical hebt genomen. Het is hier koud. Ik mis je warmte.

Hij leunde naar achteren en staarde naar de lichten van de stad. Tera was een goede, warme vrouw. Hij had haar gevoelens aangewakkerd en haar toen opeens, zonder behoorlijke uitleg, aan de kant gezet. Ja, ze was een idioot. Maar hij ook.

Diep in gedachten verzonken, merkte hij niet dat de riksja stilstond voor het appartementengebouw waar Dinesh woonde. De chauffeur draaide zich om en keek hem geërgerd aan, terwijl hij op de meter wees. Thomas betaalde hem en wandelde het hek door. De lift wachtte hem op. Toen hij in Dinesh' appartement was, schonk hij zichzelf een glas cognac in en liep het balkon op. Hij stond bij de balustrade, ademde de ziltе lucht in en deed zijn best om te bedenken hoe hij weer wijs kon worden uit zijn leven.

Toen hij ten slotte genoeg had van dat onderwerp, ging hij naar zijn kamer en maakte zich klaar om te gaan slapen. De geluiden van Mumbai filterden door het open raam naar binnen. Thomas ging in bed liggen en deed zijn ogen dicht. Toen de slaap uiteindelijk kwam, was het een zegen.

Op maandag liep Thomas na de ochtendvergadering naar het kantoor van Nigel McPhee. Er zeurde een gedachte in zijn achterhoofd sinds hij de White Orchid had verlaten, die nog hardnekkiger was geworden toen Dinesh zondagochtend met een vrolijke glimlach op zijn gezicht in het appartement was gearriveerd. Thomas wilde het nu weten.

Nigel gebaarde dat Thomas moest gaan zitten. 'Wat kan ik voor je doen?'

Thomas kwam meteen ter zake. 'Een vriend van me heeft me zaterdagavond meegenomen naar de White Orchid.'

'Aha,' reageerde Nigel. 'En je was er niet op voorbereid, begrijp ik.'

Thomas schudde zijn hoofd.

'Zoals ik al eerder zei: de hele stad hier is één groot bordeel.'

'Wat me op mijn vraag brengt: de White Orchid voelde niet echt als een bordeel. En de meisjes leken me geen slaven.'

Nigel keek hem peinzend aan. 'Hoe ziet een slaaf er dan volgens jou uit?'

'Geen idee. Maar deze meisjes wekten de indruk dat ze daar uit vrije wil waren.'

'Schijn kan bedriegen.'

'Dus zeg je dat ze gedwongen worden en verhandeld zijn?'

'Het ligt gecompliceerder. De meesten van hen zijn erin geboren.'

'Hè? Hoe bedoel je?'

'Het zijn Bediameisjes. Vrouwen van hun kaste zijn al eeuwenlang prostituees. Het is je opgevallen, neem ik aan, dat ze stuk voor stuk prachtig om te zien waren?'

Thomas knikte.

'Hun afkomst is een mysterie, maar hun verhalen zijn allemaal hetzelfde. Hun ouders voeden hen hiervoor op. Ze nemen ze mee naar Mumbai als ze tieners zijn en installeren ze ergens als hostess. Ze zijn van niemand, zoals dat wel het geval is bij de meisjes in de bordelen in het zuiden van de stad. Bediameisjes wonen alleen. Ze hebben geld te besteden. Maar je kunt moeilijk beweren dat ze de vrije keuze hadden. Ze weten niet beter.'

'Beseffen de klanten dat?' Thomas dacht aan Dinesh.

Nigel lachte. 'Het kan de klanten niet schelen. Een hostess in een club is een vrouw uit hun dromen. De mannen maken zichzelf wijs dat de meisjes echt op hen vallen. Ze kopen geen hoer. Ze geven een cadeautje aan een vriendinnetje.'

Thomas dacht erover na. De logica was verwrongen, maar klopte wel met de manier waarop Dinesh zich had gedragen.

'Hoe staat CASE tegenover dat soort dansclubs?'

Nigel schudde zijn hoofd. 'Clubs zoals de White Orchid zijn onschendbaar. De politie krijgt geld van de clubeigenaars en zeggen dat de meisjes daar dansen omdat ze dat zelf willen. En misschien is dat ook wel zo. De enige tenten waar wij ons op richten zijn de bierbars in de voorsteden waar de pooiers hun meisjes achter slot en grendel houden.'

'Weet je,' zei Thomas. 'Mijn vrouw noemde Mumbai ooit de stad van *maya*. Ik begin te begrijpen wat ze bedoelde.'

Nigel knikte. 'Alles is een illusie hier.'

Thomas bedankte hem en liep terug naar zijn bureau. Daar pakte hij zijn laptop en verdween naar de bibliotheek van CASE, waar hij alle uitspraken over mensenhandel die hij maar kon vinden doornam. Hij vond er een paar die hij voor het Jogeshwariverslag kon gebruiken, maar het waren er maar weinig.

Rond het middaguur zat hij weer achter zijn bureau op de juridische afdeling, vastbesloten om de punten die hij in zijn hoofd had op papier te krijgen en de aanklacht te herschrijven. Hij noteerde zijn belangrijkste bevindingen in zijn laptop en begon toen titels voor de hoofdstukken en subhoofdstukken te verzinnen. Een halfuur later had hij het raamwerk van zijn argumentatie op papier. Hij keek op de klok en vroeg zich af hoe het met de lunch stond.

Plotseling hoorde hij opgewonden stemmen op de opsporingsafdeling aan de overkant van de ruimte. Hoewel de drie afdelingen – opsporing, juridisch en rehabilitatie – één grote, gemeenschappelijke ruimte deelden, klonken de gesprekken meestal gedempt door alle airconditioners die de hele dag stonden te zoemen en ratelen.

Hij stond op en zag drie Indiase agenten plus een opsporingsmedewerker van CASE Nigels kantoor binnengaan.

'Wat is er aan de hand?' vroeg hij aan Eloise, een vrijwilligster uit de Bronx.

Eloise legde een deel van de *All India Reporter* neer en keek over het scheidingswandje naar het nu bijna verlaten gedeelte waar de opsporingsafdeling huisde. 'Wat is er aan de hand, John?'

De CASE-vrijwilliger keek op van zijn computer. 'Rasheed heeft een tip gehad. Twee minderjarige kinderen in Kamathipura. Een van hen is nog maagd. Nigel wil snel in actie komen.'

Thomas' hartslag versnelde. 'Wie gaan er allemaal mee bij zo'n inval?'

Eloise glimlachte. 'Vraag het aan Greer. Van hem mag je vast mee.'

Kort daarna kwamen Nigel en de rest alweer uit zijn kantoor. Nigel liep meteen door naar dat van Samantha om te overleggen. Niet lang daarna kwamen ze weer naar buiten om de juridische medewerkers in te lichten.

'Rasheed was gisteravond in M.R. Road. Hij sprak een meisje dat hem al eerder informatie had doorgespeeld. Ze vertelde dat er vlak voor Nieuwjaarsdag twee minderjarige meisjes waren binnengebracht in haar bordeel.

We doen vanavond een inval. Deepak treedt op als de zogenaamde klant, hij blijkt de eigenaar van het bordeel te kennen.'

Na de mededeling liep Thomas naar Greers kantoor. Jeff zat aan de telefoon.

'Spannende tijden,' zei Greer terwijl hij ophing. 'Rasheed haalt iedere steen boven om de tip bevestigd te krijgen.'

'Heb je er bezwaar tegen als ik meega?' vroeg Thomas.

Greer hoefde maar even na te denken. 'Nee, vanavond of een andere keer, dat maakt niks uit.'

Na een stormvloed aan voorbereidingen, verzamelden Greer en Nigel om vijf uur die middag het team dat deel zou nemen aan de inval. Ze waren met zijn zessen: Deepak, Rasheed en Rohit waren de opsporingswerkers – zij kenden het bordeel. Ravi was ook een medewerker van de afdeling opsporing die vaak dienstdeed als chauffeur van de landrover van CASE. Dev Ramachandra was degene die het onderzoek leidde. En Anita Chopra was van de afdeling opvang en gespecialiseerd in ondersteuning van minderjarige meisjes.

Nigel vroeg Rasheed hem bij te praten over de laatste berichten. Rasheed leunde naar voren in zijn stoel.

'Het gerucht gaat dat Suchir de koop twee weken geleden heeft gesloten. Niemand weet waar de meisjes vandaan komen, maar mijn contacten beweren dat hij zestigduizend heeft verdiend op de oudste. Het is niet bekend of het andere meisje al is ontmaagd.'

'Deepak,' vroeg Nigel, 'hoe zit het gebouw in elkaar?'

'Het is zo'n typische hoerentent waar je eerst in een lobby wordt ontvangen,' antwoordde de man. 'Er is maar één ingang, daar ben ik zeker van, en die is aan de voorkant. Maar ik heb wel gehoord dat er een ontsnappingsroute zou kunnen zijn, hoewel ik die nooit heb gezien. De lobby ligt op de tweede verdieping van het gebouw. De peeskamertjes zijn er meteen achter. Suchir heeft ongeveer vijftien meisjes. Zijn zoon, Prasad, werkt ook voor hem. Ik weet dat er een zolderkamer is, maar ik weet niet hoe we die kunnen bereiken.'

'Hoe gewelddadig denk je dat het wordt?' informeerde Nigel.

Rohit gaf antwoord. 'Ik heb nooit gehoord dat Suchir een wapen draagt. Zijn madam is heel onderdanig. Prasad is hier het risico. Hij is opvliegend.'

Nigel zei tegen Greer: 'Zorg dat de politie dat weet.'

'Oké.' Greer krabbelde iets op zijn notitieblok. 'Hoe goed te vertrouwen zijn de agenten van Nagpada?' vroeg hij aan Dev. 'Het is alweer een tijdje geleden dat we daar een inval hebben gedaan.'

'Hoofdinspecteur Kahn is onomkoopbaar,' antwoordde Dev. 'De rest van zijn team zal de weg van de minste weerstand kiezen. Alle agenten nemen bakshees van de pooiers aan, maar ze zijn bang voor Kahn en zullen zijn orders opvolgen.'

'En hoe achterdochtig is Suchir?' vroeg Greer. 'Controleert hij op afluisterapparatuur?'

Deepak schudde zijn hoofd. 'Hij heeft nog nooit een inval gehad. Men zegt dat hij hafta betaald aan Chotta Rajans bende. Hij denkt dat hij onaantastbaar is.'

Het voorbereiden ging door tot zes uur, waarna het team ergens iets ging eten. Om zeven uur waren ze weer terug bij het kantoor, waarvandaan ze in twee auto's op weg gingen naar het politiestation van Nagpada, een rit van drie kwartier. Nigel wenste hun veel succes en bleef op kantoor achter.

Tijdens de rit belde Greer naar hoofdinspecteur Kahn. Hij hoorde dat Kahn een team van zes agenten bij elkaar had, of *halvadars*, voor de inval. Om te voorkomen dat een van de mannen Suchir zou waarschuwen, had de hoofdinspecteur zijn agenten nog niet ingelicht over het doel. Dat zou hij hun op weg erheen vertellen. Kahn had ook twee pancha's van een ander bureau geregeld die mee zouden gaan. De politie had twee politieauto's en twee busjes tot haar beschikking. Als ze veel meisjes zouden aantreffen, zouden ze die daarmee naar het bureau moeten brengen.

'Alles klopt,' merkte Greer op tegen Thomas toen hij de verbinding had verbroken. 'Kahn maakt zijn reputatie waar.'

De rit van Khar naar Nagpada ging via het hart van het centrum en het zuiden van Mumbai – door de sloppenwijk Dharavi, helder verlicht door brandende hopen afval, eindeloze snoeren lichtpeertjes en de van taxi's uitpuilende straten van Dadar West en Lower Parel, naar de drukke steegjes van Nagpada.

Ze parkeerden ongeveer een huizenblok van het bureau vandaan en vervolgden hun weg te voet. Hoofdinspecteur Khan ontving hen in de hal en dirigeerde hen een rommelig kantoortje binnen, dat gemeubileerd was met metalen bureaus en boekenkasten tegen alle wanden. Hij wilde Deepaks materiaal eerst graag zien en de CASE-medewerker maakte zijn rugzak open. Hij haalde er een klein videocameraatje uit dat verborgen zat in een balpen en de geluidsapparatuur die hij op zijn middenrif zou vastplakken. Khan knikte. Hij voelde in zijn zak en overhandigde Deepak een envelop.

'Twintigduizend roepie,' zei hij. 'Ik heb de serienummers genoteerd.'

Deepak gaf de envelop door aan Jeff, die zijn blocnote tevoorschijn haalde en de biljetten natelde.

'De pancha's zijn er zo,' vervolgde de hoofdinspecteur. 'Mijn agenten weten nog helemaal van niets. Ik doe zo de deur van deze kamer op slot. We vertrekken om kwart voor tien.'

Thomas keek toe terwijl Rasheed Deepak hielp met de pencamera en de microfoon. Beide waren zo klein dat ze in zijn kleren opgingen.

Om iets over negen uur arriveerden de pancha's. Het waren Indiërs van rond de dertig. In redelijk Engels stelde de man zich voor als Kavi en de vrouw als Mira. Rasheed praatte hen bij in rap Hindi.

Uiteindelijk keek Greer op zijn horloge. 'Het is bijna tijd,' zei hij tegen Thomas. 'Ik bid meestal even van tevoren. Heb je daar bezwaar tegen?'

'Ga je gang,' antwoordde Thomas. 'Ik ben katholiek opgevoed.'

Met zijn ogen dicht deed Greer een kort gebed waarin hij vroeg om veiligheid en succes. Toen keek hij naar de deur, waar hoofdinspecteur Khan in de deuropening was verschenen. Khan nam hen mee naar de hal en stelde hen voor aan zijn mannen. Het invalsteam telde zes agenten, allemaal bewapend met houten knuppels die *lathis* worden genoemd. Twee van hen zwaaiden met een haast antiek karabijn.

De hoofdinspecteur verhief zijn stem om boven het gezoem van de plafondventilators uit te kunnen komen. 'Wij blijven op Bellasis Road totdat Deepak ons de gemiste oproep stuurt. Voor die tijd mag niemand naar binnen. Ik neem de voorste auto. Iedereen die eerder in beweging komt dan ik, levert zijn politie-insigne in. Is dat duidelijk?'

Aan alle kanten werd er gegromd en gebromd. De in kaki geklede halvadars waren nerveus en onrustig. Twee ervan wierpen een zijdelingse blik op Jeff en Thomas, hun minachting voor hen nauwelijks verhullend.

Khan keek ieder van zijn mannen om de beurt strak aan. 'Het maakt niet uit waar je vandaan komt of hoe je tegenover beshya's staat. Denk aan de meisjes die we gaan redden alsof het je eigen kinderen zijn. Doe je werk. Nog vragen?'

Niemand zei iets.

'We gaan,' zei hij.

9

We zijn op de rand van deze duisternis;
de ochtendzon gloort als een stralend web.
RIG VEDA

Mumbai, India

HET WAS TIEN UUR IN DE AVOND toen de deurknop van de zolderkamer werd omgedraaid. Dit keer was het Sumeera die Ahalya kwam halen. Ze zat alleen op het bed, haar haren in de war en haar gezicht overdekt met tranen. Sita was pas twintig minuten weg, maar voor Ahalya leek dat al een eeuwigheid.

Net als die eerste keer was Suchir zonder waarschuwing in de deuropening verschenen en had haar zusje meegenomen. Het was niet als een verrassing gekomen voor haar. De hele dag had ze al in doodsangst gezeten en geweten dat dit zou gebeuren. Papa's belofte kon Sita niet redden van de wetten van het bordeel.

'Kom,' zei Sumeera, terwijl ze Ahalya's hand vastpakte. 'Je moet naar een klant. Je mag er niet zo verdrietig uitzien.'

Dus ik word vanavond ook verkocht, dacht ze, verdoofd van afgrijzen.

Ahalya trok haar verleidingstenue aan en volgde Sumeera de trap af, zich in gedachten al wapenend tegen de aanraking van de onbekende. Er stond maar één beshya, het oudste en minst aantrekkelijke meisje, in de gang beneden. De meeste peeskamertjes waren bezet. Ahalya bekeek iedere deur die ze passeerden nauwlettend en spitste haar oren of ze Sita's stem misschien hoorde tussen al het rumoer van mannelijke lustbevrediging. Ze balde haar vuisten. *Hoe kunnen ze haar dit aandoen? Ze is nog maar een kind!*

De man op de bank in de lobby was jong en had een baard. Suchir stond tegen de wand tegenover hem en knipte de spots aan. Net zoals de andere keren werd Ahalya verblind door het felle licht.

'Een *rampchick*,' zei de man, terwijl hij opstond en naar haar toe kwam lopen. 'Suchir, je weet ze altijd zo goed uit te zoeken.'

'Je mag haar hebben voor tienduizend.'

'Zo duur, vriend? Hoe vaak is ze met een man geweest?'

'Maar twee keer. Ze is nog heel fris.'

Dus Prasad heeft zijn geheim bewaard, dacht Ahalya grimmig. *Suchir heeft er geen notie van dat zijn zoon me zowat iedere nacht verkracht.*

De man liep om Ahalya heen en bleef recht voor haar staan. Ze keek hem niet aan.

'Ik neem haar,' zei hij uiteindelijk. 'Maar ik wil de kamer helemaal boven. Die is comfortabeler.'

'Natuurlijk,' stemde Suchir met hem in. Hij wierp een blik op Sumeera, die stilletjes verdween.

De man overhandigde de bordeeleigenaar een stapel roepies en nam Ahalya bij de hand. 'Kom maar, prinsesje,' fluisterde hij.

Ahalya huiverde en liep achter hem aan. Op één na waren alle deuren in de gang nog dicht en ze zag nergens een spoor van Sita.

Toen ze de zolderkamer binnengingen, was Sumeera de lakens aan het rechttrekken. Ze schudde de kussens op en ging naast Suchir staan. De bordeeleigenaar wenste de bebaarde man een fijn avontuur toe en sloot de deur aan de buitenzijde.

De man gebaarde dat Ahalya naar het bed moest gaan en haalde zijn mobiele telefoon tevoorschijn.

'Een moment,' zei hij, terwijl hij op een toets drukte. Hij hield de telefoon tegen zijn oor en verbrak toen de verbinding. 'Niemand thuis.'

Ahalya was op het bed gaan zitten en keek omlaag naar de lakens. Ze verwachtte dat de man zijn broek zou losmaken en haar gezicht zou strelen, net als Shankar had gedaan. Daarna zou hij haar vragen om zich uit te kleden. Maar hij deed niets van dat alles.

'Hoe heet je?' vroeg hij vriendelijk.

Die vraag sneed door haar hart. Haar naam, het cadeau van haar vader, die 'perfect' betekende. Degene naar wie ze was vernoemd was een voorbeeld van vrouwelijke schoonheid geweest, de zedige vrouw van een nobele Brahmin, verleid door de god Indra en vervloekt door haar echtgenoot vanwege haar ontrouw. De overeenkomsten tussen haar leven en dat van Ahalya van de Ramayana waren verbijsterend, maar er was één groot verschil – de vroegere Ahalya was bevrijd van de last die haar had gekweld.

'Ik heet Deepak,' ging de man verder, toen ze niets wist uit te brengen. 'Ik zal je geen kwaad doen.'

Hij ging rustig zitten en maakte geen aanstalten om haar aan te raken. Ze keek hem bevreemd aan; ze begreep er niks van.

Een paar seconden later hoorden ze een enorme commotie beneden. Er klonk gebonk en schreeuwende en opgewonden mannenstemmen. Ahalya hoorde Sumeera dringende bevelen geven. En opeens hoorden ze iemand de trap naar de zolderkamer oprennen. Deepak snelde naar de deur en ging er met zijn rug tegenaan staan. Iemand draaide de knop om en probeerde de deur open te duwen. Toen die niet in beweging kwam, hoorde Ahalya een man – ze dacht dat het Prasad was – vloeken en zijn gewicht tegen het hout aan gooien.

Deepak maakte een grimas maar gaf geen krimp.

Thomas stond naast Greer en keek vanaf de straat toe, terwijl de Nagpada-agenten het pand binnenvielen. Hoofdinspecteur Kahn sloeg eerst Suchir, die zich niet verzette, in de boeien en liep toen voor drie agenten van zijn team uit de trap op naar het bordeel. Nadat ze Suchir hadden opgesloten in een politiebusje, stormde de rest van zijn team ook het bordeel binnen, samen met de pancha's die namen en verklaringen zouden afnemen.

Intussen hadden Greer en Dev een klein onderonsje met de CASE-medewerkers en droegen ze Rasheed en Rohit op de steegjes in de buurt in de gaten te houden, voor het geval er iemand via een achterdeur probeerde te ontsnappen. De twee mannen gingen uit elkaar en verdwenen in de menigte.

Het verkeer op M.R. Road was tot stilstand gekomen, terwijl taxi-walla's en voorbijgangers hun best deden een glimp op te vangen van alle actie. Pooiers en bordeeleigenaars hielden zich op een afstand en probeerden in te schatten hoe serieus de dreiging was. Er begon een ontevreden gemompel op te klinken uit het publiek. Veel omstanders keken achterdochtig naar Thomas en Greer, ronduit vijandig zelfs. De menigte begon zich op te dringen, was uit op een confrontatie.

Dev wierp een blik op Greer. 'We moeten maken dat we van de straat wegkomen, voordat dit vervelend wordt.'

Greer knikte en wenkte dat Thomas hem moest volgen. Anita sloot de rij.

Toen het CASE-team het bordeel binnenging, bleek de lobby overvol met politieagenten, meisjes, klanten, pancha's, en Prasad, die enorm stond te schelden. Toen hij de Amerikanen in het oog kreeg, richtte hij zijn gevloek op hen. Hij wurmde zich tussen de mensen door en posteerde zich recht tegenover Greer. Prasads kleren stonken naar sigaretten en goedkope aftershave.

'*Bhenchod*!' riep hij, terwijl hij betelsap op Greers overhemd spuwde.

Greer deed een stap naar achteren, terwijl een van de agenten Prasad de handboeien omdeed en hem dwong in een hoek van de kamer te gaan zitten.

Thomas tuurde naar de jongen en schudde langzaam zijn hoofd.

'Wat is er?' vroeg Greer, die zijn verbazing opmerkte.

'Ik herken hem. Hij stond op straat toen we hier een paar dagen geleden voorbijreden.'

'Je hebt gelijk,' zei Greer. 'Een interessant toeval.'

Ze liepen door de lobby achter Dev aan naar de peeskamertjes. Dev zei iets tegen Khan, die bezig was een verklaring op te nemen van een jonge beshya die ineengedoken in een van de deuropeningen stond.

'Heb je Deepak ergens gezien?' vroeg Dev.

Khan schudde zijn hoofd. 'Hij zit waarschijnlijk ergens boven, maar ik heb nog geen tijd gehad om de toegang naar de zolderkamer te zoeken.'

'Mogen wij het proberen?' vroeg Dev.

'Ga je gang,' antwoordde Khan en hij draaide zich weer om naar het angstige meisje.

'Ik haal een van de pancha's,' zei Greer. Met een blik op Thomas legde hij uit: 'Dat is cruciaal. Als we het niet precies volgens het boekje doen, is dit bordeel morgen weer in bedrijf.'

Greer kwam terug met Mira. Samen met Dev liepen ze de gang door, terwijl Dev iedere deur die hij tegenkwam wijd opengooide. Achter al die deuren zag het er hetzelfde uit en het leek niet waarschijnlijk dat er vanuit een van de kamers een toegang was tot de verborgen kamer. Toen ze aan het einde van de gang waren, bestudeerde Dev de boekenkast aandachtig. Eerst gaf hij er een flinke ruk aan, maar er kwam geen beweging in. Greer liep langs hem heen en liet zijn vingertoppen langs de rechterkant van de boekenkast glijden. Hij vond niets. Dev probeerde de linkerkant en ontdekte een zwak punt in het hout. Hij drukte erop en ze hoorden een grendel losspringen.

'Hebbes!' zei hij.

Khan voegde zich bij hen toen Dev de boekenkast wegschoof. Ze tuurden naar de bedompte trap erachter. In de verte hoorden ze een mannenstem.

Dev liep de trap op, met Mira, Greer en Thomas op zijn hielen.

Dev klopte op de deur boven aan de trap. 'Deepak?' vroeg hij.

In de zolderkamer stapte Deepak weg van de deur. Hij keerde zich naar Ahalya, die onbeweeglijk op het bed zat.

'Mijn vrienden zijn er,' zei hij. 'Nu zul je gauw vrij zijn.'

Ahalya staarde niet-begrijpend naar de groep onbekenden – sommigen in uniform, anderen niet – die de zolderkamer binnenkwam. Er liep een Indiase vrouw op haar af die zich voorstelde als Anita en naast haar op het bed ging zitten. Ze beloofde bij Ahalya te blijven totdat ze in veiligheid was. Ahalya keek belangstellend naar de politieagenten in uniform. Voor het eerst sinds Suchir Sita was komen halen voelde ze een sprankje hoop.

Een van de agenten liep op Deepak af en zei iets wat Ahalya niet begreep. Deepak schudde zijn hoofd. De agent richtte zich tot Ahalya en zei iets in dezelfde onverstaanbare taal. Toen ze hem niet-begrijpend aanstaarde, ging hij over in Hindi.

'Ik ben hoofdinspecteur Khan van de Nagpadapolitie,' zei hij. 'We hebben informatie dat er twee minderjarige meisjes in dit bordeel zaten, in plaats van een. Weet je waar het andere meisje is?'

Ahalya keek in Khans ogen, in de veronderstelling dat er een misverstand was.

'Dat is mijn zusje, Sita. Ze is beneden,' zei ze.

Khan liep naar de deur en blafte een bevel. Na een paar seconden kwam er een andere agent naar boven. Ze wisselden een paar woorden uit, waarop Khan zich weer omdraaide en Ahalya opnieuw aankeek.

'Er zijn vijftien meisjes beneden, maar geen van hen heet Sita.'

Ahalya's handen begonnen te beven. Ze staarde Khan aan en probeerde te begrijpen wat hij had gezegd. Toen stond ze op en holde de zolderkamer uit. Khan was zo verrast dat hij geen poging deed haar tegen te houden. Ahalya rende naar beneden en zocht paniekerig alle lege peeskamertjes af, op zoek naar een spoor van haar zusje.

Toen ze in de lobby kwam, wurmde ze zich door de menigte en zocht de gezichten af naar een glimp van haar zusje. De beshya's zaten bij elkaar in een hoek, maar ze zag Sita er niet tussen. Ahalya baande zich een weg naar Sumeera, die het tumult met een vermoeide blik aanzag.

'Waar is Sita?' vroeg Ahalya dringend. 'Wat hebben jullie met haar gedaan?'

Sumeera keek de lobby rond en richtte toen haar blik weer op Ahalya. 'Ze is weg,' antwoordde ze eenvoudig.

Ahalya schudde heftig met haar hoofd, in een poging de waarheid af te weren. 'Nee, nee, dat is niet waar. Suchir kwam haar een uur geleden halen. Ze moest mee naar een klant.'

Sumeera keek naar de grond en zei niets.

Ahalya werd overspoeld door een afschuwelijk afgrijzen. Ze viel op haar knieën en begon heen en weer te wiegen. Tranen stroomden over haar wangen en verzamelden zich op haar kin. Ze stak haar hand uit en omklemde Sumeera's sari.

'Waar is ze naartoe?' smeekte ze snikkend, maar de gharwali gaf geen antwoord. 'Hoe kon je?' riep het meisje uit. 'Heb je dan geen hart?'

Sumeera maakte Ahalya's vingers zachtjes los. Ze knielde neer, keek Ahalya in de ogen en zei zachtjes: 'Zo gaat het nu eenmaal in Golpitha.'

DEEL TWEE

10

In de donkere nacht leven degenen voor wie de onderwereld de enige werkelijkheid is.
ISHA UPANISHAD

Mumbai, India

VEERTIG MINUTEN VOOR DE INVAL had Suchir Sita naar de lobby van het bordeel gebracht en een man begroet die op de bank zat. Toen Sita hem zag, herkende ze hem direct. Het was de man van de avond ervoor. Hij droeg dezelfde dure kleding, had hetzelfde zilveren polshorloge om. Naast hem stond een weekendtas. Met een knikje naar Suchir stond hij op en pakte de tas.

'Eén lakh nu,' zei hij, terwijl hij die naar hem uitstak. 'De rest als het meisje haar werk heeft gedaan, zoals gewoonlijk. Je kunt het natellen als je wilt.'

'Dat is niet nodig, je hebt mijn vertrouwen verdiend, Navin.'

Navin knikte nog een keer en pakte Sita bij de hand. 'Tijd om te gaan, Sita.' Hij sprak haar naam in Hindi uit alsof hij een vertrouwd familielid was.

Sita bleef niet-begrijpend staan en trok haar hand los. 'Ik kan mijn zusje niet achterlaten,' zei ze paniekerig. 'Alstublieft, haal me niet bij haar weg.'

Navin keek naar Suchir en toen weer naar Sita. 'Misschien neem ik je zusje de volgende keer wel mee. Maar vandaag heb ik jou gekocht. Als je meewerkt, staat je een gemakkelijk leventje te wachten. Zonder pooier, zonder gharwali, zonder seks met vreemde mannen. Maar als je je verzet, zul je er spijt van krijgen.'

De man pakte haar hand opnieuw vast en trok haar met zich mee de trap af naar de stoffige straat, de donkere nacht in. Er stond een zwarte SUV langs de stoeprand. Navin maakte het achterportier open en gebaarde dat Sita moest instappen. Ze schudde haar hoofd, haar ogen flitsten heen en weer van angst. Met een zucht pakte Navin haar schouders beet en duwde haar het voertuig in. Daar bleef ze als versteend zitten en huilde stille tranen.

Op de bestuurdersstoel zat een forse man, maar die schonk geen aandacht aan haar. Navin ging naast hem zitten en zei: 'New Mumbai. George heeft tien uur gezegd. Zorg dat je niet te laat bent.'

De chauffeur gromde iets en trok op door de smalle straat. Ze reden een hele tijd voordat ze een lange brug over een baai overstaken. Aan het einde ervan waren ze in een ander gedeelte van de uitgestrekte stad. Op een doodgewone, onopvallende straathoek ergens in een wirwar van straatjes zette de chauffeur de auto stil. Navin stapte uit met een rugzak over zijn schouder. Door het raampje zag Sita een magere, zwarte man in het donker staan met in zijn hand een in stof gewikkeld pakje. Navin liep naar de man toe en sprak kort met hem. Hij gaf de rugzak aan de man en pakte het pakje van hem aan. Toen kwam hij weer terug naar de auto.

Hij wierp een korte blik op Sita. 'Waarom huil je?' vroeg hij, en hij klonk geërgerd.

Sita deed haar ogen dicht, bang om hem aan te kijken. Ze voelde dat de duisternis haar insloot. Wie was die man? Waarom had hij haar weggehaald bij Ahalya? Zonder dat ze er iets aan kon doen, stamelde ze: 'Alstublieft, laat me teruggaan naar mijn zusje, alstublieft.'

Navin schudde zijn hoofd en vloekte binnensmonds. 'Breng me naar huis,' zei hij tegen de chauffeur. De grote man bromde en voegde de SUV in het verkeer.

Sita kruiste haar armen tegen haar borst om de snikken te onderdrukken die ze bijna niet kon inhouden. Ze staarde naar de lichten van de stad die in een waas van tranen langstrokken, en probeerde het pakje op Navins schoot te negeren. Maar toen hij het begon uit te pakken won haar nieuwsgierigheid het. In de stof zat een plastic zakje met daarin bruingekleurd poeder. Hij maakte het zakje open en snoof eraan.

'George moet in een vorig leven een Brahmin zijn geweest,' zei hij goedkeurend. 'Zijn poeder is als het somasap van de goden.'

Drugs, dacht Sita, terwijl haar afgrijzen weer terugkeerde.

Ze reden de lange brug weer over en keerden terug in het centrum van Mumbai. Nadat ze het internationale vliegveld waren gepasseerd reden ze een onverharde weg op die uitkwam bij een aantal flats. De chauffeur parkeerde de SUV en Navin hielp Sita uit de auto. Zonder een woord te zeggen liep ze met hem mee; het beeld van het poeder brandde in haar hoofd.

Binnen namen ze de lift naar de bovenste verdieping van het gebouw, waar de chauffeur de deur van een bescheiden flat opende. Sita liep achter Navin aan naar een kleine slaapkamer waarin alleen een ijzeren bed met een matras stond. Ze ging op het bed zitten en staarde naar de muur. Toen Navin vroeg of ze nog naar de wc moest, reageerde ze niet. Hij schudde opnieuw zijn hoofd, duidelijk geïrriteerd, beende de kamer uit en deed de deur achter zich op slot.

Sita klemde haar armen strak om haar bovenlijf en zette haar tanden op elkaar tegen de angst en het verdriet, maar de druk was te groot. Ze klapte dubbel en barstte in snikken uit. Haar familie was weg. Ahalya was weg. Ze was alleen in een flat in Mumbai met een man die in drugs handelde.

Navin liet Sita dagenlang in het kamertje opgesloten zitten. Hij kwam alleen om haar eten te brengen en haar af en toe naar de wc te laten gaan. Sita zei nooit iets tegen hem wanneer hij verscheen. Ze zat op het bed met haar rug tegen de muur niets ziend door het raam naar buiten te staren. De monotonie was haast niet te verdragen. De enige onderbreking kwam van de vliegtuigen die opstegen of landden op het vliegveld vlakbij. Ze betrapte zichzelf erop dat ze de minuten tussen vertrek en aankomst begon te tellen. Af en toe stelde ze zich de gezichten van de passagiers voor en fantaseerde over waar ze vandaan kwamen of naartoe gingen.

Na drie dagen bracht Navin een stoel mee de kamer in en ging tegenover haar zitten. Hij had een tros grote druiven en een flesje kokosolie bij zich.

'Morgenavond gaan we op reis,' begon hij. 'Als je precies doet wat ik zeg, kom je ergens terecht waar je het beter zult hebben. Maar als je niet gehoorzaamt, kan dat je dood betekenen.'

Zijn woorden drongen niet meteen tot Sita door. Ze had zo lang opgesloten gezeten dat ze amper meer iets voelde. Ze staarde naar de druiven en plotseling drong het tot haar door wat hij had gezegd. *Op reis?* dacht ze. *Wat bedoelt hij dat het mijn dood kan betekenen?* Ze keek hem aan en zag dat hij boos was.

'Je zusje is weg,' zei hij geërgerd. 'Zij is een beshya. Maar jij niet meer. Het wordt tijd dat je ophoudt met dat belachelijke gemekker van je.'

Sita keek even naar de druiven. 'Waar gaan we naartoe?' fluisterde ze.

Navin vermande zich. 'Daar kom je gauw genoeg achter.' Hij zweeg even. 'Heb je ooit een druif in zijn geheel doorgeslikt?'

Sita zette grote ogen op en schudde haar hoofd.

'Dan moet je oefenen, want binnen vierentwintig uur moet je het kunnen. Hier is olie om als glijmiddel te gebruiken, dat helpt.'

Ze keek toe terwijl hij een druif van de tros afplukte en die in de kokosnootolie doopte totdat de schil glansde. Toen bood hij die aan haar aan maar ze pakte hem niet.

'Waarom moet ik dat doen?' vroeg ze, terwijl ze angstig naar de druif keek.

Zonder haar vraag te beantwoorden, stak hij zijn hand uit, wurmde haar vingers open en legde de druif in haar handpalm. 'Je zult het gevoel hebben dat je stikt, maar je moet de neiging om te braken overwinnen. Het doorslikken van de druif is een kwestie van wilskracht.'

Sita voelde de druif in haar handpalm. Hij was glibberig en voelde raar zwaar aan. Ze dacht aan Ahalya en vroeg zich af hoe haar zusje dit zou doen. Ahalya zou sterk zijn, besloot ze. Ze zou doen wat ze moest doen. En ze zou overleven. Sita stopte de druif in haar mond, proefde de olie op haar tong.

'Nee, nee,' kwam Navin tussenbeide. 'Je moet je hoofd achteroverbuigen en naar het plafond kijken. Daardoor gaat je keel verder open.'

Sita deed wat hij zei en liet de druif langzaam in haar keel glijden. Ze kokhalsde hevig en haar keel brandde. De druif kwam terug. Navin wachtte tot ze weer op adem was en doopte een andere druif in de olie.

'Je leert het wel,' moedigde hij haar aan. 'Dat was bij de anderen ook zo.'

Met trillende handen probeerde Sita het opnieuw en het lukte haar bijna, totdat ze weer moest kokhalzen omdat ze het gevoel had dat ze stikte. Ze gleed van het bed af en viel kotsend op handen en knieën.

'Ik kan het niet,' jammerde ze.

'Je kunt het wél.'

Ze probeerde het opnieuw en deze keer gleed de druif langzaam haar keel door en lukte het haar niet te kokhalzen. Ze ademde een paar keer zwaar in en uit en deed haar ogen dicht, opgelucht maar ook vol afkeer.

'Goed zo,' prees Navin haar. 'Je leert snel. Ik kom iedere drie uur terug en dan slik je nog een druif door, net zo lang tot het je tweede natuur is geworden.'

Sita's maag draaide zich om en haar keel deed pijn, maar uiteindelijk kreeg ze onder de knie wat Navin van haar eiste. Ze vroeg niet nog een keer waarom ze het moest leren. Ze begreep dat ze zijn eigendom was en dat hij alles met haar kon doen wat hij wilde.

Toen Navin donderdag de lunch naar Sita kwam brengen, vertelde hij haar dat ze daarna ruim een dag niets meer te eten zou krijgen. 'Maar maak je geen zorgen,' zei hij. 'Ik zal erop toezien dat je goed te eten krijgt als we eenmaal in het restaurant van mijn oom zijn.'

Die avond, een uur of twee nadat de zon was ondergegaan, mocht ze een douche nemen en daarna gaf hij haar een modieuze, blauwe churidaar plus een paar sandalen om aan te trekken. Toen ze schoon en aangekleed was, zette hij haar voor een spiegel en gaf haar een make-up tasje.

'Je moet je opmaken alsof je een filmactrice bent,' zei hij. 'Zodat je eruitziet als achttien. Kun je dat?'

Sita dacht even na en knikte. Ze bracht foundation, rouge, eyeliner en mascara aan, totdat ze eruitzag als een jonge vrouw.

Toen ze daarmee klaar was, bestudeerde Navin haar in de spiegel.

'Prima gedaan,' zei hij. 'Kom mee.'

Sita liep achter Navin aan de zitkamer binnen. Op de televisie werd een cricketwedstrijd tussen India en Engeland uitgezonden. Gehoorzaam ging ze op de bank zitten toen hij haar dat opdroeg. Navin ging naast haar zitten. Op de salontafel vóór hen lagen allerlei spullen – drie pakjes condooms, de zak met het bruine poeder die hij op straat had gekocht, een schaar, een heel klein lepeltje, een bolletje dun touw, een flesje kokosolie en een rubber tangetje.

Sita keek met een groeiend gevoel van onbehagen toe, terwijl Navin een condoom pakte en een stuk van de bovenkant knipte. Het afgeknipte gedeelte gooide hij opzij en vervolgens pakte hij het lepeltje van de tafel. Zorgvuldig schepte hij kleine hoeveelheden poeder uit het zakje in het ingekorte condoom. Toen het condoom halfvol was, drukte hij het poeder erin stevig aan met zijn vingers en klemde het vlak boven de inhoud dicht met het tangetje. Vervolgens knipte hij twee stukjes touw af. Met het eerste knoopte hij het condoom tussen het poeder en het tangetje dicht. Daarna trok hij de bovenkant van het condoom nog een keer over het bolletje heen en knoopte dat dicht met het tweede stukje touw. Het losse latex knipte hij af met de schaar en hij legde het gevulde condoom op tafel. Het had de vorm van een bolletje van ongeveer tweeënhalve centimeter lang en een kleine twee centimeter breed. Op deze manier maakte Navin nog een stuk of dertig bolletjes. Toen hij klaar was, zat er nog maar een spoortje poeder in het zakje.

Navin ging de kamer uit en kwam terug met een glas water en een ronde pil. Het medicijn, vertelde hij, was een antilaxeermiddel en zou Sita's spijsvertering vertragen. Hij droeg haar op de pil in te nemen en het hele glas water leeg te drinken. Toen pakte hij het eerste bolletje en doopte dat in kokosolie.

'Je moet deze allemaal doorslikken,' zei hij, met een gebaar naar de bolletjes. 'Zoveel passen er in je maag.'

Sita huiverde bij de gedachte aan al die drugs in haar lichaam. Ze ademde scherp in. 'Is het *khaskhas*?' vroeg ze, en ze dacht aan de papavervelden in Afghanistan.

'Geen opium,' zei hij. 'Heroïne. De beste in India.'

Sita's handen begonnen te beven. 'Wat gebeurt er als ze kapotgaan in mijn maag?'

Navin antwoordde meedogenloos eerlijk. 'Als een condoom scheurt, raakt je lichaam in shock en kun je doodgaan. Om dat te voorkomen, moet je zo stil mogelijk zitten en niets eten of drinken totdat we onze bestemming hebben bereikt. Maak geen plotselinge bewegingen. Druk niet op je maag. Doe precies wat ik zeg en dan gaat alles goed.'

Sita had de grootst mogelijke moeite te blijven ademen. Ze keek naar de met heroïne volgestopte condooms, die netjes in een rijtje lagen, en dacht aan Ahalya die gevangenzat in Suchirs bordeel, ergens in deze stad. Toen nam ze een besluit: ze zou deze beproeving overleven. Ahalya zou op haar wachten. Het kon misschien jaren duren, maar Sita zou haar terugvinden.

Ze nam het eerste bolletje van Navin aan en slikte dat met moeite door. Het deed pijn in haar keel, maar ze stond zichzelf niet toe om te kokhalzen. Zo slikte ze het ene na het andere condoom door, totdat ze de laatste binnen had. Haar maag voelde loodzwaar, alsof ze een feestmaal had gehad en tegen beter weten in twee of drie keer had opgeschept.

De klok aan de muur gaf elf uur aan. Navin belde kort met zijn mobiel en pakte toen Sita's hand.

'Tijd om te gaan,' zei hij. 'Onderweg leg ik je de rest wel uit.'

Navins chauffeur wachtte hen op in de garage. Sita liep langzaam; ze voelde de massa in haar maag bij iedere stap wiebelen. Wat er zou gebeuren als een van de condooms knapte, probeerde ze uit haar hoofd te zetten. Ze stapte in de SUV en bad in stilte tot Lakshmi om bescherming te vragen.

Toen ze eenmaal op weg waren naar het vliegveld, draaide Navin zich naar haar om. 'Tot nu toe heb je het prima gedaan,' zei hij. 'Ik ben tevreden. De volgende stap is de moeilijkste. Onze vlucht naar Parijs vertrekt om twee uur vannacht. Er zijn vier hindernissen die we moeten nemen – de ticketcontrole, de beveiliging op het vliegveld, de stewardessen en de Franse douane. De ticketcontrole en de beveiliging op het vliegveld zijn eenvoudig. De röntgenapparaten kunnen niet zien wat er in je maag zit. De stewardessen laten je met rust als je net doet of je slaapt. Maar de Franse douane kan een probleem zijn.'

Navin haalde een mapje tevoorschijn met documenten erin. Hij liet Sita een vervalst trouwboekje en paspoorten zien. 'Je heet Sundari Rai en bent achttien jaar. We zijn hier in Mumbai getrouwd. Ik werk in de verzekeringswereld. We zijn op weg naar Parijs voor onze huwelijksreis. De rest van je leven mag je zelf verzinnen. Als er dingen aan je worden gevraagd over je familie, kun je het beste gewoon de waarheid vertellen. Als iemand iets zegt over hoe langzaam je loopt, zeg je dat je zwanger bent. Maar waar je vooral aan moet denken is dat niemand enige reden heeft om je ergens van te verdenken. De documenten zijn eersteklas. En we zien er niet uit als criminelen. Dus zijn we dat ook niet.'

Sita staarde Navin aan en probeerde alles in zich op te nemen. Parijs. Lichtjaren verwijderd van Mumbai en duizenden kilometers van Ahalya. Haar hart kromp samen van angst. Wat voor leven stond haar te wachten als de drugs weer uit haar lichaam waren? Ze overwoog even of ze op het vliegveld een politieagent moest benaderen, maar verwierp het idee weer. Wie zou haar verhaal geloven dat ze werd gedwongen?

In gedachten ging ze de informatie over haar nieuwe identiteit nog eens na. Ze werd Sundari Rai. Het zou haar lukken iedereen om de tuin te leiden en met minder moeite dan Navin dacht. Haar hele leven had ze al van plaats willen ruilen met Ahalya. Als Sundari zou ze net zo zijn als haar zusje. Moedig, doortastend en sterk. Ze zou het meisje dat ze was achter zich laten en een vrouw worden, een getróúwde vrouw. En voor Ahalya kon ze het zich niet permitteren om te falen.

Toen de chauffeur parkeerde bij de luchthaven, gaf Navin haar zijn laatste instructies.

'Denk eraan dat je niets mag drinken, totdat ik zeg dat het mag. Als je maagsappen geprikkeld worden, kan een van de condooms scheuren. En haal het niet in je hoofd de politie te waarschuwen. Ik zal altijd volhouden dat je mij vrijwillig helpt. En geloof me, je wilt echt niet in de gevangenis in Mumbai terechtkomen.'

'Ik begrijp het,' zei ze, met iets meer zelfvertrouwen.

'Goed. Tijd om te gaan.'

Hoewel het al na middernacht was, was het een drukte van belang op het vliegveld. Navin gaf Sita een zwartleren handtas en pakte zelf het handvat van een rolkoffer beet. Hij ging haar voor naar de incheckbalie van Air

France. Er waren nog een stuk of vijftien mensen voor hen, maar de rij nam snel af. Achter de incheckbalie zat een knap Indiaas meisje van hoogstens vijfentwintig. Ze glimlachte naar Sita en checkte hen zonder achterdocht in.

Daarna passeerden ze zonder problemen de luchthavenbeveiliging en leidde Navin hen naar de gate. Door het raam zag Sita een groot vliegtuig in de kleuren blauw, wit en rood van Air France. Navin ging zitten en begroef zichzelf in een tijdschrift. Sita had moeite een comfortabele houding te vinden en wisselde af tussen zitten en staan.

Toen er werd omgeroepen dat ze aan boord konden, liep Sita achter Navin aan door de slurf het vliegtuig in. Hun plaatsen waren op de laatste rij, vlak bij de toiletten. Navin gaf Sita de plaats bij het raampje en vroeg de stewardess om een kussen en een deken. Zijn vrouw was zwanger, legde hij uit, en doodmoe.

Sita nam het kussen en de deken dankbaar aan. Navin had gedeeltelijk de waarheid gesproken: ze wás doodmoe. Het was halftwee in de ochtend. Ze legde het kussen tegen de hoofdsteun, liet haar hoofd ertegen rusten en sloot haar ogen.

Die deed ze nog even open toen het vliegtuig boven Juhu Beach en de zwarte Arabische Zee opsteeg. Navin had gezegd dat het ruim negen uur vliegen was naar Parijs. Ze hoopte al die tijd te slapen.

11

O, god van het leven, stuur mijn wortels regen.
GERARD MANLEY HOPKINS

Mumbai, India

AHALYA KEEK OP TOEN ANITA DE KAMER BINNENKWAM in het Nagpada-politiebureau. Rondom haar zaten de andere beshya's van Suchirs bordeel plus een agent die de wacht hield. De CASE-specialist kwam naast haar zitten en pakte haar hand beet. Ahalya reageerde niet op Anita's aanraking. Ze staarde wezenloos naar de grond. De woorden van Sumeera maalden door haar hoofd: *Ze is weg... Zo gaat het nu eenmaal in Golpitha.* De woorden waren erger dan een doodsklap. In de dood hoefde ze tenminste niet meer te lijden.

Toen Anita tegen haar zei dat ze haar hoofd wel op haar schouder mocht leggen als ze dat wilde, deed ze dat gewillig, maar slapen was onmogelijk. Uiteindelijk kwam er een agent binnen die Ahalya en Anita naar het kantoor van hoofdinspecteur Khan bracht. Het lawaai en de drukte op het bureau gingen als in een roes aan Ahalya voorbij. Vanuit haar ooghoek zag ze Prasad naar haar staren. Maar ze deed net of ze hem niet zag en draaide haar hoofd niet zijn kant op.

Kahn zei dat ze aan het bureau in de stoel tegenover hem moest gaan zitten en begon haar vragen te stellen. Ahalya deed haar best om naar de woorden van de hoofdinspecteur te luisteren, maar haar antwoorden waren vaag; ze kon haar aandacht er niet bij houden. Op een bepaald moment moest de hoofdinspecteur zijn vraag herhalen. Hij begon ongeduldig te worden, maar Anita kwam tussenbeide en greep Ahalya's hand weer vast. Deze keer werd Ahalya er wat rustiger door.

Ze schudde met haar hoofd. 'Sorry. Wat vroeg u ook alweer?'

De ondervraging duurde een halfuur. Khan nam haar verklaring uiterst zorgvuldig en gedetailleerd af, waardoor haar wonden weer pijnlijk werden opengereten en het verhaal van haar uitbuiting minutieus werd doorgenomen. Toen hij klaar was met het schrijven van zijn rapport, nam hij dat nog een keer helemaal door, regel voor regel, om er zeker van te zijn dat alles klopte. Daarna ondertekende hij het en liet hij de vrouwelijke pancha's halen.

Eenmaal weer in de hal, volgde Ahalya Anita's voorbeeld en nam plaats op een stoel vlak buiten Khans kantoor. Aan de overkant zat Suchir met handboeien om en naast hem een verveeld kijkende halvadar. Haar gedachten vlogen terug naar de ochtend waarop hij hen beiden voor zestigduizend roepie van Amar had gekocht. Terwijl ze naar hem keek, en deze keer waren de rollen omgedraaid, deed ze zichzelf een plechtige belofte: ze zou ervoor zorgen dat er recht zou geschieden. Al moest ze er jaren op wachten, al kostte het haar haar laatste restje kracht, ze zou erop toezien dat hij achter de tralies terechtkwam. Voor Sita én voor zichzelf.

De rest van de nacht ging zonder incidenten voorbij. Ahalya viel af en toe in een onrustige slaap en werd geplaagd door nachtmerries. Het gebrul van de tsunami vermengde zich met de cadans van de Chennai Express en de afstotelijke kreten van Shankars begeerte.

De volgende ochtend werd ze vervoerd naar een tehuis voor weesmeisjes in Sion. De *maushi*, de verantwoordelijke daar, behandelde haar ongeïnteresseerd. Ze liet Ahalya de enorme zaal zien waar de meisjes sliepen, wees haar een brits toe en deelde haar mee wanneer de maaltijden plaatsvonden. Toen liet ze haar alleen.

Ahalya keek door de getraliede ramen naar buiten en vroeg zich af hoe lang ze deze nieuwe gevangenschap zou moeten verdragen. Anita had haar verzekerd dat CASE een plek voor haar in een particulier tehuis zou vinden, maar Ahalya had geen idee wat dat betekende en of haar omstandigheden daarmee zouden veranderen. Het enige waar ze naar verlangde was herenigd worden met Sita.

Verder had het leven al haar betekenis verloren.

Na drie dagen kwam Anita op bezoek met goed nieuws: het Child Welfare Committee had Ahalya's overplaatsing naar een ashram in Andheri goedgekeurd, een particulier tehuis dat werd geleid door de Zusters van Genade. Anita reisde in een riksja met haar mee naar Ahalya's nieuwe onderkomen.

Tijdens de rit vroeg Ahalya naar Sita. Anita vertelde haar het verhaal dat Jeff Greer had gehoord van hoofdinspecteur Khan. Suchir had tijdens zijn verhoor de naam van de man die Sita had gekocht bekend: hij heette Navin. Maar de bordeeleigenaar had geen idee waar hij Sita mee naartoe had genomen. Wel verwachtte de bordeelhouder Navin nog terug om het laatste gedeelte van de overeengekomen prijs te betalen, maar dat kon nog wel een maand of twee duren. In de tussentijd hield Khan de boel in de gaten.

Toen ze bij de ashram aankwamen, werden ze bij de poort begroet door zuster Ruth, de moeder-overste. Het was een flinke vrouw met een vollemaansgezicht en ze droeg de sari van een Indiase non. Ze verwelkomde Ahalya opgewekt en het leek haar niet te storen dat het meisje niet reageerde.

Ahalya liep achter haar aan door de poort naar het terrein van de Zusters van Genade. De ashram lag op een uitgestrekt terrein met tuinen, kronkelpaadjes en goed onderhouden gebouwen. Ze volgden een van de paden door een gedeelte met hoge bomen en aan beide kanten gebouwen. Onder het lopen gaf zuster Ruth Ahalya een rondleiding. Ze sprak zo enthousiast dat Ahalya wel aandacht aan haar móést besteden.

De nonnen leidden een dagschool, een weeshuis, een adoptiecentrum voor peuters en een opvangtehuis voor meisjes die uit de prostitutie waren gered. Alle meisjes werden geacht ten minste tot en met hun vijftiende naar school te gaan en hun opleiding met succes af te ronden, maar degenen die uitblonken kregen twee jaar langer les. Zo nu en dan kreeg een van de slimste studenten zelfs een beurs voor de Universiteit van Mumbai. De zusters hadden twee einddoelen voor ieder gered meisje: genezing van lichaam en geest en een terugkeer in de maatschappij. Dat was een ambitieuze onderneming, gaf zuster Ruth toe, maar de ashram kon bogen op een geweldig slagingspercentage. Slechts vijfentwintig procent van de meisjes die het programma hadden doorlopen, keerde terug in de prostitutie.

Ahalya liep met Anita en zuster Ruth mee naar het opvanghuis, dat boven op een door bomen beschaduwde heuvel stond. Er woei een briesje uit het noordwesten dat de hitte van de vroege middag enigszins verlichtte. Het opvanghuis werd omringd door grote bougainvillestruiken. De wind speelde door de takken en maakte windmolentjes van de felgekleurde bloemen. Toen ze op het punt stonden het gebouw binnen te gaan, viel het Ahalya plotseling op dat het lawaai van de stad verdwenen was. Weg waren de taxi- en riksjaclaxons, het geschreeuw van de straathandelaren of de schetterende gesprekken op straat. In plaats daarvan hoorde ze kinderen lachen en het geritsel van de wind door het gebladerte van een baniaanboom.

Ze liepen een trap op en kwamen op een met pergola's overdekt pad uit met aan weerskanten bloemen. In de kleiachtige grond stonden felgekleurde viooltjes, sleutelbloemen, acanthus, margrieten en goudsbloemen.

'Alle meisjes hier mogen een plant uitkiezen om te verzorgen,' vertelde zuster Ruth. 'Welke plant zou jij graag willen, Ahalya?'

'Een blauwe lotus,' antwoordde ze, terwijl ze terugdacht aan de *kamala*-bloemen die haar moeder had gekweekt in een vijver naast hun huis. Het waren Sita's bloemen geweest. Als klein kind had haar zusje zelfs geloofd dat ze magisch waren.

Zuster Ruth wierp een blik op Anita. 'Er is een vijver bij het weeshuis,' zei ze. 'Ik denk dat een lotus het daar goed zou doen.'

De woorden van de non vrolijkten Ahalya wat op. Ze keek naar zuster Ruth en vervolgens naar Anita.

'Mag ik van u echt een lotus planten?' vroeg ze verbaasd. Blauwe lotuszaadjes waren zeldzaam en kostbaar, en ze kweken was heel moeilijk, zelfs onder ideale omstandigheden.

'Ik heb een pot die precies goed is,' zei zuster Ruth. 'Wat denk jij, Anita?'

Anita pakte Ahalya's hand vast. 'Geef me een paar dagen, dan zal ik kijken of ik voor zaden kan zorgen.'

12

Het hart zal breken, maar gebroken verder leven
LORD BYRON

Parijs, Frankrijk

SITA WERD WAKKER TOEN HET VLIEGTUIG LANDDE op Charles de Gaulle International Airport. Haar mond was kurkdroog van de dorst, maar ze wist dat ze niets kon drinken totdat Navin zei dat het mocht. Ze probeerden haar gedachten af te leiden door uit het raampje te kijken. Het was halfacht 's ochtends, Parijse tijd, en de hemel was nog donker.

Het vliegtuig taxiede naar de gate. Navin haalde zijn koffertje uit de bagageruimte boven hun hoofd en gaf Sita een donzen jas. 'Het is koud buiten, dus trek deze aan.'

Sita stond langzaam op en deed de jas aan, terwijl ze de klotsende balletjes in haar maag probeerde te negeren. De jas voelde onhandig over haar churidaar, maar ze was dankbaar voor de warmte ervan.

'We zijn er bijna,' zei Navin. 'Het duurt op zijn hoogst nog twee uur.'

Sita liep achter Navin aan naar de internationale terminal. Alle passagiers werden door een reeks gangen naar een rij glazen hokjes geleid. In elk hokje zat een douanebeambte. Sita herhaalde in gedachten de details van haar nieuwe identiteit nog een keer: *ik ben Sundari Rai. Navin verkoopt verzekeringen. We zijn in Parijs voor onze huwelijksreis. Gedraag je niet als een crimineel, omdat je geen crimineel bént.*

De beambte bekeek hen ongeïnteresseerd. Hij sloeg Sita's paspoort open en met nauwelijks een blik op haar pasfoto stempelde hij haar visum af en gaf het paspoort weer terug. Toen pakte hij Navins paspoort aan en sloeg dat open. Op slag veranderde de uitdrukking op zijn gezicht. Hij hield het paspoort in het licht en tuurde naar de foto. Toen bekeek hij Navin uitgebreid, alle slaperigheid was plotseling uit zijn ogen verdwenen. Hij tikte een paar toetsen van zijn computer in. Met gefronste wenkbrauwen pakte hij een handradio op en sprak daar op dringende toon iets in. Binnen een paar seconden kwamen er twee beveiligingsmedewerkers op hen af, hun ogen oplettend op Navin gericht.

De douanebeambte stapte zijn hokje uit. 'U moet meekomen,' zei hij. 'We willen u een paar vragen stellen.'

'Wat voor soort vragen?' vroeg Navin op eisende toon. 'Wat is het probleem?' Toen de agent geen spier vertrok, vervolgde hij: 'Ik ben Frans staatsburger. U kunt me niet zonder reden vasthouden.'

De agent schudde zijn hoofd. Hij was niet onder de indruk. 'We willen u even onder vier ogen spreken. Ik weet zeker dat we eventuele... misverstanden kunnen oplossen, nietwaar?'

'Dit is belachelijk!' protesteerde Navin, maar de beambte reageerde met een nietszeggende blik.

Naast hem voelde Sita opeens een scherpe steek in haar ingewanden en deed haar best niet in elkaar te krimpen. Ze keek naar de douanebeambte en vroeg zich even af of hij wist hoe het zat. De gedachte om gepakt te worden met al die heroïne in haar maag maakte haar doodsbang.

De beveiligingsmedewerkers brachten hen van de douanehokjes naar een onopvallende deur in de muur ertegenover. Navin pakte Sita's hand alsof hij haar gerust wilde stellen, maar hij kneep er zo hard in dat de boodschap duidelijk was. Sita's hart begon als een bezetene te kloppen. Haar buik voelde zwaar als lood en ze moest heel nodig poepen. Ze wist niet hoe lang ze het nog zou kunnen ophouden.

Aan de andere kant van de deur bleek een gang met bewakingscamera's te zijn. De douanebeambte leidde hen naar een andere deur, niet ver de gang in, en gebaarde dat Sita daar naar binnen moest. Ze wierp een blik op Navin en de angst laaide in haar op. In plaats van bezorgdheid zag ze alleen maar een harde blik in zijn ogen.

Ze stapte de kamer binnen en een van de beveiligingsmedewerkers ging met haar mee. Er stonden alleen een tafel en twee stoelen. De man schoof een stoel voor haar naar voren en Sita nam plaats. Ze wilde iets zeggen, vragen wat er aan de hand was, maar ze wist dat het trillen van haar stem haar zou verraden. De beveiligingsmedewerker nam plaats naast de deur en staarde recht voor zich uit. Het was duidelijk dat hij iemand verwachtte.

Voor Sita leek het eindeloos te duren. In het vacuüm van de stilte tolden haar gedachten door haar hoofd. Ze stelde zich een Franse gevangenis voor waar ze achter de tralies opgesloten zat, een veroordeelde tussen zware criminelen. Ze klemde haar handen in elkaar, keek omlaag naar de tafel en probeerde rustig te ademen.

Eindelijk ging de deur open en kwam er een vrouw, gekleed in het uniform van de immigratiepolitie, het kamertje in. Ze was mager en haar blonde haar was kortgeknipt. Ze keek de beveiligingsbeambte even aan en hij verdween zonder een woord. De vrouw ging aan de tafel zitten en legde Sita's paspoort en een notitieblok voor zich. Ze bekeek Sita met een koude blik en draaide de pen rond tussen haar vingers.

'Je naam is Sundari Rai?' Haar Engels was helder, met nauwelijks een Frans accent.

Sita knikte gedwee en zette zich schrap tegen het bonken van haar hart.

'Je ziet er niet uit alsof je achttien bent.'

Heel even overwoog Sita haar de waarheid te vertellen en het verder over te laten aan haar karma. Misschien zou een rechter haar een lagere straf geven omdat ze had bekend. Misschien zou hij zelfs wel geloven dat ze gedwongen was door Navin. Maar toen was het moment voorbij en kwam haar angst in volle hevigheid terug. Als ze werd uitgeleverd, zou ze in de handen van de politie in Mumbai komen. En dan zou ze aangeklaagd worden wegens drugssmokkel onder de Indiase wetgeving. Ze herinnerde zich Navins woorden van de avond ervoor: *geloof me, je wilt echt niet in een gevangenis in Mumbai terechtkomen.*

'Ik ben achttien,' antwoordde ze, en ze probeerde haar stem het zelfvertrouwen te geven van een ouder meisje. 'Ik ben altijd klein geweest voor mijn leeftijd.'

De vrouw tikte met haar pen op het notitieblok. 'Je familie, waar komt die vandaan?'

'Chennai,' zei Sita.

'En waar ligt dat precies?'

'In de Golf van Bengalen in Zuidoost-India. Vroeger heette het Madras.'

De vrouw schreef iets op. 'De man met wie u reist, wie is dat?'

'Hij is mijn echtgenoot,' antwoordde Sita, terwijl ze haar handen op haar schoot in elkaar kneep om te voorkomen dat ze gingen trillen.

De vrouw keek verbaasd. 'U bent erg jong om al getrouwd te zijn.'

Sita probeerde zich in te denken wat Navin zou antwoorden als hem die vraag werd gesteld. 'Het is door onze ouders gearrangeerd,' zei ze uiteindelijk.

De vrouw dacht even na en gooide het gesprek toen over een andere boeg. 'Bent u ooit in Pakistan geweest?'

Die vraag verbaasde Sita. 'Nee,' zei ze eenvoudigweg.

De vrouw keek haar plotseling doordringend aan. 'Heeft uw echtgenoot u ooit verteld over zijn veelvuldige reisjes naar Lahore?'

Sita kneep haar ogen half dicht en schudde langzaam haar hoofd, ze had geen idee waar dit naartoe ging.

'Heeft hij het ooit over zijn banden met Lashkar-e-Taiba gehad?'

Sita schudde haar hoofd nogmaals. Haar vader had het ooit gehad over LeT. Het was een radicale islamitische organisatie die verantwoordelijk was voor diverse terroristische aanslagen in India. Als de vrouw gelijk had, was Navin veel gevaarlijker dan hij leek.

'Nee,' antwoordde Sita. 'Mijn echtgenoot zit in verzekeringen.'

De vrouw keek even op van haar notitieblok. 'U bent voor uw plezier hier in Parijs?'

Sita wilde knikken toen ze weer een verschrikkelijke steek in haar ingewanden voelde. Ongewild vertrok ze haar gezicht in een grimas. De kramp hield lang aan en trok toen weer weg.

De vrouw merkte dat ze pijn had. 'Voelt u zich niet goed?' vroeg ze, terwijl ze in haar stoel naar voren leunde.

Het bloed vloog naar Sita's gezicht en even wist ze niks meer. Het was haar gelukt niet over haar woorden te struikelen, maar de brandende massa in haar darmen leek een eigen leven te leiden.

'Het is alleen...' begon ze, zenuwachtig haar geheugen afzoekend naar de woorden waar ze niet op kon komen. Wat had Navin ook weer gezegd? Wat was haar excuus? Plotseling wist ze het weer: 'Ik ben drie maanden zwanger en voel me nogal misselijk.'

De vrouw leunde weer achterover en bekeek haar aandachtig. Na een hele tijd leek haar gezicht te verzachten. Plotseling werd er op de deur geklopt.

'Een momentje,' zei de vrouw en ze verliet de kamer. Toen ze terugkwam, was haar gezichtsuitdrukking volkomen veranderd. In plaats van de wantrouwende blik van iemand die een verhoor afneemt, had ze nu een verontschuldigende glimlach om haar mond.

'Het is een misverstand. Uw echtgenoot lijkt op een man die wordt gezocht, maar hij blijkt het niet te zijn. U kunt gaan.'

Sita werd overspoeld door een golf van opluchting. Ze stond te snel op en kromp ineen van de pijn.

'Laat me u helpen,' zei de vrouw, terwijl ze Sita bij haar arm greep. 'Ik ken dat gevoel. Ik heb zelf twee kinderen.'

De vrouw liep tot het einde van de gang met haar mee, waar Navin haar stond op te wachten. Hij glimlachte naar Sita en keek de vrouw enorm geïrriteerd aan.

'Als er iets is gebeurd met mijn vrouw of kind...' zei hij, waarna hij het dreigement onafgemaakt in de lucht liet hangen. Die strategie leek te werken. De vrouw leek te schrikken.

'Accepteer alstublieft onze diepste verontschuldigingen voor uw ongemak,' zei ze, terwijl ze de deur naar de paspoortcontrole opende en hun paspoorten teruggaf. 'Ik hoop dat u een prettig verblijf zult hebben in Parijs.'

Navin pakte Sita's hand en liep met haar naar de gang die naar de bagageband leidde. Hij zei pas weer iets tot ze in de aankomsthallen van het vliegveld waren.

'Verstandig van je dat je niks hebt gezegd,' zei hij. 'Ze zouden je nooit hebben geloofd.'

Sita knipperde met haar ogen en draaide haar gezicht af. Haar gevoelens waren een chaotische puinhoop. Ze was uit de klauwen van de Franse douane ontsnapt, maar haar darmen zaten vol bolletjes heroïne en de pijn werd met de minuut erger.

'We nemen een taxi naar de stad,' zei Navin. 'Dat gaat sneller dan de metro.'

Sita liep achter Navin aan de terminal uit, naar de taxistandplaats. De Parijse winterkou sneed haar adem af. Ze huiverde en dook dieper weg in haar jas. Navin hield een taxi aan en zei iets in het Frans tegen de chauffeur. De enige woorden die Sita verstond waren de laatste: *Passage Brady*. De chauffeur knikte en gaf gas.

Sita hield haar buik vast en moest haar ogen af en toe even dichtknijpen van de pijn. Ze keek uit het raampje en zag de stad Parijs zich aan haar openbaren – eerst als een netwerk van grijze en witte voorsteden, toen als een lappendeken van industrieterreinen en treinrails en uiteindelijk als een stad met brede boulevards en elegante gebouwen.

De taxichauffeur zette hen af bij de ingang van een voetgangerspassage en nam twee biljetten van twintig euro van Navin aan. Navin nam haar mee een galerij door naar een zware, blauwgeverfde, dubbele deur. Hij belde met zijn mobieltje en sprak in het Hindi tegen een man die hij 'Uncle-ji' noemde.

'We zijn er. Ja, ze staat naast me,' gromde hij en hij hing op.

Na een minuut zwaaiden de deuren wijd open en werden ze begroet door een kleine, kalende man met ronde ogen. Hij schudde Navin de hand en verwelkomde hem met een vluchtig lachje. Toen keerde hij zich om naar Sita en nam haar goed in zich op.

'Ze voldoet,' zei hij cryptisch en hij gebaarde dat ze hem moesten volgen.

Achter de deuren lag een binnenpleintje waar de voordeuren van een aantal appartementen op uitkwamen. De man liep voorop de donkere foyer in.

'Gebruik de badkamer aan het einde van de gang,' zei hij. 'Ik ben in het restaurant.'

Navin gebaarde naar een deur aan het einde van een korte gang. Hij liep de badkamer in en deed een kaal peertje aan het plafond aan. Er stonden een oude, porseleinen wc, een smoezelige wasbak en een badkuip vol vlekken.

'Hoe voel je je?' vroeg hij.

'Ik heb dorst,' antwoordde Sita, haar mond was kurkdroog.

'Ga maar op de wc zitten. Ik haal een glas water.'

Ze liet zich langzaam op de wc neerzakken en ademde diep in. Navin kwam terug met een beker die tot de rand toe was gevuld met water. Sita pakte die aan en gulpte het water naar binnen. Met ogen die smeekten om meer keek ze naar Navin op. Navin pakte de beker aan en vulde die opnieuw. Maar deze keer overhandigde hij haar een ronde pil, voordat ze de beker van hem kreeg.

'Dat is een laxeermiddel,' zei hij. 'Het helpt om alle drugs eruit te laten komen. Anders kan het wel twee dagen duren voordat het laatste bolletje je lichaam uit is.'

Ze pakte de pil aan, slikte die door en dronk de beker tot de allerlaatste druppel leeg. Navin draaide de kraan boven het bad open, waaruit in een wolk van stoom heet water begon te stromen.

'Nu moet je in het hete water gaan liggen weken om je darmen te ontspannen. Als de drugs eruit komen, komen de bolletjes bovendrijven. Dan leg je ze heel voorzichtig in de wasbak. Als de condooms nú scheuren, zal ik daar zeker niet blij mee zijn.'

Navin draaide zich om en verliet de badkamer. Hij deed de deur zorgvuldig achter zich dicht.

Sita staarde naar de vloer, walgend bij de gedachte aan wat ze moest gaan doen. Ze liet het bad vollopen tot een kleine tien centimeter onder de rand. Toen kleedde ze zich uit en gleed het hete water in. Het bleek een welkome opluchting; de pijn in haar buik verminderde. Sita deed haar ogen dicht en dacht aan Ahalya, aan de tijd voordat hun wereld was verwoest, vóór al deze gekte, voordat de tsunami toesloeg. Ze beeldde zich de stem van haar zusje in terwijl die liedjes zong of poëzie declameerde. Zou ze haar ooit weerzien? Wat waren Navin en zijn oom met haar van plan?

De bolletjes kwamen er al snel uit. Sita perste niet, bang dat ze zouden knappen. Een voor een kwamen ze bovendrijven en een voor een maakte ze ze schoon en legde ze ze voorzichtig in de wasbak. Het was een walgelijk en extreem ongemakkelijk proces, maar ze hield vol, haar huid intussen gerimpeld als een verdroogde pruim, totdat het dertigste bolletje tevoorschijn kwam. De latex en Navins knopen hadden het gehouden. Met een enorme zucht van opluchting voelde ze dat de spanning uit haar lichaam begon weg te trekken.

Ze trok de stop uit het bad en liet het smerige water weglopen. Toen het weg was, spoelde ze het bad en haar huid schoon en liet het opnieuw vollopen. Toen liet ze zich nog een keer in het hete water glijden en genoot van de warmte ervan. Zo lag ze een hele tijd in het hete water en probeerde ze te ontspannen.

Na een tijdje werd er op de deur geklopt. Haar hart sloeg een slag over en ze keek strak naar de deurknop, bang dat Navin zou binnenkomen.

'Sita,' vroeg hij door een klein spleetje. 'Hoeveel bolletjes zijn er al uit?'

'Allemaal,' antwoordde ze.

'Perfect. Liggen ze in de wasbak?'

'Ja.'

'Er staat een bord met eten voor de deur. Als je dat leeg hebt en je aangekleed bent, stel ik je voor aan Aunti-ji.'

Vijf minuten later kwam Sita in haar churidaar de badkamer uit. Ze tilde het bord met eten op – kip, rijst en chutney – en at het gretig leeg. Navin kwam haar algauw halen en bracht haar via het appartement naar een deur die haar niet eerder was opgevallen. Achter de deur lag een gangetje dat uitkwam in een rommelige keuken. Daar troffen ze een bazig uitziende Indiase vrouw aan, gekleed in een sari, plus een jongen van een jaar of tien in spijkerbroek en westernoverhemd. De vrouw gaf de jongen net een uitbrander in een taal die Sita niet verstond.

Toen Navin en Sita binnenkwamen, draaiden ze zich om en ging de vrouw over in Hindi.

'Hoe was het in Mumbai?' vroeg ze.

'Heet, overvol en het stikt er van de sloppenwijken,' antwoordde hij. 'Iedere keer dat ik er ben, vind ik het er weer verschrikkelijker.'

'Zulke dingen mag je niet zeggen,' gaf ze hem op zijn kop. 'India zal altijd je thuisland blijven.'

Navin kletste even verder met de vrouw. De jongen negeerde Navin intussen, maar bekeek Sita met grote, onschuldige ogen. Ze staarde naar hem terug en voelde een steek van heimwee. Hij leek op een jongetje van de kloosterschool dat altijd dol op haar was geweest. Maar die prettige herinnering verdween weer even snel als ze in haar was opgekomen.

'Kan ze koken?' vroeg de vrouw aan Navin, met een stuurse blik op Sita.

Navin keek Sita vragend aan, die haar hoofd schudde.

'Een *ladki* die niet kan koken,' zei de vrouw ontevreden. 'Wat heb ik daar nou aan?'

'Ze kan het restaurant schoonmaken,' zei Navins oom, terwijl hij door een deur aan de andere kant van de keuken binnenkwam. 'Navin heeft ons een grote dienst bewezen.'

De vrouw fronste haar wenkbrauwen naar haar echtgenoot en schudde geïrriteerd haar hoofd. 'Het brengt ongeluk dat ze hier is. De priester zegt dat er een slecht voorteken in de sterren staat geschreven.'

'Stom mens,' zei Navins oom. 'Hou op met dat gemopper en ga aan het werk.' Hij keerde zich om naar Navin en overhandigde hem een envelop. 'Vijfduizend euro.'

'Vijfduizend!' riep de vrouw uit. 'Wat een verspilling!'

Navins oom keek zijn vrouw woedend aan en ze wendde zich af, terwijl ze geërgerd met haar tong klakte.

Sita keek naar de envelop en werd overvallen door een vlaag van wanhoop. Ze was wéér verkocht.

De vrouw gaf Sita een dweil. 'Ga naar de gootsteen,' siste ze, 'en begin met de keuken. Daarna doe je het restaurant. Je moet werken voor de kost.'

Sita had nog nooit gedweild. Jaya was degene die al het schoonmaakwerk in het Ghai-huishouden had gedaan en Sita's karweitjes op St. Mary's hadden zich beperkt tot tuinieren en de was doen. Ze pakte de dweil en maakte die onhandig nat onder de kraan.

'Stomme meid,' beet de vrouw haar toe. 'Laat de gootsteen vollopen, dompel de dweil onder water en wring hem dan weer uit. Waar heeft Navin in vredesnaam zo'n dom kind als jij opgeduikeld?'

Ondanks de stroom van beledigingen, stond Sita zichzelf niet toe om in tranen uit te barsten. Ze volgde de instructies van de vrouw gehoorzaam op en wapende zichzelf tegen de pijn. Intuïtief wist ze dat alles alleen maar erger zou worden als ze haar zwakte toonde.

Sita was de hele middag bezig met dweilen, vegen en schrobben van een dikke, vette laag overal in de keuken. De vrouw was een lastige bazin, Sita kon niets goed doen. Sita schuurde de bovenkant van het fornuis zo hard dat ze na een tijdje geen gevoel meer had in haar vingers. Haar nagels braken op de scherpe randjes en de doekjes met kokend heet water brandden in haar handen. Toen het restaurant om zes uur die avond zijn deuren opende, was ze doodmoe en uitgehongerd. De vrouw verjoeg Sita naar het appartement en duwde een veger en blik in haar handen.

'Ik wil hier straks geen stofje meer op de vloer zien, of anders krijg je geen eten,' zei ze.

De vrouw stond achter het fornuis en werd geholpen door een Indiaas meisje. Ze serveerden tandoorigerechten aan een handjevol buurtgenoten. Het was vrijdag, maar het was stil in het restaurant en door de vele lege tafeltjes werd de vrouw nog chagrijniger. Toen Navins oom het restaurant afsloot, kwam de vrouw Sita weer uit het appartement ophalen en gaf haar opnieuw een dweil.

'Zorg dat de vloer hier blinkt,' zei ze. Toen wees ze op een bord rijst met chutney op het aanrecht. 'Als je klaar bent mag je eten.'

Sita dweilde tot middernacht en zakte toen ze klaar was in een hoekje neer met het bord eten. Toen ze alles op had, had ze nog steeds honger. Even overwoog ze om te gaan slapen op een van de banken in het restaurant, maar ze was bang dat als de vrouw haar daar zou vinden, ze slaag zou krijgen. Dus liep ze terug naar haar hoekje in de keuken en liet zich daar op de grond zakken.

Toen ze weg begon te doezelen, stond de jongen opeens aan de andere kant van de keuken. Na een tijd kwam hij aarzelend dichterbij.

'Hoe heet je?' vroeg hij in Hindi.

'Sita.'

'Ik heet Shyam,' zei hij, terwijl hij voor haar op zijn knieën ging zitten. 'Zullen we vrienden worden?'

Sita haalde haar schouders op, maar Shyam hield vol. 'Ik ben tien. En jij?'

Sita reageerde niet. Ze kon amper haar ogen openhouden.

'Ik heb een cadeautje voor je meegebracht,' zei de jongen. Hij haalde een klein figuurtje uit zijn zak en legde dat in haar hand. 'Het is Hanoeman. Om je gezelschap te houden.'

Plotseling draaide hij zijn hoofd om en wierp een angstige blik op de deur. Zijn moeder krijste zijn naam. 'Ik moet gaan,' zei hij.

Hij stond op en deed de lichten uit. Een paar seconden later hoorde Sita de deur dichtgaan. De sleutel werd omgedraaid.

In het donker streek ze met haar vingertoppen langs de contouren van het beeldje. Ze kon Hanoemans hoge kroon voelen en zijn scepter. Met Hanoeman tegen zich aan gedrukt dacht ze terug aan Ahalya's stem toen haar zusje het verhaal over de enorme aap had verteld op de avond dat Navin voor de eerste keer was gekomen. Sita sloeg haar armen beschermend om zich heen en probeerde vergeefs in slaap te vallen.

Op een gegeven moment begon ze te bibberen. De keuken werd slecht verwarmd en koelde snel af nu het fornuis uit was. Met moeite kwam ze overeind en zocht in een kast naar iets om zichzelf mee te bedekken. Toen ze een zak met vuile tafelkleedjes vond, spreidde ze er eentje uit op de bodem van de kast en ging er, onder een plank met schoonmaakmiddelen, op liggen. Vervolgens trok ze een ander tafelkleed over zich heen en begroef haar voeten in de dunne, lichtgewicht stof. Ze had het nog steeds koud, maar nu was de temperatuur in ieder geval draaglijk.

Met haar hoofd op de zak wasgoed en Hanoeman tegen zich aan geklemd deed ze haar best om niet in de greep te raken van de tentakels van eenzaamheid en angst.

En na lange tijd viel ze eindelijk in slaap.

13

De ziel, zegt men, is gevangen in een lichaam,
dat menselijke liefde kan zijn.
THIRUVALLUVAR

Mumbai, India

De dag na de inval belde Thomas haar eindelijk. De reddingsactie had hem diep geraakt en hij kon zijn besluiteloosheid of hij haar wel of niet zou bellen niet langer goedpraten. Of hij nam contact met haar op, of hij liet haar gaan. Zijn hart begon sneller te kloppen bij het overgaan van de telefoon. Hij kreeg haar voicemail.

'Hallo, dit is Priya. Laat je nummer achter, dan bel ik je snel terug. Ciao.'

Thomas zocht naar woorden en sprak in na de piep. 'Priya, ik ben in Mumbai. Ik weet dat dit een verrassing voor je is, maar ik zou je graag willen zien. Bel me alsjeblieft terug.' Hij liet zijn nieuwe mobiele nummer achter en hing op.

Het was twee uur 's middags en hij was op Linking Road in Bandra. Na de lange nacht had Jeff Greer hem de dag vrij gegeven. Thomas had de ochtend lui doorgebracht in Dinesh' appartement, wat gelezen en naar het nieuws gekeken. Na de lunch had hij besloten om de buitenwijk te gaan verkennen.

Hij wandelde door de winkelstraat in noordelijke richting. De winkels waren net zo gevarieerd als die in een Amerikaans winkelcentrum, en het was druk. Kooplui riepen hem vanuit hun stalletjes toe. 'Sir, sir, we hebben spijkerbroeken, precies in uw maat.' Straathandelaren schoten agressief op hem af, leurden met verpakte hemden, *bhel puri* snacks, en kleurige wereldkaarten.

'Nee, nee,' zei hij, hen wegwuivend.

'Maar sir, dit zijn de allerbeste wereldkaarten,' zei er een.

Hij liep door, maar de straathandelaar bleef naast hem lopen. 'U ziet eruit als een filmster. In welke film speelt u?'

Thomas lachte. 'Ik heb nooit in een film gespeeld en ik wil geen wereldkaart. Bedankt.'

Eindelijk gaf de man het op en liet hem met rust.

Thomas bekeek de etalages een tijdje, probeerde diverse paren schoenen aan bij een chique herenwinkel en wandelde toen weer verder. Hij wachtte tot zijn BlackBerry zou gaan.

Eindelijk, vijftig minuten later, voelde hij het toestel trillen. Hij haalde de telefoon tevoorschijn en zag dat hij een e-mail had. Op het scherm stond dat die van Priya afkomstig was. Hij liep de drukke stoep af en vond een rustig hoekje naast een tassenwinkel. Hij ademde diep in en opende het bericht.

> Thomas, dit is een schok en ik weet niet wat ik van je komst moet denken. Maar ik kan ook niet negeren dat je hier bent. Er is een park op Malabar Hill. Neem de trein naar Churchgate en zeg tegen de taxi-walla dat hij je naar de Hanging Garden moet brengen. Ik ben daar om 4.30 uur, bij het uitkijkpunt op de zee.

Thomas hield meteen een riksja aan en droeg de chauffeur op hem naar het Bandra Station te brengen. Daarna pakte hij, zoals Priya had geïnstrueerd, de trein naar Churchgate en een taxi naar Malabar Hill. Zijn maag zat in de knoop. Hij had geen idee wat hij tegen haar moest zeggen. Het voelde bijna alsof ze niet getrouwd waren, alsof ze weer in Cambridge waren, een jongen en een meisje uit twee verschillende werelden, die voorzichtig de raakvlakken aftastten. Maar dat was niet zo. Ze hadden een verleden samen, jaren van intimiteit, geluk en verdriet. Daar kon niets van worden uitgewist en dat wilde hij ook niet. Hij wilde... wat? Opnieuw beginnen? Haar naar Washington terug zien te krijgen? Haar vader voor zich winnen? De complexiteit van alles verwarde hem.

De taxi passeerde het brede strand van Chowpatty Beach en reed de chique buurten van Malabar Hill in. Het heuvelachtige terrein en de hoge appartementencomplexen deden hem denken aan San Francisco. De chauffeur sloeg rechts af en nam een kronkelig weggetje naar de top van de hoogste heuvel. De gebouwen verdwenen en daarvoor in de plaats kwam een weelderig begroeid parklandschap.

De taxi-walla zette hem af voor de ingang van de Hanging Garden. Hij liep de trap op en keek uit over het zorgvuldig onderhouden landschap. Schaduwbomen omringden de gemaaide grasvelden en overal stonden bloemen en struiksculpturen.

Er kwam een jongen naar hem toe lopen, die waaiers van pauwenveren verkocht. 'Wilt u een waaier, sir?'

Thomas schudde zijn hoofd.

'Heel mooi, sir, voor uw vrouw of vriendin? Maar vijftig roepie, sir.'

'Ik wil geen waaier, maar ik geef je vijftig roepie als je me vertelt waar het uitzichtpunt over de zee is.'

De jongen wees de kant op waar Thomas vandaan was gekomen. 'Dat is in het park aan de overkant van de straat.'

Thomas haalde zijn portefeuille tevoorschijn en gaf de jongen zijn geld.

'Hier is uw waaier, sir,' zei de jongen, terwijl hij er een in Thomas' hand legde. 'De weg wijzen kost niets.' Hij glimlachte en wandelde weg.

Thomas voelde zich nogal opgelaten met de waaier in zijn handen, maar begon toen te lachen. Hij stak de straat over en zag het blauw van Back Bay in de verte door de bomen schitteren. Hij volgde een pad door rotstuinen en zag het uitkijkpunt al liggen. Op de bankjes zaten her en der wat mensen, maar Priya was er nog niet. Hij keek even op zijn horloge en zag dat hij tien minuten te vroeg was. Zijn vrouw was vast te laat, ze ging altijd nogal nonchalant om met de tijd.

Thomas liep naar de balustrade en keek uit over de baai in de richting van Marine Drive en Nariman Point. Zijn gedachten gingen naar Suchirs bordeel. Hij kon zich nauwelijks voorstellen dat de ranzige, gewelddadige rosse buurt maar een paar kilometer van Malabar vandaan lag.

Het duurde niet lang of Priya kwam stilletjes naast hem aan de balustrade staan. 'Thomas,' begroette ze hem eenvoudig.

Hij keerde zich naar haar toe en merkte dat hij geen woord kon uitbrengen, in de greep als hij was van de vrees die hem beheerste sinds hij voet op Indiase bodem had gezet.

Priya redde hem door als eerste iets te zeggen. 'Ik zie dat de *fan-walla*, die jongen met de waaiers, je heeft weten te vinden.'

Thomas keek naar het ding in zijn handen dat op slag in zijn reddingsboei veranderde. 'Hij was nogal volhardend,' zei hij ten slotte, terwijl de druk in zijn hoofd iets minder werd.

'Dus je bent hier. Ik kan het niet geloven.' Ze praatte zachtjes, tastte af hoe de vlag erbij hing.

'Ja, ik ben hier,' zei hij eenvoudig.

'Ben je gekomen om mij te zien?' Priya had nooit van geklets gehouden.

'Nee,' moest hij toegeven. 'Ik ben hier omdat ik bij een organisatie werk die het algemeen belang dient.'

Priya was verbaasd. 'Ben je weg bij Clayton?'

Thomas knikte.

'Ongelooflijk,' zei ze hoofdschuddend.

Toen er een gespannen stilte dreigde, vertelde hij de halve waarheid: 'Ik had behoefte aan verandering. Er klopte niets van hoe het was.'

Priya schudde opnieuw haar hoofd, zichtbaar perplex. 'In vier jaar ben je nooit ook maar één millimeter van je standpunt afgeweken. En nu opeens maak je zo'n sprong? Hoe zit het dan met je kans om partner te worden bij Clayton? En met je obsessie ooit bij de federale rechtbank te komen?'

Thomas zocht koortsachtig naar een manier om Priya's ondervraging te onderbreken. Zijn vrouw was heel goed in het afnemen van een kruisverhoor, soms zelfs beter dan hijzelf.

'Het zal je plezier doen te horen dat we de Whartonzaak hebben verloren,' zei hij. 'Ze zijn veroordeeld tot negenhonderd miljoen dollar en nog wat.'

Priya knipperde even met haar ogen, maar liet zich niet van haar stuk brengen. 'Ik ben blij dat te horen. Maar we hebben het hier niet over Wharton. We hebben het over jou. En je hebt nog geen antwoord gegeven op mijn vraag.'

'Een mens kan veranderen,' zei hij. 'Dat weet je net zo goed als ik.'

Priya keek hem doordringend aan. 'Waarom klinkt me dat als een uitvlucht in de oren?'

In de hoek gedreven hief hij zijn handen in de lucht. 'Wat wil je nou horen? Het spijt me dat ik ergens naar streefde? Dat wist je toen je met me trouwde. Maar ik bied mijn excuses aan omdat ik er niet voor je was toen je me nodig had.'

Zijn wroeging, hoewel beperkt, leek Priya's scepticisme wat te verzachten.

'Wat vond je vader ervan?' vroeg ze na een tijdje.

Thomas slikte. 'Hij kon het niet begrijpen.'

'Maar heeft hij het geaccepteerd?'

'Wat kon hij anders? Hij had er niets over te zeggen. Jij hebt je vader ongeveer op dezelfde manier voor het blok gezet destijds.'

Ze dacht er even over na. 'Bij welke non-gouvernementele organisatie zit je?'

Hij probeerde niet te laten merken dat hij opgelucht was. 'Ik werk met CASE in de rosse buurt.' Hij legde kort uit wat hij deed en benadrukte de punten waarvan hij wist dat die haar het meest zouden aanspreken. Eigenbelang natuurlijk, maar het enige positieve wat hij te melden had.

'Dat is goed werk,' zei ze. 'Dat moet ik je nageven.' Toen keerde het tij zich weer tegen hem. 'En Tera, wat vond zij er allemaal van?'

Thomas bleef rustig ademhalen. Hij had gehoopt dat ze niet over Tera zou beginnen, maar dat was natuurlijk naïef. Hij wendde verontwaardiging voor en vertelde haar nog een halve waarheid. Toen hij het zei, voelde het echter als een leugen.

'Kom nou,' zei hij, 'laat Tera hier buiten. Ik heb je al eerder gezegd dat er niets is gebeurd. Ik had iemand nodig om mee te praten. Als ik een grens heb overschreden was dat alleen die van een luisterend oor.'

'En daarvoor was ik niet goed genoeg?'

'We hebben het hier al eerder over gehad. We waren destijds niet in staat om elkaar te helpen. Achteraf gezien hadden we naar een psycholoog moeten gaan. Dat is ons ook door minstens vijf mensen aangeraden. Maar we waren te eigenwijs. Dus praatte jij met je moeder en ik met Tera.'

Priya's handen begonnen te beven en ze greep de balustrade vast. Ze staarde over de zee uit, haalde diep adem en dacht na over zijn woorden.

'Stel dat ik besluit om dat te geloven,' zei ze uiteindelijk. 'En stel dat ik je ook geloof als je zegt dat je bent veranderd. Waarom zou er dan iets tussen óns veranderen?'

'Ik ben hier nu toch? Dat moet toch iets betekenen.' Het was een gok, dat wist hij, maar hij kon geen slimme repliek meer verzinnen.

'Ik ga niet terug naar de Verenigde Staten,' zei ze zachtjes. 'In ieder geval niet binnen afzienbare tijd. Dat zou je moeten weten.'

'Oké.'

'Is dat alles wat je daarover te zeggen hebt?'

Hij haalde zijn schouders op.

'Het lijkt je niet te verbazen.'

'Het enige waar ik verbaasd over ben is dat je hier bént.'

Priya zweeg, haar zwarte haar woei op in een briesje. Het liefst had hij zijn hand uitgestoken en haar gezicht aangeraakt, maar hij hield zich in. Toen ze weer begon te praten, gaf ze het gesprek een andere wending.

'Mijn grootvader nam me vaak mee naar dit uitzichtpunt toen ik een klein meisje was. Hij liet de skyline van de stad zien en wees me op alle gebouwen waarvan hij de eigenaar was. Mijn vader vond het verschrikkelijk als hij dat deed. Hij wilde nooit hetzelfde worden als zijn vader. Zijn enige liefde gold het denken, de geest. Toen ik oud genoeg was, koos ik mijn vaders kant.'

Thomas wachtte. Hij wist dat ze nog meer wilde zeggen.

'Jij zult nooit kunnen bevatten hoe moeilijk het voor me was om te doen wat ik heb gedaan. Om mijn familie achter te laten, mijn vaders wensen naast me neer te leggen, om de oceaan over te steken en met jou te trouwen. Dat was nooit echt tot me doorgedrongen, totdat ik hier in Mumbai terugkwam. Ik weet niet of mijn vader me ooit zal kunnen vergeven.'

Thomas was onder de indruk van het feit dat ze haar gedachten zo helder op een rij had en dat haar stem zo evenwichtig klonk. Toen hij haar voor het laatst had gezien, was ze een wrak geweest – nerveus, steeds wisselend van stemming, af en toe zelfs verward. Hier in India leek ze haar evenwicht te hebben teruggevonden, hoewel hij haar verdriet, dat vlak onder de oppervlakte zat, nog kon zien.

'Hoe gaat het met je grootmoeder?' vroeg Thomas, opgelucht dat hij vastere grond onder de voeten kreeg.

'Ze heeft de beste verpleging die voor geld te koop is, maar ze is oud. Mijn vader worstelt met een gevoel van spijt dat hij ons heeft meegenomen naar Engeland. We hebben zoveel tijd verloren.'

'Ik neem aan dat je vader geen hoge pet van me op heeft.'

Priya schudde haar hoofd. 'Hij praat niet over je. Ik weet niet wat hij denkt.'

'Ik zal nooit een Indiër worden, dat staat in ieder geval vast,' zei hij.

'Dat doet er niet toe. Zijn mening is de zijne. En ik heb de mijne.'

'Zou hij liever hebben dat je van me gaat scheiden?'

Priya verstijfde. Hij zag dat de vraag haar stak. 'In het Hindoeïsme trouwt een meisje haar echtgenoot voor de duur van zeven levens. Mijn vader is in veel opzichten niet religieus, maar daarin gelooft hij wel. Ik betwijfel of hij een scheiding zou voorstellen.'

'Of denkt hij dat we nooit echt met elkaar getrouwd zijn?'

'Misschien. Maar we hebben de *sagtapadi* gedaan en onze huwelijksgeloften afgelegd. Dat kan hij niet negeren of ontkennen, ook al was de ceremonie niet compleet en verliep die niet volgens de traditie.'

'Was ze voor jou compleet?'

Priya nam even de tijd voor ze antwoordde en Thomas hield zijn adem in, hij kon zichzelf wel slaan dat hij zo snel zo'n belangrijke vraag stelde. Maar zo was het altijd tussen hen gegaan. Zij trok de dingen zonder de minste moeite uit hem en dan zei hij dingen waar hij later spijt van had.

'Ja,' zei ze. 'Daar heb ik nooit aan getwijfeld.'

Thomas liet zijn ingehouden adem ontsnappen. 'Dus waar staan we dan nu?'

'Op een gecompliceerd punt.'

Hij wachtte tot ze daar meer over zou zeggen, maar ze liet het erbij. 'Kunnen we elkaar nog eens zien?' vroeg hij.

Ze keerde zich naar hem toe en hun ogen ontmoetten elkaar. 'Daar moet ik over nadenken.'

Hij knikte. Dat was zo ongeveer het beste antwoord waar hij op kon hopen. 'Kan ik in ieder geval met je meelopen naar de straat?'

'Goed,' zei ze, met een schaduw van een glimlachje.

Ze keerden de zee de rug toe en wandelden rustig, afwisselend in het zonlicht en de schaduw, door het park. Thomas luisterde naar de wind die door de bladeren speelde en dacht aan de vele wandelingen die ze in Cambridge hadden gemaakt, onder de eiken en treurwilgen aan de oevers van de Cam, en later door de bossen van Virginia. Hun liefde was altijd een onwaarschijnlijk avontuur geweest. Als je bedacht waar ze aan waren begonnen – het bijeenbrengen van twee rassen, twee culturen, twee beschavingen – was het eigenlijk naïef om te denken dat het geluk hun zonder slag of stoot zou toelachen.

Toen ze bij de straat waren hield Thomas een taxi aan voor Priya en een andere voor zichzelf.

'Het was fijn je te zien,' zei hij, zelf verbaasd over de diepte van zijn gevoelens.

Haar glimlach bloeide op, maar ze gaf geen antwoord.

'Je denkt erover na, oké?' vroeg hij, terwijl ze in de wachtende taxi stapte.

'Ja, dat zal ik doen,' zei ze.

Toen de taxi wegreed, keek hij hem na en zwaaide, in de hoop dat ze zou omkijken. Dat deed ze niet. Hij bleef staan totdat ze om de hoek verdween en richtte zich toen tot de taxi-walla.

'Churchgate Station,' zei hij.

Op woensdagochtend begroette Jeff Greer Thomas en de rest van de medewerkers van CASE met het nieuws dat Suchirs advocaat op de rechtbank blijkbaar wat kruiwagens had ingezet en dat er om elf uur die dag een rechtszaak stond gepland waarin zijn vrijlating op borgtocht behandeld zou worden. De advocaat had connecties met de Rajanbende en de kunst van het manipuleren van het juridisch systeem blijkbaar volkomen onder de knie. Als hij een zitting wilde voor zijn cliënt, dan kwam die er.

'De aanklager heeft Adrian verteld dat ze een advies tegen borgtocht zal uitbrengen,' vertelde Greer, 'maar ze heeft weinig hoop. Het zit er dik in dat

Suchir en zijn kornuiten straks weer op vrije voeten zijn.'

'Vertrekken ze dan uit de stad, denk je?' vroeg Thomas.

'Dat betwijfel ik,' antwoordde Nigel. 'Ze kennen niets anders dan de seksindustrie. De meisjes krijgen waarschijnlijk een kleine boete en het bordeel zal binnen de kortste keren wel weer opengaan.'

'Zelfs als ze nog maar een paar dagen geleden minderjarigen prostitueerden?'

Nigel lachte wrang. 'Moeilijk te geloven, hè?'

Na de vergadering benaderde Thomas Samantha Penderhook, het hoofd van de juridische afdeling van CASE, om te vragen of hij met Adrian mee kon naar de zitting.

Samantha aarzelde. 'Het gaat er niet om dat ik niet wil dat je daarheen gaat. Maar een blank gezicht in een gerechtsgebouw in Mumbai kan heel wat opwinding veroorzaken. De mensen hier zijn heel gevoelig voor iets wat lijkt op buitenlandse inmenging in hun systeem.'

'En als ik ergens achterin ga zitten? Onopvallend, als een vlieg op het plafond?'

Samantha trommelde met haar vingers op haar bureau. 'Goed dan. Maar doe precies wat Adrian zegt. En als de advocaat van de tegenpartij er een probleem van maakt, wees dan zo wijs om de gang op te gaan.'

Thomas bedankte haar en ging op zoek naar Adrian. De jonge advocaat was niet erg enthousiast over Samantha's besluit, maar knikte dat hij zou meewerken.

'Ben je bijna zover?' vroeg hij. 'We moeten over tien minuten weg.'

'Ik ben er helemaal klaar voor,' reageerde Thomas.

Onderweg bestookte Thomas Adrian met vragen over de gang van zaken op de rechtbank in Mumbai. Hij kwam te weten dat de officier van justitie, die de borgtochtzitting zou doen, een van de beste van de stad was, maar dat haar kunde helaas irrelevant was voor de uitkomst. De gevangenis in Arthur Road was meer dan overvol en een deel van de rechters beschouwde mensenhandel niet als een zwaar misdrijf. Als de advocaat van de verdediging een steekhoudend argument had om Suchir vrij te laten, was de kans groot dat de rechter dat ook zou toestaan.

'Denk je dat Suchir de rechter probeert om te kopen?'

Adrian haalde zijn schouders op. 'Waarschijnlijk niet. De rechters zijn niet zo corrupt als de politie. Maar de bendes hebben nog steeds veel macht in deze stad. Misschien is er geen omkoopsom nodig om de uitspraak naar een bepaalde kant te laten doorslaan.'

Toen de trein het station binnenreed, gingen ze op weg naar het gerechtsgebouw. Hoewel het gebouwd was in de voorname gotische stijl van de Raj, was het een toonbeeld van verwaarlozing: slecht onderhouden en de muren en trappenhuizen waren smerig. Adrian en Thomas namen de trap naar de tweede verdieping. Adrian controleerde het nummer van de zaal en knikte.

'Ga achterin zitten,' instrueerde hij Thomas. 'En probeer niet op te vallen. De advocaat weet dat CASE bij de inval betrokken was. Iedere blanke zal hij met ons associëren.'

Ze gingen samen de rechtszaal binnen en Thomas vond een zitplaats ergens in een hoek. De zaal had een verhoogd podium waarop de rechter en de klerk zaten, en een lange tafel tegenover de rechter waar juristen wachtten op hun beurt. Een vrouw van middelbare leeftijd, gekleed in een zwartwitte sari – Thomas vermoedde dat zij de openbare aanklager was – zat helemaal links van de tafel, vlak bij een groep politieagenten. Adrian nam naast haar plaats.

Net als de rest van het gerechtsgebouw waren de gloriedagen van de zaal al lang voorbij. De houten lambrisering was beschadigd en verschoten, de verf op de muren afgebladderd en vuil. De ramen waren in gotische stijl; er zat een rooster voor om de vogels buiten te houden. Acht plafondventilators draaiden op hoge snelheid rond en creëerden een kille neerwaartse luchtstroom en een hard zoemend geluid.

De rechter was een grijze, uitdrukkingsloze man met een leesbril op zijn neus. Hij zag er ofwel chronisch verveeld uit, ofwel hij stond op het punt in slaap te vallen. Een te dikke advocaat ondervroeg iemand in het getuigenbankje. Thomas vroeg zich af of de rechter de getuige wel kon verstaan boven de plafondventilators uit.

Uiteindelijk kwam er een eind aan het verhoor van de advocaat en zijn getuige. De rechter maakte een wegwuivend handgebaar en richtte zich op de volgende advocaat in de rij. Nadat er nog twee zaken aan de orde waren geweest, wierp Adrian een snelle blik op Thomas en knikte hij. De openbare aanklager en hij stonden op terwijl de advocaat van de verdediging op het podium plaatsnam.

De aanklager hield een vlammend betoog om de rechter ervan te overtuigen het verzoek tot vrijlating op borgsom van Suchir, Sumeera en Prasad af te wijzen. Ze verklaarde het gerechtshof dat Ahalya minderjarig was en dat drie van de meerderjarige meisjes uit het bordeel zorg van het Child Welfare Comittee hadden aangevraagd. Adrian fluisterde de aanklager nog wat meer argumenten in die ze aan de rechter overbracht.

Aan het einde van haar betoog wendde de rechter zich tot de verdediging. De advocaat van de tegenpartij was klein en had een grote bos zwart haar. Hij diste een lang verhaal op over de oneerlijkheid van de inval, de betrokkenheid van 'imperialistische belangen van de Verenigde Staten' en de incompetentie van de politie van Nagpada. Hij wees erop dat de leeftijd van geen van de meisjes was geverifieerd en dat het bewijs dat Ahalya nog geen achttien was voornamelijk anekdotisch was. Hij beweerde ook dat Suchirs bekentenis over de verdwijning van Sita onder grote druk van de politie was verkregen. De man was zo welsprekend, slinks en manipulatief, dat hij een web van suggesties, twijfels en verhulde beschuldigingen wist te creëren, waardoor de rechter de aanklager uiteindelijk een geërgerde blik toewierp.

De moed zonk Thomas in de schoenen. Het was duidelijk dat Suchir op vrije voeten zou worden gesteld.

En inderdaad stelde de rechter de borgsom vast op tienduizend roepies voor Suchir, vijfduizend voor Sumeera en hetzelfde bedrag voor Prasad.

Adrian schudde zijn hoofd en gebaarde naar Thomas dat ze elkaar in de overvolle gang zouden treffen. Daar stonden ze naast elkaar naast een geopend raam.

'Ze zullen het geld vanmiddag al betalen,' zei Adrian met misnoegen. 'Deze rechter is verachtelijk, hij luistert nooit naar de openbare aanklager.'

'Wat gebeurt er nu?' vroeg Thomas.

Adrian keek uit het raam, er vloog net een groep duiven op. 'We dringen aan op een snelle hoorzitting en proberen Ahalya's getuigenis als bewijs in te brengen.'

'Hoeveel tijd neemt zoiets in beslag?'

Adrian haalde zijn schouders op. 'Met deze advocaat voor de verdediging kan het maanden duren.'

Zaterdagochtend zat Thomas met Dinesh te ontbijten op het terras van zijn appartement en keek uit over de grijsblauwe oceaan. Na zijn ontmoeting met Priya in de Hanging Garden had Thomas zijn vriend verteld over Mohini en haar dood, en Priya's vertrek naar Mumbai. Dinesh had het verhaal met zijn typische koelbloedigheid aangehoord en Thomas stevig omhelsd, terwijl hij diens verontschuldigingen wegwuifde. 'Nu begrijp ik waarom je mijn e-mails de afgelopen herfst niet hebt beantwoord,' zei hij.

'Ik zat in een mist,' zei Thomas en daarna hadden ze het er niet meer over.

Thomas stak zijn hand uit en pakte een tros druiven van een schaal op tafel. Hij trok er een druif vanaf en kauwde er peinzend op, terwijl hij zich afvroeg wanneer hij iets van Priya zou horen. Het was nu drieënhalve dag later en hij begon zich zorgen te maken. Haar beoordeling van hun situatie was trefzeker geweest. Ze zaten in een onontwarbare puinhoop. Aan het verleden viel niets te veranderen, het verdriet en de pijn waren niet uit te wissen en Priya verlangde naar de vergeving van haar vader. Daar kwam het probleem van zijn leugens nog bij: hij wás helemaal niet van plan om langer dan een jaar in India te blijven, of zijn droom op te geven ooit een federale rechter te worden, maar hij had haar iets heel anders gesuggereerd. En dan was Tera er ook nog.

'Wat wil je vandaag doen?' vroeg Dinesh, achteroverleunend in zijn stoel.

'Ik ga een tijdje lezen,' antwoordde hij. 'En wat ik daarna ga doen, weet ik nog niet.'

Dinesh keek hem onderzoekend aan. 'Je hebt nog niets van haar gehoord.'

Thomas schudde zijn hoofd.

'Kop op. Ze zei dat ze erover zou nadenken. Ze heeft het vast druk.'

Thomas wilde net antwoord geven toen hij zijn BlackBerry hoorde gaan. Het toestel lag binnen in de keuken op het aanrecht. Hij stond snel op en liep haastig naar binnen. Toen hij zag wie er belde, ging er een warm gevoel door hem heen.

'Het is Priya,' zei hij en Dinesh stak zijn duim omhoog.

Thomas hield de telefoon tegen zijn oor. 'Hallo?'

'Thomas,' antwoordde ze. Ze liet zijn naam een paar seconden in de lucht hangen en zei toen ongewoon snel: 'Ik heb zitten denken, zoals ik al beloofde, en ik wil je weer zien.'

Hij begon te glimlachen. In al die jaren dat hij haar kende, was ze alleen nerveus geweest als er iets belangrijks op het spel stond.

'Oké,' zei hij. 'Hoe had je dat gedacht?'

Hij hoorde haar diep inademen. 'Morgen trouwt een neef van me. De *mendhi ki rasam* wordt vanmiddag in het huis van mijn grootvader gehouden. Mijn vader is vast in een feestelijke stemming. En er zullen veel getuigen zijn, dus moet hij wel vriendelijk tegen je doen.'

Thomas deed zijn ogen even dicht. 'Weet je zeker dat dit een goed idee is?' vroeg hij. Hij was heel blij dat ze hem wilde zien, maar een confrontatie met haar vader in het bijzijn van haar hele familie joeg hem angst aan.

'Bedenk je je nu soms?'

'Nee, nee... ik dacht alleen... laat maar. Zeg maar hoe ik daar kom.'

'Laten we om halfzes afspreken bij de ingang van het Priyadarshini Park.

De taxi-walla's bij Churchgate weten de weg.'

'Wat moet ik aan?'

'Heb je een pak bij je?'

'Eentje maar.'

'Een is genoeg. En Thomas?'

'Ja.'

'Vergeet niet je gevoel voor humor mee te nemen. Dat zul je nodig hebben.'

Hij arriveerde vijf minuten te vroeg bij Priyadarshini Park. De zon stond laag aan de horizon en de hemel had een roze gloed. Hij belde Priya, die bij de eerste keer overgaan al opnam. Opnieuw klonk ze nerveus.

'Blijf waar je bent,' zei ze. 'Ik vind je wel.'

Hij bleef langs de kant van de straat staan en keek naar haar uit. Na een minuut stapte ze uit een riksja en kwam ze naar hem toe lopen. Ze was gekleed in een salwar kameez die de kleur had van een tropische zee. De halslijn van de jurk was laag, maar smaakvol uitgesneden en deed haar amandelkleurige huid goed uitkomen. Ze had zich nauwelijks opgemaakt. Dat had ze niet nodig.

Op ongeveer anderhalve meter voor hem bleef ze staan en glimlachte zo verlegen als een schoolmeisje. Die eerste keer dat ze elkaar ontmoetten in Fellows Garden had ze op precies dezelfde manier naar hem gekeken.

'Hoe vind je mijn jurk?' vroeg ze. 'Zoiets kan ik in het Westen niet aan.'

'En dat is jammer voor ons,' zei hij.

'Jij ziet er goed uit.'

'Ik voel me een stijve hark in een pak.'

Haar lach was spontaan. 'Dan zul je je thuis voelen. In mijn familie stikt het ervan.'

'Ik heb iets voor je,' zei hij, terwijl hij in zijn zak voelde en er het gedichtenbundeltje uithaalde dat zijn moeder hem had gegeven. 'Mijn moeder had dit als kerstcadeau voor je gekocht.'

Priya keek hem verrast aan. Ze pakte het boekje aan en bekeek het bewonderend. 'Hoe wist ze dat ik van Naidu houd?'

'Dat moet ze hebben geraden.'

'Bedank haar alsjeblieft voor me,' zei ze, terwijl ze de gedichtenbundel stevig tegen zich aan klemde. 'Het is een dierbaar cadeau voor me.' Ze zweeg even. 'Heb je...'

Hij knikte. 'Ja, ik heb het hun verteld.'

'Het spijt me. Dat moet pijnlijk zijn geweest.'

Thomas haalde zijn schouders op. 'Ze zijn volwassen.'
Priya wendde haar blik af en herstelde zich.
'Nou, waar is dat feest van je?' vroeg hij.

Ze nam hem mee naar een riksja en gaf de chauffeur aanwijzingen. Na een kort ritje arriveerden ze bij een houten toegangspoort tussen twee hoge platanen. Twee mannen in uniform deden de poort open en lieten hen het terrein op. Achter de poort bevond zich een tuin, een adembenemend prachtige tuin. In het zachte licht van de schemering tekenden de silhouetten van de bomen zich af. In het midden van de tuin was een cirkelvorming grasveld, met daarop een met kaarsen verlicht paviljoen. In het midden ervan zat een jonge vrouw – de bruid. Ze droeg een gele sari met een bijpassende sjaal over haar hoofd. Een oude vrouw was bezig met henna mendhisymbolen op de handen en voeten van de bruid te schilderen. Ergens aan de zijkant stond een kwartet Hindoestaanse muziek te spelen.

Thomas bleef een hele tijd bij de ingang staan. In de verte zag hij het huis tussen een groep acaciabomen liggen. Het dak had terracotta pannen en de luiken voor de ramen stonden open de wind binnen te laten. Naast het huis was een terras dat vol stond met gasten.

'Als kind noemden we het hier "Vrindavan",' zei Priya, refererend aan de magische bossen waarin Krishna was opgegroeid.

Hij knikte. 'Ik kan me haast niet voorstellen dat je in deze wereld bent opgegroeid.'

'Dan begrijp je ook waarom we zijn vertrokken. Mijn vader zou hier nooit zelf naam gemaakt kunnen hebben.'

'Zijn al die mensen hier familie van je?'

'Nee, sommigen ervan zijn vrienden. Maar maak je geen zorgen, ik zal je niet aan iedereen voorstellen.'

Thomas glimlachte. 'Ik red het wel zolang ik alle mannen Rohan mag noemen en alle vrouwen Pooja.'

Priya lachte nogmaals. 'Gedraag je, vanavond. De eerste indruk is goud waard.'

Thomas keek haar peinzend aan. 'Goh, het is eeuwen geleden dat we met elkaar hebben geflirt.'

Priya keek een andere kant op en er viel een stilte.

'Sorry,' zei hij, bang dat hij te snel te ver was gegaan.

'Nee,' zei ze. 'Je hoeft je niet te verontschuldigen.'

Thomas zag dat ze zich ongemakkelijk voelde en veranderde van onderwerp. 'Is je broer er ook?'

Priya lachte zachtjes en de sfeer leek weer wat luchtiger. 'Abishek is natuurlijk uitgenodigd, maar ik betwijfel of we hem zullen zien. Hij heeft ongetwijfeld een verscholen plekje gevonden waar hij kan tortelen met zijn nieuwe vriendin. Ze zijn al een maand onafscheidelijk. We vragen ons allemaal af wanneer de nieuwigheid eraf zal zijn.'

'En je vader?'

Ze wees naar het terras. 'Die is daar, hij houdt hof voor de intellectuelen.'

'Onder andere omstandigheden zou ik erbij gaan staan.'

Priya ademde diep in en probeerde optimistisch te klinken. 'Je zult het leuk vinden om met hem te praten, als hij je dat eenmaal toestaat. Jullie hebben veel gemeen.'

'Té veel, denk ik.'

Ze reageerde niet. 'Kom mee. Mijn moeder wil je graag ontmoeten.'

'Wacht even,' zei hij. 'Heb je haar over mijn komst verteld?'

'Ze vroeg wat ik had gedaan toen ik woensdag thuiskwam. Ik kon niet tegen haar liegen.'

'En?'

'Mijn moeder heeft nooit moeite met je gehad, Thomas. Ze wil me alleen maar gelukkig zien.'

'Dus ik hoef alleen je vader te overtuigen.'

Ze schudde haar hoofd en keek hem recht aan. 'Nee. Je hoeft alleen mij maar te overtuigen.'

Voorzichtig zei hij: 'Waarom zijn we dan hier?'

Even flitste er een gepijnigde blik op in haar ogen en Thomas besefte dat hij iets verkeerds had gezegd. Hij stak zijn handen op in een verontschuldigend gebaar en wilde iets zeggen, maar zij was hem voor.

'Deze mensen maken deel van mij uit, Thomas. De dingen kunnen niet veranderen tussen ons als ze er niet vanaf het begin bij horen.'

'Je hebt gelijk, natuurlijk. Ik bedoelde het niet zoals het klonk.'

Ze keek hem een tijdje nadenkend aan en hij vroeg zich even af of ze hem misschien naar de toegangspoort terug zou brengen. Maar toen glimlachte ze en was het moment voorbij.

Over een kronkelig paadje liep hij door de tuin achter haar aan. Ze staken het grasveld over naar de tent. Surekha Patel zat daar op een kussen met de mensen naast haar te kletsen. Ze was gekleed in een paarse sari en haar haar was opgestoken in een elegante wrong. Toen ze hen aan zag komen, verontschuldigde ze zich.

'Priya, lieverd,' zei ze in Engels met een accent, terwijl ze haar dochters hand vastpakte en in de richting van een tamarindeboom langs de rand van het gras wandelde. 'Vind je de muziek niet prachtig?'

'Ja, mama,' antwoordde Priya met een meegaande gezichtsuitdrukking. 'En Lila ook.'

'Ze is een prachtige bruid.' Surekha keerde zich naar Thomas, haar gezicht verraadde niets. 'Welkom in Mumbai. Wat vind je van de stad?'

'In alle opzichten fascinerend,' zei hij, terwijl hij zijn best deed geen nerveuze indruk te maken.

'Ik neem aan dat dat een compliment is.' Surekha keek even naar haar dochter en richtte toen haar blik weer op hem. 'Ik neem je niet kwalijk dat je Priya bij me hebt weggehaald. Het was haar besluit en ik heb altijd geprobeerd het te begrijpen. Maar desondanks zijn we heel blij dat ze weer terug is.'

Thomas sprong in het diepe en voelde zich zowel een man als een lafaard. 'Dat begrijp ik, Mrs Patel. Zes jaar geleden ben ik naar Engeland gereisd om Priya's hand te vragen. Uw echtgenoot was heel beleefd, maar gaf me geen toestemming. Ik had moeten volhouden totdat hij die wel gaf.'

'Die zou je niet hebben gekregen,' zei Surekha. 'Je was niet de echtgenoot die mijn man voor mijn dochter wilde. Je had hem toen niet op andere gedachten kunnen brengen.'

'En nu?'

Ze wendde haar ogen af. 'Zijn moeder ligt op sterven. Misschien verandert dat iets.'

'Als hij mij de kans gunt, zal ik zijn respect verdienen.'

Surekha knikte. 'Dat is een nobel streven. Maar je moet weten dat dat heel moeilijk zal zijn. Hij is altijd heel idealistisch geweest. Toen Priya klein was heeft hij tegen me gezegd dat de man die met haar zou trouwen het karakter van Lord Rama moest hebben. In het hindoeïsme is Rama een man die vrij van schuld is.'

'Ja,' antwoordde Thomas. 'Maar zelfs Rama twijfelde zonder reden aan Sita's trouw.'

'Dat is waar.' Surekha leek onder de indruk. 'Priya heeft me verteld dat je onze verhalen kent.'

'Niet zo goed als ik zou willen.'

'Het is een begin.' Surekha keek hem opnieuw aan. 'Kom, dan zal ik je voorstellen.'

Terwijl ze naar het terras liepen wisselde Thomas een blik met Priya. Achter Surekha aan gingen ze de trap naar de veranda op en liepen ze in de richting van een groepje mannen dat in leeftijd varieerde van twintig tot zeventig. Een paar ervan waren gekleed in traditionele *sherwanis* – lange, geborduurde jassen met bijpassende broeken – maar de rest droeg een westers pak. Surya stond in het midden van de kring; zijn gedistingeerde gezicht en zilveren haren glansden in de gloed van het vuur. Zijn toehoorders zwegen, hun aandacht gevangen door ieder woord van hem.

Surekha bleef aan de rand van het groepje staan wachten totdat haar echtgenoot haar opmerkte. Uiteindelijk gebeurde dat ook.

'Excuseer me, vrienden,' zei hij en hij glipte het kringetje uit.

Surya wierp een blik op Priya en verstijfde zichtbaar toen hij Thomas zag. Hij liep naar de stenen balustrade van de veranda en staarde naar de mendhitent waar Lila mooi werd aangekleed. Na een ogenblik draaide hij zich om.

'Surya,' begon Surekha, 'je dochter heeft een gast.'

'Ik weet wie hij is,' antwoordde Surya.

Surekha fronste haar voorhoofd. 'Probeer vriendelijk te zijn, liefste. Ze hebben hun geloften afgelegd.'

'En geen van ons was daarbij om er getuige van te zijn,' kaatste hij terug.

Thomas was niet verbaasd over Surya's boosheid en liet die maar over zich heen komen. Priya was er echter helemaal niet blij mee. De tranen sprongen haar in de ogen en ze begon te trillen.

'Waarom ben je naar Mumbai gekomen?' wilde Surya weten.

Er tuimelden allerlei gedachten door Thomas' hoofd, maar er leek maar één antwoord het goede. 'Ik heb uw dochter een ring gegeven.'

Surya zette zijn stekels nog verder op. 'Tegen mijn wensen in.'

'Ze heeft me haar hand gegeven.' Thomas voelde zich warm worden.

'Jouw moraal verwart me,' antwoordde de professor. 'Je schendt mijn vertrouwen en haalt mijn dochter weg van haar familie, en vervolgens probeer je dat te rechtvaardigen. Zo gaat het in het Westen. De jongeren hebben geen respect voor hun ouders.'

'Ik heb geprobeerd de eervolle weg te bewandelen,' zei Thomas. 'Ik heb om uw toestemming gevraagd. Maar die wilde u niet geven. Wat had ik anders kunnen doen?'

Surya's ogen schoten vuur en hij balde zijn handen tot vuisten. 'Wat je anders had kunnen doen? Wat een belachelijke vraag! Je had terug moeten keren naar je leven in de Verenigde Staten en mijn dochter met rust moeten laten.'

'Papa,' fluisterde Priya, 'alsjeblíéft. Doe niet zo.'

Surya keerde zich naar zijn dochter. Hij ontspande zijn gebalde vuisten toen hij zag hoeveel verdriet ze had. Hij keek opnieuw naar Thomas, op zoek naar een doelwit.

'Jij zult nooit begrijpen wat het voor mij en Surekha betekent dat Priya niet is getrouwd op de manier zoals het hoort. Jij zult nooit begrijpen hoe het voor ons was om te weten dat ze een kind kreeg en er niet bij te zijn toen het werd geboren.' Surya's stem brak. 'Of om haar niet vast te hebben gehouden voordat ze stierf.'

Voor het eerst voelde Thomas hoe zwaar en diep Surya's verdriet was. Er schoten twee tegengestelde gedachten door zijn hoofd. Eerst: *het is zijn eigen schuld dat hij er niet bij was.* En toen: *hij weet niet wat hij met zijn verdriet aan moet.* Thomas zei niets.

De professor draaide zich om, sloeg zijn armen over elkaar en leunde met zijn rug tegen de balustrade. 'Ben je hier om haar mee terug te nemen naar Amerika?'

Thomas schudde zijn hoofd. 'Ik ben hier voor mijn werk. Ik werk in Mumbai.'

Surya staarde hem aan. 'Wat doe je dan precies?'

'Ik werk voor een NGO in de rosse buurt.'

'Aha!' riep hij uit. 'Weer een westerling die denkt dat hij alles kan herstellen wat in India kapot is. Mijn vriend, je bent niet de eerste en ook niet de laatste die last heeft van het schuldgevoel van de blanken.'

Thomas was boos. Hij kon de beschuldiging dat hij Priya van hen had gestolen nog wel hanteren, maar om voor racist te worden uitgemaakt, maakte hem furieus. Hij overwoog even om ervandoor te gaan, maar wist dat dat als een nederlaag zou worden beschouwd.

'Wat hier kapot is, is overal kapot,' pareerde hij.

Surya zweeg en bekeek Thomas met een onduidelijke blik.

'En heb je het gevoel dat je iets bijdraagt met dat werk van je?'

'We hebben de politie van Nagpada afgelopen maandag geholpen bij het ontruimen van een bordeel.'

Surya schudde zijn hoofd. 'Bordelen zullen er altijd zijn.'

Thomas hield vol: 'We hebben een minderjarig meisje gered.'

Surya zweeg even. 'Nou, fijn voor je.' Hij keek naar het terras en het groepje mannen met wie hij eerder had staan praten. 'Excuseer me, maar ik moet terug naar mijn vrienden.' Hij kuste het voorhoofd van zijn dochter en ontweek opzettelijk de ogen van zijn vrouw.

Thomas keek de professor na terwijl die wegliep en wendde zich toen tot Priya. Hij moest veel moeite doen om zijn woede te verbergen. Priya hield haar armen beschermend om zich heen geslagen en haar ogen op de grond gericht. Surekha raakte haar dochters wang even aan en wierp Thomas toen een veelzeggende blik toe die leek uit te drukken: ik zei toch dat het niet gemakkelijk zou zijn. Ze liet hen alleen om zich met de andere gasten te bemoeien.

'Ik kan beter gaan,' zei Thomas.

Priya knikte, maar keek hem niet aan. 'Dit was een vergissing,' mompelde ze.

Haar woorden sneden door zijn ziel, maar hij hield zijn mond. 'Ik zie je later,' zei hij en hij stapte van het terras af op het gras. Haastig liep hij door de tuinen naar de toegangspoort en even later stond hij op straat. Na een paar minuten kwam er een taxi langs die hij aanhield.

Hij stapte in en zei: 'Churchgate Station.'

Toen zag hij haar staan, tussen de bewakers bij de poort. Hij hield haar blik vast totdat de taxi wegreed en hij haar niet meer kon zien. Als ze eerder was gekomen, had hij afscheid van haar kunnen nemen.

Maar de spijt in haar ogen was voldoende voor hem.

14

De hemel is bewolkt en het regent onophoudelijk.
Ik weet niet wat het is wat mijn binnenste beroert –
ik ken de betekenis ervan niet.
RABINDRANATH TAGORE

Parijs, Frankrijk

VOOR SITA WAS PARIJS EEN VERSTIKKENDE GEVANGENIS van alleen maar hard zwoegen. De muren van de wereld sloten haar in, totdat er niets meer bestond dan alleen het restaurant en het appartement dat daaraan grensde. Haar werk ging eindeloos door en ze mocht nooit pauze nemen. Navins tante, die erop stond dat Sita haar aansprak met het respectvolle 'Aunti-ji', herinnerde haar er constant aan dat ze moest werken voor haar kost en inwoning en had totaal geen medelijden met haar als het duidelijk was dat ze doodmoe was. Aunti-ji gedroeg zich als een dictator en deelde alleen maar commando's uit: 'Dweilen! Vegen! De vloer schrobben! Fornuis schoonmaken! Badkamer doen!' Sita deed het nooit goed genoeg in haar ogen en bovendien vond ze altijd dat ze er te lang over deed.

Iedere nacht sliep ze op de vloer van de keukenkast met een stel vuile tafelkleden over zich heen. Ze begreep niet waarom, maar de warmte van het restaurant en het appartement leken de keuken nooit te bereiken en ze had het altijd koud. Soms fantaseerde ze over ontsnappen. Maar overdag werd ze nooit alleen gelaten en 's nachts deed Aunti-ji allebei de deuren van de keuken op slot met een sleutel die aan een ketting om haar hals hing. Behalve de deuren waren er nog de verwarmingsschacht en de afzuigkap boven het fornuis als mogelijke uitwegen, maar geen van beide was groot genoeg om erdoorheen te kunnen.

Op een nacht ergens in het midden van januari werd het zo koud in de kast, dat Sita de slaap niet kon vatten. Met het uur kreeg ze het kouder en bibberde ze heviger en ze klemde haar tanden op elkaar om niet onophoudelijk te klappertanden. Ze kuste het kleine beeldje van Hanoeman, kroop onder een hele berg tafellakens en bad om warmte, maar tegen de ochtend begonnen haar tenen gevoelloos te worden. Met tegenzin verliet ze haar cocon om haar voeten in de gootsteen te verwarmen.

Het was aardedonker in de keuken. Ze struikelde over de dweilstok die ze tegen de koelkast had geparkeerd en die met veel lawaai op de vloer neerkletterde. Verschrikt bleef ze doodstil staan om te luisteren of ze voetstappen hoorde. Aunti-ji had haar maar één keer geslagen – toen er een emmer zeepwater was omgevallen in de badkamer – maar ze had Sita wel talloze keren met slaag gedreigd. Haar hart begon te bonken toen ze een krakend geluid hoorde, maar het kwam van ergens boven.

Even later klom ze voorzichtig op het aanrecht en zette haar voeten in de gootsteen. Op de tast vond ze de knop van de kraan en draaide die heel langzaam open totdat er water uit kwam druppelen. Heel voorzichtig draaide ze verder, totdat het een warme straal was geworden. Het water stroomde hoorbaar door de leidingen en ze was bang dat Aunti-ji woedend, met opgeheven bezem, de keuken binnen zou komen.

Met haar voeten in het warme water masseerde ze haar tenen om de circulatie weer op gang te brengen. Sita droeg nog dezelfde churidaar als Navin voor haar in Mumbai had gekocht. Haar ondergoed was niet gewassen sinds ze uit India was vertrokken. Navins oom, die ze 'Uncle-ji' moest noemen, stond haar toe om de wc in het restaurant te gebruiken, maar alleen vroeg in de ochtend en laat op de avond. Toen ze een keer de brutaliteit had gehad om te vragen of ze in bad mocht, had Aunti-ji wreed gelachen en haar in Hindi toegebeten: 'Je bent de prijs van het water niet waard.'

Nadat ze haar handen en voeten in de gootsteen had opgewarmd, stapte Sita van het aanrecht af en ging ze weer terug naar de donkere kast. Een uur voor zonsopgang viel ze eindelijk in slaap en ze werd pas wakker toen iemand haar met de omgevallen dweilstok porde. Sita knipperde met haar ogen en kon een vaag silhouet onderscheiden. Het was Aunti-ji die over haar heen gebogen stond. Sita voelde zich koortsig en haar hoofd leek vol watten te zitten. Ze probeerde te gaan staan, maar werd overvallen door duizeligheid en zakte bijna in elkaar.

'Wat denk je wel?' zei Aunti-ji boos. 'We gebruiken die tafelkleedjes voor onze klanten. Hoe durf je eronder te gaan slapen!'

'Maar ik heb het 's nachts zo koud,' fluisterde Sita.

Aunti-ji keek haar woedend aan. 'Ondankbaar kind dat je bent. We geven je eten en onderdak, en dan durf je nóg te klagen.' Toen snoof ze opeens. 'Waar komt die stank vandaan?' Ze boog zich verder naar Sita over en trok haar neus op. 'Je ruikt als een varken. Meekomen.'

Sita liep achter haar aan, de warmte van het appartement in. Haar lichaam voelde vreemd en stijf. Haar gewrichten deden pijn en haar keel voelde als schuurpapier. Ze was ziek aan het worden. Aunti-ji gooide de deur van de badkamer open en gebaarde naar het bad.

'Uitkleden!'

Sita gehoorzaamde zonder na te denken. Aunti-ji griste haar churidaar weg en balde die tot een prop.

'Je hebt tien minuten om je te wassen. Niet langer. Ik zal ervoor zorgen dat dit smerige vod van je schoon wordt.'

Sita klom in bad en boende haar huid totdat die helemaal rauw was. Ze woelde met haar vingers door haar hopeloos in de war geraakte haar en begon te huilen, de tranen vloeiden als een warme stroom lava over haar wangen. Toen ze uit Mumbai vertrok had ze zich voorgenomen sterk te zijn, net als haar zusje. Maar zo'n eenzaamheid, zo'n beproeving had ze niet verwacht. Toen haar tien minuten voorbij waren, probeerde ze kalm te worden, maar de tranen bleven komen.

Aunti-ji kwam de badkamer binnenstruinen en gooide een handdoek en een verschoten, paarse sari op de vloer.

'Droog je af en kleed je aan. Je hebt werk te doen.'

Om redenen die Sita ontgingen, gunde Aunti-ji haar nog een moment om zich klaar te maken voor de dag. Ze moest niezen, en nog een keer, en voelde zich steeds zieker worden. Toen ze niet langer kon wachten, liep ze de badkamer uit naar het restaurant. Ze trof Shyam, de zoon, in de keuken aan met een veger en blik in zijn handen. De jongen keek haar aan en glimlachte verlegen.

'Mijn moeder is naar de markt,' zei hij. 'Ik moest deze aan je geven.'

Sita staarde hem aan, twijfelde of ze de veger en blik van hem moest overnemen. Het aanvegen van het restaurant was wel een van haar ochtendklusjes, maar Aunti-ji was er altijd bij geweest om te controleren of ze het goed deed.

Plotseling legde Shyam de schoonmaakspullen op de vloer neer. 'Hou je van cricket?' vroeg hij, terwijl hij een stapeltje beduimelde sportkaarten uit zijn zak trok. Hij stak ze gretig naar Sita uit. 'Ik heb Ricky Ponting en Sandeep Patil. Maar Sachin Tendulkar niet. Ken je Sachin Tendulkar?'

Sita knikte.

'Hier.' Hij strekte z'n hand met de kaarten uit in haar richting. 'Je mag ze bekijken.'

Ze nam de kaarten aan. Met uitzondering van een glanzende Ricky Pontingkaart waren het eenvoudige afbeeldingen – gewoon een foto van het gezicht van de speler, omgeven door een witte rand.

'Mooi,' zei ze, terwijl ze de kaarten teruggaf en een glimlachje tevoorschijn wist te toveren.

Shyam straalde van trots. 'Als ik Sachin Tendulkar heb, zal ik hem je laten zien.'

Algauw hoorden ze de bel boven de deur van het restaurant klingelen. Shyam stopte de kaarten snel in zijn zak en Sita pakte de veger en blik van de vloer. Ze ging het restaurant binnen en zag Aunti-ji met een papieren tasje van de markt in haar hand staan. De warmte die zich in haar had verspreid omdat Shyam zo aardig tegen haar was, verdween op slag. Aunti-ji keek haar boos aan en blafte naar haar waarom de vloer nog niet was geveegd.

'Waardeloze meid,' riep ze. 'Je mag in bad en als dank word je meteen lui. Aan het werk!'

Het eindeloze gezwoeg werd als een zware molensteen die Sita's laatste krachten vermorzelde. Sita probeerde niet te niezen, rechtop te staan en te verbergen dat ze ziek was. Maar haar lichaam liet haar in de steek en ergens vlak na de middag viel ze flauw. Ze wist niet wie haar had gevonden, maar toen ze bijkwam lag ze op de bank in het appartement met een kussen onder haar hoofd. Een van de meisjes die in de keuken assisteerde, zat in een stoel naast haar. Ze stak een glas water naar Sita uit.

'Hier,' zei ze in Hindi. 'Je moet iets drinken.'

Sita pakte het glas aan en klokte het water naar binnen. Ze had het gevoel alsof ze in een wolk zat.

'Ik ben Kareena,' zei het meisje. 'Ik werk in het restaurant.'

'Ik ben Sita,' antwoordde ze, terwijl er een koortsrilling door haar heen ging.

Kareena legde een wollen deken over haar heen. 'Waar kom je vandaan?'

'Chennai,' antwoordde Sita, terwijl ze overeind probeerde te komen.

'Kalm aan, vandaag blijf je gewoon liggen.'

Sita vertrok haar gezicht in een grimas en liet zich terugvallen in de kussens. De rillingen schoten door haar lijf, maar haar huid was te warm om aan te raken.

'Je moet rusten,' zei Kareena. 'Uncle heeft gezegd dat ik voor je moest zorgen.'

Sita's ogen vielen dicht en ze dommelde opnieuw in slaap.

Toen ze weer wakker werd, was het raam naar de binnenplaats donker en Kareena was weg. Er stond een glas water naast de bank op de vloer. Sita dronk het gulzig leeg en luisterde naar de geluiden in de keuken, aan de andere kant van de muur.

Ze dacht aan Kareena. Het was duidelijk dat het meisje niet wist dat Sita hier gevangenzat. Wat voor een verhaal zou Aunti-ji hebben opgehangen om te verklaren dat ze hier was? Sita vroeg zich af of er meer meisjes zoals zij waren in deze stad met zijn eindeloze winter – meisjes die tegen hun wil ergens opgesloten zaten en werden gedwongen te werken totdat ze erbij neervielen van uitputting of ziekte. Navin had gezegd dat er vóór haar andere meisjes waren geweest. Waar waren die gebleven? En wat had hij gedaan met de drugs die ze vanuit Mumbai hierheen had gesmokkeld?

Na een tijdje zakte ze dromend weg. Ze merkte het nauwelijks toen het restaurant werd gesloten en het gezin ging slapen. Aunti-ji viel haar niet lastig en Shyam bleef op afstand. Tot Sita's verbazing was het Uncle-ji die haar waterglas opnieuw vulde en vroeg of ze honger had. Toen ze haar hoofd schudde, legde hij een tweede deken over haar heen.

'Welterusten,' zei hij. 'Als je opgeknapt bent, zullen we beter zorgen voor je gezondheid.'

Toen Sita's koorts was verdwenen, werd het pas écht winter. Uncle-ji hield woord, verlichtte haar taken en ze mocht voortaan op de bank in het appartement slapen. Overdag moest ze nog steeds gruwelijk hard werken, maar iedere ochtend mocht ze tien minuten in bad en 's avonds mocht ze zoveel eten als ze wilde van de restjes die uit het restaurant terugkwamen. Uncle-ji droeg zijn vrouw op twee sari's voor Sita te kopen en Aunti-ji stond haar met tegenzin toe die samen met de kleren van haar gezin te wassen.

Als Aunti-ji naar de markt ging, kwam Shyam vaak naar de keuken om haar zijn schatten te laten zien. Op een keer bracht hij een gameboy mee en deed hij voor hoe je Tetris speelde. Een andere keer bracht hij een Bollywoodtijdschrift mee met een paginagrote foto van Amitabh Bachchan en begon hij een langdradig verhaal over de beroemde acteur.

Weer een paar dagen later bracht hij een gele goudsbloem voor Sita mee. Hij ging op de vloer zitten en vertelde dat hij die bloem stiekem uit een bloembak in de buurt had geplukt. In een impuls ging ze naast hem op de grond zitten en vertelde hem over de tuin van haar ouders aan de Coromandel Coast en Jaya's kolamtekeningen. Shyam luisterde aandachtig en stelde toen een vraag die haar van haar stuk bracht.

'Als je in India in zo'n mooie bungalow woonde, waarom ben je dan hier?'

Sita staarde hem een tijdje aan, in het besef dat hij geen notie had van haar treurige situatie.

'Waarom denk je?' vroeg ze.

Shyam fronste nadenkend zijn voorhoofd. 'Mijn moeder zei dat je werk nodig had. En dat je geen familie meer had.'

Sita ademde scherp in en kneep haar handen samen. 'Ik heb geen ouders meer,' bevestigde ze met een stemmetje dat nauwelijks meer was dan gefluister. 'Alleen mijn zusje leeft nog.'

'Waar is je zusje dan?' vroeg Shyam.

Sita's gedachten vlogen naar Ahalya in Suchirs bordeel. 'In Mumbai,' antwoordde ze eenvoudig.

Shyam knipperde met zijn ogen. 'Ik ben in Mumbai geboren,' zei hij opgewekt. Toen werd zijn blik somber. 'Ik vind het niet leuk hier in Parijs. Ik mis India.'

Ze praatten wel een kwartier, totdat ze het gerinkel van de bel hoorden en Aunti-ji's voetstappen naderden. Sita stond gauw op en verborg de bloem in haar sari. Shyam verdween intussen naar het appartement. Toen Sita in het restaurant opnieuw een scheldpartij van Aunti-ji over zich heen kreeg, onderging ze die met hernieuwde kracht.

Shyam was nog maar een kind, maar zijn vriendschap was een lichtpuntje voor haar.

15

Zoals een persoon zich gedraagt in zijn leven, zo wordt hij.
BRIHADARANYAKA UPANISHAD

Mumbai, India

CASE REGELDE DAT ER ZAADJES VAN DE BLAUWE LOTUS werden afgeleverd bij het klooster van de Zusters van Genade. Zuster Ruth gaf Ahalya een bloempot om de zaadjes in op te kweken. De lotus was een lastige bloem en er was geen garantie dat hij het zou doen. Maar Ahalya was vastbesloten het te proberen. Ze wilde Sita een geschenk geven als ze elkaar weer hadden gevonden, iets wat de geest van het gezin waar ze uit afkomstig waren levend zou houden. Ahalya plantte de zaadjes voorzichtig in mineraalrijke aarde en vulde de pot met water. Ze zette hem in de vijver vlak bij de ingang van het kloosterterrein.

Het leven in het opvangtehuis was heel gestructureerd en alle uren van de dag werden ingevuld door de een of andere activiteit. Ahalya leerde de regelmaat algauw waarderen. Om te genezen, ontdekte ze, was activiteit nodig, een doel – de geruststelling dat het leven nog altijd waard was om te leven.

Ze volgde de lessen in de hoogste klas, maar de leerstof was heel basaal in vergelijking met de diepgang die ze gewend was op St. Mary's in Chennai. Zuster Ruth begreep algauw dat Ahalya meer nodig had en besprak dat met Anita. Niet lang daarna regelde CASE dat er twee keer in de week een leraar voor Ahalya kwam, die haar op universitair niveau les kon geven. Ahalya had het altijd leuk gevonden om te leren en het bekende ritme van lezen, discussiëren en voordragen gaf haar geest een oppepper en haar toekomst begon weer betekenis te krijgen.

Eens in de week kwam Anita op bezoek en dan praatten ze over van alles en nog wat met elkaar. Ahalya's eerste vraag aan de CASE-medewerkster ging altijd over Sita. En iedere keer verzekerde Anita haar er opnieuw van dat CASE samenwerkte met de politie en iedereen zijn best deed om haar zusje op te sporen. Hoofdinspecteur Khan had intussen contact opgenomen met het Central Bureau of Investigation in Mumbai en het CBI was een onderzoek naar Sita's verdwijning gestart. Ahalya was een dag of twee na het horen van dat nieuws iets opgewekter, maar algauw drukten de stilte en de onwetendheid weer loodzwaar op haar.

Waar was haar zusje?

Op een ochtend waarop Anita's wekelijkse bezoekje aan Ahalya stond gepland, vroeg Thomas aan Rachel Pandolkar, die de leiding had over CASE' afdeling re-integratie, of hij met haar mee mocht. Rachel gaf haar toestemming op voorwaarde dat Thomas geen vragen over Suchirs bordeel aan Ahalya zou stellen. Daar stemde hij zonder aarzelen mee in.

Drie weken na de inval namen Anita en hij een riksja naar Andheri. De rit vanaf Khar nam bijna een uur in beslag en ze arriveerden iets voor vier uur 's middags bij het klooster. De poort naar de ashram was niet afgesloten en Anita nam hem mee het terrein op. Ze liepen samen naar de vijver die omgeven werd door roze acacia's.

'Het moet hier een paradijs zijn voor de meisjes, na alles wat ze hebben meegemaakt,' merkte Thomas op, terwijl hij bewonderend om zich heen keek.

'Het zal je verbazen,' antwoordde Anita, maar de meesten willen het liefst naar huis. Vorige week nog heeft een meisje proberen te ontsnappen.'

'Echt?'

'De zusters hebben haar gelukkig te pakken kunnen krijgen en haar teruggebracht. Ze was verhandeld door een oom van haar uit Haryana, in het noorden. Haar ouders hebben daar waarschijnlijk toestemming voor gegeven. En dus is het duidelijk dat het volgens ons geen veilige plek voor haar is, en de Child Welfare Committee is het daarmee eens. Maar dat is moeilijk aan het meisje zelf uit te leggen.'

Anita gebaarde dat Thomas op een stenen bankje naast de vijver moest gaan zitten.

'Ahalya komt na afloop van haar lessen meteen hierheen. Hier zit ze meestal in haar vrije tijd.'

'Waarom?'

Anita wees op een stenen pot onder het wateroppervlak. 'Daarin heeft ze lotusbloemzaadjes geplant. De lotus is de kostbaarste bloem in India. Hij is voor haar zusje.'

'Heeft ze nog steeds hoop dat we Sita zullen vinden?'

'Natuurlijk? Jij niet dan?'

Thomas dacht daar even over na. 'Ik vermoed dat die vraag cynisch was bedoeld.'

'Cynisme is de vloek van het Westen. In India hebben we nog steeds vertrouwen.' Anita draaide zich om met een warme glimlach op haar gezicht. 'Daar is ze.'

Ahalya kwam met haar armen vol boeken over het pad naar de vijver toe lopen. Ze wierp een korte blik op Anita en richtte toen haar ogen op Thomas. Terwijl ze ging zitten, bleef ze hem doordringend aankijken, zodat hij zich er ongemakkelijk onder begon te voelen. Hij staarde naar de vijver en hoopte dat Anita iets zou zeggen.

Maar het was Ahalya die als eerste iets zei. 'Ben je er al achter waar ze Sita mee naartoe hebben genomen?' vroeg ze aan Anita.

'Nog steeds geen nieuws,' antwoordde ze. 'De politie doet haar best.'

Toen keek Ahalya Thomas weer aan. Hij zag het verdriet in haar ogen. 'U was bij de inval,' zei ze zacht. 'Hoe heet u?'

'Thomas.'

'Bent u Brits?'

'Amerikaan.'

Daar dacht ze even over na. 'Waarom bent u in India?'

'Ik ben jurist. En mijn vrouw komt uit Mumbai.'

'Hebt u hier een advocatenpraktijk?' Ahalya leek in de war.

'Zoiets ja. Ik werk bij CASE.'

'En uw vrouw komt uit India?'

Hij knikte.

'Hebt u kinderen?'

Die vraag overviel Thomas en riep een storm aan emoties op.

'Nee,' zei hij na een kleine stilte.

'Waarom niet? Houdt u niet van kinderen?'

Thomas was niet voorbereid op de directheid van het meisje. Hij probeerde een passend antwoord te bedenken.

'Dat is het niet,' zei hij uiteindelijk. 'We hádden een kindje, maar ze is gestorven.'

Ahalya frummelde wat aan haar schoolboeken. 'Wat erg,' zei ze, en haar stem stierf weg. Toen bedacht ze opeens iets: 'Kent u iemand bij de FBI?'

Hij glimlachte. 'Nee. Maar ik heb wel een vriend bij het ministerie van Justitie in Amerika. Hoezo?'

'Misschien kan uw vriend helpen bij het opsporen van mijn zusje.'

Hij schudde zijn hoofd. 'Ik zou niet weten hoe. Het Amerikaanse ministerie van Justitie heeft in India niets te zeggen.'

'Maar Amerika en India zijn bevriend,' bracht ze ertegen in. 'Dat zei mijn vader altijd.'

'Dat klopt. Maar de Amerikaanse regering spoort geen meisjes op die in India vermist worden, alleen als ze in de Verenigde Staten terechtkomen.'

Plotseling kwam er een gedachte in hem op. De Verenigde Staten waren lid van Interpol. Tijdens zijn onderzoek naar mensenhandel was hij op een artikel gestuit dat refereerde aan Interpols Child Abuse Image Database. Er stonden foto's van vermiste kinderen uit de hele wereld in. Als Ahalya een foto van haar zusje had, kon Interpol die foto misschien in de ICAID opnemen.

'Heb je een foto van Sita?' vroeg hij.

Ahalya's ogen lichtten op. 'Wachten jullie hier?' zei ze. Ze legde haar boeken snel neer en liep kordaat het pad op naar het opvangtehuis.

'Ik wed dat je niet had verwacht aan zo'n verhoor te worden onderworpen,' zei Anita.

'Nee, maar ze heeft het recht die vragen te stellen. Ik ben hier een vreemd gezicht.'

Anita had geen tijd om te antwoorden. Ahalya kwam terug met een beduimelde foto van tien bij vijftien centimeter. Toen ze die aan Thomas had gegeven, deed ze een stap naar achteren om zijn gezichtsuitdrukking te kunnen zien. Thomas kon z'n ogen niet geloven. Het was een foto van een Indiaas gezin, zo te zien met Kerstmis genomen. Ahalya stond duidelijk herkenbaar op de voorgrond.

'Is dat je zusje?' vroeg hij, en hij wees naar een jonger meisje dat naast Ahalya stond.

'Ja, dat is Sita,' bevestigde ze.

'Waar heb je die foto vandaan?' vroeg Anita verbouwereerd.

'Die heb ik na de tsunami uit onze bungalow gered,' antwoordde Ahalya.

'En heb je hem al die tijd bij je gehad?' vroeg Thomas.

'Ik had hem in mijn kleren verstopt,' zei ze eenvoudig.

Thomas bestudeerde de foto. Ahalya's vader zag er intelligent en vriendelijk uit en haar moeder had reebruine ogen en was prachtig. Hun genegenheid voor elkaar was duidelijk door de manier waarop ze naar elkaar toe bogen en hun dochters tussen hen in in het midden van de foto hadden gezet. De zusjes hielden elkaars hand vast en trokken een gezicht alsof ze net een giechelbui hadden gehad.

'Vind je het erg als ik deze meeneem?' vroeg Thomas.

Ahalya knikte. 'Als u belooft dat ik hem weer terugkrijg.'
'Natuurlijk.'
'Denkt u dat die foto kan helpen om Sita te vinden?'
Thomas wiebelde met zijn hoofd en moest toen grinniken om zichzelf.
'Je begint onze gebaren al aardig te leren,' merkte Anita op.
'Nog even en ik ben een echte Indiër.' Hij keek Ahalya aan. 'Ik ga die foto naar mijn vriend in Washington mailen. Er bestaat een internationale database voor vermiste kinderen en ik zal hem vragen of hij Sita's foto en haar naam daarin kan zetten.'
'Wilt u dat echt doen?' vroeg Ahalya enigszins ongelovig.
'Het is geen moeite,' zei hij.
Ahalya keek hem doordringend aan. Toen deed ze iets wat Thomas nooit had verwacht. Om haar pols zat een van regenboogkleurige draden geweven armband. Die maakte ze los en ze knielde voor hem neer.
'Sita heeft dit voor me gemaakt,' zei ze, terwijl ze het armbandje om zijn pols vastbond. 'Geef het alstublieft aan haar als u haar vindt.'
Thomas was met stomheid geslagen. Het liefst had hij zijn hoofd geschud en de verantwoording geweigerd die het armbandje hem oplegde. Meisjes die vermist raakten in het criminele circuit werden haast nooit gevonden, en als dat al gebeurde, waren ze meestal te beschadigd om nog een normaal leven te leiden. Maar het armbandje zat al om zijn pols. Hij had er niet voor gekozen, maar zag ook geen uitweg uit de situatie.
'Ik zal doen wat ik kan,' zei hij. 'Maar ik kan je niets beloven.'
'Beloof me alleen dat u het zult proberen,' zei Ahalya.
Hij ademde diep in en liet de lucht weer langzaam ontsnappen. 'Ik zal het proberen,' antwoordde hij.
En voor het eerst die middag verscheen er een glimlachje op Ahalya's gezicht.

Na het werk nam Thomas een riksja naar Dinesh' appartement. Zijn vriend was nog niet thuis. Hij zette zijn laptop op de keukentafel en haalde een digitaal cameraatje uit zijn koffer. Daarna legde hij de foto die Ahalya hem had gegeven plat neer, nam er een foto van en laadde het digitale bestand in zijn computer. Met een fotoprogramma maakte hij een uitsnede, zodat alleen het beeld van Sita overbleef. Vervolgens typte hij een bericht aan Andrew Porter en voegde de foto van Sita in als bijlage. Op het moment dat hij het bericht verzond, ging er een tastbaar gevoel van opluchting door hem heen. De bal lag nu bij de professionals. Meer kon hij niet doen.
Daarna checkte hij zijn inbox, in de hoop dat Priya had geantwoord op

een van de drie e-mails die hij haar had gestuurd sinds het debacle van de mendhiceremonie van haar neef. Dat was al twee weken geleden en hij had nog steeds niets van haar gehoord. Hij scrolde door de berichtenlijst en kwam haar naam niet tegen. Dat gaf hem een boos maar vooral machteloos gevoel. De afwijzing van haar vader was zo verschrikkelijk onterecht.

Thomas las een paar berichten van vrienden uit Washington. Hij was plotseling verdwenen en de mensen begonnen vragen te stellen. Thomas typte beleefde antwoorden op hun berichtjes en liet amper iets los over waar hij was. Er zou natuurlijk een moment komen waarop hij uitgebreid verslag moest doen, maar nu nog niet.

Thomas stond op het punt zijn computer af te sluiten, toen er een nieuw bericht binnenkwam. Hij kon zijn ogen niet geloven. Ze gaf het gewoon niet op. Hij klikte op het bericht. Tera had geschreven:

> Thomas, het is nu meer dan een maand geleden dat je bent vertrokken en niemand bij de firma heeft iets van je gehoord. Ik begin me zorgen te maken. Ik blijf mezelf voorhouden dat ik je moet loslaten en je op de hoop van al die klootzakken moet gooien die een vrouw alleen in bed willen krijgen om haar daarna te dumpen. Maar volgens mij zit je zo niet in elkaar. Er is iets gebeurd. Alsjeblieft, laat me niet in het ongewisse.

Thomas liep het terras op en staarde naar het noorden, naar Juhu Beach. Hoe kwam het dat de vrouw die hij wilde, verlamd leek door twijfels, en de vrouw die hij had afgewezen hem niet los wilde laten? Hij had Tera niet willen gebruiken. Hij had haar niet verleid. Het was eerder het tegendeel geweest. Hij overwoog om haar een kortaf antwoord te sturen, maar besloot dat niet te doen. Hij wilde het contact tussen hen niet heropenen.

In plaats daarvan nam hij het roer wat betreft Priya in eigen hand. Hij toetste haar mobiele nummer in op zijn BlackBerry. Hij had geen idee wat hij van plan was, maar het gaf hem in ieder geval een beter gevoel dan lijdzaam afwachten totdat ze had bedacht dat haar vader toch niet van gedachten zou veranderen. Hij hoorde de telefoon overgaan en verwachtte dat hij haar voicemail zou krijgen, maar toen hoorde hij haar stem.

'Thomas?' zei ze.

Hij hoorde rumoer op de achtergrond; waarschijnlijk was ze ergens op een openbare plek.

Hij haalde diep adem en zei: 'Priya. Het spijt me, maar ik kon gewoon niet langer wachten.'

'Ik heb je e-mails ontvangen,' antwoordde ze aarzelend. 'En ik was van plan je te bellen.'

'Kunnen we iets afspreken?'

'Nu?'

'Maakt niet uit. Nu of later.'

Ze zweeg even. 'In Pali Hill is een café dat Toto's heet. Daar zal ik om negen uur zijn. Vraag het maar aan Dinesh, als je niet weet hoe je er moet komen.' Hij hoorde allerlei stemmen aan de andere kant van de lijn.

'Ik moet ophangen,' zei ze. 'Negen uur. Toto's.'

'Ik zal er zijn,' zei hij, maar ze had de verbinding al verbroken.

Om vijf over negen zat Thomas aan de bar bij Toto's aan een biertje. Het was een ongerijmde plek. Hoewel midden in Mumbais chicste buurt, zag het eruit als een doorsneecafé in Boston. De inrichting was stadsretro – met oude auto-onderdelen en kettingen aan de muren en het casco van een Volkswagen Kever aan het plafond. Toen hij binnenkwam waren alle plaatsen bezet, voornamelijk door jonge Indiërs in westerse kleding.

Priya arriveerde een paar minuten later en baande zich een weg naar de bar. Ze droeg jeans, ballerina's en een getailleerd bloesje. Ze zag er helemaal uit als een *desi*meisje.

'En, doet je dit aan thuis denken?' vroeg ze, terwijl ze naast hem kwam zitten. Haar gezicht stond onbewogen, maar ze keek hem op de onderzoekende manier aan die ze had als ze zich niet op haar gemak voelde.

'Bizar, ja,' antwoordde Thomas. 'Ze draaien zelfs Bon Jovi.'

Priya wist een glimlach tevoorschijn te toveren. 'Ik heb die liefde van jou voor rockmuziek nooit begrepen.'

'Ik zou hetzelfde kunnen zeggen over de sitar. Wie wil er nou op een instrument met drieëntwintig snaren spelen?'

Ze lachte en gebaarde naar de barkeeper dat ze ook een biertje wilde.

'Hoe gaat het met je grootmoeder?' vroeg hij, om iets te zeggen te hebben.

Priya haalde haar schouders op. 'Hetzelfde, maar de artsen zeggen dat het nu iedere dag afgelopen kan zijn.'

'Dat spijt me.'

Er viel een ongemakkelijke stilte. Hij zag aan haar dat ze iets wilde zeggen maar niet goed wist hoe ze dat in woorden moest vatten. De barkeeper zette een flesje bier voor haar neer en ze nam een slok.

'Hoe gaat het met je vader?' vroeg hij, voordat zij iets kon zeggen.

Ze ademde scherp in. 'Kan je dat echt iets schelen?'

Hij nam een slok bier. 'Jíj kan me iets schelen. Ik weet niet zeker of híj me iets kan schelen.'

'Je bent in ieder geval eerlijk.'

Hij haalde zijn schouders op. 'Iets anders heeft weinig zin op dit moment.'

'Hij is niet gelukkig,' zei ze, in antwoord op zijn vraag. 'Je hebt hem van streek gemaakt.'

'*Ik* heb hem van streek gemaakt? Ik denk eerder dat hij zichzelf van streek heeft gemaakt. Het leven verloopt niet zoals hij wil en dat moet hij iemand kunnen verwijten.'

Ze schudde haar hoofd. 'Je begrijpt hem niet. Hij heeft het recht om zich druk te maken over mijn beslissingen.'

'Betekent dat dat hij jouw leven mag bepalen?'

Priya's ogen schoten vuur en ze ging verder van hem vandaan zitten. 'Hoe kun je dat nou zeggen? Ik heb jóú gekozen, weet je nog? Ik ben tegen zijn wil in gegaan. Ik heb vier jaar voor je opgegeven.'

Thomas ademde diep in om zijn kalmte te bewaren. 'Denk je er zo over?' vroeg hij, rustiger nu. 'Dat trouwen met mij een opoffering was?'

Haar ogen werden vochtig. 'Het was de allermoeilijkste beslissing van mijn leven.'

'Maar heb je er spijt van? Want als dat zo is, kan ik maar beter meteen weer gaan.'

Ze wendde haar gezicht af en nam een slokje bier. Ze had een prachtig profiel, haar zwarte haren contrasteerden mooi met haar bruine huid en ogen.

'Wat heb je daar?' vroeg ze, terwijl ze op zijn pols wees.

Hij zag dat er een stukje van Ahalya's armband onder zijn manchet vandaan piepte. 'Je hebt nog geen antwoord op mijn vraag gegeven,' zei hij.

Ze keek hem uitdagend aan. 'Ik zal die vraag beantwoorden, als je die van mij eerst beantwoordt.'

Hij liet haar de armband zien. 'Die heeft het meisje dat we uit het bordeel hebben gered aan me gegeven.'

'Vertel,' zei ze, opeens geïntrigeerd.

Thomas probeerde het verhaal kort te houden, maar daar wilde Priya niet van horen. Dus vertelde hij haar de uitgebreide versie, met alle details van de inval, Ahalya's confrontatie met Sumeera in de lobby van het bordeel, zijn bezoek aan de ashram, de foto van Sita, en dat ze de armband om zijn pols had gedaan.

Toen hij klaar was, keek ze hem indringend aan. 'Weet je wat dat betekent?'

'Wat?' vroeg hij, lichtelijk wanhopig. 'Ik heb haar gezegd dat ik een foto naar Andrew Porter op het ministerie van Justitie zou mailen, en dat heb ik vanavond gedaan. Meer kan ik niet doen. Ik zou niet weten waar ik moest beginnen.'

'Heb je nooit van een *rakhi*-armband gehoord?'

'Nee. Waarom klinkt dat zo onheilspellend?'

'Hou op met leuk te doen. Dit is heel serieus.'

'Sorry.' Hij hief zijn handen verontschuldigend op. 'Slechte gewoonte.'

Priya legde het hem uit. 'Het is een traditie in India die duizenden jaren teruggaat. Een vrouw geeft een armband aan een man om aan zijn pols te dragen. De armband betekent dat ze de man beschouwt als een broer. Hij is verplicht haar te verdedigen.'

'Je maakt een grapje, toch?'

'Absoluut niet,' antwoordde Priya, en ze genoot ervan dat hij zich zo onbehaaglijk voelde. 'Volgens de legende heeft de echtgenote van Alexander de Grote diens leven gered met een rakhi-armband. Ze gaf er een aan koning Porus toen Alexander tegenspoed had in Punjab. Porus had de kans hem te doden in de strijd, maar beheerste zich vanwege de belofte die in het geschenk verborgen lag.'

Thomas raakte de veelkleurige armband even aan. 'En wat moet ik eraan doen dan? Ik ben geen James Bond. Ik ben maar een gewone jurist die voor een NGO werkt. En de politie en het CBI kunnen haar niet vinden. Hoeveel kans heb ik dan dat míj lukt wat hun niet lukt?'

'Die kans is inderdaad nogal klein,' moest Priya toegeven.

'Zeg maar nihil.'

'Doe niet zo pessimistisch. Misschien heb je wel geluk.'

Thomas schokschouderde. 'Dat gebeurt alleen in films. Niet in het echte leven.'

Priya keek hem plotseling heel ernstig aan. 'Dat is mij anders wél gebeurd in het werkelijke leven.'

Langzaam drong het tot hem door dat ze daarmee antwoord op zijn vraag had gegeven. 'Betekent dat dat ik je nog een keer zie?' vroeg hij.

Ze glimlachte. 'Betekent dat dat je je belofte aan Ahalya zult nakomen?'

'Voor wat, hoort wat. Daar kan ik mee uit de voeten.'

Ze hief haar bierglas. 'Daar proosten we op.'

'Waarop?'

'Een wonder.'

Thomas tikte zijn glas tegen het hare. 'Op een wonder. Dat Sita Ghai gevonden mag worden.'

16

Illusie is het gevaarlijkste van alles.
RALPH WALDO EMERSON

Parijs, Frankrijk

EIND JANUARI WAS SITA OP EEN AVOND BEZIG de schoonmaakspullen in de keukenkast op te ruimen, toen een chic gekleed stel het restaurant binnenkwam. Het was een rustige avond geweest en er zaten maar een paar klanten. Sita keek door het spleetje van de deur en zag Uncle-ji naar het stel toe lopen en hen naar een tafeltje in de hoek begeleiden. De man was stevig gebouwd, met een hoekig, verweerd gezicht en kortgeknipt haar en de vrouw was een knappe blondine met een bleke huid. Sita dacht verder niet over hen na en ging weer aan het werk.

Een tijdje later, nadat de meeste gasten waren vertrokken, deed Aunti-ji het fornuis uit en zette ze een bord met kliekjes op het aanrecht.

'De vloer dweilen en het fornuis schoonmaken. Daarna kun je eten,' zei ze en ze vertrok naar de flat.

Sita vulde een emmer met sop en begon te dweilen. Toen ze bij de deur naar het restaurant was aangeland, zag ze Uncle-ji bij het stel aan tafel zitten; ze waren in een gesprek verwikkeld. Uncle-ji wenkte Kareena's zusje, Varuni, en wees naar de keuken. Sita dook weg en hoopte dat hij haar niet had gezien.

Even later kwam Varuni de keuken binnen en pakte een halfvolle fles wodka van de keukenplank. Sita wilde haar nog waarschuwen dat de vloer nat was, maar het was al te laat: Varuni's voet gleed uit en ze viel op de grond.

Sita schoot haar te hulp. 'Sorry, sorry,' fluisterde ze.

Maar Varuni kromp ineen van pijn toen ze probeerde op te staan. Ze masseerde haar enkel. 'Breng deze gauw naar Uncle,' zei ze, terwijl ze de fles aan Sita gaf. 'De klant wil nog een glas.'

Sita schudde haar hoofd. 'Aunti-ji heeft me verboden in het restaurant te komen.'

Varuni glimlachte geruststellend naar haar. 'Aunti is er niet. Niks aan de hand.'

Sita pakte de fles aan en liep aarzelend het restaurant in. Uncle-ji en de man met het hoekige gezicht praatten Frans met elkaar. Toen hij haar zag, fronste de eigenaar van het restaurant zijn wenkbrauwen. Hij nam de fles van haar aan en gebaarde dat ze weg moest. De man met de hoekige trekken keek haar onderzoekend aan en de vrouw naast hem frummelde aan haar halsketting.

Sita wilde zich net omdraaien toen de man iets in het Frans tegen haar zei. Hij zag dat ze het niet begreep en hij probeerde het in het Engels. 'Hoe heet je?'

Die vraag overviel haar. 'Sita,' zei ze.

'Je bent nieuw hier.'

Sita wisselde een blik met Uncle-ji uit, niet wetend wat ze moest zeggen.

De eigenaar van het restaurant nam het over; hij klonk nerveus. 'Ze komt uit India en helpt mee in het restaurant.'

De man leek hier even over na te denken. Toen keek hij Uncle-ji aan en stak zijn glas naar voren. Sita verdween verschrikkelijk onzeker weer naar de keuken. Varuni zat nog steeds op de vloer haar voet te masseren.

'Zie je wel,' zei ze. 'Zo moeilijk was het niet.'

'Wie zijn dat?' vroeg Sita.

'Het zijn Russen, denk ik. Uncle noemt de man Vasily. Ze wonen in de buurt van mijn grootmoeder.'

Sita keek op de klok en zag dat het al na elven was. 'Waarom zijn ze hier nog steeds?'

'Uncle en Vasily praten soms een hele tijd met elkaar. Ik weet niet waarover.'

Varuni stond langzaam op en probeerde voorzichtig of ze gewicht op haar enkel kon zetten. 'Ik moet de tafels verder in orde maken,' zei ze en ze strompelde het restaurant in. Op de drempel bleef ze staan. Ze hield haar hoofd schuin en luisterde. Toen kneep ze haar ogen half dicht en keek Sita verward aan.

'Wat is er?' vroeg Sita.

'Ik geloof dat ze het over jou hebben,' antwoordde Varuni.
'Wat zeggen ze?'
Varuni luisterde weer. 'Ze spreken iets af, geloof ik.' Toen schudde ze haar hoofd. 'Ik weet 't niet.'

Sita lag de hele nacht bang te piekeren. Ze wilde wanhopig graag te weten komen wat Uncle-ji en de man die Vasily heette hadden bekokstoofd, maar Varuni was al naar huis voordat ze haar weer had kunnen spreken. De volgende ochtend maakte Uncle-ji haar vroeg wakker en zei dat ze zich aan moest kleden. Hij wees op een jas die netjes opgevouwen op een stoel lag. Het was de jas die Navin haar toen ze aankwamen in Parijs had gegeven.
'Trek die aan,' zei hij, 'en wacht voor in het restaurant op me.'
Sita trok de jas aan en ging in het restaurant aan een van de tafeltjes bij het raam zitten. Ze werd hoe langer hoe banger en nerveuzer. Uncle-ji stond naast de deur en tuurde de passage in. Rond halfacht dook er een jongeman op, die door Uncle-ji in het Frans werd begroet. De man droeg een spijkerbroek, instapschoenen en een leren jack, en had iets autoritairs over zich.
De man gaf een knikje naar Uncle-ji en bekeek Sita met een gezicht waar niets van af te lezen viel.
'*Viens*,' beval hij haar en hij hield de deur voor haar open.
Sita verstond hem niet, maar ze begreep wel wat hij bedoelde. Ze wierp een blik op Uncle-ji en begon te beven.
'Vooruit,' zei Uncle-ji in het Hindi. 'Dmitri heeft werk voor je. Hij brengt je later weer terug.'
Sita aarzelde nog even en liep toen achter Dmitri aan de deur uit, de met keien geplaveide passage uit naar de boulevard vlakbij. Er hingen grijze wolken aan de hemel en de kou prikte in haar wangen. Het was de eerste keer in bijna een maand dat ze buiten was, maar ze was te angstig om daarvan te genieten.
Er stond een zwarte Mercedes te wachten langs de stoeprand, de alarmlichten knipperden. Dmitri opende het achterportier en Sita stapte in het pluchen interieur van de auto. Dmitri nam plaats op de chauffeursstoel en reed snel de straat door. Na een minuut of twee stopten ze voor een zware dubbele deur in een smal straatje dat werd overschaduwd door hoge gebouwen.
Dmitri stapte uit en liep naar een toetsenpaneeltje naast de deur. Nadat hij een beveiligingscode had ingetoetst, zwaaiden de deuren automatisch open. Ze reden door een galerij met een boogvormig plafond en kwamen uit op een met kinderkopjes bestrate binnenplaats. Een zilverkleurige Audi en een witte Volkswagen stonden onder aan een trap naar een stenen por-

tiek. Dmitri parkeerde de auto en liet Sita uitstappen. Toen liep ze achter hem aan de trap op naar een rode deur.

Sita keek toe terwijl Dmitri opnieuw een code intoetste op een paneeltje. Het slot ging open en ze gingen een grote hal binnen waar aan alle wanden schilderijen in vergulde lijsten hingen. Aan de linkerkant bevond zich een zitkamer die was ingericht met dikke tapijten en antiek. Rechts was een eetkamer met een geboende tafel en stoelen met een rechte rug eromheen. De hal liep rechtdoor naar een nis en de keuken. Ernaast lag een trap die naar de eerste verdieping leidde.

Er kwam een vrouw de trap af. Sita herkende haar uit het restaurant. Dmitri zei iets tegen haar in een grof klinkende taal die Sita niet verstond. De vrouw wierp een korte blik op Sita, waarna ze met een strak gezicht gebaarde dat Sita haar moest volgen. Ze gingen de trap op en staken de overloop over naar een bibliotheek met een houten lambrisering. De vrouw reikte Sita een stofdoek aan.

'Ik ben Tatiana,' zei ze. 'Boekenplanken moeten schoon.'

Sita gehoorzaamde. Het was een uitgebreide bibliotheek met veel planken. Alle boeken zaten onder een laag stof en zagen eruit alsof ze in geen jaren waren aangeraakt. Ze haalde elk boekwerk van de plank en stofte voorzichtig de rug en randen af. De bibliotheek deed haar aan haar vader denken. In de bungalow aan de zee had hij een eigen studeerkamer gehad, met een grote collectie boeken die hij altijd met veel zorg had behandeld. Bijna iedere avond na het diner trok hij zich terug achter zijn bureau om in het lamplicht een of andere monografie te lezen. Sita had hem vaak gevraagd wat hij las, alleen maar om zijn ogen te zien oplichten. Dan gaf hij uitgebreid en soms langdradig antwoord, maar ze had er bijna altijd iets van geleerd.

Het afstoffen nam vele uren in beslag. Tatiana kwam haar een broodje brengen voor de lunch. Ze bekeek de planken die Sita al had schoongemaakt en glimlachte flauwtjes.

'Goed,' zei ze. 'Doorgaan.'

Sita was net klaar met het laatste boek, toen Tatiana weer binnenkwam. 'Klaar?' vroeg ze, en Sita knikte. 'Goed. Dmitri breng jou nu thuis.'

Sita liep achter Tatiana aan de trap af naar de hal. Dmitri en Vasily zaten te praten in de zitkamer. Naast Dmitri zat een blond meisje in een hemdje en een zwarte broek naar de grond te staren. Tatiana riep haar zoon en het meisje keek even op. Haar ogen gingen heel even wijd open en dat trof Sita als een mokerslag.

Het meisje was bang.

Sita wendde haar blik af en liep achter Dmitri aan de deur uit. Wat er met dat meisje aan de hand was, was haar zaak niet. Werken bij Tatiana was veel prettiger dan de hele dag de scheldpartijen van Aunti-ji te moeten ondergaan. Wat Sita betreft was haar nieuwe werk een verademing.

Eindelijk lachte Lakshmi haar weer toe.

Sita keerde de volgende dag en de dag daarop terug naar het appartement, onder begeleiding van Dmitri. Elke ochtend ontmoette ze Tatiana in de hal en kreeg ze een opdracht van haar. Ze stofte de meubels af in de zitkamer en zette de tafel in de eetkamer in de boenwas. Ze maakte de badkamers schoon en ruimde de linnenkast boven op. Sita werkte acht uur per dag, met een pauze van een kwartier voor de lunch. Tatiana was een perfectionist, maar Sita was heel precies en voldeed aan haar verwachtingen. Op haar vierde dag in het appartement veranderde Sita's ochtendroutine onverwacht. Nadat Dmitri de Mercedes had geparkeerd, leidde hij haar over de binnenplaats terug naar de straat. In de galerij bleef hij stilstaan en toetste een code in op een paneeltje naast een glazen deur die Sita niet eerder was opgevallen. Ze hoorde een slot ontgrendelen. Sita liep achter hem aan een muf ruikende vestibule met een wenteltrap in.

Dmitri keek haar doordringend aan. 'Je praat niet over wat je ziet,' zei hij in verbazend vloeiend Engels. 'Je doet wat ik vraag en houdt alles voor jezelf. Zo niet, dan krijg je met de gevolgen te maken. Begrepen?'

Sita's adem stokte in haar keel. Ze dacht terug aan het blonde meisje in de zitkamer die eerste dag en vroeg zich af of ze nu zou ontdekken waarom het meisje zo bang was geweest.

Ze knikte en volgde Dmitri de trap op naar een houten overloop. Daar waren twee deuren, waarvan Dmitri de rechter openmaakte. Sita liep achter hem aan een gangetje in dat door een kaal peertje werd verlicht. In de gang waren zes deuren die Dmitri allemaal van het slot draaide met een sleutelbos die hij uit zijn zak haalde. Toen blafte hij een paar woorden in een onverstaanbare taal en pakte een mand uit een kast aan het einde van de gang.

Een voor een kwamen er zes jonge vrouwen uit de kamers tevoorschijn. Ze waren gekleed in een T-shirt en sportbroekje. Het meisje dat Sita op de bank in de zitkamer had gezien, kwam als laatste tevoorschijn. Sita dacht terug aan de peeskamertjes in Suchirs bordeel. Ze had geen idee wat Dmitri met de meisjes deed, maar door de sloten op de deuren was het duidelijk dat ze niet vrij waren om te vertrekken.

Dmitri gaf haar de wasmand en zei in het Engels: 'Haal de lakens en kussenslopen van het bed en verzamel de vuile kleding.'

Sita liep de eerste kamer binnen. Die was klein en karig verlicht, met alleen plaats voor een tweepersoonsbed en een ladekastje. Het raam was bedekt met een rolgordijn, dat met nietjes aan het kozijn was bevestigd. Sita haalde het bed af en raapte een hoopje kanten ondergoed van de grond. In alle andere kamers deed ze hetzelfde. De kamers waren allemaal even troosteloos, hadden dezelfde afgedekte ramen, dezelfde onzichtbare dreiging.

De meisjes maakten gebruik van de toiletruimte en keerden daarna weer terug naar de gang, terwijl Sita bezig was met haar taak. Toen ze het laatste bed had afgehaald, bracht ze de mand terug naar Dmitri. Ze kon het niet opbrengen om een blik op de meisjes te werpen. De eenzaamheid van hun gevangenschap deed haar denken aan Ahalya. Dmitri zei nog een paar onverstaanbare woorden en de meisjes gingen weer terug hun kamertjes in. Alles had bij elkaar zo'n kwartier geduurd en geen van de meisjes had ook maar een kik gegeven.

Dmitri deed de deuren weer op slot en bracht Sita naar Vasily's appartement. Tatiana kwam haar in de hal tegemoet en nam haar mee naar de wasruimte in de kelder. Ze liet Sita zien hoe de wasmachine werkte en vertrok daarna weer. Alleen in de kelder, terwijl ze de lakens en de rest van de was sorteerde, probeerde ze niet te denken aan wat ze had gezien. Ze wilde geen slecht gevoel krijgen over haar werkgevers, maar ze kon de gedachte dat er zes meisjes op nog geen honderd meter verder in een soort gevangenis zaten, niet zomaar negeren. Was Dmitri een pooier, net als Suchir?

Een paar minuten voor drie hoorde Sita zware voetstappen op de keldertrap. De deur naar de wasruimte was niet helemaal dicht en door de spleet kon ze een klein stukje van de gang zien. Sita richtte haar ogen op de kier en zag Dmitri langslopen. Een seconde later zag ze een flits blond haar en het profiel van het gezicht van een jonge vrouw. Ze wist bijna zeker dat het het meisje was dat ze op de bank had zien zitten.

Dmitri sleurde het meisje de gang door en opende aan het eind daarvan een deur die hij achter zich dichtsloeg. Na een korte stilte hoorde Sita een vrouw praten. De woorden klonken verdraaid en werden vervormd door een raar soort echo. Eerst dacht ze dat het geluid door de muur kwam, maar toen besefte ze dat het uit een ontluchtingskanaal in het plafond afkomstig was.

Sita hoorde dat iemand een klap kreeg en meteen daarna een kreet van pijn. Toen was er het geluid van een worsteling en daarna hoorde ze de grove, bevelende stem van een man. Een paar seconden later gilde de vrouw het uit en begon de man te kreunen. Sita klemde de kussensloop die ze aan het opvouwen was tegen zich aan en hield haar adem in. Ze wist wat ze hoorde en de geluiden maakten haar woedend en doodsbang.

Toen Dmitri klaar was, ging hij weer naar boven. Sita hoorde het meisje door de ventilatieschacht jammeren en haar hart ging naar haar uit. Ze worstelde met haar geweten. Ze was aan Dmitri's genade overgeleverd en het was zonneklaar dat hij meedogenloos was. Maar haar vader had haar geleerd dat het onmenselijk is om niets te doen wanneer een medemens lijdt. Ze dacht terug aan Ahalya na het incident met Shankar en door die herinnering kwam ze in beweging.

Sita deed de deur van de wasruimte open. Na een korte blik op de klok aan de muur zag ze dat ze nog krap twintig minuten had voordat Tatiana haar kwam halen. Zachtjes liep ze door de gang naar de deur aan het einde ervan. Zonder een geluid draaide ze de deurknop om en ging de kamer binnen.

De jonge vrouw lag opgekruld in bed, onder een stel in elkaar gedraaide lakens. Aan de voet van het bed lag een hoopje kleding plus hetzelfde soort ondergoed dat Sita net had gewassen. Er stonden drie videocamera's op statief en een rij lichten. Even bleef ze in verwarring staan, niet-begrijpend wat het bizarre tafereel betekende. Maar toen drong het tot haar door.

De camera's hadden vast de verkrachting van het meisje gefilmd.

Met een knoop in haar maag liep Sita naar het bed toe en liet ze zich ernaast op haar knieën zakken. Ze raakte de schouder van het meisje aan, maar dat draaide zich meteen kreunend om. Sita liep om het bed heen, waar ze weer neerknielde. Zachtjes pakte ze de hand van het meisje in de hare. Het meisje hield op met kreunen, deed haar ogen open en keek Sita aan. Toen ging ze moeizaam overeind zitten.

'Spreek je Engels?' vroeg Sita, bang dat het meisje haar niet zou begrijpen.

'Beetje,' antwoordde het meisje met een zwaar accent. 'Wie ben jij?'

'Ik heet Sita,' zei Sita heel langzaam. 'Ik werk in het huishouden.'

Het meisje begon stilletjes te huilen. 'Ik Natalia. Waar jij vandaan?'

'India.'

'Ik Oekraïne.'

'Waarom ben je hier?' vroeg Sita.

'Ik kom werken. Ik solliciteren bij agentschap. Mannen pakken paspoort en brengen hier.'

Sita begreep dat de weg die ze waren gekomen heel verschillend was, maar ook weer angstaanjagend hetzelfde. Ze hoorde de vloer boven haar hoofd kraken en werd bang.

'Ik moet gaan,' fluisterde ze gehaast. 'Ik zal voor je bidden.'

Natalia glimlachte flauwtjes naar Sita. '*Spasibo bolshoi*,' zei ze en ze herhaalde dat in het Engels. 'Dank je wel.'

17

Hoop kan vervagen, maar sterft nooit.
PERCY BYSSHE SHELLEY

Mumbai, India

DE WEKEN VERSTREKEN en de politie vond geen enkel spoor van Sita of Navin. Porter reageerde op Thomas' e-mail en beloofde Sita's foto aan Interpol door te sturen. Hij vertelde er echter bij dat het ICAID alleen werkte als een vermist meisje op internet opdook of toevallig in hechtenis werd genomen in een of ander land dat lid was van Interpol. Maar als ze onder de radar bleef, was het onwaarschijnlijk dat ze haar zouden vinden.

Aan het eind van zijn bericht kwam Porter met goed nieuws.

Tussen twee haakjes, de politie van Fayetteville heeft vorderingen gemaakt in de zaak Abby Davis. We weten dat ze nog in de stad is en we doen ons best haar te lokaliseren. Helaas lijkt het erop dat je vader gelijk had; het heeft waarschijnlijk met mensenhandel te maken. Ik hou je op de hoogte.

Thomas zat op het balkon van Dinesh met een biertje in zijn hand en dacht aan de moeder van Abby. Hij vroeg zich af hoe zij het afgrijselijke wachten zou ondergaan. Haar lijden raakte hem nog altijd. Achteraf bezien vroeg hij zich af hoeveel van zijn huidige situatie was veroorzaakt door hun toevallige ontmoeting. Als Abby er niet was geweest, zou hij dan geïnteresseerd zijn geweest in het werk van CASE? Zou hij dan met Porter hebben gepraat en hebben gehoord dat er een plek open was in Mumbai? Zou hij dan naar India zijn gegaan en zijn best hebben gedaan om het weer goed te maken met Priya?

Op het werk waren het spannende weken. CASE organiseerde nog twee invallen en redde in totaal veertien minderjarige meisjes. De tweede inval, die bij een biercafé in een voorstad in het noordoosten van Mumbai was gepland, viel haast in duigen vanwege een seintje dat bijna zeker afkomstig was van de politie. Een van de opsporingsmedewerkers van CASE zag ongeveer een uur voor de operatie dat de meisjes uit het pand werden gehaald, maar Greer wist op het laatste moment het adres op het huiszoekingsbevel te veranderen in dat van de nieuwe locatie.

Thomas was onder de indruk van al het leed dat hij tegenkwam. De opsporingsmedewerkers van CASE hadden contact gelegd met de pooiers en gevraagd een seksfeestje voor drie man te organiseren. Verleid door het vooruitzicht van een extra bedrag als de meisjes minderjarig waren, haalden de pooiers hen van stal. De politie arresteerde de daders in een chawl naast de bar en plaatste tien minderjarige meisjes ter bescherming in een huis van bewaring. Die redding was de meest dramatische in de geschiedenis van het CASE-kantoor in Mumbai en maakte flink wat indruk op het hoofdkantoor in Washington.

Thomas besteedde zijn dagen aan het schrijven van pleidooien voor zaken die in de lente zouden voorkomen. Daarnaast bleef hij schaven aan de aanklacht in de Jogeshwarizaak. De rechter had de zaak op verzoek van de verdediging verdaagd, wat hem woedend maakte, maar tegelijkertijd goed uitkwam. Het was duidelijk dat de sympathie van de rechter bij de pooier lag, maar op deze manier had hij meer tijd om de strop om de nek van de daders steviger aan te trekken. Toen hij uiteindelijk zijn verhaal inleverde, was Samantha een en al lof.

'Het beste wat ik in de afgelopen vijf jaar heb gezien,' zei ze. 'De aanklacht klinkt als een klok.'

'Ik weet dat het niet hoort om betrokken te raken bij een zaak,' zei hij. 'Maar ik zou het liefst de vloer willen aanvegen met die klootzak.'

Samantha's ogen sprankelden. 'Je weet het maar nooit. Misschien komt die wens van je wel uit.'

Thomas ging niet meer terug naar het opvangtehuis van de Zusters van Genade. Als excuus voerde hij aan dat hij het te druk had, maar in werkelijkheid was het omdat hij niet wist wat hij tegen Ahalya moest zeggen. Anita vertelde hem dat het meisje altijd naar hem vroeg als ze op bezoek kwam.

'Ze mag je,' zei Anita op een middag.

'Ze kent me helemaal niet,' antwoordde hij.

'Ze kent je goed genoeg. En bovendien zijn er maar weinig mensen in de buurt die vrienden hebben bij het Amerikaanse ministerie van Justitie.'

Hij slaakte een zucht. 'Ik neem aan dat je haar hebt verteld dat ik Sita's foto heb doorgestuurd?'

Anita knikte. 'Inderdaad.'

'Wat verwacht ze dan nog meer?'

'Geen idee. Jíj was degene die haar heeft beloofd het te proberen.'

Priya en hij zagen elkaar twee avonden in de week. Vaak spraken ze af bij Sheesa, een Iraans dakrestaurant op Linking Road, waar ze vaak met personeel van CASE aten, of bij Out of the Blue, een chic restaurant in Pali Hill. Het verbaasde Thomas niet dat ze de medewerkers van CASE graag mocht. Hun positieve vasthoudendheid en belangstelling voor de wereld vormde een verfrissend contrast met het cynisme en de desinteresse waardoor veel van zijn vrienden in Amerika geplaagd werden.

Met het verstrijken van de maand februari werd het weer warmer. Ondanks zichzelf dacht Thomas vaak aan Ahalya en de rakhi-armband. Hij kreeg toestemming van Greer om contact op te nemen met het CBI-kantoor, maar het nieuws dat hij kreeg was altijd ontmoedigend. Op een dag verbond de agent die op de zaak zat hem door met zijn meerdere, van wie hij hoorde dat er niets meer was wat ze konden doen.

Thomas hing op en staarde naar de armband om zijn pols. Het kwam vaak voor dat hij wenste dat hij het ding kon teruggeven. Het was een last voor hem opgezadeld te zijn met een probleem waarvoor hij de middelen niet had het op te lossen. Maar hij had wél een belofte aan Ahalya gedaan. En Priya en hij hadden een deal gesloten.

Hij moest zijn uiterste best doen.

De doorbraak kwam toen niemand het verwachtte. In de derde week van januari zat Thomas in het kantoor van CASE te lunchen met Nigel McPhee en nog een aantal medewerkers van CASE, toen Nigels mobiele telefoon ging. Hij viste het toestel uit zijn zak en wierp een blik op het schermpje.

'Zeg het maar,' zei hij, terwijl hij het toestel tegen zijn oor hield. Hij luisterde een paar seconden en zijn ogen werden groot. 'Vanavond? Ik zal het Greer zeggen.'

'Wat is er aan de hand?' vroeg Thomas, toen Nigel had opgehangen. Maar de directeur van de afdeling veldoperaties negeerde hem en beende rechtstreeks naar het kantoor van Greer. Thomas liet zijn lunch voor wat die was en liep hem achterna, zich afvragend of dit iets met Sita te maken had.

Greer keek op van een rapport dat hij zat te lezen.

'Navin is terug in Mumbai,' zei Nigel. 'Rohit belde met de tip.'

'Heeft hij het bevestigd gekregen?' informeerde Greer met een ernstig gezicht.

Nigel schudde zijn hoofd. 'Maar de pooier is een betrouwbare tipgever. Hij had de informatie rechtstreeks van Sumeera.'

'Navin is een veelvoorkomende naam. Hoe weten we dat hij onze man is?'

'Deze Navin heeft iets met minderjarige meisjes.'

'Dat is niet voldoende,' bracht Greer ertegen in. 'Als we hier iets mee doen, moeten we er absoluut zeker van zijn.'

Nigel glimlachte. 'Navin komt niet voor seks. Hij neemt de meisjes mee.'

Greers scepticisme leek wat af te nemen. 'Weet je ook waarheen?'

'De tipgever noemde Europa.'

Greer pakte zijn telefoon. 'Stuur de rest hierheen. Ik bel het CBI.'

Nigel knikte en liep het kantoor uit, maar Thomas bleef staan waar hij stond. 'Ik wil mee,' zei hij.

Greer leek van zijn stuk gebracht. 'We weten niet wat voor soort persoon Navin is. Ik kan niet instaan voor je veiligheid.'

Thomas voelde even aan zijn rakhi-armband. Het ding was in de warmte gaan jeuken en daardoor een doorlopende herinnering aan zijn belofte.

'Dat maakt niet uit,' zei hij. 'Ik wil erbij zijn als je hem oppakt.'

Greer dacht er een tijdje over na. 'Oké, je kunt mee. Maar doe me een plezier en loop verdomme niemand in de weg.'

Thomas bleef dicht in de buurt van Greer terwijl CASE zich op de inval voorbereidde. Op Greers bevel stuurde Nigel de hele divisie opsporingsmedewerkers naar Kamathipura om zo veel mogelijk informatie uit de bewoners daar te krijgen. Intussen contacteerde hij het CBI met het verzoek de operatie te leiden. De CBI-chef ging akkoord op voorwaarde dat de tip door Nigels team zou worden geverifieerd.

Maar twee uur later had nog geen van de opsporingsmedewerkers meer informatie kunnen loskrijgen. Ze hadden alle normale informatiebronnen benaderd – de beshya's, de gharwali, de pooiers die als tipgever voor hen werkten – maar niemand had van Navin gehoord. Nigel ijsbeerde nerveus heen en weer en zijn telefoongesprekken werden steeds korzeliger. Greer keek op de klok en balde zijn vuisten terwijl de minuten wegtikten. Thomas had hem nooit zo nerveus gezien.

Laat in de middag belde Greer naar het hoofd van het CBI met het nieuws dat de tip nog steeds niet was bevestigd. Het gesprek verliep stroef en Thomas kon de spanning van Greers gezicht af lezen. Hij kalmeerde, suste, vleide, manipuleerde en smeekte uiteindelijk dat het CBI de operatie niet zou afblazen. Uiteindelijk gaf de man toe maar hij bracht zijn team tot een derde terug en zwoer dat de hele operatie tijdsverspilling was.

De opsporingsmedewerkers van CASE stonden om zes uur op hun posities. Thomas reed met Greer mee naar het politiebureau van Nagpada waar ze het CBI-team en hoofdinspecteur Khan zouden treffen. Greer legde Thomas uit dat het CBI wel nationale rechtsbevoegdheden had, maar dat Kamithipura het werkterrein was van de inspecteur. Het CBI had Kahn erbij betrokken om later gekibbel tussen twee departementen te voorkomen.

Toen het donker begon te worden reden de agenten van het CBI in drie onopvallende busjes naar M.R. Road. Kahn volgde in een aparte auto, samen met Greer en Thomas. Om te voorkomen dat hij zou worden opgemerkt door de pooiers die op straat werkten, was Kahn in burgerkleding. Green en Thomas hadden baseballpetjes op en de stoppels op hun gezicht donker gemaakt.

'Stel dat het allemaal lukt,' vroeg Thomas in de halfduistere auto. 'Wie krijgt Navin dan in handen?'

'Wij,' antwoordde de inspecteur.

'Niet het CBI?'

Khan schudde zijn hoofd. 'Het CBI heeft het lef niet om het vuile werk op te knappen. Wij krijgen er wel uit wat hij met dat meisje heeft gedaan.'

'En als hij niet praat?'

Khan glimlachte zuinigjes. 'Wij hebben zo onze methodes, Mr. Clarke.'

De inspecteur reed M.R. Road in en parkeerde de auto langs de stoeprand, zodat ze goed zicht hadden op Suchirs bordeel. Het was dinsdag en op de straten krioelde het van de mannen die op zoek waren naar een 'vluggertje' voordat ze na hun werk naar huis gingen. Thomas keek de straat door en ontdekte Rohit plus nog twee CASE medewerkers; ze hielden de ingang van Suchirs bordeel in de gaten. Suchir stond buiten en rookte een *chillum* – een hasjpijp.

Iets na zevenen slenterde een van de opsporingsmedewerkers naar Suchir toe om hem om een vuurtje te vragen. Ze maakten een kletspraatje en even later wandelde de CASE-medewerker weer weg. Greers mobieltje ging een paar seconden daarna. Hij luisterde even en hing op.

'Suchir schijnt het komende uur een goede klant te verwachten,' vertelde Greer.

De hoofdinspecteur pakte zijn radio en gaf die informatie door aan het CBI.

De minuten kropen langzaam voorbij in de benauwde auto. De vochtige lucht die door de halfgeopende raampjes naar binnen drong, was zwaar van de stank van vuilnis en sigarettenrook. Er wandelden groepjes mannen door de straat, de pooiers probeerden hen een bordeel in te lokken. Bordeeleigenaren zoals Suchir hingen er rond en bekeken het handjeklapritueel, maar bemoeiden zich er niet mee. Thomas hield zijn hoofd gebogen, maar zijn blik was alert, hij hield alles in de gaten.

Om tien over acht stopte er een taxi voor het bordeel en stak Suchir zijn pijp weg.

Er klonk een stem over de radio. 'We hebben de verdachte in het oog. Midden dertig, donker haar. Modieus gekleed.'

Thomas zag een man in een roze overhemd uit de taxi stappen en Suchir op straat begroeten. De man overhandigde Suchir een weekendtas en de malik pakte die aan en maakte hem open. Thomas voelde zijn lichaam verstrakken. Hij wist zeker dat dit Navin was.

De radio kraakte opnieuw. 'Alle units: actie!'

Plotseling renden er van alle kanten agenten op het bordeel af. Suchir klemde de tas gealarmeerd tegen zich aan en vluchtte de trap op. Intussen rende de man in het roze shirt naar een steegje. Rohit stapte uit een portiek en versperde hem de weg, maar de man ramde de CASE-medewerker met zijn schouder en samen vielen ze op de grond. Rohit kwam hard neer en moest het overhemd van de man loslaten. Die krabbelde overeind en spurtte weg door de wirwar van straatjes en steegjes.

Op dat moment knapte er iets in Thomas. Zonder na te denken over het gevaar dat hij liep of te beseffen dat zijn instinct het overnam, gooide hij het autoportier open en vloog de straat op. Hij negeerde het geschreeuw van Greer en Khan en rende naar de plek waar de man was verdwenen. De man lag zo'n tien seconden op hem voor, maar Thomas was snel. Hij wist zeker dat hij hem kon inhalen.

Thomas racete het straatje door, ontweek Rohit, die wat verdwaasd weer op zijn benen stond, zigzagde tussen ossenkarren, pooiers en hoerenlopers door en ontdook de waslijnen die zo dicht op elkaar hingen dat de lucht erboven niet te zien was. Overal om hem heen staarden de mensen naar hem, maar Thomas lette er niet op. Zolang hij de rennende voetenstappen van de man nog kon horen, had hij maar één doel: hem inhalen.

De tijd leek zich uit te strekken terwijl hij verder rende. Tijdens het lopen zocht hij de straat voor zich af in een poging een glimp van de man op te vangen. Plotseling hoorde hij een klap en even later stuitte hij op de omgegooide handkar van een straatverkoper. Zonder vaart te minderen sprong hij er in één keer overheen, terwijl hij tegelijkertijd onder een waslijn door dook waaraan een hele rits sari's te drogen hing. Toen hij een bocht om ging kreeg hij de man eindelijk in het oog: hij rende maar een paar meter voor hem uit. De man was snel, maar leek enigszins met zijn been te trekken. Thomas deed er nog een schepje bovenop en negeerde de wantrouwende blikken van de pooiers en bordeeleigenaren die vanuit de schaduwen geërgerd naar hem keken.

De man veranderde van richting en schoot een bordeel binnen. Thomas aarzelde heel even en racete toen meteen weer achter hem aan. Hij zag de man door een deur aan de andere kant van een gang verdwijnen en Thomas rende erheen, zich niets aantrekkend van de meisjes die er langs de muren stonden. Hij vloog de deur door, spurtte een trap op en kwam in een tweede gang terecht met weer een rij deuren en meisjes ervoor. Ze lachten naar hem en wierpen hem kushandjes toe, maar hij schudde hen van zich af en was alleen gefocust op het inhalen van de man.

De tweede gang leidde naar een derde en een vierde. Overal waren meisjes en peeskamertjes. De vierde gang kwam uit op een grotere ruimte die vol lag met matrassen die van elkaar werden gescheiden door lakens die vanaf het plafond naar beneden hingen. Een aantal van de bedden was bezet. Thomas hoorde verschrikte gilletjes en een boze schreeuw, en hij zag een meisje en haar klant snel overeind komen en hun lichaam bedekken. De man die Thomas achtervolgde sprong over hun matras heen en rende naar een deur aan de andere kant van de zaal.

Thomas snelde achter hem aan, opnieuw een doolhof van gangen in. Daarna moest hij een paar trappen af. Hij voelde een koelere luchtstroom. Uiteindelijk belandde hij in een gang met aan het uiteinde ervan weer een deur. Op weg erheen sprong er plotseling een bordeeleigenaar voor hem in een poging hem tegen te houden, maar Thomas duwde hem opzij en een seconde later stond hij weer op straat.

De man rende nu nog maar een paar passen voor hem uit en liep intussen zichtbaar mank.

'Navin!' schreeuwde hij. De man keek om.

Thomas gebruikte alle kracht die hij nog in zich had voor die laatste paar passen. Toen hij vlak bij Navin was, maakte hij een flinke sprong en vloerde hem met een geoefende tackle. Ze tuimelden op de grond en rolden voor de voeten van een groepje pooiers die samen een joint stonden te roken. In de verwarring probeerde Navin uit Thomas' greep te ontkomen, maar die klemde zijn armen om Navins middenrif en liet niet meer los. Hij voelde een stoot adrenaline door zijn lijf gaan en plotseling werd hij door woede overvallen.

'Wat heb je met haar gedaan, klootzak? Waar heb je haar naartoe gebracht?'

In plaats van antwoord te geven, stootte Navin met zijn elleboog tegen Thomas' hoofd. Even dacht Thomas dat hij van zijn stokje zou gaan, maar dat moment ging gelukkig voorbij en hij versterkte zijn greep op Navin. In de verte klonk geschreeuw en even later hoorde hij voetstappen. Rohit was de eerste die bij hen was. Hij rukte Navin overeind en smeet hem tegen een muur. Toen werd hij in de boeien geslagen door een CBI-agent.

Thomas werd overeind geholpen door een andere agent.

'Alles oké?' vroeg hij.

Thomas knikte, buiten adem en met overal pijn. Hij veegde het vuil van zijn gezicht en keek toe terwijl de CBI-agenten Navin met zich mee voerden. Rohit liep naar Thomas toe, met een uitdrukking op zijn gezicht die een mengeling was van bewondering en verlegenheid.

'Goed werk,' zei hij.

Thomas grijnsde. 'Het voelde goed om dat weer eens te doen.'

Rohit fronste zijn voorhoofd. 'Weer eens?'

'Op de middelbare school was ik verdediger.'

Toen Rohit hem niet-begrijpend aankeek, schudde Thomas zijn hoofd. 'Laat maar.'

Het CBI-team voerde Navin af naar M.R. Road en sloot hem op in een van de politiebusjes. Na een korte discussie over bevoegdheden gaf het hoofd van het CBI orders dat Navin naar het politiebureau van Nagpada moest worden gebracht. Greer berichtte de opsporingsmedewerkers van CASE intussen dat hun taak erop zat. Thomas en hij reden met hoofdinspecteur Khan terug naar het bureau.

Tijdens de rit trok Greer flink van leer tegen Thomas. 'Luister, ik begrijp waarom je het deed, maar weet je wel hoe gevaarlijk dat was? In die steegjes is nergens politie.'

Thomas haalde zijn schouders op. 'Ik neem aan dat je geen bezwaar hebt tegen het resultaat.'

'Natuurlijk niet,' antwoordde Greer. 'Maar als jou iets was overkomen, was het mijn kop geweest die had gerold.'

Thomas vond het zinloos om daarop te reageren. 'Wat is er met Suchir gebeurd?'

'Hij is ontkomen,' zei Greer. 'Ze zijn allemaal ontkomen. Sumeera, Prasad, de klanten, de meisjes. De zolderkamer bleek een verborgen uitgang naar het dak te hebben. Ze waren al verdwenen toen het CBI die ontdekte.'

'Denk je dat hij deze keer op de vlucht slaat?'

'Dat hangt ervan af hoe bang hij is voor Navin. Hij zal zich waarschijnlijk wel een tijdje gedeisd houden. Maar ik betwijfel of hij er echt mee zal stoppen. Het is te gemakkelijk geld verdienen.'

'Hoe groot is de kans dat hij voor de rechter komt?' vroeg Thomas. 'Ik heb zijn advocaat bezig gezien. De rechter at uit zijn hand.'

Greer ontmoette zijn blik. 'Ahalya krijgt haar dag in de rechtszaal. Dat beloof ik je.'

Toen iedereen op het bureau was gearriveerd, nam hoofdinspecteur Khan Navin mee naar een kamertje ergens achterin. Greer en Thomas bleven in het kantoor van de hoofdinspecteur zitten wachten. Een halfuur later hoorde Thomas de eerste schreeuw. Hij greep de leuning van zijn stoel vast. De tweede schreeuw klonk een paar seconden later. En daarna kwamen ze met een zekere regelmaat. Thomas kneep zijn lippen op elkaar en worstelde met zichzelf: hij begreep maar al te goed wat die schreeuwen betekenden.

Hij wierp een blik op Greer. 'Hoe lang gaat dit duren?'

Greer wiegde met zijn hoofd. 'Totdat Khan tevreden is.'

'Wat vind jij hiervan?'

'Dat doet er niet toe. Dit is Mumbai. De politie doet wat ze wil.'

Thomas dacht even na. 'Zal Navin praten?'

Greer knikte. 'O ja. Maar je kunt beter vragen of Khan hem zover krijgt dat hij de waarheid vertelt.'

In het kamertje stond Khan tegenover Navin op adem te komen. Hij had de verdachte aan een metalen stoel vastgeketend en hem net zo vaak een ram verkocht dat de ribben van de mensenhandelaar zowat braken, terwijl hij tussen de vuistslagen door vragen stelde. Maar Navin was verbazend halsstarrig. Hij vertelde Khan zijn naam en gaf toe dat hij Sita had gekocht. Maar hij beweerde dat hij haar daarna aan een andere pooier had doorverkocht. Khan vroeg hem waar die pooier zat en Navin antwoordde dat het in Kalina was. Khan zei dat hij er niets van geloofde.

'Waar heb je haar naartoe gebracht?' schreeuwde hij, krakend met zijn knokkels.

Navin staarde hem opstandig aan.

'Je kunt dit zo lang laten duren als je maar wilt,' zei Khan, terwijl hij zijn vingers vastmaakte aan een handgestuurde dynamo. 'Of je kunt me de waarheid vertellen. Wat gaat het worden?'

Navin gilde het uit terwijl de stroomstoot door zijn lijf ging, maar veranderde zijn verhaal niet.

Khan begon over Europa. 'Hou je van *sambhoga* met Europese vrouwen?'

Navin knikte en zei haperend: 'Waarom niet? Hou jij van sambogha met je vrouw?'

Zijn brutaliteit maakte de hoofdinspecteur furieus. Hij maakte de stroomdraden vast aan Navins genitaliën en gaf hem opnieuw een elektrische schok. Navin krijste het uit van de pijn en begon te kwijlen. Hij begon barstjes te vertonen.

'Waar heb je het meisje naartoe gebracht?' brulde de hoofdinspecteur opnieuw. 'Ze is niet in Mumbai. Dat weet ik zeker.'

Navins hoofd tolde op zijn schouders en hij schudde het haast onzichtbaar.

'Goed,' zei Khan. 'Is ze nog in India?'

Navin keek Khan aan en spuwde een fluim op de grond. Khan diende hem opnieuw een schok toe en weer krijste Navin het uit. 'Nee, nee,' kreunde hij wanhopig. 'Niet in India.'

'Waar heb je haar dan heen gebracht? Engeland? Duitsland? Waar?'

'Frankrijk,' fluisterde Navin uiteindelijk.

Khan ademde diep in. 'Waarom Frankrijk?'

Navin bleef zwijgen en Khan wachtte. Na een minuut werd de hoofdinspecteur ongeduldig en pakte hij de dynamo weer op. Het vooruitzicht van nog een pijnlijke schok zorgde ervoor dat Navin antwoord gaf.

'Ik heb... een oom... in Parijs.'

Khan legde de dynamo terug op de vloer. 'Is je oom een malik, net als Suchir?'

Navin schudde langzaam zijn hoofd. 'Niet... voor seks... ze werkt... in zijn... restaurant.'

Er werd op de deur geklopt. Kahn draaide zich geïrriteerd om; hij had strikte orders gegeven dat hij niet gestoord mocht worden.

'Wat?' riep hij woedend.

De deur ging open en zijn meerdere, de commissaris, kwam het kamertje in. Hij wierp een korte blik op Navin en richtte zich toen tot Khan.

'Inspecteur Khan,' zei hij. 'De arrestatie van deze man blijkt een vergissing.'

Khan kon zijn oren niet geloven en protesteerde: 'De verdachte heeft al bekend dat hij een minderjarig meisje uit een bordeel heeft gekocht en haar naar Frankrijk heeft overgebracht. Daarmee heeft hij zowel de Indiase als de internationale wet overtreden. Wat voor vergissing bedoelt u?'

'Ik beveel u hem op vrije voeten te stellen,' antwoordde de commissaris.

Khan staarde zijn meerdere aan, zijn nek tintelde van woede en schaamte. Hij voelde in zijn zak naar de sleutel van Navins handboeien. Hij had geen keus. Als hij niet gehoorzaamde, zou hij zijn baan verliezen en zouden zijn gezin en hij op straat moeten leven.

Zodra zijn handboeien los waren, kwam Navin overeind en spuugde de hoofdinspecteur in zijn gezicht.

'*Muth mar, bhenchod*,' lispelde hij binnensmonds. 'Dat meisje vind je nooit...'

Khan liep terug naar zijn kantoor. 'We hebben een probleem,' zei hij, terwijl hij Greer en Thomas aankeek. 'De commissaris heeft Navin vrijgelaten.'

'Hoe bedoel je, de commissaris hem heeft vrijgelaten?' vroeg Greer.

'Precies wat ik zei. Navin is weg.'

Thomas was verbijsterd. 'Hoe kunt u zoiets laten gebeuren?'

Khan fronste zijn wenkbrauwen. 'U begrijpt het niet. Ik had geen keus.'

'Het is hier verdomme één groot circus,' zei Thomas woedend. Hij stond op en liep in de richting van de deur. 'We moeten iets doen.'

Khan blokkeerde hem de doorgang. 'Wilt u in de gevangenis belanden?' vroeg hij. 'Want de commissaris sluit u op en zal de sleutel in Mahim Bay laten verdwijnen. U wint het nooit van corruptie. Er is maar één manier om het meisje te vinden en dat is via de Franse politie.'

Thomas haalde diep adem en probeerde kalm te worden. 'Heeft Navin Sita naar Frankrijk gebracht?'

'Ze werkt in Parijs in het restaurant van zijn oom.'

Thomas schudde zijn hoofd. 'Sita is in Parijs, het is niet te geloven.'

'Hoezo, niet te geloven?' vroeg Greer.

'Omdat ik Parijs ken. Ik heb een semester op de Sorbonne gezeten.'

'En?' Greer staarde hem aan. 'Je dacht er toch niet aan om haar achterna te reizen? De Franse politie is veel beter uitgerust om haar op te sporen dan jij.'

'Uiteraard,' zei Thomas. Het was een absurd idee, maar om de een of andere reden nam het een vlucht in zijn hoofd, als een vlieger in de wind.

'Ik zal morgen contact opnemen met het CBI,' zei Khan. 'Die kan helpen met de Fransen.'

Thomas liep met Greer de plakkerige nacht van Mumbai weer in. Greer hield een taxi aan en zei tegen de chauffeur dat hij hen naar het Mumbai-station moest brengen.

Tijdens de rit zei Thomas niets. De gemakkelijkste optie – het aan de autoriteiten overlaten – was ook de verstandigste. En de persoon die het allerbelangrijkste voor hem was – Priya – zat in Mumbai. Misschien zou ze een reis naar Parijs wel aanmoedigen. Maar haar mening was niet de enige die telde. Hoezeer ze hem ook hadden proberen te negeren, haar vader had nog steeds invloed op Priya. Zonder zijn zegen zou ze niet uit India vertrekken. Als Thomas kans wilde maken op haar terugkeer naar de Verenigde Staten, zou hij eerst de professor voor zich moeten winnen.

Greer en hij kochten kaartjes naar Bandra en liepen de trap af naar het perron. Tien minuten later boemelde de stoptrein binnen. Ze stapten in een tweedeklaswagon, en Thomas ging bij de deur staan. Hij staarde de nacht in. De trein begon ongehaast zijn rit naar de voorsteden. De lichten van de stad waren als een opgloeiende rivier, eindeloos in beweging. De warme wind streek door zijn haar en rook naar *paan* en zware eau de cologne.

Terwijl de kilometers onder hem weggleden, kwam hij tot een besluit. Misschien kwam het door de cadans van de wielen, het gevoel van de zoute lucht op zijn huid, het ritme van de vreemde taal uit de monden van onbekende mensen. Of misschien was het de euforie omdat ze Navin hadden gevonden, nadat hij alle hoop daarop al had opgegeven. En zodra hij zijn besluit had genomen, leek het onomkeerbaar, alsof het pad hém gekozen had. Hij ging naar Parijs.

Dat was hij Ahalya verschuldigd.

Dat was hij zichzelf verschuldigd.

18

Waar is de gedoofde lamp die de nacht in de dag veranderde,
waar is de zon?
HAFIZ

Parijs, Frankrijk

DE DAGEN VERSTREKEN en Sita ging iedere ochtend naar de flat van Vasily om daar te poetsen. Om de dag nam Dmitri haar mee naar de aangrenzende appartementen en verzamelde ze daar de lakens en het ondergoed. Iedere keer kwamen de meisjes, gekleed in T-shirt en sportbroekje, hun kamertjes uit en gingen zwijgend in de gang staan. Sita trof nooit enig spoor van mannelijk bezoek in de kamertjes aan – geen condooms, geen sigarettenpeuken. En ook geen bagage of persoonlijke bezittingen. Het enige wat de meisjes hadden, leek hun kanten ondergoed te zijn plus een paar pocketboekjes.

Op een ochtend nam Tatiana haar mee naar de tweede verdieping van het huis en vroeg ze Sita om een rommelige kamer met allerlei computerapparatuur erin schoon te maken.

'Vasily stad uit,' legde ze uit. 'Kijk hoe vuil.'

Ze pakte een glas verschaald bier van een dossierkast en trok haar neus op bij het zien van een pakje sigaretten en een halfvolle asbak.

'Walgelijk,' zei ze en met een samenzweerderig gezicht keek ze Sita aan. 'Vasily niet zeggen jíj hier. Hij niet leuk vinden.' Ze haalde haar schouders op. 'Maar moet schoon.'

Tatiana liet haar achter met een doek en een plumeau en ging terug naar de eerste verdieping. Sita wist wel iets van computers, maar de spullen die Vasily had staan waren veel ingewikkelder dan zij ooit had gezien. Op een bureau in het midden van de kamer stonden twee flatscreens op stand-by en er lagen een toetsenbord met een muis en een wit plankje met een soort pen van plastic.

De kamer stonk naar rook en goedkope alcohol. Sita begon haar schoonmaak met de vensterbank van een klein rond raam in de muur – het enige raam in de kamer. Daarna ging ze naar het bureau en stofte de monitors af. Toen ze over het toetsenbord streek, drukte ze per ongeluk een toets in. De beide schermen kwamen direct tot leven. Sita zette instinctief een stap naar achteren. Het waren beelden van een gemaskerde man en een vrouw die seks hadden.

Sita wendde snel haar ogen af, haar wangen brandden. Ze ging met haar rug naar de monitors staan en zocht iets anders om schoon te maken. Met haar doekje wreef ze de handgrepen van de dossierkast op totdat ze glommen. Het ritme van haar bewegingen kalmeerde haar een beetje en even later waren de schermen weer zwart. Voorzichtig wierp ze er een snelle blik op. Waar kwamen die beelden vandaan? En wie was die man met dat masker?

Toen ze bij de onderste la van de dossierkast was aangeland, merkte ze dat die niet goed dichtzat. Het was haar eerste impuls om de la helemaal dicht te schuiven en gewoon door te gaan met haar werk, maar toen werd ze onweerstaanbaar nieuwsgierig. Misschien kon ze in de dossierkast de verklaring vinden voor de beelden op de computer en de meisjes aan de overkant van het binnenplein.

Sita's hart begon sneller te kloppen toen ze de la zachtjes openschoof. Er hingen allerlei mappen in die gevuld waren met papieren, beschreven in een vreemde taal met een voor haar onbekende letter. In het eerste dossier dat ze eruit haalde, vond ze een tiental polaroids. Op elke foto stond een blank meisje in een kale kamer met alleen haar ondergoed aan. De wanden waren leeg en aan het vergaan van ouderdom. De meisjes keken allemaal met een glazige blik de lens in. De lenshoek was bij iedere opname eender. In de map zat verder nog een vel papier, dat ook beschreven was met die vreemde letters. Sita vroeg zich af of de woorden namen waren.

Sita hing het dossier weer zorgvuldig terug in de la en keek de mappen erachter vluchtig door. In allemaal zaten dezelfde soort polaroids met eenzelfde soort, niet te ontcijferen lijst. Toen ze de la helemaal uittrok, vond ze in de ruimte achter de mappen een stapel pornografische tijdschriften. Vol afgrijzen schoof ze de la dicht en pakte haar doekje weer van de vloer.

Toen Tatiana haar een tijdje later kwam halen, voelde Sita zich zo opgelucht dat ze haar wel om de hals kon vliegen. Tatiana had een volgend klusje voor haar. De rest van de dag wijdde Sita zich aan haar werk en deed ze haar best de dingen die ze had gezien uit haar hoofd te zetten.

Die avond in het restaurant vertelde Uncle-ji aan Sita dat Varuni ziek was en dat Sita haar plaats in de bediening moest innemen. Sita moest een bedrukte sari aantrekken die Aunti-ji haar gaf en maakte voordat het restaurant openging de tafels schoon. Daarna prentte ze het menu haastig in haar hoofd. Het was geschreven in Hindi en in het Frans en Engels vertaald.

Aunti-ji liep druk rond om de tafeltjes te dekken. Sita moest op elke tafel een kaars aansteken. In haar haast had Aunti-ji weinig tijd voor kritiek. Voor het eerst sinds Sita er was, behandelde ze haar met iets van respect.

Om een uur of zeven begonnen de klanten te arriveren. Uncle-ji begroette hen en Sita bracht ze naar hun tafels. Als de gasten Indiaas waren, sprak ze hen aan in Hindi en als het blanken waren in het Engels. Uncle-ji bleef in de buurt om te hulp te schieten als ze Frans moest praten. Ze probeerde alles net zo te doen zoals ze Varuni had zien doen, maar ze was onervaren en daardoor een beetje onhandig. Als ze het niet meer wist, glimlachte ze gewoon vriendelijk en raadde ze de kip *tikka masala* aan.

Het was niet druk, maar er kwamen genoeg vaste klanten om Sita aan het werk te houden. Wat ze miste in ervaring, maakte ze goed met haar intelligentie. Zonder een notitieblokje nodig te hebben, nam ze de orders op – ze was altijd trots geweest op haar geheugen voor details.

'Een aardig meisje, uw nieuwe serveerster,' merkte een van de vaste klanten tegen Uncle-ji op. 'Waar hebt u haar vandaan?'

'Het is een dochter van mijn neef in Mumbai,' zei hij. 'We mogen ons gelukkig prijzen dat ze hier is.'

Sita wist niet of hij het meende of niet, maar ze beschouwde het als een goed teken. Misschien zou Uncle-ji haar wel, samen met Varuni als die weer beter was, in het restaurant laten serveren. Dat was te verkiezen boven het met een tandenborstel moeten schrobben van de badkamer.

De laatste twee klanten – een ouder Indiaas echtpaar – verlieten de zaak enkele minuten voor sluitingstijd. Nadat ze de tafeltjes had afgenomen, pakte Sita een bezem uit de kast en begon de vloer aan te vegen. Een paar minuten later kreeg Uncle-ji een telefoontje dat hem zichtbaar nerveus maakte. Hij liep voor de deur van het restaurant heen en weer, totdat er iemand uit de duisternis opdook.

Uncle-ji liet de onbekende binnen en verwelkomde hem met een handdruk. Sita wierp een korte blik op de man en iets in hem trok haar aandacht. Hij stond met zijn rug naar haar toe, maar zowel zijn haar als zijn jas kwam haar bekend voor. Terwijl ze doorging met vegen, hield ze de man vanuit haar ooghoeken in de gaten. Uiteindelijk draaide hij zich om.

Het was Navin.

Toen hij haar aankeek, knipperde ze even verschrikt met haar ogen, verbijsterd over de aanblik van zijn gezicht. Zijn wangen zaten vol rode striemen en een van zijn ogen was bont en blauw.

Navin keek haar nietszeggend aan. 'Dus zij doet het wel goed hier, zo te zien,' merkte hij op.

'Ja,' antwoordde Uncle-ji, terwijl hij Navin naar een tafeltje in de hoek meenam. Met een blik naar Sita zei hij: 'Breng onze gast een fles cognac plus een glas.'

Sita haalde de fles en was al snel weer terug. Toen ze de cognac en het glas voor Navin op tafel zette, zag ze dat Uncle-ji's handen beefden. De eigenaar van het restaurant had geen aandacht voor haar. Sita ging weer verder met het aanvegen van de vloer en probeerde alles op te vangen wat er werd gezegd.

Navin sprak zachtjes, maar ze pikte wel twee woorden op: 'gearresteerd' en 'politie'.

Uncle-ji antwoordde met luidere stem: 'Je hebt ze toch niets verteld, hè?'

Navins reactie was onverstaanbaar, maar die van Uncle-ji weer niet.

'Wat betekent dat?'

Navin gaf geen antwoord maar draaide zijn ogen in Sita's richting en knikte heel lichtjes haar kant op. Ze keerde zich snel om, druk bezig met vegen. Even was het stil in het restaurant en toen hoorde ze Uncle-ji blaffen: 'Naar de keuken, jij!'

Sita verstijfde en maakte zich snel uit de voeten, haar hoofd vol angstige vragen. Was de politie naar haar op zoek geweest? Had Navin hun verteld waar ze was? Ze verschool zich achter de deuropening en spitste haar oren om nog iets op te vangen, maar het enige wat ze kon horen was gemompel. Totdat Uncle-ji zijn stem opnieuw verhief.

'Je moet ons helpen!' riep hij paniekerig. 'Jíj hebt haar hierheen gebracht!'

Navin fronste zijn voorhoofd. Met een blik haar kant op kwam hij abrupt overeind en struinde met grote stappen het restaurant uit. Sita zag hem door het raam in het donker verdwijnen.

Snel wierp ze een blik op Uncle-ji; ze vroeg zich af wat hij zou gaan doen. Mompelend in zichzelf bleef hij met zijn rug naar haar toe aan het tafeltje zitten. De fles cognac stond ongeopend voor hem. Even later tilde hij het glas op en zat er een tijd in te staren. Toen stond hij plotseling op en kwam snel op haar aflopen, zijn ogen angstig opengesperd.

'Je moet nú met me meekomen,' zei hij, terwijl hij haar arm beetpakte.

Uncle-ji nam haar mee de keuken uit, het appartement in. Aunti-ji keek verbaasd op maar hij besteedde geen aandacht aan haar. Ze liepen naar de slaapkamer, waar hij voor de kast bleef staan en het licht aanknipte. De kast was volgepropt met kleding.

'Erin,' commandeerde hij haar.

'Waarom?' vroeg ze, doodsbang.

'Geen vragen,' zei hij en hij duwde haar naar binnen.

Toen hij de deur dichtdeed en op slot had gedraaid, liet Sita zich op een berg schoenen neerzakken. Ze was bang en vocht tegen claustrofobie en afgrijzen. De benauwde ruimte maakte het alleen maar erger. Zelfs toen haar ogen aan de duisternis gewend waren, kon ze aan de onderkant van de deur nog maar een heel flauw spleetje grijzig licht zien. Ze dwong zichzelf om rustig in- en uit te ademen en omklemde met haar hand het kleine Hanoemanfiguurtje dat ze in de plooien van haar sari had verstopt.

Ze dacht terug aan de Coromal Coast van vóór de verschrikkelijke vloedgolven. De zee schitterde. Ahalya was er, ze speelden in de branding. Haar moeder en vader keken toe vanuit de tuin van de bungalow. Jaya was bezig de was op te hangen. Toen het beeld vervaagde, stonden er tranen in haar ogen en begon ze te huilen. Ze groef een plekje voor zichzelf in de rommel op de bodem van de kast en legde haar hoofd op iets zachts wat aanvoelde als een wollen muts. Dit was de tweede kast waarin ze sliep sinds haar aankomst in Parijs.

Maar deze was in ieder geval warm.

Sita schrok op toen de volgende ochtend de kastdeur werd opengedaan. Ze had honger en moest nodig naar de wc. Knipperend met haar ogen tegen het licht keek ze naar Uncle-ji op, in de hoop dat hij haar een bord eten en een bezoekje aan de badkamer zou aanbieden. Maar in plaats daarvan gebaarde hij alleen maar dat ze moest meekomen.

Sita kwam overeind in de chaos van schoenen en liep achter hem aan naar de ingang van het appartement. Dmitri stond in de nis op haar te wachten. Sita slaakte een zucht van opluchting. Een hele dag in de eenzaamheid van die benauwde kast zitten had ze niet kunnen verdragen. Tatiana zou haar een behoorlijke lunch geven en die avond zou ze terugkomen in het restaurant om de klanten te bedienen. Ondanks Navins bezoek en de angst die ze bij Uncle-ji had gezien, zouden de dingen blijven zoals ze waren.

Nadat ze een jas en muts had aangetrokken, liep ze achter Dmitri aan door Passage Brady naar de zwarte Mercedes. Zoals altijd stond Tatiana haar op te wachten in de hal van het huis. Vandaag moest ze de kamers op de eerste verdieping schoonmaken.

Om vier uur die middag was Sita in de echtelijke slaapkamer bezig een plank met boeken af te stoffen. Na een blik op de klok wist ze dat ze Tatiana ieder moment kon verwachten. Maar ze kwam niet. Het werd halfvijf en vijf uur. Uiteindelijk kwam Tatiana de slaapkamer binnen. Ze nam Sita mee naar de keuken. Daar stond een van Dmitri's meisjes voor het fornuis, ze had een spijkerbroek aan en een schort voor. Het meisje roerde in een pan soep en was worstjes aan het bakken in een koekenpan.

'Ivanna,' zei Tatiana tegen het meisje, 'dit is Sita. Zij jou vanavond helpen.'

Het meisje knikte gehoorzaam.

Er schoten allerlei angstige en verwarde gedachten door Sita's hoofd. Voor Tatiana was ze niet bang, maar wel voor Vasily en Dmitri. Dit was een huis vol afschuwelijke geheimen die in het daglicht niet zo eng leken, maar ze wilde hier niet zijn als het donker was.

Ivanna sprak maar heel weinig Engels, maar ze wees en gebaarde en Sita probeerde haar zo goed mogelijk te helpen. Het eten was heel anders dan dat van de Indiase keuken – het vlees was vet en op smaak gemaakt met kruiden. Het werd geserveerd met groenten. Ivanna wees op de pan soep en zei: 'Borsjt.'

Even na zessen diende Ivanna het eten in de eetkamer op aan Vasily, Tatiana en Dmitri, en schepte daarna in de keuken voor Sita en zichzelf op. Sita had honger en at gulzig. Na het eten hielp Sita Ivanna met het afruimen van de tafel in de eetkamer en het schoonmaken van de keuken.

Om zeven uur verscheen Dmitri, en Ivanna verstijfde zichtbaar. Ze legde haar theedoek neer en liep achter hem aan. Sita luisterde naar haar voetstappen in de gang en hoorde daarna een deur open- en weer dichtgaan. Het was een lichter geluid dan dat van de voordeur van het huis. Sita's hart klopte plotseling in haar keel en ze vroeg zich af of Dmitri Ivanna naar de kelder had meegenomen.

Tatiana kwam haar een paar minuten later halen. Ze nam Sita mee de trap op naar de eerste verdieping, naar een van de slaapkamers die Sita die middag zelf had schoongemaakt.

'Jij hier slapen,' zei Tatiana, terwijl ze haar de badkamer liet zien en de kussens opschudde. 'Ik jou morgen halen. *Bonne nuit*. Mooi dromen.'

Ze deed de deur achter zich dicht en Sita hoorde dat de sleutel in het slot werd omgedraaid. In de kamer stonden een groot bed en een paar gemakkelijke fauteuils. Er was een breed raam dat uitkeek op de binnenplaats. Het was een paleis vergeleken bij Suchirs zolderkamer en Uncle-ji's kasten.

Sita liep naar het raam en zag beneden het witte busje en de zilverkleurige Audi staan. De zwarte Mercedes was weg. Tussen de boeken op de planken aan de muur vond ze een Engelstalige roman. Toen nestelde ze zich in een van de fauteuils en bracht de avond lezend door. Af en toe hoorde ze stemmen ergens in het huis, maar gedempt en ver weg.

Een tijdje na tienen klonken er geluiden op de binnenplaats. Sita hield zich schuil in het donker en zag dat Dmitri Natalia, Ivanna en de rest van de meisjes naar het witte busje bracht. Alle meisjes waren uitdagend gekleed in korte rokjes, blote topjes en droegen hoge hakken aan hun voeten. Hoewel het nog winter was, had alleen Natalia een jas aan. Geen van de meisjes zei iets en niemand keek naar een van de anderen.

Dmitri maakte de achterdeuren van het busje open en iedereen, behalve Natalia, klom erin. Hij gebaarde naar Natalia dat zij in de Audi moest gaan zitten en zei iets tegen iemand in het busje, waarna het door de poort wegreed. Dmitri belde nog een keer op zijn mobiel en ging toen in de Audi zitten. Hij keerde en reed het pleintje af.

Sita ging weg bij het raam en besloot naar bed te gaan. Na een heerlijk, luxueus bad lag ze een tijdje later tussen lakens die zachter voelden dan ze ooit had gekend. Maar ondanks alle luxe en comfort lukte het haar niet om het constante gevoel van dreiging en gevaar dat haar beheerste van zich af te zetten. Vasily en zijn gezin hadden iets duivels, alle rijkdom en goede smaak ten spijt. Waar had Dmitri de meisjes heen gebracht?

De volgende ochtend kwam Tatiana Sita ophalen voor het ontbijt. Voordat ze de kamer uit liep, wierp Sita een snelle blik uit het raam en zag dat het witte busje en de Audi weer terug waren. Waar de meisjes naartoe waren gebracht werd nog een groter raadsel toen ze Ivanna in de keuken aantrof, bezig met het klaarmaken van het ontbijt. Ze zag er niet anders uit dan de avond ervoor. Sita hielp haar het eten te serveren en observeerde haar goed, ze wilde weten of Ivanna ongelukkig was. De ogen van het meisje hadden een lege blik, maar verder leek alles in orde.

De dagen daarop verliepen vrijwel op dezelfde manier. Sita deed keurig haar huishoudelijke klusjes, waste de lakens en het ondergoed van de meisjes en hielp Ivanna in de keuken. Elke avond vertrok het busje rond tien uur van het binnenplein en keerde voor de dageraad weer terug. Op Sita's tweede avond, een zondag, moest Ivanna met een ander meisje bij Dmitri in de auto stappen. Op maandag en dinsdag was het weer alleen Natalia die met Dmitri meeging. Sita stond iedere avond voor het raam en probeerde er niet aan te denken waar de meisjes naartoe gingen en waartoe ze werden gedwongen.

Op woensdag werd Sita na het ontbijt naar de zitkamer geroepen, waar Vasily zat te wachten. Even later kwamen Uncle-ji, Aunti-ji en Dmitri de kamer binnen. Het Indiase echtpaar ging zitten, zonder ook maar één blik op Sita te werpen. Sita begreep er niets van. Ze had geen idee waar deze bijeenkomst over ging of wat het doel ervan was.

'Hier zijn de documenten,' zei Vasily, terwijl hij een mapje dat op de salontafel lag opensloeg.

Sita zag paspoorten en vliegtuigtickets. Haar hart zat opeens in haar keel. Hadden Uncle-ji en Aunti-ji besloten om uit Frankrijk te vertrekken? En wat waren ze dan van plan met haar?

'Hoeveel kost ons dit?' vroeg Uncle-ji zacht.

Vasily schudde zijn hoofd. 'Dat heb ik al eerder gezegd. Niets. Het kost jullie niets. Wij helpen jullie – en jullie helpen ons. Dat is een eerlijke regeling.'

'En als we daar zijn?'

Vasily haalde zijn schouders op. 'Dat is jullie zaak.'

'*Merci beaucoup*,' zei Uncle-ji. 'Je hebt ons een enorme dienst bewezen.'

Hij keek even naar Sita en ze zag dat hij zich schuldig voelde. Ze ademde scherp in. Plotseling was ze er zeker van dat de bijeenkomst alles met haar te maken had.

Vasily overhandigde de documenten aan Uncle-ji en de mannen schudden elkaar de hand.

'Bedank me morgen maar,' zei Vasily. 'En blijf tot dan op je hoede.'

DEEL DRIE

19

Het hart heeft zijn redenen, die de rede niet kent.
BLAISE PASCAL

Mumbai, India

THOMAS ZAT IN DE AIR FRANCE LOUNGE op het internationale vliegveld van Chhatrapati Shivaji en nam een slokje van zijn rode wijn. Het was woensdag en net na middernacht, een week nadat de politiecommissaris Navin op vrije voeten had gesteld. Zijn vlucht vertrok pas over anderhalf uur. Hij overwoog om de krant te gaan lezen, maar wist dat de artikelen hem toch niet zouden boeien. Hij was één bonk nerveuze energie. Dus sloot hij zijn ogen, ademde een paar keer diep in en uit en zette alle gebeurtenissen nog eens op een rijtje.

Het was een hectisch weekje geweest. De dag na de inval had hij een gesprek gehad met Greer. Thomas had verwacht dat Greer hem zou vertellen dat zijn plan idioot was en dat CASE hem niet kon missen om op zoek naar Sita in Parijs te gaan rondzwerven. Maar Greer had hem verrast. Onder Jeffs doorgewinterde uiterlijk bleek een idealist schuil te gaan. Het enige wat hij deed was Thomas aan een strenge ondervraging onderwerpen om te zien of hij het serieus meende. Toen gaf hij hem zijn zegen, en vroeg hem hem op de hoogte te houden.

Met Priya was het een heel ander verhaal geweest. Na zijn gesprek met Greer had hij haar mobiele nummer gebeld, in de verwachting dat ze niet zou opnemen. Het was donderdag en ze was bij haar grootmoeder in de hospice in Breach Candy. Maar toen ze bij de eerste keer overgaan al antwoordde, wist hij dat er iets niet in orde was. Haar toon bevestigde dat.

'Thomas,' zei ze. 'Mijn grootmoeder is net gestorven.'

Hij ademde diep in en liet de lucht daarna langzaam weer ontsnappen. 'Wat erg voor je.'

Het duurde even voordat ze weer iets zei. 'Twee dagen geleden lag ze nog volop te kletsen. De verpleegsters zeiden dat ze vannacht begon weg te glippen. Tegen de tijd dat ik hier kwam, kon ze al niet meer praten. Ze keek me aan alsof ze iets wilde zeggen, maar ze kon het niet. Ik hield haar hand vast toen ze stierf.'

Priya brak in snikken uit.

Thomas liep het kantoor uit en klom in een riksja. 'Weet je familie het al?'

'Ik stond net op het punt om mijn vader te bellen.'

Hij verhief zijn stem om boven het gepruttel van het motortje van de riksja uit te komen. 'Het kost me zeker een uur om bij je te komen.'

'Kom naar het huis van mijn grootvader. Mijn grootmoeder wordt daarheen gebracht, zodat we daar alle voorbereidingen kunnen treffen.'

Het kostte hem tachtig duizeligmakende minuten om op Malabar Hill te arriveren. Nadat hij de riksjachauffeur had betaald, liep hij het terrein op. In de tuin was het koel, het rook er naar jasmijn en er zongen vogels. Even bleef hij staan om het paradijs van Vrindavan in zich op te nemen. Er stonden drie auto's geparkeerd op de stenen oprit. Priya's open auto was er en de sedan van haar vader stond ernaast.

Hij wapende zich voor de onvermijdelijke confrontatie met Surya, die hij sinds de mendhi niet meer had gezien. Hij had geen idee of Priya aan haar vader had verteld dat ze veel tijd met elkaar doorbrachten. Het hele gedoe leek een déjà vu. Het gaf hem hetzelfde gevoel dat hij had gehad toen Priya en hij elkaar stiekem ontmoetten in Fellows Garden. Alleen waren ze nu met elkaar getrouwd.

Op de veranda was niemand, maar achter de ramen zag hij beweging. Aarzelend klopte hij op de voordeur en hoopte dat Priya zou opendoen. Maar zo fortuinlijk was hij niet.

Haar vader deed de deur open en fronste zijn wenkbrauwen. 'Priya is bij haar grootmoeder,' zei hij.

'Ze vroeg me hierheen te komen,' antwoordde Thomas.

Toen Surya niet reageerde, was hij bang dat de man hem zou dwingen om buiten te wachten, maar toen dook Surekha op, die de vrede bewaarde.

'Thomas,' zei ze, met een verwijtende blik op haar echtgenoot. 'Priya komt zo. Waarom wacht je niet even in de zitkamer op haar?'

Surya keek ontstemd, maar deed een stap opzij. Thomas nam plaats op een van de banken in de zitkamer en luisterde naar het geroezemoes van de vrouwen die ergens verderop in Hindi met elkaar praatten. Na een paar minuten kwam Priya binnen en ze gebaarde dat hij haar moest volgen naar het terras.

'Hoe gaat het met je?' vroeg Thomas.

'Ik weet het niet,' antwoordde Priya. Haar ogen waren roodomrand en vochtig. 'Ik had niet verwacht dat het zo snel zou gaan.'

'Kan ik iets voor je doen?'

'Nee,' zei ze hoofdschuddend.

'Wat gaat er nu gebeuren?'

'Haar lichaam wordt verzorgd en ze wordt mooi opgebaard. Morgen is het open huis voor de mensen die haar de laatste eer willen bewijzen en dan wordt ze gecremeerd bij de zee in Priyadarshini Park. Daarna zullen mijn vader en zijn broer haar as overbrengen naar Varanasi. En daar zullen we om haar rouwen.'

Thomas zweeg een hele tijd. 'Het spijt me heel erg voor je. Ik weet dat je veel van haar hield.'

'Ja, als kind hield ik veel van haar. Maar als volwassene heb ik haar nauwelijks gekend.'

'Dat is voor een groot deel aan mij te wijten.'

Priya staarde naar de fontein op het grasveld. 'Dat is aan ons allebei te wijten. Maar het gaat niet om een schuldvraag. Alles wat we hebben is de toekomst.'

Thomas ademde scherp in en langzaam weer uit. 'Ik blijf me afvragen hoe het tussen ons zou kunnen werken.'

Priya schudde haar hoofd. 'Dat kun je niet van tevoren bedenken.'

'Maar wat moet ik dan doen?'

Priya keek hem aan. 'Waarom willen mannen altijd per se een antwoord op die vraag? Je hoeft helemaal niks te doen. Je moet alleen jezelf zijn. En dan zoeken we het samen wel uit.'

'Waarom blijven vrouwen per se in raadsels praten?'

'Omdat de liefde een raadsel is,' antwoordde ze. 'Net als het leven zelf.'

De hindoeïstische begrafenisriten die volgden waren veelomvattend en de wake trok een menigte van bijna vijfhonderd mensen. De familie had Sonams lichaam met bloemenslingers versierd en haar op een baar gelegd, met haar voeten naar het zuiden, richting het rijk van de doden.

Op de avond van de tweede dag droegen Surya en zijn broers de baar naar een lijkwagen en werd hun moeder naar Priyadarshini Park gebracht, waar een begrafenisvuur werd gemaakt waarin haar lichaam werd verbrand. Er zong een groepje Brahmins mantra's op het ritme van de zee en zowel de elite als het gewone volk uit Mumbai bewees haar de laatste eer.

Na de crematie ging het publiek uiteen en keerde de familie terug naar het huis. Priya zorgde voor het welzijn van haar grootvader en Thomas hield zich op de achtergrond. Hij vroeg zich af wanneer hij de kans zou krijgen om met haar over Parijs te praten. Hij voelde zich schuldig omdat hij zo vaak aan Sita dacht en dan niet met Priya's verdriet bezig was. Maar met het verstrijken van de uren werd zijn overtuiging dat Sita te vinden moest zijn steeds sterker en hij was bang dat de tijd tegen hem zou gaan werken.

Uiteindelijk, drie dagen na Sonams dood, lukte het hem om Priya na het avondeten apart te nemen en hij liep met haar het terras op. De lucht begon al donker te worden.

'Je ziet eruit alsof je ergens mee zit,' zei ze. 'Is er iets aan de hand?'

Thomas vertelde haar over Navin. Dat hij was opgepakt en weer vrijgelaten.

Priya was ontzet. 'De hoofdcommissaris van politie is een vriend van de familie! Hij en zijn vrouw waren hier nog om afscheid te nemen van mijn grootmoeder! Als een van zijn bureaucommissarissen voor de goonda's werkt, zou hij dat moeten weten.'

'Ik betwijfel of dat zou helpen,' antwoordde hij. 'In ieder geval gaat het me niet om de bureaucommissaris.'

'Je maakt je zorgen om Sita.'

Hij knikte.

Priya staarde peinzend voor zich uit. 'Weet je waarom Navin haar mee naar Frankrijk heeft genomen?'

'Zijn oom heeft een restaurant in Parijs. Ze werkt voor hem.'

'Trekt de Franse politie de boel na?'

'Daar hebben we van het CBI niets over gehoord. Wat de Fransen doen is een raadsel.'

Priya keek hen doordringend aan. 'Dat is niet alles. Je wilt me nog meer vertellen.'

'De CIA zou je moeten inhuren. Je bent nog beter dan een leugendetector.'

Ze glimlachte. 'Ik kan alleen jóúw gedachten maar lezen.'

'Ik wil naar Frankrijk,' zei hij. 'Ik denk dat ik Sita kan vinden.'

Ze staarde hem aan, haar donkere ogen glansden in het licht van de toortsen. 'Dat meen je echt, hè?'

'Ja.'

'Mijn vader zal dat niet begrijpen.'

'Natuurlijk niet.'

'Jammer. Hij begon je net te mogen.'

Thomas zette grote ogen op. 'Wat?'

'Zijn exacte woorden waren: "Je hebt een slimme vent uitgezocht".'

'Aha. Maar respect is geen genegenheid.'

'Maar ook geen minachting.'

Hij lachte. 'Ik geloof dat ík het was die een slimme meid heeft uitgezocht.'

Ze stak haar hand uit en raakte zijn arm even aan. 'Ga naar Parijs,' zei ze. 'Dan zoek ik het wel uit met mijn vader.'

Thomas keek op zijn horloge en zag dat hij nog steeds een halfuur had voordat hij het vliegtuig in moest. Hij haalde zijn telefoon tevoorschijn en belde Andrew Porter op het Amerikaanse ministerie van Justitie. De telefoon ging één keer over of Porter nam al op. Het tijdsverschil van tienenhalf uur betekende dat het in Washington nu vroeg in de middag was.

Thomas vertelde in het kort hoe de zaken lagen en vroeg of Porter iemand bij de Franse regering kende die hem zou kunnen helpen.

'Onze betrekkingen met de Fransen liggen altijd nogal gevoelig,' zei Porter. 'Maar een vriendin van me werkt in Parijs als juridisch attaché op de ambassade. Zij kent de diplomatieke gevoeligheden en weet ermee om te gaan en bovendien wordt ze, als medewerker van de ambassade, natuurlijk gerespecteerd door de regering. Als je wilt kan ik Julia bellen.'

'Is het een goede vriendin van je?' vroeg Thomas. 'Wat ik wil doen is niet bepaald volgens de regels.'

'Julia en ik hebben samen op de universiteit gezeten. Ze is een van de mensen die ik enorm graag mag. Iemand bij de FBI zou nog geen seconde aandacht aan je besteden. Maar zij zal zeker iets voor me willen doen. En buiten dat is het een zaak die haar zal interesseren: haar eigen zusje is ontvoerd toen zij nog maar een kind was.'

'Goed,' zei Thomas. 'Ik ga ervoor. Bel haar, alsjeblieft.'

'Oké. Wacht twintig minuten en draai dan het volgende nummer.'

Porter noemde een nummer van acht cijfers, met het netnummer van Parijs ervoor. Thomas noteerde het op de rug van zijn hand. Daarna verdiepte hij zich in de *Times of India* en hield intussen een oogje op de klok.

Toen er twintig minuten verstreken waren, belde hij het nummer. Julia nam op in het Frans. Hoewel Thomas de taal redelijk sprak, zei hij in het Engels wie hij was.

Ze ging meteen over in het Engels. 'Ik zal alles doen om je te helpen. Waar beginnen we?'

'Ik wil graag weten of de Franse politie iets heeft gehoord van het CBI in Mumbai.'

'Wij hebben hier in Parijs contact met de zedenpolitie, de BRP. Ik zal ze morgenochtend bellen. Hoe goed ken je Parijs?'

'Ik heb een semester op de Sorbonne gezeten. Hoezo?'

'Ik vermoed dat je wat eigen onderzoek wilt gaan doen. Dan is het beter als je de weg een beetje weet.' Ze zweeg even. 'Wanneer kom je aan op Charles de Gaulle?'

'Morgenochtend om halfacht.'

'Neem lijn B van de RER naar Châtelet-Les Halles. Dan sta ik om negen uur voor de Église Saint-Eustache.'

'Hoe kan ik je herkennen?'

'Ik heb een rode jas aan.'

Het vliegtuig vertrok op tijd en Thomas sliep de hele vlucht. Op Charles de Gaulle passeerde hij zonder oponthoud de douane en volgde daarna de borden naar de RER, waarvoor hij een vijfdagenkaart kocht. Het was bijna tien jaar geleden dat hij voor het laatst in Parijs was, maar plotseling had hij het gevoel alsof het gisteren was geweest.

De rit de stad in was een feest van herinneringen. Hij dacht aan de geur van de zwarte koffie in het kleine cafeetje in het Vijfde Arrondissement, waar hij vaak had ontbeten. Hij herinnerde zich de stilte in de grote collegezaal van de Sorbonne en de art nouveau bibliotheekzaal van Sainte-Geneviève waar hij studeerde als het te koud werd om in de tuinen bij Point Neuf, met uitzicht over de Seine, te zitten.

De trein bracht hem snel naar het centrum van de stad. Bij Châtelet-Les Halles stapte hij uit en volgde de borden naar Forum Les Halles, een hip ondergronds winkelcentrum in het Eerste Arrondissement. Hij liep langs een megabioscoop en ging een lange trap op naar de Rue Rambuteau.

Het was een heldere, koude dag. Hoewel het nog winter was, had de zon al die natuurlijke schittering die een voorbode is van de lente. De Église Saint-Eustache, een van de vele oude, gotische kerken in Parijs, domineerde het uitzicht. Hij liep door de tuinen en om het spiralende plein, op zoek naar Julia. Ze stond bij de toeristeningang met haar handen in de zakken van een dieprode jas. Ze was lang en aantrekkelijk en droeg haar kastanjebruine haar tot op haar schouders. Thomas stelde zich voor en ze begroette hem met een luchtige zoen op beide wangen.

'*Faire la bise*,' zei Thomas, terwijl hij haar op dezelfde manier begroette. 'Het is eeuwen geleden dat ik dat heb gedaan.'

'Ik ben hier pas een jaar en het is nu al een automatisme geworden,' vertelde ze.

Hij lachte. 'Als je hier maar lang genoeg blijft, vergeet je de hele wereld.'

'Aha, een francofiel,' zei ze, en ze nam hem mee terug over het pad waarover hij was gekomen.

'Ja, ik ben lang geleden besmet geraakt. Het is een ongeneeslijke aandoening.'

Julia glimlachte. 'Andrew zei al dat ik je wel zou mogen.'

'Ik hecht weinig aan zijn mening in dat soort zaken,' merkte Thomas op. 'Hij vindt iedereen aardig, zelfs criminelen.'

'*Touché*,' zei ze lachend. Toen veranderde ze van onderwerp. 'Ik heb gebeld met mijn contact bij de politie. Hij had niets over Navin of Sita gehoord, maar hij gaat het nader onderzoeken. Ik heb de foto van Interpol naar hem doorgestuurd en verwacht vanmiddag iets van hem te horen.'

'En wat zijn de plannen voor vanochtend?' vroeg Thomas.

'Je moet iemand ontmoeten,' antwoordde ze. 'Jean-Pierre Léon. Hij weet alles wat er te weten valt over mensenhandel in deze stad. En hij is een van de interessantste causeurs die ik hier in Parijs ken. Je zult er geen spijt van krijgen.'

Julia leidde hem een steegje door naar Rue Mondétour. Ze stopten bij een onopvallende deur onder een groene markies. Daar drukte ze op een bel waarnaast stond: LE PROJET DE JUSTICE. De deur werd opengedaan met een zoemer en ze liepen twee trappen op naar een lobby zonder ramen. Julia begroette de receptioniste in het Frans en de vrouw gebaarde dat ze konden doorlopen.

'Je bent hier blijkbaar bekend.'

'Niet echt,' antwoordde Julia. 'Ik heb gebeld dat ik kwam.'

Ze ontmoetten Léon in een kantoor dat zo vol met boeken lag dat de meubels bijna niet te zien waren. Thomas wierp een blik op de man en dacht dat hij hem wel zou mogen. De Fransman was ergens in de veertig, mager en had een scherpe blik in zijn ogen. Hij was een beetje dandyachtig gekleed in een jasje en een wollen das, en had een pijp tussen zijn lippen.

Léon stond op om hen te begroeten en gebaarde dat ze moesten gaan zitten. Thomas keek vertwijfeld naar een stoel die bedolven lag onder een flinke berg lijvige boeken.

'Ga zitten, ga zitten,' zei Léon in Engels met een licht accent, met zijn armen zwaaiend. 'Schuif die boeken maar opzij, die vind ik later wel weer terug.'

Thomas ging ongemakkelijk op het kleine stukje vrijgekomen stoel zitten en wachtte tot Julia het gesprek zou beginnen. Léon bleek echter al ingelicht en nam de teugels in handen.

'Julia heeft me verteld dat u naar Parijs bent gekomen om een meisje te zoeken. Een Indiaas meisje.'

Thomas knikte.

'Er zijn maar weinig Indiase mensen in Parijs.'

'Ik herinner me een Indiase enclave in het Tiende.'

'In het Tiende wonen alle nationaliteiten, daar zijn de meeste landen van deze aardbol wel vertegenwoordigd. Maar je hebt gelijk. Er wonen wat Indiërs rondom de Rue du Faubourg St. Denis.'

'Zou ik daar dan moeten zoeken?'

Léon krabde nadenkend aan zijn kin. 'Misschien.' Hij keek even naar Julia. 'Maar Parijs is een enorme stad. Ze kan overal zitten.'

'Of nergens,' vulde Thomas aan. 'Ze is begin januari al verkocht.'

Léon schudde zijn hoofd. 'Als ze hier is gekomen om in een restaurant te werken, betwijfel ik of ze is verdwenen. Goed personeel is moeilijk te vinden.'

'Dus hoe kan ik het het beste aanpakken?'

Léon haalde zijn schouders op. 'Julia vertelde dat de handelaar – Navin, is het niet? – hier een familielid had, een oom. Als die hier legaal verblijft, kan de politie hem misschien traceren. Maar als hij zijn identiteitspapieren op de zwarte markt heeft gekocht, zal dat niet lukken. Je weet, neem ik aan, dat Frankrijk een probleem heeft met illegale immigratie.'

'Wij hebben in Amerika hetzelfde probleem,' antwoordde Thomas in een poging beleefd te zijn. Maar in werkelijkheid was hij niet tevreden met Léons ontwijkende antwoord. 'Julia vertelde me op weg hierheen dat u in Parijs de expert bent op het gebied van mensenhandel,' vervolgde hij. 'Klopt dat?'

Léon stak zijn handen omhoog. 'Sommigen zeggen dat, ja. Maar er zijn er meer.'

'Ik ben tevreden met u. Dus dit is mijn voorstel: Sita is ergens in de afgelopen twee maanden in deze stad geweest en u denkt dat ze er waarschijnlijk nog steeds is. Ze moet toch een spoor hebben achtergelaten. Ik heb een tip van u nodig waar ik het beste naartoe kan gaan en met wie ik het beste kan praten. Als ze hier in Parijs is, moet er een manier zijn om haar te vinden.'

De Fransman dacht even na en vroeg: 'Bent u gelovig, Mr. Clarke?'

Thomas trok zijn wenkbrauwen op. 'Niet bijzonder.'

'Jammer. Anders had ik u aangeraden te bidden.'

Thomas wachtte tot hij meer zou zeggen. Uiteindelijk begon de stilte ongemakkelijk te voelen.

'Is dat uw antwoord?' vroeg hij nogal gefrustreerd.

De Fransman fronste zijn voorhoofd en zuchtte. 'Vergeef me. Julia zal bevestigen dat ik een grondige afkeer heb van het geven van adviezen. Het is een tekortkoming van me, uit angst om het bij het verkeerde eind te hebben, vermoed ik. Hebt u een foto van het meisje?'

Thomas knikte en liet de foto van Sita aan Léon zien.

De Fransman tuitte zijn lippen. 'Mooi. Ik kan eigenlijk maar één ding zeggen: als ik haar zou willen vinden, zou ik met die foto de straat op gaan, te beginnen in het Tiende en langzaam naar het Achttiende toe werken. En dan voornamelijk vrouwen en kinderen aanspreken, vooral Zuid-Aziaten. Maar wees wel zo realistisch ervan uit te gaan dat het een wonder zou zijn als u haar weet te vinden.'

Thomas keek naar Julia en ze knikte. 'Jean-Pierres idee lijkt me een goed begin.'

'Af en toe blijken wij intellectuelen toch best praktisch te kunnen zijn,' zei Léon. Hij stond op en gaf Thomas zijn visitekaartje. 'Heel veel succes en laat het me weten als je haar vindt.'

'Dat zal ik doen,' antwoordde Thomas en hij liep achter Julia aan naar beneden. Op de terugweg naar Forum Les Halles keek hij op zijn horloge. Het was bijna elf uur.

'Ik vergat je te vragen waar je logeert,' zei ze.

'In een hotel bij Jardin du Luxembourg.'

Julia glimlachte. 'Je oude omgeving.'

'Ik dacht dat een vleugje nostalgie geen kwaad kon.'

'Waarom ga je nu niet inchecken? Dan bel ik je later, zodra ik iets heb gehoord. Je kunt vanmiddag al de straat op gaan als je wilt. Morgen heb ik misschien tijd om je te helpen.'

Ze liepen het winkelcomplex in en zochten hun weg door de doolhof naar het metrostation. Voor de toegangshekjes bleef Julia stilstaan en legde haar hand op Thomas' arm.

'Ik vind het heel nobel wat je doet,' zei ze. 'Heeft Andrew je over mijn zusje verteld?'

Thomas knikte.

'We weten nog altijd niet of ze dood is of ergens op een afschuwelijke plek leeft.' Ze keek hem doordringend aan. 'Ik weet dat je maar een kleine kans hebt. Ik weet dat Jean-Pierre gelijk heeft. Maar beloof me dat je alles zult doen wat in je macht ligt om dat meisje te vinden.'

'Sita heeft ook een zusje,' zei hij, terwijl hij haar de rakhi-armband liet zien. 'Ik moest van haar precies hetzelfde beloven.'

Het hotelletje dat hij had uitgekozen lag weggestopt in een doodlopend zijstraatje van de Rue Gay Lussac, een kleine wandeling van het metrostation Luxembourg. Volgens het hotel had Sigmund Freud er ooit, lang geleden, overnacht. Nadat hij had ingecheckt en een douche had genomen, ging Thomas de straat weer op. Hij begon met de aanschaf van een kaart van Parijs bij een boekenwinkel in de buurt en ging daarna een café binnen dat tegenover de oostelijke ingang van Jardin du Luxembourg lag. Toen hij achter een *café noir* zat en de kaart bestudeerde, kwam de plattegrond van Parijs weer langzaam terug in zijn geheugen en kon hij een plan uitstippelen.

In het station nam hij de trein naar Châtelet-Les Halles en doorkruiste daar de eindeloze gangen en trappen om over te kunnen stappen op lijn 4 naar het Tiende en het Achttiende Arrondissement. De trein zat vol Afrikanen, Aziaten en Oost-Europeanen.

Op station Château d'Eau stapte hij weer uit en ging de trap op naar Boulevard de Strasbourg. Eenmaal boven raadpleegde hij de kaart en begon in de richting van het Gare du Nord te lopen. Bij een bushalte bleef hij staan en voelde in de zak van zijn jas naar de foto van Sita. Toen liet hij zijn ogen over de boulevard met zijn winkels en flats dwalen. Het begon wat warmer te worden en de voetgangers waren massaal de straat opgegaan.

Even later ging hij linksaf Boulevard de Magenta op. Toen hij bij de hoek met Rue de Faubourg St. Denis was, zag hij een winkel met Aziatische letters erboven. De eigenaar stond buiten op straat te praten met een klant. Met Sita's foto in de hand wachtte Thomas geduldig tot het gesprek was afgelopen.

Toen de eigenaar een blik in zijn richting wierp, knikte Thomas kort. 'Bonjour, monsieur.'

'Bonjour,' antwoordde de man zonder te glimlachen.

'Ik heb een vriendin die in deze buurt woont,' begon Thomas een naar hij hoopte geloofwaardig verhaal. 'Ik wil haar verrassen. Dit is een oude foto van haar. Ik vroeg me af of u haar hebt gezien.'

Hij liet hem de foto van Sita zien.

'*Non*,' zei de man met een wegwuivend gebaar. 'Niet hier.' Hij draaide zich om en ging zijn winkel binnen.

Thomas liep verder in zuidelijke richting. Een jonge Afrikaanse vrouw met een kinderwagen glimlachte naar hem.

'*Excusez-moi*,' zei hij, terwijl hij voor haar bleef staan. 'Mag ik u wat vragen? Ik ben op zoek naar een oude vriendin van me. Ze moet hier in de buurt wonen.'

De vrouw wierp nauwelijks een blik op de foto in zijn hand voordat ze haar hoofd schudde. '*Non, je suis désolée*,' zei ze en ze wandelde verder.

Thomas stelde dezelfde vraag aan nog drie vrouwen en twee mannen van uiteenlopende leeftijden. Iedere keer kreeg hij hetzelfde antwoord dat ze haar nog nooit hadden gezien en niemand toonde interesse in zijn verdere vragen. Thomas besloot zijn strategie te wijzigen. Hij ging op zoek naar Indiase restaurants, in de hoop er een te vinden dat tijdens de lunch open was. Een huizenblok verder stuitte hij op een tandoori-eetgelegenheid. Het restaurant had een rode luifel met Franse en Hindoestaanse letters erop. Maar toen hij voor de deur stond, ontdekte hij dat het restaurant alleen open was voor het diner.

Thomas liep verder over de Rue du Faubourg St. Denis. Het was drie uur 's middags en zijn maag begon te knorren. Hij besefte dat hij sinds de maaltijd vlak voor de landing niets meer had gegeten en ging een café binnen, waar hij een sandwich kocht. Aan een tafeltje bij het raam keek hij naar de voorbijgangers. Op een bepaald moment viel zijn oog op een smalle passage aan de overkant die naar Boulevard de Strasbourg leidde. Daarin zag hij een gevel van wat waarschijnlijk een Indiaas restaurant was.

Hij verliet het café en stak over naar de passage. Tot zijn verrassing bleek het een Indiaas-Pakistaanse oase vol Zuid-Aziatische restaurants te zijn. Het eerste restaurant dat hij zag was gesloten. De lichten binnen waren uit en de stoelen stonden op de tafels. Hij stond op het punt zich om te draaien toen er ergens achterin een licht werd aangeknipt. Na korte tijd verscheen er een forse Indiase vrouw met een veger en een vuilniszak in haar handen. Ze droeg een paarse sari die was bedrukt met blauwe lotusbloemen. Ze scharrelde wat rond, veegde de vloer en ruimde rommel op.

Hij tikte op het glas en trok daarmee haar aandacht. Ze keek op met een geïrriteerde uitdrukking op haar gezicht, schudde haar hoofd en zei iets onverstaanbaars. Thomas drukte Sita's foto tegen het raam, waarop de vrouw dichterbij kwam. Met een geërgerd gezicht riep ze zo hard dat Thomas haar kon verstaan: '*Le restaurant est fermé*.' Ze zwaaide met haar bezem en herhaalde boos: '*Fermé*.' Toen ging ze weer door met vegen.

Thomas draaide zich om en liep op een Indiase man af die bezig was een rij planten naast de ingang van een ander restaurant te verzorgen. Hij liet hem de foto van Sita zien.

De man wierp een blik op de foto en trakteerde Thomas op de brede glimlach die in Mumbai veel gewoner is. 'Hoe kent u dat meisje?' vroeg hij.

'Ze is een vriendin van de universiteit,' verzon Thomas gauw.

'De universiteit hier in Parijs?' informeerde de man. 'Studeert u daar?'

'Ik héb aan de Sorbonne gestudeerd.' Thomas hield de foto weer voor zijn neus. 'Hebt u haar misschien ooit gezien? Denkt u alstublieft goed na. Het is heel belangrijk.'

De man schudde zijn hoofd. 'Nee, ik heb haar nooit gezien. Maar ik heb een vriend die haar misschien kent. Als u even met me meeloopt?'

Thomas liep achter de man de passage uit. 'Waar gaan we naartoe?'

'Het is dichtbij,' antwoordde de man.

Buiten staken ze Boulevard de Strasbourg over. Daar bleef de man stilstaan op het trottoir en wees op een andere, met glas overkapte passage.

'Het is die kant op naar mijn vriend,' zei hij. 'Hij komt heel vaak bij me eten in het restaurant.' Hij stak zijn hand uit. 'Ik ben Ajit.'

Thomas schudde de man de hand. 'Thomas Clarke.'

Ajit ging hem voor de tweede passage binnen. Daar gingen ze een winkel in waar met de hand geknoopte oosterse perzen werden verkocht. Ajit liep door naar achteren en keek om het hoekje van een deur die toegang gaf tot het magazijn. Hij riep een luide begroeting in het Hindi.

'Hij is nogal hardhorend,' zei Ajit. 'Maar hij komt zo wel.'

'Wie is hij?' vroeg Thomas.

'Hij heet Prabodhan-dada. En hij woont hier al heel lang.'

Na een minuut verscheen er een oudere man met een rekenmachine in zijn hand. Hij had peper-en-zoutkleurig haar en droeg een bril met dikke glazen. Hij begroette Ajit en keek Thomas met een vragende en sceptische blik aan.

'Prabodhan-dada,' zei Ajit in het Frans zodat Thomas het kon volgen. 'Mister Thomas is op zoek naar een meisje.'

De tapijthandelaar hield zijn hoofd schuin en knipperde met zijn ogen. Toen hij bleef zwijgen, haalde Thomas de foto die hij van Ahalya had gekregen tevoorschijn en reikte hem die aan.

'Ze ziet er zo uit,' zei hij, terwijl hij op Sita wees. 'Hoewel ze intussen wel ouder is.'

De tapijthandelaar negeerde de foto en richtte zijn aandacht op Thomas. Hij sprak zachtjes, maar wel onmiskenbaar met gezag.

'Zoals u ziet,' zei hij, 'zit ik in de handel. Ik verkoop kleden. Waarom denkt u dat ik haar zou kennen?'

'Ze kennen elkaar van de Sorbonne,' vertelde Ajit, voordat Thomas iets kon antwoorden. 'Mister Thomas heeft haar een tijd niet gezien.'

'Hebt u geen telefoon?' antwoordde de tapijthandelaar. 'En hoe zit het met internet? Een man die aan de Sorbonne heeft gestudeerd weet toch wel hoe hij contact moet opnemen met een vriendin?'

'We zijn elkaar uit het oog verloren,' zei Thomas. 'Het enige wat ik weet is dat ze in Parijs woont.'

De tapijthandelaar kneep zijn ogen tot spleetjes en dacht erover na. Uiteindelijk leek hij een besluit te nemen: hij hield de foto vlak voor zijn gezicht en tuurde er door zijn dikke brillenglazen naar. Nadat hij een paar keer met zijn ogen had geknipperd, richtte hij zijn blik weer op Thomas, dit keer eerder nieuwsgierig dan sceptisch.

'En als ze u niet wil zien?'

'Betekent dat dat u weet waar ze is?' vroeg Thomas.

De tapijthandelaar staarde hem een hele tijd aan en knikte. 'Ik heb een meisje gezien dat er zo uitziet.'

Zodra de man de woorden zei, vlamde er hoop op in Thomas. 'Is ze in de buurt?' vroeg hij, terwijl hij zijn best deed niet al te geestdriftig te klinken.

De tapijthandelaar keek nog eens naar de foto en wiegde met zijn hoofd. Hij wisselde een paar woorden in Hindi met Ajit en verdween toen weer in zijn magazijn.

Ajit vertelde: 'Prabodhan-dada zegt dat dit meisje in een restaurant in het Achttiende Arrondissement werkt. Hij vraagt of u zijn naam niet wil noemen.'

'Dat zal ik zeker niet doen,' stemde Thomas met de vraag in. 'Hoe kom ik daar?'

Ajit glimlachte breed naar hem. 'Ik zal u erheen brengen, Mister Thomas.'

Thomas liep met Ajit naar het metrostation op Château d'Eau. Ze kochten kaartjes en namen de metro in noordelijke richting. Bij de halte Barbés Rochechouart stapten ze uit en Ajit leidde Thomas door de enorme drukte. Toen ze het station verlieten waren ze op Boulevard de la Chapelle en daar sloegen ze na een tijdje links af, een met keitjes geplaveid straatje in. Ajit liep doelgericht naar een Indiaas restaurant met een glazen pui dat daar was gevestigd. Het restaurant was gesloten, maar Thomas zag een donkere man aan een tafeltje zitten.

Ajit vroeg Thomas om de foto en klopte op het raam. De man keek om, duidelijk geïrriteerd omdat hij gestoord werd. Hij stond op en kwam naar de deur.

'Bonjour,' zei Ajit. Hij was de vraag van de man voor en liet hem Sita's foto zien, waarna er een levendig gesprek volgde in Hindi. Na een tijd schudde de man zijn hoofd en deed hij de deur weer dicht.

'Wat zei hij?' vroeg Thomas.

'Hij was niet erg vriendelijk en wilde niet veel vragen beantwoorden,' zei Ajit.

'Zei hij iets over de foto?'

'Hij zei dat het meisje hier ooit heeft gewerkt, maar is vertrokken.'

Thomas ademde scherp in, ervan overtuigd dat hij op het goede spoor zat. Hij bekeek het restaurant even aandachtig en liep daarna het straatje weer uit naar Boulevard de la Chapelle. Ajit volgde hem zwijgend. Op de hoek zat een souvenirwinkel waar op dat moment geen klanten waren. Thomas stapte naar binnen en liep naar de caissière – een jonge vrouw met stekeltjeshaar en een tatoeage van een spin in haar nek. Hij liet haar de foto van Sita zien en gebaarde naar het restaurant verderop, terwijl hij de situatie in het Frans aan haar uitlegde.

De caissière schudde met een verveelde uitdrukking op haar gezicht haar hoofd. 'Dat is niet hetzelfde meisje.'

Er sloeg een golf van frustratie door Thomas heen. 'Hoe weet je dat?'

'Dat zie ik gewoon.'

'Iemand anders heeft me verteld dat hij haar daar heeft gezien,' bracht Thomas ertegen in. 'Hij was er nogal van overtuigd.'

De caissière zette haar handen op de toonbank en boog zich naar hem over. 'Het maakt mij niet uit wie er wat heeft gezegd. Het is niet hetzelfde meisje.' Ze zweeg en haar gezichtsuitdrukking verzachtte enigszins. 'Luister, ik ben kunstenaar, oké? Ik maak portretten van mensen. Dit meisje,' zei ze, terwijl ze op de foto wees, 'heeft een lichtere huid dan het meisje dat in het restaurant werkt. Bovendien heeft het meisje in het restaurant een gekliefde kin, een breder voorhoofd en een moedervlek naast haar neus. Ik heb daar pasgeleden gegeten. Het eten was afgrijselijk, maar haar herinner ik me heel goed.'

De caissière was zo overtuigd van haar gelijk dat Thomas' vertrouwen een knauw kreeg. 'De eigenaar van het restaurant zegt dat ze daar niet meer werkt,' zei hij. 'Hij wilde niet over haar praten. Enig idee waarom dat zo is?'

De caissière grijnsde meesmuilend. 'O, ze werkt er echt nog wel. Ik heb haar vanmorgen nog gezien. Ze zal wel illegaal zijn, zoals zowat alle immigranten in deze stad.'

Thomas verliet de souvenirwinkel in mineur. Het spoor van de tapijthandelaar had zo veelbelovend geleken. Toen dacht hij aan de dikke brillenglazen van de man. Hij heeft haar nooit echt goed kunnen zien, besefte hij.

Op de hoek bleef hij staan en keek Ajit aan. 'Ik stel uw hulp erg op prijs.'

Ajit zag hoe ontmoedigd Thomas was en probeerde hem op te vrolijken. 'Houdt u van de Indiase keuken, Mister Thomas?'

'Ja,' antwoordde Thomas, voornamelijk uit beleefdheid.

'Mijn vrouw maakt de beste kip tandoori in Frankrijk. Als u naar mijn restaurant komt, kan ik haar vragen of ze dat meisje ergens van kent.'

'Ik zal erover nadenken,' zei Thomas, niet van plan dat te doen. Hij stak zijn hand uit om het gesprek te beëindigen en Ajit schudde die nogal terneergeslagen.

'U bent welkom in mijn restaurant,' zei hij nog een keer. 'Ik weet zeker dat u daar geen spijt van krijgt.'

Thomas nam de metro terug naar het Vijfde en wandelde over de brede Boulevard St. Michel. Daar liep hij door een van de ingangen van Jardin du Luxembourg het park in op het moment dat de zon achter de bomen wegzakte. Over het plein liep hij naar Palais du Luxembourg en ging in de buurt van de fontein op een bankje zitten. Als Julia's contact bij de BRP niets opleverde, waren zijn opties uitgeput. Hij kon zich nog eindeloos de blaren onder de voeten lopen in de straten van de stad en iedere Parijzenaar die hij zag aanspreken, maar dat zou haast zeker geen resultaat opleveren. Zijn kans op succes was miniem, dat was pijnlijk duidelijk.

Toen het zonlicht in een gouden gloed wegstierf, verliet hij de tuin weer om naar zijn hotel te gaan. Zijn telefoon trilde in zijn zak.

Hij nam op en zei: 'Hé, Julia,' toen hij het nummer op het scherm zag.

'Sorry voor de vertraging,' zei ze. Onze vriend bij de BRP heeft net iemand gesproken van de Franse ambassade in Mumbai. Die heeft beloofd morgen contact op te nemen met het CBI.'

Thomas liet haar mededeling even op zich inwerken. 'De molens van rechtvaardigheid draaien langzaam,' merkte hij op.

'Kennelijk. Heb jij vanmiddag nog geluk gehad?'

'Nee.' Hij vertelde haar in het kort van zijn ontmoeting met Anjit en hun zoektocht naar aanleiding van de verkeerde tip van de tapijthandelaar.

Julia slaakte een zucht. 'Het blijft maar door mijn hoofd zeuren dat het zo jammer is dat de politie in Mumbai Navin heeft laten gaan. Als we de naam van zijn oom hadden, zou ons computersysteem daar wonderen mee kunnen verrichten.'

'Dat geloof ik zeker, ja,' antwoordde Thomas.

Het was even stil. Toen vroeg ze: 'Heb je al plannen voor vanavond? Ik weet een geweldig Marokkaans restaurant op Isle St. Louis.'

Thomas stond op het punt om haar uitnodiging te accepteren, toen er opeens een idee in hem opkwam. Hij dacht terug aan het advies van Jean-Pierre Léon om vrouwen en kinderen aan te spreken, vooral Zuid-Aziaten. En aan Anjits woorden: *Mijn vrouw maakt de beste kip tandoori in Frankrijk. Als u naar mijn restaurant komt, kan ik haar vragen of ze dat meisje ergens van kent.* Hij besefte heel goed dat het een slag in de lucht was, maar alles was beter dan te moeten afwachten tot de BRP een aanwijzing had, een aanwijzing die misschien niet eens zou komen.

'Dat zou ik graag doen, maar op dit moment heb ik enorm trek in Indiaas eten.'

Julia was even stil. 'Betekent dat dat je een aanwijzing hebt?'

'Ik zou het eerder een gok noemen. Verwacht er maar niets van.'

'Oké, ik ga ervoor. Zeg maar waar en wanneer je wilt afspreken.'

Thomas glimlachte. 'Acht uur. Porte St. Denis. Vanaf daar kunnen we lopen.'

20

Buig niet onder een ramp, maar treed die moedig tegemoet.
VIRGIL

Parijs, Frankrijk

NADAT UNCLE-JI EN AUNTI-JI MET HUN REISDOCUMENTEN het appartement hadden verlaten, kwam Tatiana de zitkamer weer in. 'Kom,' zei ze tegen Sita, 'werk doen.'

Sita liep achter haar aan de trap op naar de bibliotheek. Tatiana gaf haar een stofdoek en in de twee uur dat ze bezig was met het afstoffen van de boeken, maalde de bespreking van die ochtend door Sita's hoofd. Ze begreep er niets van. Toen Navin haar had verkocht aan Uncle-ji, had ze verwacht dat ze vanaf die tijd in het restaurant zou werken, misschien wel jarenlang. Maar toen was Navin weer komen opdagen en was alles veranderd. Uncle-ji had haar in de kast verstopt en haar overgedragen aan Vasily en Tatiana, blijkbaar in ruil voor de een of andere reis die Vasily had geregeld. Had ze die vliegtickets maar beter kunnen zien.

Rond het middaguur bracht Tatiana haar een belegd stokbroodje. Toen ze klaar was met eten, nam Tatiana haar mee naar Vasily's kantoor op de tweede verdieping van het appartement. Sita had het kantoortje de afgelopen weken al twee keer schoongemaakt en elke keer kreeg ze er kippenvel van.

'Snel,' zei Tatiana. 'Hij thuis in één uur.'

Toen Sita alleen was, pakte ze haar stofdoek en liep naar het bureau. Ze staarde een tijdje naar de flatscreens, bang dat ze tot leven zouden komen als er maar even iets trilde terwijl ze het bureau afnam. Toen maakte ze het ronde raampje en de dossierkast snel schoon en keek om zich heen op zoek naar het volgende om onder handen te nemen. De deur van de kast aan de andere kant van de kamer stond op een kiertje. Toen ze erdoorheen gluurde, zag ze een stapel dozen staan. Ze aarzelde, maar toen won haar nieuwsgierigheid het.

Sita deed de deur open en staarde naar de dozen. Het waren archiefdozen, minstens een stuk of tien. Toen ze er een openmaakte, bleek die vol papieren te zitten. Ze haalde het bovenste eruit. Het was een bankafschrift van een rekening in Genève, Zwitserland. Vasily's naam stond nergens op het papier vermeld. Het document was in het Frans, maar de cijfers erop hadden geen vertaling nodig. Het saldo op de rekening bedroeg meer dan vijf miljoen euro. Sita ademde diep in en dacht aan Natalia en Ivanna. Wat Vasily en Dmitri ook uitspookten, ze waren er in ieder geval heel rijk mee geworden.

Sita legde het bankafschrift precies zo terug als ze het had gevonden en deed een stap bij de kast vandaan. Op dat moment viel haar oog op een haakje naast de deurpost met daaraan een ring met drie sleutels. Sita keek de kamer rond om te zien waar die sleutels op konden passen, maar ze zag niets. Buiten de computer, het bureau en de dossierkast was de kamer leeg.

In haar hoofd ging ze de rest van het huis na. De voordeur kon alleen geopend worden met een beveiligingscode. Die wist ze intussen uit haar hoofd, want ze zag Dmitri hem twee keer per dag intikken op het paneeltje naast de deur. De dubbele deuren naar de straat hadden ook een code. Dat was een andere cijfercombinatie, maar die kende ze ook vanbuiten. In eerste instantie had ze gedacht dat ze die codes misschien zou kunnen gebruiken om te ontsnappen, maar hoe meer ze daarover had nagedacht, hoe slechter het idee haar had geleken. Het zou een kwestie van puur geluk zijn als ze ongemerkt kon wegglippen, en als haar ontsnapping mislukte, zou ze zeker streng en hardvochtig worden bestraft.

Toen ging ze in gedachten alle deuren in het appartement na. De deur naar het kelderkamertje waar ze Natalia had gevonden had een grendel die vanaf de gang voor de deur kon worden geschoven. De deur van de waskamer had geen slot. Haar slaapkamerdeur had wel een slot en opeens besefte ze dat ze daar helemaal niet op had gelet sinds ze er sliep. Haar plotselinge en onverwachte verhuizing van het restaurant naar Vasily's appartement had haar van streek gemaakt en door de nachtelijke uitjes van Dmitri en de meisjes was haar verwarring in angst omgeslagen.

Sita deed haar ogen dicht en probeerde zich zo veel mogelijk van haar slaapkamer voor de geest te halen. Tatiana sloot de deur altijd vanaf de buitenkant af. Maar was dat met een sleutel? Ze probeerde zich het geluid ervan te herinneren. Eerst was er een soort glijdend geluid, misschien van een sleutel die in het slot werd gestoken. Maar een sleutelgat dat aan de buitenkant van haar slaapkamerdeur zat, zou haar niets verder helpen, tenzij er ook eentje aan de binnenkant zat. Ze probeerde zich beter te herinneren hoe de deurknop eruitzag, maar het beeld bleef vaag.

Na nog een blik op de sleutels nam ze een besluit. Terwijl ze Tatiana de trap op hoorde komen, griste ze de sleutelring van het haakje, verstopte die in haar sari en zette de kastdeur weer op een kier. Toen Tatiana binnenkwam, stond ze het bureau af te stoffen. Hoewel de sleutels koud aanvoelden tegen haar huid, gaven ze haar ook een troostend gevoel. Wat voor plannen Vasily en Uncle-ji morgen ook met haar hadden, ze had nog op zijn minst één nacht in het appartement.

Een nacht met kansen.

Die avond hielp Sita Ivanna met het opdienen van de avondmaaltijd. Toen de afwas was gedaan en de keuken schoongemaakt, bracht Tatiana Sita naar haar kamer en wenste ze haar welterusten. Ze deed de deur dicht en draaide die vanaf de buitenkant op slot. Sita hield haar adem in en wierp een blik op de deurknop.

Ja! Er zat een sleutelgat!

Ze wachtte tot Tatiana's voetstappen in de gang wegstierven en haalde de sleutels tussen de plooien van haar sari vandaan. Daarna legde ze haar oor tegen de deur en luisterde nog meer dan een minuut om er zeker van te zijn dat er niemand binnen gehoorsafstand was.

Toen het helemaal stil was, stak ze de eerste sleutel in het slot. De sleutel liet zich niet omdraaien. Ze probeerde de tweede sleutel. Die paste niet eens in het slot. Sita's hartslag versnelde. Ze pakte de derde sleutel, stak die in het slot en draaide, biddend dat het de juiste was.

Ja!

De sleutel draaide zachtjes om en Sita hoorde de deur van het slot gaan. Het was moeilijk te geloven dat het zo gemakkelijk was. Meteen draaide ze de deur weer op slot. Ze kon dus haar slaapkamer uit! En als ze uit haar kamer kon ontsnappen, kon ze ook uit het appartement komen met de codes die ze in haar geheugen had geprent.

Sita liet zich op het bed zakken en bedacht iedere stap van haar ontsnappingsplan. Toen ze er tevreden mee was, nam ze een uitgebreid bad en trok haar sari weer aan. Had ze maar betere schoenen, nu had ze alleen de sandalen die Navin in Mumbai voor haar had gekocht. Toen ze de laden van de kasten in de slaapkamer doorzocht, vond ze een oude trui en een paar wollen sokken. Ze trok de sokken aan en glipte in haar sandalen. Ze zaten wat strak, maar ze zou het ermee moeten doen.

Om tien uur stond ze voor het raam en keek toe hoe Dmitri op het binnenplein de meisjes het busje in dirigeerde. Ook nu weer stapte Natalia bij Dmitri in, deze keer in de zwarte Mercedes. De anderen stapten in de bestelbus. Het busje reed als eerste de binnenplaats af, de Mercedes volgde. Sita wist niet hoe lang ze weg zouden blijven, maar dacht dat het toch minstens tot een uur of drie uur de volgende ochtend zou zijn. Genoeg tijd voor haar om te ontsnappen.

Sita ging in de stoel bij het raam zitten en pakte het boek dat ze aan het lezen was. Met een deken over zich heen om warm te blijven, bleef ze tot middernacht zitten lezen. Toen sloop ze naar de deur van haar kamer en luisterde aandachtig. Een halfuur daarvoor had ze op de gang nog voetstappen gehoord, maar nu leek alles rustig. Dat was een goed teken, maar de kans om ontdekt te worden was nog altijd groot. Ze besloot nog een uur of twee te wachten.

Sita ging weer door met lezen, maar haar oogleden werden steeds zwaarder en ze moest tegen de slaap vechten. Haar gedachten begonnen af te dwalen. Ze zag Ahalya dansen op het strand. Sita schudde met haar hoofd en keek strak naar de boekenkast aan de andere kant van de kamer.

Ahalya is er niet, dacht ze. *Wakker blijven!*

Maar even later vielen haar ogen toch weer dicht en dwaalden haar gedachten opnieuw af. Daar was Ahalya, ze wachtte na school op haar, bij St. Mary's. En Naresh, die Ambini naar haar cijfers vroeg. Er blaften schurftige honden en ze hoorde de oceaan... en Ahalya en zij waren aan het zwemmen, ze doken samen naar de diepte... de blauwe zee werd donkerder... grijs... zwart.

Toen ze haar ogen opendeed, schoot ze direct overeind. Meteen ging haar blik naar de klok aan de muur en ging er een steek van angst door haar heen. Het was kwart over drie! Ongelooflijk dat ze in slaap was gevallen. Toen ze uit het raam keek zag ze tot haar opluchting dat de binnenplaats nog leeg was. Sita liep naar de deur en drukte haar oor ertegenaan om te luisteren. Niets. Zachtjes liet ze de sleutel in het sleutelgat glijden, draaide die om en stapte de gang op. Het appartement was donker, er gloeide alleen een nachtlampje in de hal beneden.

Op haar tenen sloop ze zo zachtjes mogelijk de gang door. Bij de trap wierp ze een ongeruste blik omlaag. De treden waren van hout en ze kon zich niet herinneren of een ervan kraakte. Ze hield zich aan de leuning vast en stapte zo licht mogelijk op de bovenste trede. Die boog een beetje door onder haar gewicht, maar maakte geen geluid. Stap voor stap sloop ze de trap af totdat ze in de hal stond. Het alarm stond aan. Sita voelde weer een steek van angst. Zou het gaan piepen als ze de code intoetste? Ze kon zich geen piep herinneren toen Dmitri dat deed.

Eerst liep ze nog naar de garderobekast en trok de warmste jas aan die ze kon vinden. Het was een zwarte, wollen jas met een bontkraag en een capuchon. Sita knoopte de jas helemaal dicht en liep toen naar het toetsenpaneeltje van het alarmsysteem. Het rode lichtje tuurde haar dreigend aan. Ze haalde diep adem en toetste de zes cijfers in die in haar geheugen stonden gegrift en bad tot Lakshmi dat er daarna geen piep zou klinken.

Zonder een geluid sprong het lichtje op groen en het slot sprong open. Ze draaide de knop om en deed de deur open. Een ijzige windvlaag sneed haar de adem af. Stilletjes stapte ze naar buiten. Het binnenpleintje was donker en de geluiden van de stad klonken gedempt. Het sneeuwde licht. Haastig liep ze over de keien naar de dubbele deur in de boogvormige entree. Daar toetste ze de tweede code in en hoorde de grendel wegschuiven. Snel glipte ze door een van de enorme deuren de donkere nacht in.

Op straat keek ze naar allebei de kanten en besloot in een impuls naar links te gaan. Haar plan was om een hotel met een nachtportier te vinden, die de politie voor haar kon bellen. Sita had geen idee of de Franse politie te vertrouwen was, maar een andere optie was er niet.

Haastig liep ze het straatje uit, haar voetstappen echoden in de stilte. Toen ze bij een kruispunt met een grote boulevard kwam, tuurde ze die af in de hoop een uithangbord van een hotel te zien. Er waren wel een heleboel winkels; allemaal gesloten. En er reden een paar taxi's langs, maar toen werd het weer stil.

Met haar handen diep in haar zakken gestopt begon ze de boulevard af te lopen. Ze passeerde twee hotels, maar die waren dicht en binnen was er niemand te zien. De kou begon haar parten te spelen en prikte als naalden in haar gezicht. Haar adem kwam in wolkjes uit haar mond en de sneeuw bepoederde haar neus.

Sita voelde de eerste tekenen van wanhoop. Het zou nog uren duren voordat de zon opkwam en ze bevroor zowat. Bijna had ze de zwarte Mercedes niet opgemerkt die in de tegenovergestelde richting voorbijreed. Maar iets maakte dat ze opkeek en zich omdraaide op het moment dat de chauffeur boven op de remmen ging staan. De adrenaline gierde opeens door haar lichaam en ze zette het op een lopen. Maar ze werd gehinderd door de jas en haar gladde sandalen.

De Mercedes keerde en racete over de boulevard terug. Ze hoorde de auto voorbijkomen en opnieuw keihard remmen. Dmitri sprong de auto uit.

Ze zagen de bakkerswagen op hetzelfde moment. De auto reed langzaam op hen af. Dmitri bleef staan en sloeg Sita op zo'n zeven meter afstand gade. Sita bleef ook staan en begon wild met haar armen naar de vrachtwagen te gebaren.

'Help!' riep ze in het Engels. 'Help me, alstublieft!'

De vrachtwagen minderde nog wat vaart en de chauffeur keek haar vragend aan. In het licht van een in de buurt staande lantaarn zag ze dat het een zwaargebouwde man met een rond gezicht en krullend haar was.

'Help!' riep ze nog een keer. Ze rende naar de zijkant van de vrachtwagen, die tot stilstand was gekomen. '*Je peut vous aider?*' vroeg de man.

'Ik spreek geen Frans,' antwoordde ze hijgend in het Engels. Ze kon de zwarte Mercedes door het raampje van de vrachtwagen zien, maar Dmitri niet. 'Alstublieft,' smeekte ze, 'alstublieft laat me erin.'

'*Français! Français!*' zei de chauffeur ongeduldig.

'*No Français*!' riep ze uit. 'Alstublieft! Bel de politie!'

De chauffeur leek bang. '*La police?*' vroeg hij, terwijl hij ongerust om zich heen keek. '*Non. Je ne veux pas des problèmes*,' zei hij en hij draaide het raampje weer naar boven. Toen trapte hij het gaspedaal in en reed weg.

Wanhopig en vol afgrijzen keek Sita de auto na. Toen draaide ze zich snel om en begon weer over de boulevard te rennen, haar longen brandden van de kou. Dmitri haalde haar met gemak in en tilde haar op. Sita haalde uit alle macht naar hem uit, schopte hem en klauwde naar zijn ogen, maar hij had haar stevig vast en plantte haar op de achterbank van de Mercedes. Hij smeet het portier dicht, stapte in en gaf plankgas.

Sita verborg haar gezicht huilend in haar handen. Ze was er zo dichtbij geweest! Was ze maar niet in slaap gevallen! Had ze maar een andere weg genomen! Was ze maar al om middernacht gegaan, toen ze de eerste keer wilde vertrekken! Ze huilde totdat de auto voor het appartement stilhield. Daar sprong Dmitri de Mercedes uit en toetste de code in. De deuren gingen open en de auto reed het binnenplein op.

Toen de auto daar weer stilhield, keek Sita op. Op dat moment drong het pas tot haar door dat er naast haar nog iemand in de auto zat: Natalia. Onder haar openhangende, zwarte trenchcoat droeg ze een laag uitgesneden topje en een superstrakke, ultrakorte rok. Haar make-up was uitgelopen, haar haren zaten vreselijk in de war en haar blauwe ogen waren rood, alsof ze had gehuild.

Natalia stak haar hand uit en raakte Sita's gezicht even aan, ze streek de tranen weg. Hun ogen ontmoetten elkaar en ze keken elkaar vol begrip aan. Toen was het moment voorbij: Dmitri stond naast de auto en sleepte Sita aan haar haren naar buiten.

21

De mens is wat hij gelooft.
BHAGAVAD GITA

Mumbai, India

THOMAS ARRIVEERDE EEN PAAR MINUTEN VOOR ACHT bij de grote triomfboog van Porte St. Denis. De straten van het Tiende zagen er 's avonds anders uit. De lantaarns gaven de buurt een warme uitstraling, maar de schaduwen herinnerden hem aan al het kwaad dat er verborgen lag.

Julia was precies op tijd en begroette hem met de bekende Franse twee kussen op de wang. Thomas nam haar mee door Rue de Fauburg St. Denis en wees naar de ingang van de passage. Toen pas merkte hij de naam boven de smeedijzeren poort op. Die middag was hem die niet opgevallen. PASSAGE BRADY.

'Ben je hier wel eens geweest?' vroeg hij.

Ze schudde haar hoofd. 'Ik kom niet vaak in het Tiende.'

Hoewel het maandag was, waren de restaurants in de passage vrolijk verlicht en drukbezet. De enige uitzondering was het eerste restaurant in de passage – het restaurant waarin de gezette Indiase vrouw aan het schoonmaken was geweest. De gordijnen waren dicht en er hing een bordje op de deur met daarop: FERMÉ JUSQU'À NOUVEL ORDRE. Voor onbepaalde tijd gesloten.

Thomas zag Ajit voor de ingang van zijn etablissement staan. Zijn gezicht klaarde op toen hij Thomas zag. Hij begroette hem uitgebreid en overlaadde

Julia met complimenten. Toen bracht hij hen naar een tafeltje aan het raam, gaf hun de menukaart en beloofde hun de beste maaltijd in Parijs voor te schotelen.

Toen Ajit zich weg haastte om een andere klant te begroeten, merkte Julia lachend op: 'Nou, je hebt duidelijk indruk op hem gemaakt.'

Nadat ze de menukaart hadden bekeken gaven ze hun bestelling door aan een jonge Indiase serveerster. Even later kwam ze terug met twee glazen rode wijn.

'Vertel eens hoe het in Washington is,' zei Julia, terwijl ze een slokje nam. 'Ik ben in Reston opgegroeid en ben er na school niet meer geweest,' zei ze. 'Mijn ouders wonen nu in Boston.'

Thomas trakteerde haar het daaropvolgende halfuur op smeuïge verhalen over schandalen en politieke misdrijven die hij in het Metrokatern van *The Washington Post* had gelezen. Op een gegeven moment vroeg ze iets over zijn familie, maar hij wist handig haar aandacht af te leiden. Hij vertelde niets over Priya en zij had het fatsoen om niet door te vragen. Ze leek tevreden met af en toe een slokje wijn en het luisteren naar zijn verhalen.

Toen het eten werd geserveerd, richtten ze hun aandacht daarop. Julia vertelde hem over haar jaren aan Columbia en had een paar grappige verhalen over Porter en de juridische faculteit op Cornell. Ze was onderhoudend en humoristisch, en de tijd vloog.

Na de maaltijd bleven ze nog met wat drankjes tot ongeveer halfelf nakletsen. Toen de meeste klanten waren vertrokken, kwam Ajit naar hun tafeltje en vroeg hij of het had gesmaakt. Thomas was vol lof, want het eten was erg lekker geweest. Toen haalde hij de foto van Sita tevoorschijn.

Ajit knikte en pakte de foto aan. 'Ik ben zo terug.'

Hij liep naar een stevige vrouw die aan de andere kant van het restaurant de rekeningen zat uit te zoeken. Ze praatten kort met elkaar en Ajit liet haar de foto zien. Met een teleurgesteld gezicht kwam Ajit even later weer naar hun tafeltje om de foto terug aan Thomas te geven.

'Het spijt me,' zei hij. 'Mijn vrouw heeft uw vriendin helaas nooit gezien.'

'En de serveerster?' vroeg Thomas. 'Misschien weet zij iets.'

'Natuurlijk.' Hij wenkte de serveerster.

In de veronderstelling dat ze wilden betalen, bracht de serveerster hun de rekening. Thomas overhandigde zijn creditcard aan Ajit. 'Mag ik haar even alleen spreken?'

Ajit wierp hem een vreemde blik toe, maar ging met de creditcard naar de kassa. Waarom precies wist hij niet, maar Thomas besloot het verhaal dat hij voor de gelegenheid had verzonnen achterwege te laten.

'Ik heb een vriendin in Mumbai,' zei hij, terwijl hij de serveerster recht aankeek. 'Ze is op zoek naar haar zusje. Ik vroeg me af of jij haar ooit hebt gezien.'

Hij hield de foto naar haar op. De serveerster leek even ontsteld maar hervond snel haar kalmte. Ze liep naar de kassa en praatte even met Ajit, die haar het zwarte mapje met Thomas' creditcardbonnetje erin overhandigde. Toen ze terug was bij hun tafeltje, pakte ze de pen om iets op de achterkant van het bonnetje te schrijven.

'Als ik u was,' zei ze, 'zou ik dit informatienummer bellen.'

Thomas knikte en stond op. Nadat hij Ajit had bedankt voor het diner, leidde hij Julia het restaurant uit. Pas toen ze op Boulevard Strasbourg waren, haalde hij het bonnetje uit zijn zak en las wat er op de achterkant stond geschreven. Het meisje had in Franse hanenpoten geschreven: 'Ontmoet me hier om negen uur morgenochtend.'

Er ging een huivering door Thomas heen. Zijn ingeving had resultaat opgeleverd! Het meisje wíst iets. Hij overhandigde het bonnetje aan Julia. Haar ogen gingen wijd open van verbazing.

'Mag ik mee?' vroeg ze.

Thomas grijnsde. 'Als jij erbij bent, zal dat haar waarschijnlijk geruststellen. Ik bereik meestal het tegenovergestelde effect.'

Julia lachte. 'Dat hebben jullie juristentypes nou eenmaal. Met Andrew was het precies hetzelfde.'

Ze liepen stevig door in de richting van het metrostation. Het was ijskoud en ze gingen snel op zoek naar een plek waar het niet zo koud was. Toen ze de draaihekjes waren gepasseerd, kuste Julia hem op de wang, ditmaal maar één keer.

'Wil je dat ik met je meerijd?' vroeg hij.

Ze lachte. 'Dat is lief van je, maar ik wed dat je geen zwarte judoband hebt.'

'Je hebt me door.'

'*À demain*,' zei ze en ze liep weg. Thomas bleef achter en vroeg zich af hoe het in vredesnaam mogelijk was dat een vrouw als zij nog ongebonden was.

Op donderdagochtend ontmoetten ze elkaar onder een loodgrijze hemel aan de voet van de triomfboog. Het was koud en de grond was bedekt met een dunne laag sneeuw. In tegenstelling tot haar gezellige geklets van de avond ervoor, was Julia nu een en al zakelijkheid. Ze glimlachte kort naar Thomas en liep met hem mee naar Passage Brady.

De serveerster stond naast de smeedijzeren poort te wachten. Toen ze hen in het oog kreeg, draaide ze zich zonder een woord om en liep noordwaarts Rue de Faubourg St. Denis op. Thomas wisselde een blik met Julia en ze volgden het meisje op gepaste afstand.

De serveerster sloeg rechts af Rue de Château d'Eau in en na een paar huizenblokken verdween ze in een zijstraatje. Naast de ingang naar een steegje bleef ze staan en keerde zich naar hen om, terwijl ze de kraag van haar jas stevig omhooghield. Met haar ogen op Julia gericht begon ze zachtjes te praten.

'Ik heet Varuni. Het meisje waar u naar op zoek bent heet Sita. Tot een paar dagen geleden werkte ze in een restaurant in Passage Brady. De eigenaars zeiden dat ze familie was, maar dat geloofde ik niet. Overdag werkte Sita ook voor Russische mensen. Hun appartement is hier.' Ze wees op een dubbele deur. 'De man heet Vasily. De naam van de vrouw weet ik niet.'

'Weet je waar Sita naartoe is?' vroeg Julia voorzichtig.

'Tegen mij zeggen ze niks,' zei het meisje. 'De ene dag was ze er nog en de volgende ineens niet meer.'

'Weet je wat voor werk ze deed voor die Russen?' vroeg Thomas.

Varuni leek bang. 'Ik weet niet meer dan ik u heb verteld.'

Julia raakte Varuni's arm even aan. 'Heel erg bedankt. Ik vind het ontzettend dapper van je dat je ons helpt.'

Het meisje keek Julia aan. 'Ik mocht Sita graag en ik hoop dat haar niets is overkomen.' Ze zweeg even. 'Vertel alstublieft aan niemand dat ik u hierheen heb gebracht. Dan krijg ik problemen.'

'Maak je geen zorgen,' zei Julia. 'Het blijft tussen ons.'

Varuni knikte en verdween de hoek om.

Thomas liep naar de dubbele deur toe en zag het paneeltje. De deuren hadden geen deurknoppen en gaven geen krimp toen hij ertegenaan duwde. Julia haalde haar mobiele telefoon tevoorschijn en belde naar haar kantoor. Ze noemde het adres en vroeg om informatie over de bewoners.

Toen ze het antwoord had, hing ze op. 'Vasily en Tatiana Petrovich,' zei ze. 'Uit de Oekraïne. Mogelijk connecties met Oost-Europese criminele groepen, maar onbevestigd. De BRP houdt hen al een tijdje in de gaten, maar ons kantoor weet niet waarom. Het is onze zaak niet en ze zullen er tegenover ons niets over loslaten, tenzij het niet anders kan.'

Ze lieten de deur voor wat die was en liepen verder de straat in.

'Wat is onze volgende stap?' vroeg Thomas.

'Ik zal Varuni's verhaal aan de BRP doorspelen en om een huiszoekingsbevel verzoeken.'

'Krijg je dat, denk je?'

Julia haalde haar schouders op. 'Misschien. Maar als deze mensen hoog op de lijst van gezochten staan, moeten we wellicht op onze beurt wachten.'

Thomas wilde net antwoord geven, toen de dubbele deuren van de woning van de Pretovichs langzaam opengingen. Even later kwam er een zwarte Mercedes uit rijden. Achter het stuur zat een blonde jongeman, met naast zich een druk gebarende vrouw van middelbare leeftijd met een donkere huidskleur. Thomas kon haar niet goed zien, maar op de een of andere manier kwam ze hem vaag bekend voor. De blonde chauffeur wierp een doordringende blik op hen en gaf gas. De achterruit was donkergetint, waardoor niet te zien was of er iemand achterin zat.

Op het moment dat de auto bijna bij de kruising met Rue de Château d'Eau was, wist hij het opeens. Thomas begon te rennen. Julia riep hem na, maar hij had geen tijd om het uit te leggen. De vrouw op de passagiersstoel had geen westerse kleding gedragen, maar een Indiase sari. En de vrouw die had schoongemaakt in de Passage Brady – in het restaurant dat nu gesloten was – had ook een sari aangehad. Toen de Mercedes passeerde, had hij een flits paars en blauw gezien. Het was dezelfde vrouw. Dat moest wel.

Thomas was zo'n honderdvijftig meter van de auto vandaan toen die om de hoek van het smalle straatje verdween. Hij rende alsof zijn leven ervan afhing, maar eenmaal op de brede straat maakte hij geen enkele kans meer tegen de Mercedes. Toen hij bij de kruising Rue de Château d'Eau afkeek, was de zwarte auto verdwenen.

Gefrustreerd staarde hij omhoog terwijl hij probeerde op adem te komen. Toen Julia na een tijdje naast hem stond, hijgde hij nog steeds.

'Waar ging dat in vredesnaam om?'

'Die vrouw voorin,' zei hij, terwijl hij diep inademde. 'Die ken ik.'

'Hoezo?'

'Ik heb haar gistermiddag gezien toen ik met Sita's foto rondging. Die vrouw was aan het schoonmaken in een van de restaurants in de Passage Brady. Dat restaurant dat gisteravond voor onbepaalde tijd was gesloten.'

'Heb je het nummerbord gezien?'

Hij schudde zijn hoofd. 'Het ging allemaal te snel.'

'Ik zorg voor een huiszoekingsbevel,' zei ze, terwijl ze haar telefoon weer tevoorschijn haalde. 'Het zal de BRP niet lukken om hier hun mond over te houden.'

22

Mijn reis is lang en duurt heel lang.
RABINDRANATH TAGORE

Parijs, Frankrijk

EEN PAAR MINUTEN EERDER HAD SITA bevend en doodsbang op de binnenplaats naast de zwarte Mercedes gestaan. Ze zag dat Dmitri achter het stuur ging zitten en startte, waardoor de auto zoemend tot leven kwam. Shyam ging in het midden van de achterbank zitten, Uncle-ji zat aan zijn ene kant en Aunti-ji ging voorin naast Dmitri zitten. Sita was de laatste die in de auto stapte. Ze ademde diep in en dacht aan de vliegtickets. Intussen wist ze bijna zeker dat die niet alleen voor Uncle-ji, Aunti-ji en Shyam waren. Een ervan was voor haar.

Naast Shyam staarde ze uit het raampje en probeerde de brandende pijn van de wond op haar schedel niet te voelen. Ze wist nog exact wat zich de avond daarvoor op de binnenplaats had afgespeeld. Natalia, die met steeds een angstige blik over haar schouder voor hen uit had gelopen. Dmitri die haar aan haar haren meesleurde. Hun binnenkomst in de vestibule van het appartement waar de meisjes woonden. De trap die ze op was gesleept. Natalia's kamer waar ze tegen de muur was gesmeten. Natalia die Dmitri smeekte genade te hebben. Dmitri's gezicht, een paar centimeter van het hare, zijn adem heet en zwaar van de stank van alcohol. Wat hij haar toen toefluisterde. Ze zou de woorden nooit vergeten.

'Ik weet dat je de kelder hebt gezien. Als je was gebleven, zou ik je wel een lesje hebben geleerd. Maar mijn vader heeft een deal met Dietrich gesloten die meer oplevert.'

Natalia, die met Dmitri het kamertje uit was gegaan en even later terugkwam in T-shirt en sportbroekje. Het bloed dat ze van Sita's schedel depte met een paar tissues uit het doosje op het kastje. Het bed dat ze Sita had aangeboden. Maar Sita had haar hoofd geschud en was opgeschoven zodat er ook plaats was voor het Oekraïense meisje. Natalia die naast haar ging liggen en Sita dicht tegen zich aan hield.

'Sorry,' had ze gefluisterd. 'Dmitri slechte man.'

Die ochtend was Dmitri Sita komen halen en had hij een bruine jas op het bed gegooid.

'Van mijn moeder,' zei hij vol afkeer. 'Als het aan mij lag, zou je bevriezen.' Toen nam hij haar mee naar de auto.

Sita staarde door het getinte glas toen de dubbele deuren van het binnenplein opengingen en Dmitri de Mercedes de straat op draaide. Er stonden een man en een vrouw aan de overkant van de straat die allebei naar de auto tuurden. De man was lang en had donker haar en de vrouw droeg een donkerrode jas. Terwijl de auto het straatje in reed, keek Sita om naar het stel op het trottoir. Iets in de man trok haar aandacht. Ze wist zeker dat hij haar niet kon zien, maar ze had het gevoel dat hij haar recht aankeek.

Plotseling begon de man te rennen. Sita omklemde verrast de armsteun. Ze voelde de auto hard optrekken en besefte dat Dmitri het ook had gezien. Aan het einde van de straat scheurden ze de hoek om, waardoor ze tegen het portier werd aan gesmeten en ze de man uit het oog verloor.

Toen ze even later nog een keer omkeek, was hij verdwenen.

Dmitri hield haar via de achteruitkijkspiegel in het oog, belde iemand met zijn mobiele telefoon en sprak een paar onverstaanbare woorden. Ze moest denken aan Navins laatste bezoek aan het restaurant en plotseling schoot er een hoopvolle gedachte door haar heen: was die man misschien op zoek geweest naar háár? Ze zocht haar geheugen af of ze hem misschien eerder had gezien, maar dat leverde niets op. Hij zag er niet uit als iemand van de politie, dacht ze. Maar als hij niet van de politie was, waarom was hij dan opeens gaan rennen?

Voorin zat Aunti-ji te kletsen over hoe elegant en werelds Dmitri's familie wel niet was, terwijl Uncle-ji, die achter haar zat, uit het raampje keek. Ze hadden niets gemerkt van de achtervolging die opeens was ingezet en zo snel weer was geëindigd. Sita wierp een snelle blik op Shyam en zag dat hij naar haar keek. In zijn ogen zag ze dat hij het ook had gezien.

Sita leunde naar achteren en deed haar ogen dicht, in een poging de angst die doorlopend aan haar knaagde te negeren. Ze was doodmoe na alle gebeurtenissen en frustraties van die nacht.

Even later dommelde ze in slaap.

Ze werd wakker van Uncle-ji's stem en Shyams hand die aan haar arm trok. 'Sita, wakker worden,' zei Uncle-ji in het Hindi.

Toen ze haar ogen opendeed, zag ze dat ze in de buitenwijken van Parijs waren. Even later passeerden ze een bord waarop stond dat het vliegveld twee kilometer verderop lag. Ze richtte haar blik op Uncle-ji.

'We gaan naar New York,' begon hij zenuwachtig. 'Tot we in Amerika zijn, doe je net of je een dochter van ons bent. Het is heel belangrijk dat je precies doet wat wij zeggen. Zo niet, dan zul je ervoor boeten.'

Hij overhandigde haar een paspoort. De foto erin was dezelfde als in het paspoort dat Navin had gekocht, maar ze heette nu Sundari Raman en was een genaturaliseerde Française.

'We zijn op vakantie,' vervolgde Uncle-ji. 'Je mag niet met vreemden praten. Alleen met ons en altijd in het Hindi. Als er gepraat moet worden, doen wij dat wel.'

Sita hoorde alles met een gevoel van wanhoop aan. Ze was uit Azië naar Europa vertrokken in de overtuiging dat ze op een dag een manier zou vinden om terug te gaan naar haar zusje in Mumbai. Het was een droom, ja, maar het leek niet onmogelijk. Maar nu stond ze op het punt uit Europa naar Noord-Amerika te vertrekken. India en de Verenigde Staten lagen ieder aan een andere kant van de wereld. Hoe zou ze ooit haar weg nog terug kunnen vinden over een afstand van zowat vijftienduizend kilometer?

Er begonnen hete tranen over haar wangen te biggelen, die ze weer wegveegde. Ze probeerde een manier te bedenken om te ontsnappen, maar er kwam niets in haar op. Vasily en Dmitri hadden bewezen dat ze machtig en onbarmhartig waren. Ze hadden het lot van zes jonge meisjes in handen en binnen een paar dagen een stel paspoorten weten te regelen. Als ze hun woede nog een keer over zich afriep, zou haar straf veel erger zijn dan alleen een bloederige schedel.

Dmitri zette hen af bij terminal 2A op Charles de Gaulle. Nadat hij de koffers had uitgeladen, hurkte hij voor Sita neer.

'Je hebt ons heel wat last bezorgd,' zei hij gedempt. 'Vanaf nu doe je alles wat zij zeggen. Luister je niet goed, dan zorgen mijn zakenpartners in New York er wel voor dat je daar spijt van krijgt. Begrepen?'

Sita knikte.

'Goed,' zei hij en hij trok even aan haar haren om zijn dreigement kracht bij te zetten. Toen stapte hij weer in de Mercedes en racete weg.

Uncle-ji liep voorop de terminal binnen. Natuurlijk gaf Aunti-ji Sita opdracht de zwaarste koffer te dragen. Toen ze waren ingecheckt liepen ze naar de beveiligingscontrole. De Franse veiligheidsbeambten bekeken hen aandachtig, maar Sita waagde geen poging iets tegen hen te zeggen.

Eenmaal door de beveiliging heen, namen ze plaats in de wachtruimte. Om twaalf uur werd er omgeroepen dat ze moesten boarden. Bij de controle gaf Uncle-ji alle vier de paspoorten met de boardingpassen erin aan de stewardess en klopte Aunti-ji Sita een paar keer zogenaamd geruststellend op haar schouder. De stewardess glimlachte naar Shyam en Sita.

'*Bon voyage*,' zei ze en ze gaf de afgescheurde boardingpassen terug aan Uncle-ji.

Hun zitplaatsen waren in het midden van het grote vliegtuig. Aunti-ji zeurde over hun plaats en dat de stoel zo klein was. Uncle-ji rolde met zijn ogen en begon rustig met Shyam te kletsen.

Sita staarde uit een raampje en negeerde hen. In de verte zag ze een vliegtuig opstijgen. Ze probeerde zich ieder trekje van Ahalya's gezicht voor de geest te halen. Haar grote ogen, haar dikke wimpers. De kuiltjes in haar wangen en haar volle lippen. Haar amandelkeurige huid en haar glanzende haren. Ze hield ontzettend veel van haar zusje en zou haar altijd blijven missen.

Terwijl het vliegtuig van de gate wegtaxiede om naar de startbaan te gaan, zwoer Sita zichzelf en God een plechtige eed. Ze zou Ahalya nooit vergeten. Ze zou zich haar herinneren zoals ze was en ook het India dat ze had gekend voor de waanzin toesloeg onthouden. De wereld kon hun de vrijheid ontnemen, hun onschuld van hen stelen, hun familie vernietigen en hen wegvoeren naar plekken die ze niet kenden, maar hij kon hun herinneringen nooit afpakken. Dat kon alleen de tijd, maar daar zou Sita zich uit alle macht tegen verzetten.

Het verleden was het enige wat ze had.

Het vliegtuig uit Parijs landde laat in de middag op Newark Liberty International Airport. Buiten een barmhartige drie uur slaap had Aunti-ji de hele reis door aan één stuk door zitten klagen. Ze zat geen moment stil, schoof heen en weer op haar stoel en stootte dan met haar ellebogen tegen Sita en Uncle-ji aan. De passagiers in de buurt keken geïrriteerd naar haar, maar niemand had het lef om te zeggen dat ze haar mond moest houden. Behalve Uncle-ji, maar zelfs voor zijn smeekbeden was ze doof. Aunti-ji kon het niet laten haar ongenoegen aan iedereen binnen gehoorsafstand te laten blijken. Toen het vliegtuig eindelijk landde, slaakten tien rijen passagiers een zucht van verlichting.

Maar haar klaaglitanie ging gewoon door terwijl ze met tweehonderd medepassagiers naar de douane liepen. Sita wierp een blik op de Amerikaanse douanebeambten en dacht terug aan Dmitri's woorden. Hij zat nu wel aan de andere kant van de Atlantische Oceaan, maar had partners in New York. Ze durfde het risico niet te nemen haar verhaal aan de politie te vertellen.

Na bijna twintig minuten wachten, werden ze naar een hokje gedirigeerd waarin een hispanic immigratieambtenaar zat. De man bekeek hun paspoorten en verzamelde hun vingerafdrukken en foto's voor het US-VISIT-systeem. Vervolgens ondervroeg hij Uncle-ji uitgebreid over het doel van hun bezoek. Het verhaal dat Uncle-ji opdiste was bijna helemaal waar en hij vertelde het, hoewel in gebroken Engels, vol overtuiging.

De ambtenaar richtte vervolgens het woord tot Aunti-ji en stelde haar vragen over hun verblijfplaats in Frankrijk, waar ze was geboren, en over Shyam en Sita, die hij 'Sundari' noemde. Aunti-ji antwoordde met zoveel onechte onderdanigheid, dat de immigratiebeambte haar wantrouwend bekeek. Toen duwde ze Sita naar voren en zei: 'Vertel eens hoe graag je New York wilt zien.'

Sita verstijfde, haar hersens zochten paniekerig naar het juiste antwoord. Ze zei de eerste leugen die in haar opkwam: 'Iedereen in Frankrijk heeft het over New York. Ik heb hier altijd al naartoe gewild.'

'Waarom spreek je zo goed Engels?' vroeg de beambte met toegeknepen ogen.

Het antwoord kwam zonder moeite: 'Dat leren we op school.'

Haar uitleg leek de beambte tevreden te stellen en hij bekeek hun documenten nog eens. Uncle-ji stond stijfjes toe te kijken met Shyam naast zich en Aunti-ji was deze keer zo wijs om haar mond dicht te houden. Eindelijk zette de beambte een stempel in hun paspoorten en gebaarde hij dat ze door konden lopen.

'Welkom in Amerika,' zei hij en hij richtte zijn blik alweer op de volgende persoon in de rij die voor hem stond.

Nadat ze hun koffers hadden opgehaald, namen ze plaats op een bankje naast de rij hoteltelefoons. Zowel Uncle-ji als Aunti-ji legde niet uit waarop ze wachtten. Alleen Shyam leek de spanning van dat moment niet te voelen. Hij stond op en danste een paar passen uit een Bollywoodfilm, duidelijk om indruk op Sita te maken.

'Heb je *Khahi Kushi Khahi Gham* gezien?' vroeg hij. 'Amitabh Bachchan en Shahrukh Khan spelen erin.'

'*Cupa rahō*!' zei Uncle-ji streng, waarmee hij de jongen tot stilte maande. 'We zijn hier niet in India. Dit is Amerika. Doe normaal en hou je rustig.'

'Sorry, papa,' zei Shyam. Hij zag er gekwetst uit. 'Ik probeerde Sita gewoon wat op te vrolijken.'

'Sita hoeft helemaal niet opgevrolijkt te worden. En wij hoeven je niet te zien dansen. Ga zitten.'

Shyam ging naast Sita zitten en liet zijn hoofd omlaag hangen. Toen Uncle-ji de andere kant op keek, streek Sita even over Shyams hand.

'Het is oké!' mimede ze. 'Ik vond het leuk.'

Shyams triestheid leek te verdwijnen door haar aardige gebaar. Na een tijdje vatte hij moed en raakte haar hand op zijn beurt ook even aan.

Tien minuten later kwam er een Slavische man van middelbare leeftijd door de glazen deuren van de terminal binnen, die schokkend veel op Vasily leek. Hij keek zoekend om zich heen totdat hij hen in het oog kreeg. Hij kwam hun kant uit lopen en staarde, eenmaal voor hen, lange tijd naar Sita.

'Meekomen,' zei hij bruusk en hij keerde zich weer om naar de deur, zonder aanstalten te maken hen te helpen met hun bagage.

Ze liepen achter Vasily's evenbeeld aan de terminal uit en een verkeersweg over naar een witte bestelwagen. Ze klommen erin en Vasily's evenbeeld ging voorin op de passagiersstoel zitten. De chauffeur was een grote man met harde ogen en baardstoppels van een dag op zijn kin. Zodra alle deuren dicht waren, gaf hij gas en reed de oprit van een tolweg op.

Het busje reed door een lange tunnel en toen ze eruit kwamen, bevonden ze zich in de schaduwen van enorme wolkenkrabbers. Sita was verbijsterd door het betonnen oerwoud dat de metropool New York bleek te zijn. In Mumbai was het drukker, maar New York was een stad die in de lucht was gebouwd. De chauffeur manoeuvreerde door een verkeersopstopping heen en parkeerde uiteindelijk voor een armzalig ogend hotel dat 'The Taj' heette. Vasily's evenbeeld liet de schuifdeur van het busje open glijden en Uncle-ji en Aunti-ji stapten uit en begonnen hun koffers te verzamelen. Sita wilde, na Shyam, ook uitstappen, maar de Slavische man versperde haar de weg.

'Jij gaat met ons mee,' zei hij.

Sita versteende en keek naar Uncle-ji. De angst vlamde in haar op. Uncle-ji staarde strak naar een vlek op het trottoir. Toen wist ze het: ze was wéér verkocht. Chennai, Mumbai, Parijs, New York. Wanneer kwam er een eind aan?

Vasily's evenbeeld greep haar arm beet en dwong haar weer het busje in.

'Waar brengt u me naartoe?' vroeg ze.

'Geen vragen,' beval hij, 'anders krijg je met Igor te maken.'

De chauffeur – Igor – grijnsde wreed naar haar. 'Alexi zegt altijd waarheid,' zei hij, zijn schorre stem klonk haast als gegrom.

Vasily's evenbeeld – Alexi – zei nog kort iets tegen Uncle-ji en de restauranthouder overhandigde hem een paspoort. Shyam begon te protesteren, hij keek Sita met opengesperde ogen aan.

'Waarom komt ze niet met ons mee?' vroeg hij. De woorden waren tot in het busje te horen. Hij omklemde de hand van zijn vader. 'Papa, alstublieft, laat haar niet in de steek.'

Uncle-ji zag er beschaamd uit, maar antwoordde niet.

Alexi liep terug naar het busje en ging op de passagiersstoel zitten. Igor trapte het gaspedaal in en reed van de stoeprand weg. Sita keek door het achterraam en ving Shyams blik. De jongen zwaaide naar haar en zijn lippen bewogen, maar ze kon zijn woorden niet horen. Terwijl ze verder reden zag ze hem steeds kleiner worden, een dwerg tussen de hoge torens van de stad.

De diepte van het verdriet dat haar overspoelde toen ze Shyam zag verdwijnen, verbaasde haar. Sita voelde in haar sari en wreef met haar duim over Hanoeman. Ze probeerde te bidden, probeerde te geloven dat het aapje niet gewoon een aardewerken beeldje in haar hand was, maar dat de echte Hanoeman ergens op zoek naar haar was. Maar het geloof bleek niet in staat de enorme angst die haar in zijn greep had te overwinnen.

Ze draaide zich om en probeerde rustiger adem te halen. Ze keek toe terwijl Igor het busje weer door het drukke verkeer manoeuvreerde dat naar de tunnel onderweg was. De late winterzon was aan het ondergaan achter een deken van laaghangende wolken en het afnemende licht wierp een bleek schijnsel over het stadslandschap.

Ze volgden de tolweg naar Newark en sloegen vlak na het vliegveld af. Na nog een paar afslagen reed Igor het busje de parkeerplaats van een winkelcentrum op. Het enige wat daar opviel was een neonverlicht gebouw dat op de hoek naast een motel stond. De ingang ervan was flamingoroze en op het verlichte uithangbord boven de entree stond PLATINUM VIP te lezen.

Igor parkeerde het busje naast een zijdeur en Alexi gebaarde dat Sita moest uitstappen. Met Tatiana's jas strak om zich heen geslagen liep ze achter hem aan de deur door en volgde hem door een slecht verlichte gang. De muren waren verveloos en behangen met foto's uit pornobladen.

Alexi maakte de deur van een klein kamertje open. Er stonden een bed en een televisie en verder waren er een wastafel en toilet. Er waren geen ramen en alles zag er verwaarloosd uit. Aan het plafond hing een bestofte ventilator, die niet aanstond.

'Jij blijft hier,' snauwde Alexi haar toe en hij liet haar alleen achter. De deur ging achter hem op slot.

Sita zat urenlang op het bed. Ze keek de kamer rond en verzon allerlei ontsnappingsplannen. Maar daar had zij veel geluk voor nodig en haar cipiers moesten daarbij ook nog ongelooflijk stom zijn. Toen ze er geen gat meer in zag, probeerde ze haar gedachten af te leiden met hersenspelletjes. Af en toe hoorde ze voetstappen op de gang of gedempt praten.

Na een tijdje klonken er steeds vaker voetstappen. Ze hoorde vrouwenstemmen praten in een vreemde taal. Het klonk zo'n beetje als de taal van Dmitri, maar ze wist niet zeker of het Russisch was. Een mannenstem begroette de meisjes en blafte daarna een bevel. Een van de meisjes begon hem om iets te smeken. Sita hoorde de geluiden van een worsteling en er bonkte iets tegen de deur. Het meisje krijste. De man schreeuwde. Opnieuw bonkte er iets tegen de deur. Toen hoorde Sita iets wat leek op nagels die over hout klauwden. Ze trok haar knieën op en haar hart begon te bonzen.

De deur ging open en er kwam een jonge vrouw binnen. Ze had blond haar en was gekleed in een diep uitgesneden topje en een minirok. Achter haar aan kwam Igor de kamer binnen struinen en keek Sita boos aan. Ze sprong van het bed en maakte zich zo klein mogelijk achter de televisie in een hoekje van de kamer. Het blonde meisje keek heel even Sita's kant op en draaide zich toen met grote ogen van angst om naar Igor.

Igor blafte weer een bevel. Het meisje schudde haar hoofd. Igor werd ongeduldig en gooide haar op het bed. Toen hij zijn riem losmaakte, begon het meisje te huilen. Sita wendde haar gezicht af en sloot haar ogen, terwijl ze een mantra fluisterde die ze als kind had geleerd. Ze kon niet aanzien wat het meisje moest ondergaan.

Een paar minuten later kwam Igor weer overeind. Hij ademde zwaar. Zonder een woord trok hij zijn broek aan en verliet het kamertje. Het meisje bleef achter op de dunne matras. Sita opende haar ogen en keek naar haar bewegingloze lichaam. Even was ze bang dat Igor het meisje bewusteloos had geslagen, maar toen bewoog ze. Ze ging overeind zitten en maakte haar kleding in orde. Haar gezicht had geen enkele uitdrukking. Igor kwam haar halen en het meisje liep achter hem aan het kamertje uit, zonder een blik in Sita's richting.

Op een gegeven moment begon de muziek, die daarna nog uren en uren doorging. Het doffe dreunen van de bassen trilde door in de muren en resoneerde in Sita's hoofd. Ze ging op bed liggen, doodmoe vanwege de jetlag en alle angst. Maar door de muziek kon ze niet in slaap komen. Ze bedekte haar oren en stopte haar hoofd onder de vuile lakens.

Even voor zonsopgang hield de muziek eindelijk op. Sita hoorde geschuifel in de gang. De deur van het kamertje ging open en Igor kwam opnieuw binnen, dit keer sleurde hij een ander meisje met zich mee. Het meisje verzette zich niet toen Igor haar tegen de muur aan drukte. Zonder een kik te geven deed ze wat hij van haar eiste. Sita sloot haar oren en ogen af voor het hele afgrijselijke gebeuren. Ze voelde een enorme behoefte aan een bad om de vuiligheid van deze plek van zich af te kunnen wassen. Waarom was ze hier? Wat wilden ze van haar? Probeerde Igor haar een lesje te leren door die meisjes voor haar ogen te verkrachten?

Na een tijdje verlieten Igor en het meisje het kamertje weer. Sita probeerde opnieuw in slaap te komen en deed haar ogen dicht. Ze schrok wakker toen de deurknop werd omgedraaid. Igor stond in de deuropening, deze keer alleen. Na een snelle blik in beide richtingen de gang door, stapte hij het kamertje binnen en deed de deur achter zich dicht. Hij keek naar Sita en zijn mond plooide zich in een wrede, snerende glimlach. Sita trok zich terug in de hoek en klemde haar knieën tegen haar borst.

Igor liep langzaam op haar af, zijn vlezige handen hingen langs zijn lichaam. Hij knielde voor haar neer en begon zijn riem los te maken.

'Alexi zegt ik jou niet aanraken. Dietrich komt.' Igor ritste zijn gulp open en stak zijn hand in zijn broek. 'Alexi niet weten als jij aanraakt míj.'

Sita deed haar ogen dicht, niet in staat om te kijken naar wat hij haar wilde laten zien. Haar tanden begonnen te klapperen. Ze voelde dat hij haar hoofd in zijn handen nam en dat naar zich toe trok. Hij rook naar zweet en goedkope drank.

'Mond open,' beval hij.

'Alstublieft,' jammerde ze, terwijl ze plotseling moest kokhalzen en bijna moest overgeven. 'Nee, nee.'

'Mond open,' eiste hij opnieuw, terwijl hij haar hoofd steviger vastgreep.

Plotseling vloog de deur open. Sita keek op toen Alexi de kamer binnenstormde, zijn gezicht vertrokken van woede. Igor draaide zich met een ruk om en probeerde zijn gulp gauw dicht te maken, maar voordat hem dat lukte gaf Alexi hem een vuistslag tegen zijn kaak. Sita hoorde een geluid dat leek op dat van een brekende tak en Igor schreeuwde het uit van de pijn. Verbijsterd zag ze dat Alexi Igor bij de schouders pakte en hem tegen de muur aan smeet. Igor zakte volkomen overdonderd in elkaar en sloeg zijn handen voor zijn gezicht.

Alexi knakte met zijn knokkels en kromp even ineen terwijl hij een blik op zijn hand wierp. Toen keerde hij zich om naar Sita en vroeg hij, op een toon alsof het geweld hem niets uitmaakte: 'Heeft hij je aangeraakt?'

Ze schudde haar hoofd. 'Hij heeft me geen pijn gedaan.'

'Dat vroeg ik niet.'

'Hij heeft alleen mijn hoofd aangeraakt,' antwoordde ze. 'Verder niets.'

Alexi keek naar Igor, die worstelde om overeind te komen. Igor zocht steun bij de deurpost en hinkte toen met openhangende mond en zonder nog een blik naar hen het kamertje uit.

'Die raakt je nooit meer aan,' zei Alexi.

Toen Alexi weg was, leunde Sita haar hoofd tegen de muur. Ze probeerde troost te putten uit zijn belofte, maar kon Igors zweetgeur of de angstwekkende dreiging van die onbekende Dietrich niet van zich afzetten. De slaap verleidde haar, speelde met haar, maar kwam uiteindelijk niet. De aanblik en geluiden van al die menselijke verdorvenheid hadden haar te veel geschokt om zomaar van zich af te kunnen zetten.

Is dit de hel? vroeg ze zich even af.

En als dat niet zo is, waar is God dan?

23

Je bezit niets omdat je er niet om vraagt.
HET EVANGELIE VAN JOHANNES

Parijs, Frankrijk

NA HET INCIDENT MET DE ZWARTE MERCEDES vergezelde Thomas Julia naar de Place de la Concorde en nam in de hal van de Amerikaanse ambassade afscheid van haar. Ze beloofde te bellen zodra ze iets van de BRP hoorde.

Thomas verliet de ambassade met een opgejaagd en onrustig gevoel. Hij had voor elkaar gekregen wat Léon als een wonder had beschouwd: een aanwijzing gevonden en die weten om te zetten in een spoor. Hij had de vrouw, waarschijnlijk Navins tante, in de auto zien zitten. Waar ze nu was wist hij niet, maar hij wist wel dat het appartement van de Petrovitches aanwijzingen zou bevatten. Achter die dubbele deuren moest iets te vinden zijn, iets wat hem naar Sita kon leiden. Maar dat spoor moest eerst bestudeerd en daarna goedgekeurd worden via de bureaucratische molens. Hemeltergend was het.

Op zoek naar een manier om zijn frustratie kwijt te raken, liep hij over het uitgestrekte Place de la Concorde. Hij stak de brug over de Seine over en wandelde verder over de linkeroever naar het westen. Het wolkendek brak open en de rivier sprankelde opeens in het zonlicht.

De hele weg naar de Eiffeltoren hield hij er flink de pas in. Hij ontweek de kluit toeristen die aan de voet van de bezienswaardigheid samengroepten en liep verder door het brede Parc du Champ Mars, dat zich van de Eiffeltoren tot aan het uitgebreide complex van de École Militaire uitstrekte. Daar ging hij op een bankje zitten en keek naar de vogels die in de turbulentie van de wind speelden.

Na een paar minuten haalde hij zijn BlackBerry tevoorschijn, van plan om Priya te bellen. In Mumbai was het nu laat in de middag. Ze nam al na de tweede keer overgaan op, ze klonk moe maar blij van hem te horen.

'Hoe is Parijs?' vroeg ze.

'*Magnifique*,' zei hij. 'Hoe is Mumbai?'

'Met de dag heter. Hoe gaat het zoeken?'

Hij vertelde haar in het kort wat er de laatste twee dagen was gebeurd.

Priya was onder de indruk. 'Dat is veel meer resultaat dan ik verwachtte.'

'Twee stappen vooruit, één achteruit. Hoe gaat het met je vader?'

Priya zuchtte even. 'Hij zit nog steeds in Varanasi.'

'Nou, doe hem de groeten als je hem ziet.'

'Zal ik doen.' Priya zweeg even. 'Ik ben trots op je, Thomas.'

Haar compliment deed hem onverwachts veel goed.

'Ik meende wat ik zei. Breng Sita weer thuis.'

Thomas stond op van het bankje en liep langs de rand van het gras in de richting van de École Militaire. Op de hoek van Place Joffre en Avenue de Tourville liep hij naar het oosten langs het Hôtel des Invalides. Hij wandelde door de idyllische straatjes van het Zevende en Zesde Arrondissement voordat hij stopte bij een café en daar een stokbroodje bestelde. Hij checkte zijn BlackBerry regelmatig om te zien of er een e-mail of sms van Julia was, maar zijn inbox bleef leeg.

Na de lunch wandelde hij door Jardin du Luxembourg en langs Rue Soufflot de heuvel op naar het megalithische Pantheon. Onder de indrukwekkende gevel van de Bibliothèque Sainte-Geneviève bleef hij staan en liet zijn blik langs de namen van de grote wetenschappers en denkers glijden die onder de ramen van het gebouw in de muur uitgebeiteld waren. Da Vinci, Erasmus, Newton, Bacon, Lavoisier. Als student hadden die namen hem geïnspireerd. Maar nu maakten ze hem onrustig. Al deze mensen waren stuk voor stuk grote geesten geweest die de status quo van hun tijd hadden uitgedaagd, vaak ten koste van zichzelf. Er kwam een herinnering in hem op – Priya's woorden, toen hij aan zijn baan bij Clayton was begonnen. 'Ze zullen een huursoldaat van je maken,' had ze gezegd, 'en je zult je ziel kwijtraken.' Hij was het niet met haar eens geweest. Maar de filosofen, wetenschappers, heiligen en wijsgeren wier namen hier in de muren van de Bibliothèque stonden, spraken boekdelen. Hoeveel van hen zouden het, als ze nog in leven waren geweest, met Priya eens zijn geweest?

Hij draaide zich om en liep over het met kinderkopjes geplaveide plein naar Église Saint-Étienne-du-Mont. Voor de kerk bleef hij staan, terwijl Jean-Pierre Léons vraag in zijn gedachten opkwam: *Bent u gelovig, Mr. Clarke?* Om de een of andere reden knaagden die woorden aan hem. Nooit eerder zou hij overwogen hebben om bij zijn zoektocht naar Sita de hemel om hulp te vragen, maar de vraag was door zijn hoofd blijven zeuren en liet hem niet los.

Toen er een ouder echtpaar uit de kerk kwam, kon Thomas, voordat de zware deur weer dichtviel, een snelle blik naar binnen werpen. Het was een groot heiligdom, met een gewelfd plafond, boogvormige galerijen, rijkversierde pilaren en ramen met een ingewikkeld stenen maaswerk. Hij merkte dat hij door de plek werd aangetrokken. In een opwelling besloot hij er rond te gaan kijken.

De geluiden van de straat verdwenen zodra de deur van de kerk achter hem dichtging. De stilte van het heiligdom werd niet verstoord. Thomas liep langzaam door de indrukwekkende galerij die zich langs het middenschip bevond. Door de glas-in-loodramen hoog boven hem stroomde het zonlicht naar binnen en er flakkerden kaarsvlammen in de schaduwen voor de heiligenbeelden. Er stond een bordje dat een kaars twee euro kostte. Hij aarzelde, twijfelde, maar plotseling leken zijn bezwaren eerder ingegeven door zijn eigen starheid, dan door gezond verstand. Wat kon het nou voor kwaad om een kaarsje te branden?

Hij duwde een twee-euromunt in de gleuf van het gelddoosje en pakte een kaars. Die stak hij aan aan de vlam van een andere en hij plaatste hem op de onderste rij van een standaard. Toen liep hij naar een plekje in een van de kerkbanken aan de rand van het middenschip, waar hij een kruis sloeg zoals hij dat als kind ook had gedaan, neerknielde, zijn hoofd boog en zijn kin op zijn gevouwen handen liet rusten.

Eerst dacht hij erover om voor geluk te bidden, maar dat leek hem niet gepast. Dus bad hij om genade. Genade was een concept dat rechtstreeks uit de catechismus kwam, zwaar, stoffig en gerafeld, als een beduimeld boekwerk in een oude bibliotheek, maar toch vond hij dat het een goede resonantie had die hij niet precies kon benoemen. Hij bad en deed zijn ogen weer open. De kerk was nog precies hetzelfde, evenals de wereld. Maar voor het eerst sinds de dood van Mohini voelde Thomas enige vrede.

Hij verliet de kerk en stond een moment later weer buiten op de keien van Place Sainte-Geneviève. Toen hij zijn BlackBerry checkte, bleek Julia nog altijd geen boodschap voor hem te hebben achtergelaten. Daarna neusde hij wat rond in een winkeltje met tweedehandsboeken en kocht een stuk kaas in een *fromagerie*, voordat hij weer naar zijn hotel terugging. Het liefst had hij Julia gebeld om te horen hoe het ervoor stond, maar hij wist dat hij haar niet steeds moest lastigvallen.

Uiteindelijk kwam het telefoontje om een paar minuten voor zes.

'Hoi, Thomas,' zei Julia. 'Sorry voor de lange stilte, maar ik heb de hele middag in vergaderingen gezeten. Ik heb een huiszoekingsbevel.'

Verbaasd vroeg hij: 'Hoe heb je dat in vredesnaam voor elkaar gekregen?'

'Een beetje vriendelijke overredingskracht en heel veel geluk. Wij wisten wel dat de BRP de Petroviches in de gaten hield, maar we wisten niet waarom. Nu blijkt dat ze een escortservice hebben en een pornosite met meisjes uit Oost-Europa. De BRP is al meer dan een jaar naar ze op jacht, maar de bewijzen waren nog onvoldoende. Tot nu toe, dan. Een van de meisjes heeft gepraat. Ze zijn al een week bezig met het plannen van een inval. Mijn tip over Sita heeft hun vermoedens nog eens bevestigd. De inval is morgenochtend.'

Thomas was verbijsterd. Sita was in een oorlogszone beland. 'Hoe groot is de kans dat ze me mee laten gaan?'

Julia lachte. 'Nul-komma-nul. Ze laten óns bij dit soort operaties al niet in de buurt komen en als ze in dit geval een uitzondering zouden willen maken, wat ze niet doen, dan zou die niet voor jou gelden. Nee, we zullen gewoon rustig aan de zijlijn moeten afwachten.'

'Bellen ze als het achter de rug is?'

'Mijn mannetje heeft beloofd contact op te nemen. Maar wanneer weet ik niet. Geduld, Thomas, geduld.'

De nacht ging hemeltergend langzaam voorbij. Toen het licht begon te worden, gaf Thomas het idee maar op dat hij de slaap nog zou kunnen vatten. Hij ging naar een café op de hoek van de straat en dronk een dubbele café noir terwijl hij *Le Monde* doorbladerde. Julia belde om zeven uur. Ze klonk buiten adem.

'De inval is volgens plan verlopen,' zei ze. 'De BRP heeft zes Oekraïense meisjes uit het gebouw weten te redden. Maar de Petroviches waren verdwenen.'

'Hoe kan dat nou?' vroeg Thomas. 'We hebben er nog maar net eentje van gezie...' Zijn stem stierf weg toen er een gedachte in zijn hoofd opkwam. 'We hebben hun wantrouwen gewekt, denk je niet? Toen ik achter de auto aanholde.'

'Ik heb geen idee.'

'En Sita?'

'Van haar hebben ze geen spoor gevonden. Sorry.'

'En de meisjes? Als Sita in het appartement werkte moet een van hen haar toch wel eens gezien hebben.'

'Je hebt gelijk,' zei ze aarzelend.

'Wat?'

'Het is alleen dat ik al mijn credits al heb verbruikt om je zover op weg te helpen. De meisjes zijn niet toegankelijk voor ons. Het protocol van de BRP is uiterst strikt, vooral nu de Petroviches nog voortvluchtig zijn. De meisjes zitten waarschijnlijk al ergens in een *safehouse*. Ik weet niet waar ze zijn en de BRP zal me dat zeker niet vertellen, tenzij er een verdomd goede reden voor is.' Ze zweeg even. 'Met wat een Indiaas serveerstertje te vertellen heeft, redden we het niet.'

'Ik snap het,' zei Thomas.

Ze zwegen allebei totdat de stilte ongemakkelijk begon te voelen.

'Verdomme,' zei ze. 'Ik wist wel dat het hierop uit zou draaien. Luister, ik zou je graag verder helpen, maar het is gewoon te ingewikkeld. Als ik me wat dit betreft niet aan de regels houd, krijg ik met iedereen problemen, de Fransen, het kantoor, de ambassadeur.'

'Sorry.'

Ze dacht een tijdje na en zuchtte toen hoorbaar. 'Gun me wat tijd.' Ze zweeg weer even. 'Bel mij niet, ik bel jou wel.'

'Dank je.'

'Heb geduld, oké?'

'Geduld is mijn tweede natuur.'

Ze lachte wrang. 'Op de een of andere manier betwijfel ik dat ten zeerste.'

Julia had gelijk. Wachten was voor Thomas altijd een hel geweest. Priya had het zelfs een fout in zijn karakter genoemd. De volgende drie dagen voelden dan ook als een langzame marteling voor hem. Hij zwierf doelloos door Parijs, nam zomaar een willekeurige trein naar de wijken buiten Boulevard Périphérique, staarde vanaf de Pont Neuf naar de boten op de Seine en slenterde na middernacht over Place Pigalle, turend naar de parade van mannen die op zoek waren naar een vrouw die hun vleselijke fantasieën kon vervullen.

Op de avond van de derde dag zat hij in zijn hotelkamer in een fauteuil bij het raam van een glas cognac te genieten en te kijken hoe de lichten van

Parijs een voor een aangingen, toen het telefoontje kwam. Even staarde hij verschrikt naar zijn mobieltje, het geluid galmde na in zijn hoofd. Toen stak hij zijn hand uit, griste het toestel van het bed en klemde dat tegen zijn oor.

'Julia?'

'Kom morgenochtend om halfzeven naar Gare Montparnasse.'

'Wie heb je gesproken?'

'Halfzeven morgenochtend,' zei ze. 'En kom niet te laat.'

Zonder nog iets te zeggen verbrak ze de verbinding.

24

Mijn vrienden en geliefden zijn me afgenomen,
de duisternis is mijn beste vriend.
DE ZONEN VAN KORAH

Elizabeth, New Jersey

EEN TIJDJE NA HET INCIDENT MET IGOR – Sita had geen idee hoe laat het was – bracht Alexi haar een kom smakeloze soep en een pakje crackers. Zonder een woord te zeggen zette de Slavische man het eten aan het hoofdeinde van het bed. Toen haalde hij een kleine digitale camera uit zijn broekzak en gebaarde dat ze moest gaan staan. Sita gehoorzaamde aarzelend. Hij nam twee foto's van haar en vertrok. Sita deed haar best om zich op het eten te concentreren en niet te piekeren over het waarom van die foto's.

De rest van de dag ging in stilte voorbij. Op een gegeven moment zette ze de televisie aan. Die kwam statisch knetterend tot leven, maar zonder beeld. Toen ze het deurtje van het kastje onder de televisie openmaakte, trof ze daar een oude videorecorder plus een stapeltje pornobanden aan. Geschrokken deed ze een paar stappen naar achteren en ging zo ver mogelijk van de televisie vandaan in een hoek zitten. De tv maakte een brommend geluid en zette het kamertje in een onheilspellende blauwe gloed, maar Sita kon zichzelf er niet toe zetten hem uit te schakelen. Het was alsof ze werd omgeven door een ranzige wolk, alsof de seks uit de muren sijpelde. Tegen de tijd dat het donker begon te worden, betrapte ze zichzelf erop dat ze ernaar uitkeek om stemmen te horen.

Net als de avond daarvoor hoorde ze de meisjes binnenkomen, ze spraken een onverstaanbare taal met elkaar. Sita hield haar adem in en was erop voorbereid dat Igor een van hen haar kamertje in zou sleuren, maar de deur bleef dicht. De muziek begon zonder waarschuwing en bleef een eeuwigheid doordreunen. Sita deed haar ogen dicht en probeerde te slapen, maar dat wilde weer niet lukken.

Toen de muziek na uren eindelijk ophield, kroop Sita snel van het bed af en verschool ze zich in een hoekje. In de gang klonken voetstappen. De deur ging open. Igor en een andere man, die ze niet eerder had gezien, trokken een meisje met zich mee de kamer in. Het meisje verzette zich en probeerde zich los te rukken, maar de mannen duwden haar op de grond en tilden haar rok op. Sita sloeg haar handen voor haar gezicht en bad totdat het schreeuwen van het meisje overging in snikken. De mannen gingen de kamer uit en het meisje kwam overeind en bleef ineengedoken op haar knieën zitten.

Sita keek naar het meisje en voelde een golf van medelijden voor haar. Ze wist dat Igor op een gegeven moment terug zou komen, maar ze had een vreemd soort vertrouwen in Alexi's bescherming. Ze schoof over de vloer naar het meisje toe, totdat hun knieën elkaar bijna aanraakten.

Het meisje keek beschaamd naar haar op. 'Wat wil je?' vroeg ze.

Sita antwoordde niet, maar pakte alleen de hand van het meisje vast. Het meisje verstijfde even, maar trok haar hand niet weg. Zo bleven ze een hele tijd zitten, hand in hand. Sita zei niets maar probeerde het meisje op die manier te troosten. Ze moest aan haar moeder denken. Hoe vaak had Ambini wel niet naast haar bed gezeten en haar hand vastgehouden toen ze klein was. Dat was iets wat zij ook voor iemand kon doen, zelfs te midden van deze duisternis.

Na een tijdje trok ze haar hand weg om een traan van de wang van het meisje te vegen.

'Ik heet Sita,' zei ze.

Het meisje keek haar aan. 'Ik heet Olga,' fluisterde ze. Olga keek omlaag naar haar handen. 'Heb je gezien wat ze deden?'

Sita schudde haar hoofd. 'Ik heb niet gekeken.'

Toen brak er iets in Olga's hart en barstte ze in huilen uit. 'Ik uit Novgorod,' zei ze. 'Ik naar Universiteit in St. Petersburg, maar weg toen mijn papa ziek. Hij moet geld voor medicijn. Toen ontmoet ik man. Hij zegt hij vriend heeft in New York. Hij zegt ik nanny worden. Hij zegt ik geld verdienen voor papa, voor allemaal. Hij leugenaar.'

'Vertel eens over je familie,' zei Sita en ze pakte Olga's hand weer vast.

Olga stortte zonder te aarzelen haar hart uit en dat leek haar te kalmeren.

Toen Igor haar een tijdje later kwam halen, leek haar schaamte veranderd in vastberadenheid. Ze liep wel onderdanig met hem mee, maar knikte in Sita's richting voordat Igor de deur dichttrok.

Afgeleid door Olga's verhaal, had Sita in eerste instantie niet in de gaten dat de deur niet in op slot was gedraaid. Toen het tot haar doordrong, maakte dat haar heel nerveus. Ze tuurde naar de deurknop en luisterde ingespannen totdat er nog maar nauwelijks geluiden in het gebouw te horen waren. Ze pakte Hanoeman uit de zak van haar jas en verstopte hem in de plooien van haar sari. Toen liep ze naar de deur en probeerde de knop zachtjes om te draaien.

Dat ging probleemloos. Haar hart begon sneller te slaan, maar ze deed verder geen poging om de deur te openen. Haar hand vloog naar de korst op haar hoofd en ze dacht terug aan Dmitri's waarschuwing. Als ze nu nóg een keer probeerde te ontsnappen, mocht het absoluut niet misgaan. Sita stond te twijfelen, totdat het beeld van Igor in haar opkwam, die voor haar neerknielde en zei dat ze haar mond open moest doen.

Resoluut pakte ze de deurknop vast en trok de deur open. De gang was donker en leeg. Het enige licht kwam van een rood bordje met UITGANG erop, dat boven een deur aan het einde hing. Toen ze de andere kant op keek, zag ze iets hangen wat op een gordijn leek. Ze had geen idee hoe laat het was, maar schatte dat het ergens heel vroeg in de ochtend moest zijn. In de club was het stil.

Sita probeerde de deur met het bordje erboven, maar die bleek stevig afgesloten. Toen draaide ze zich om en liep naar het gordijn aan het andere einde van de gang. Dat bleek een waterval van kralen te zijn, met erachter een kamer vol kaptafels, krukjes, banken en rekken met weinig verhullende kleding. Ook hier werd de ruimte flauw verlicht door een bordje met UITGANG erop.

Sita liep de kamer in en keek goed om zich heen. Ze zag twee mogelijke uitgangen – een opening die ook werd afgeschermd door een kralengordijn en een deur. Sita duwde het kralengordijn aarzelend opzij en zag een podium met een hele rij tafels eromheen, die schemerig werden verlicht door UITGANG-bordjes en een lampje boven de bar. Het podium was langwerpig zoals bij een modeshow en werd op gezette afstanden onderbroken door een cirkelvormig platform met een paal in het midden. De kortste weg naar de uitgang was over het podium, maar dat idee maakte haar bang.

Dus draaide ze zich om en liep de kleedkamer weer in om de deur die ze daar had gezien te proberen. Die bleek niet afgesloten. Erachter lag een loungeruimte met banken en fauteuils waar ze doorheen liep alvorens in de club uit te komen. Daar probeerde ze de eerste uitgang, maar zonder succes. En dat gold ook voor de tweede. Sita keek wanhopig om zich heen, op zoek naar een andere uitweg, maar zag die niet.

Niet wetend wat ze nu moest doen, bleef ze een hele tijd staan. Plotseling begon haar maag ontzettend te rommelen en Sita besefte dat ze honger had. In de twee nachten en die ene dag dat ze hier nu ongeveer was, had ze alleen maar een kop soep en wat crackertjes gegeten. Ze liep naar de bar, doorzocht de kastjes en vond er twee dozen: een met noten en de andere met snoep. Nadat ze uit allebei een handje had genomen, zette ze de dozen weer terug, exact zoals ze ze had aangetroffen.

Achter de bar ontdekte ze ook een klein koelkastje. Sita trok de deur ervan open en moest even met haar ogen knipperen tegen het felle licht. Erin stonden flesjes bier en een kan water. Die dronk ze in één keer voor de helft leeg, waardoor ze zich iets frisser voelde. Toen viel haar oog op een digitale klok aan de muur. Het was al negen uur 's ochtends! Haar dag-en-nachtritme was helemaal in de war sinds ze hier was.

Van plan om maar weer naar haar kamer te gaan wilde ze terug naar de lounge lopen, toen ze een idee kreeg. Ze bekeek het verhoogde podium zorgvuldig. De zijkanten van de verhoging waren afgetimmerd met metalen platen die tot aan de vloer reikten. Toen ze helemaal om het podium heen liep, ontdekte ze aan het uiteinde waar ze naar had gezocht, een toegangsdeurtje. Dat bleek gemakkelijk open te gaan en onthulde de inktzwarte duisternis onder het podium.

Sita haalde diep adem en twijfelde nerveus of ze wel moest doen wat ze van plan was. De gedachte eraan maakte haar doodsbenauwd, maar er was geen alternatief. Alexi had haar om een bepaalde reden gekocht en te oordelen naar het gezelschap waarin hij verkeerde betekende die reden niet veel goeds.

Snel liep ze terug naar haar kamertje om haar jas te halen en even later was ze weer terug in de club. Op haar knieën kroop ze door het deurtje onder het podium de duisternis in. Vrijwel direct stootte ze haar hoofd tegen iets hards en ze slaakte een kreet van pijn. Even bleef ze stilzitten om over de beurse plek te wrijven en toen trok ze het deurtje achter zich dicht. Gelukkig had het geen slot of grendel, maar werd het dichtgehouden door een rubberen deurstop.

Zo ver mogelijk omlaag gedoken en met een hand voor zich uit gestrekt kroop ze onder het podium door totdat ze bij het eerste ronde platform was. Ze verstopte zich achter het verste punt van de stellage die het podium droeg. Als Alexi en Igor erachter kwamen dat haar kamer leeg was, zouden ze de club doorzoeken. Maar op dit plekje kon ze niet gezien worden als er iemand vanuit het deurtje met een zaklamp onder het podium scheen.

Sita vouwde haar jas op tot een kussen, legde hem op de grond en ging liggen. Voor het eerst sinds ze voet op Amerikaanse bodem had gezet, viel ze in een diepe slaap.

Sita werd wakker door een luidruchtige ruzie. Ze herkende Alexi's stem en de andere als die van een brabbelende, onsamenhangend pratende Igor. Alexi begon te schreeuwen. Sita hoorde een doffe klap en het geluid van een vallende tafel. Op een bepaald moment bonkte er iemand tegen het podium aan, niet ver van de plek waar zij zich verborgen hield. Het gevecht ging nog een paar minuten door en toen ging Alexi's telefoon.

Beide mannen liepen ergens heen waar ze ze niet meer kon horen en het duurde lang voor ze weer terugkwamen. Toen hoorde ze ver weg voetstappen en daarna een kakofonie aan bonzen, schrapen en krassen.

Ze waren naar haar aan het zoeken.

Haar hart begon sneller te kloppen en ging algauw als een razende tekeer. Het zoeken duurde lang, het leek uren te duren. Ze hoorde glazen rinkelen en het geluid van de koelkastdeur die werd opengetrokken. Igor riep iets op een toon alsof hij iets had gevonden. Haar hart zat in haar keel. De waterkan was halfleeg. Sita deed haar uiterste best om rustig te blijven ademen. Wat bewees die waterkan nou?

De voetstappen kwamen steeds dichterbij. Igor zei iets en Sita schrok. Zijn stem klonk zó dichtbij dat het leek alsof hij vlak naast haar stond. Ze vouwde haar handen en bad tot Lakshmi.

Toen hoorde ze het deurtje opengaan. Sita hield haar adem in. Even later priemde er een lichtbundel de duisternis in. Doodstil wachtte ze af en telde nerveus de seconden. Het licht zwiepte onder het podium heen en weer, maar bereikte de ruimte achter het platform niet. Doodsbang wachtte ze af of ze ook onder het podium zouden kruipen, maar opeens werd het licht uitgeknipt en ging het deurtje weer dicht. Langzaam liet ze haar adem ontsnappen.

Een tijd later begon de muziek. Aan het gekraak van het podium hoorde ze dat eroverheen werd gelopen. Ze telde vier danseressen. Een ervan ging op Sita's platform staan. Ze hoorde haar langzaam en ritmisch bewegen in een dans die Sita zich amper kon voorstellen.

Al snel werd het druk en lawaaierig in de club. De muziek dreunde, het podium schudde en het mannelijke publiek schreeuwde en joelde. Sita kroop langzaam terug naar het toegangsdeurtje. Daar bleef ze zitten en probeerde zich de indeling van de club voor de geest te halen. De uitgang het dichtst in de buurt was ongeveer zeven meter verder. Langs het podium liep een smal paadje waarover die deur te bereiken was. De vraag waar het om draaide was of er een beveiliger voor die deur stond. Als dat zo was, zou haar plan mislukken. Maar er was één ding dat haar hoop gaf: de deur was een nooduitgang.

Sita wachtte totdat de danseressen terug naar de kleedkamer gingen en werden vervangen door nieuwe. Toen kuste ze Hanoeman op zijn voorhoofd en stopte het beeldje in de zak van haar jas terug. Na heel diep ingeademd te hebben, duwde ze het deurtje langzaam open.

In het licht dat vanaf het podium op het publiek scheen zag ze tientallen mannengezichten geboeid naar de danseressen kijken. Snel keek ze opzij om te zien of er een bewaker voor de deur stond, maar het zicht werd haar ontnomen door de vele benen tussen haar en de uitgang. Ze moest het risico nemen.

Sita duwde het deurtje verder open. Niemand had haar in de gaten. Snel kroop ze de donkere ruimte uit en wierp weer een blik op de uitgang. Haar hart maakte een sprongetje. Geen bewaker. Een van de mannen aan een tafeltje in de buurt kreeg haar in het oog en bleef bevreemd naar haar zitten kijken, maar ze negeerde hem en haastte zich naar de uitgang. Niemand hield haar tegen. Toen ze bij de deur was duwde ze de kruk omlaag. Hij gaf mee. Zodra ze de deur opende, ging er een alarm af, maar dat kon haar niets schelen.

Sita rende de parkeerplaats op naar het motel dat naast de club lag. Met haar oren gespitst of ze voetstappen hoorde, wat ze toch niet kon horen door het blèrende alarm, gooide ze de deur van het motel open en keek paniekerig rond. De receptie was onbezet en ergens in een kamer achterin stond een televisie te schetteren. Op een bordje boven de receptie stond: BELLEN BIJ AFWEZIGHEID.

Sita drukte op de bel totdat er een vrouw tevoorschijn kwam. Ze zag er bleek en ongezond uit, had kortgeknipt haar en keek verstoord.

'Wat wil je?'

'Alstublieft, help me,' begon Sita, vechtend om op adem te komen. 'De mannen van de club houden me tegen mijn wil vast. Belt u alstublieft de politie.'

De vrouw keek haar bevreemd aan. 'Bedoel je dat je gevangen wordt gehouden of zoiets?'

'Help me, alstublieft. Ze zullen naar me op zoek gaan.'

'Ga maar mee naar achteren,' zei ze, terwijl ze Sita nauwlettend opnam. 'Ik bel de politie.'

De vrouw bracht Sita naar de kamer achterin en verdween weer om de politie te bellen. Sita hoorde dat de deur van de kamer op slot werd gedaan. Ze wierp een blik op de televisie en zag dat de vrouw naar een programma over buitenaardse wezens had zitten kijken. De kamer lag vol met snoeppapiertjes, pizzadozen en chipszakjes.

Sita bleef in het midden van de kamer staan wachten. Wat ze van de politie moest verwachten wist ze niet, maar iedereen was beter dan Alexi, Igor en die Dietrich over wie ze het steeds hadden.

Na een hele tijd werd het slot van de deur omgedraaid en kwam de vrouw de kamer weer in lopen, met iemand in haar kielzog. Verstijfd van schrik zag ze dat het Alexi was. Ze was bedrogen.

Alexi gebaarde dat de vrouw weg moest gaan. Ze knikte en deed de deur achter zich dicht.

Sita bleef staan, niet in staat zich te bewegen, en Alexi liep op haar toe. Zogenaamd verdrietig schudde hij zijn hoofd langzaam heen en weer. 'Je stelt me teleur, Sita,' zei hij. 'Ik dacht dat je je lesje wel had geleerd van Dmitri.' Hij liep om haar heen, ging achter haar staan en legde zijn hand op haar schouder. 'Nu zul je de consequenties moeten voelen.'

Plotseling voelde ze een steek in haar nek. Ze hapte naar adem en voelde zich opeens heel licht in het hoofd. Toen werd alles wazig. Bewusteloos viel ze op de vloer neer.

Ze werd wakker in een donkere kamer, haar hoofd tolde en deed pijn. Toen ze met haar ogen knipperde, zag ze sterretjes. En toen ze dat nog een keer deed, zag ze niets. Sita stak haar hand uit en voelde metaal. Het oppervlak was heel koud. In de verte hoorde ze een geluid – wind of water, ze wist het niet. Ze spitste haar oren en hoorde een zacht gerommel. Na een tijdje nam het af en uiteindelijk verdween het helemaal.

Plotseling hoorde ze een tik en sprong het metaal boven haar hoofd een heel klein beetje omhoog. Opeens begreep ze het, ze lag in de achterbak van een auto. Even wachtte ze totdat iemand de achterklep verder zou opendoen, maar dat gebeurde niet. Seconden werden een minuut, toen twee. Ten slotte verzamelde ze moed en duwde zelf de klep omhoog.

Dat deed ze heel langzaam, totdat ze naar buiten kon kijken. Aan de andere kant van een groot zwart water lag een uitgestrekte stad in de nacht te glinsteren. De lichtjes weerkaatsten op het wateroppervlak en reikten helemaal tot in de hemel, het schijnsel van de sterren vervaagde erdoor. New York, dacht ze.

Voorzichtig duwde ze het deksel van de kofferbak verder omhoog, totdat ze ook via de zijkanten naar buiten kon kijken. Overal om haar heen waren lichtjes – van scheepswerven, kades en havens. Toen durfde ze het deksel zo ver omhoog te duwen dat het niet verder kon en ze keek om zich heen. De auto stond aan het einde van een verlaten pier, waar de golven beneden tegenaan sloegen. De lucht voelde vochtig en koel. Sita deed haar best er iets van te begrijpen. Waarom was ze hier? Waar was Alexi?

Ze hoorde een man zijn keel schrapen. Het geluid kwam van naast haar. Hevig geschrokken draaide ze haar hoofd met een ruk opzij. Hij stond een halve meter van haar vandaan in het donker. Hoe hij daar zo opeens kon zijn – ze had geen idee.

Alexi keek op haar neer, de uitdrukking op zijn gezicht koel en ongeïnteresseerd, alsof ze een ding was. 'Weet je,' zei hij zachtjes. 'In Rusland zouden we dit anders aanpakken. In Rusland zouden we je aan de vissen voeren. Maar dit is Amerika en je bent te veel waard om te doden.'

Hij hief zijn hand op en liet haar een touw zien waar een net aan hing met grote stukken rots erin.

'Als je nog een keer probeert te ontsnappen, mag Igor zijn gang met je gaan. En dan dump ik je daarna in het water.'

Hij legde het net naast haar in de kofferbak neer en sloeg de klep dicht. De stukken rots verspreidden de geur van zout water. Ze duwde ze angstig van zich af en voelde de auto trillen toen Alexi de motor startte. Met een schok kwam de auto over de pier in beweging, en reed terug naar de seksclub.

Haar ontsnappingspoging was mislukt en ze werd overrompeld door een golf van angst en verdriet. Ze had gegokt en verloren. Alwéér! Er brak iets in haar binnenste. Het geluk dat ze ooit had gekend was in één keer verdwenen en het enige wat achterbleef was een vage notie van betere tijden. Ze probeerde zich Ahalya's gezicht voor de geest te halen, maar kon haar trekken slechts vaag voor zich zien. Haar zusje was weg. Haar verleden bestond niet meer. Dit was haar karma.

Sita sloeg haar handen voor haar gezicht en luisterde naar het gestage zoemen van de wielen op de weg. De gedachte dat er een manier was om aan deze waanzin te ontsnappen, vormde zich in haar hoofd. Voor het eerst sinds de golven dacht ze aan zelfmoord. Maar die gedachte verjoeg ze vastberaden, hoewel die ergens in een hoekje van haar geest bleef zeuren.

Met haar ogen dicht probeerde ze niet te denken aan wat de volgende dag zou brengen.

25

De wereld is een spiegel van eindeloze Schoonheid,
en toch ziet niemand dat.
THOMAS TRAHERNE

Parijs, Frankrijk

OP 1 MAART OM KWART OVER ZES 's ochtends nam Thomas een taxi vanuit het Vijfde naar Gare Montparnasse voor zijn afspraak met Julia, zoals ze hem had geïnstrueerd. De taxichauffeur zette hem af naast het glazen eindstation. Toen hij het gebouw binnenging, zag hij Julia bij een kaartjesautomaat staan. Ze had een attachékoffertje in haar hand. Haar donkerrode jas leek haast paars in het amberkleurige licht. Julia begroette hem met een blik die verraadde dat ze nerveus was en overhandigde hem een kaartje. Hij wierp er een snelle blik op en zag dat ze naar Quimper gingen.

'Een safehouse in Bretagne,' zei hij. 'Dat had ik nooit kunnen raden.'

'Dat is nog maar het begin van alle verrassingen,' antwoordde ze. 'Ik ben gewoon gek dat ik dit doe.'

'Waarom doe je het dan?' vroeg hij, terwijl hij haar onderzoekend aankeek.

'Ik weet het niet.' Meteen brak er een glimlach op haar gezicht door en leek haar nervositeit te verdwijnen. 'Ik denk dat je me hebt geïnspireerd. Heb je honger?'

'Uitgehongerd.'

'Ik heb een paar croissants bij me.'

Ze liepen door de hal naar de terminal. Er stonden zes glanzende blauwmet-zilverkleurige treinen op naast elkaar liggende sporen. Ze gingen op een bankje zitten en aten hun croissantjes op. Op het station krioelde het van de vertrekkende passagiers.

Een paar minuten voor zeven stapten ze in de trein en zochten hun plek in de juiste wagon. Al snel daarna gleed de trein het station uit; in de stad nog op lage snelheid, maar eenmaal op het platteland ging het tempo een stuk omhoog.

Julia haalde haar laptop uit haar koffertje en herinnerde zich toen opeens iets.

'Ik moet je nog vertellen dat mijn contact bij de BRP eindelijk iets heeft gehoord van de ambassade in Mumbai. Het schijnt dat het CBI heeft geprobeerd contact te leggen met de Franse politie, maar dat ze van het kastje naar de muur zijn gestuurd. De ambassade in India vertelde dat het vaak zo gaat. Het CBI heeft de informatie over Navin doorgegeven, en de Franse politie schijnt bezig te zijn Navins oom op te sporen. Ze hebben ook een onderzoek geopend naar Navins activiteiten. Ze vermoeden dat hij in Frankrijk onder een valse naam verblijft.'

'Ik vind het ongelooflijk verbazend hoe criminelen volkomen onzichtbaar kunnen blijven voor de autoriteiten,' merkte Thomas op. 'De onderwereld is net zo uitgebreid als de normale.'

'Alles is hetzelfde,' bevestigde Julia. 'Behalve de regels van het spel.' Ze klapte haar laptop open en typte haar wachtwoord in. 'Vind je het erg als ik wat ga werken? Ik heb mijn baas beloofd morgenochtend een rapport over de Petroviches klaar te hebben.'

'Is hij op de hoogte van wat we nu aan het doen zijn?'

Julia glimlachte samenzweerderig. 'Ik heb hem verteld dat de BRP onze hulp heeft ingeroepen bij het onderzoek, wat waar is. De Petroviches hebben het land waarschijnlijk al verlaten en ons netwerk is beter dan dat van hen. In ruil daarvoor heb ik onze man bij de BRP omgepraat dat we toegang tot de meisjes moeten hebben.'

'En hoe zit het met de mensen in Bretagne?'

'Ik heb ze over Sita verteld en ze doen mee. Ze hebben beloofd discreet te zijn.'

Thomas floot zachtjes. 'Indrukwekkend. Ik ben je een hoop verschuldigd.'

'Ja, inderdaad,' antwoordde Julia. 'Maar nu moet ik aan het werk.'

'Ga je gang,' zei hij, terwijl hij zijn eigen laptop uit zijn rugzak haalde.

De avond ervoor had hij een aantal artikelen over mensenhandel in Oost-Europa gedownload van de website van Justice Project. Hij wilde op zijn minst met enige kennis van zaken over de ervaringen van de Petrovich-meisjes bij hun safehouse aankomen. Hij las de verhalen uit de kranten en de wetenschappelijke tijdschriften met afgrijzen. Er bleek een golf aan jonge meisjes uit het voormalige sovjetblok naar het Westen te komen, in veel gevallen werden ze verhandeld in de seksindustrie. Het fenomeen was zo bekend en goed gedocumenteerd dat dit soort meisjes zelfs een naam had: 'de Natasja's'. Ze waren afkomstig uit Moldavië, Oekraïne, Wit-Rusland, Roemenië, Bulgarije, Litouwen en Rusland. Voor hun klanten waren ze echter allemaal Russisch.

Nadat hij een uur deprimerende verhalen had gelezen liep hij naar de restauratiewagon, waar hij koffie en een broodje kocht. Toen hij terug was op zijn plek staarde hij naar het voorbijglijdende landschap. Na een tijdje opende hij een nieuw document op zijn laptop, omdat hij een paar reisnotities voor Priya wilde maken. Dat was een traditie die ze al vanaf het begin van hun relatie hadden en in hun huwelijk hadden volgehouden. Maar zoals al het andere dat hen met elkaar had verbonden, was dat ook verloren gegaan in de twee jaar durende wervelstorm die de Whartonzaak was geweest.

Met zijn vingertoppen op het toetsenbord dacht hij even na voordat hij begon te typen. Tot zijn verrassing leken de woorden die op het scherm verschenen meer op poëzie dan op een reisverslag, maar Priya was een liefhebber van poëzie en zou dat alleen maar waarderen.

> In de TGV. De opwinding van bijna vliegen. Velden achter het raam, een kwart maan in de lucht. Een rivier van glas. Gehurkte boerderijen, luiken halfopen, half dicht. Stenen bijgebouwen uitpuilend met hooi. Tuintjes, net geschoffeld, klaar om in te planten. Eindeloze lucht, wolkeloos, zwemmend in blauw. Lente in aantocht. Knoppen aan een boom, twee, een halve vallei vol. Een scheepswerf aan een brede rivier die de zee aankondigt. Een hengst steigerend in een groene wei. Meeuwen. Heuvels die oprijzen als we Quimper naderen. Dan zijn we er.

Op het station huurden ze een auto en even daarna reden ze in westelijke richting door het Bretonse landschap. Julia belde met haar mobiele telefoon om hun afspraak in het Frans te bevestigen. Haar nervositeit kwam weer opzetten toen ze het nummer intoetste, maar de man aan de andere kant van de lijn leek een kalmerend effect op haar te hebben. Ze hing op en haalde diep adem.

'Alles oké?' vroeg hij.

‘Ja,’ zei ze. ‘Pater Gérard is heel vriendelijk. Hij kijkt ernaar uit ons te ontmoeten.’

‘Pater? Heeft het safehouse banden met de kerk?’

‘Dat zie je zo wel.’

Twintig minuten later draaide Julia een grindpad op met aan beide kanten stenen muurtjes en oude bomen. Ze kronkelden door weilanden die werden begrensd door bossen en kwamen uiteindelijk uit bij een smeedijzeren hek met een wachthuisje ernaast. De bewaker checkte hun paspoorten en gebaarde dat ze door mochten rijden. Achter het hek lag een cirkelvormige oprijlaan. Een paar minuten later stopten ze voor een prachtig Frans chateau uit de twaalfde eeuw, dat werd omgeven door goed onderhouden tuinen.

‘Is dit het safehouse?’ vroeg Thomas. ‘Het is een zowat een kastéél!’

‘Ja. Pater Gérard vertelt je het verhaal wel.’

Ze stapten uit de auto en werden op het bordes begroet door een man in een zwarte toog. Hij was kalend, droeg een bril en had een uilachtig gezicht. Hij kuste Julia’s wang en schudde Thomas de hand. Zijn Engels was verrassend goed.

‘Bonjour, welkom,’ zei hij hartelijk. ‘Prettig kennis met u te maken.’

‘Hartelijk dank dat we mochten komen,’ antwoordde Julia.

De pater keek Thomas doordringend aan. ‘Deze plek moet geheim blijven, oké? De mademoiselle heeft de officiële papieren om ons hier te bezoeken, maar u niet. Ik moet uw belofte hebben dat u hier met niemand over zult praten.’

‘Dat beloof ik,’ zei Thomas.

De pater knikte. ‘Dan mag u met me meelopen.’

Pater Gérard leidde hen via een hal die met donkere boerenmeubels was ingericht, naar de achterdeur, de tuin in. Het was warmer dan in Parijs en de lucht rook zoet naar jong gras. Ze liepen een pad over naar een gazon met een stenen fontein in het midden. Op een van de banken ernaast zaten drie jonge vrouwen zachtjes met elkaar te praten. Een van hen droeg het habijt van een non.

‘Dit chateau was een geschenk van een getormenteerd man die aan het einde van zijn leven rust vond in het geloof,’ vertelde de priester. ‘Hij liet het na aan het bisdom van Quimper, dat er geen bestemming voor had. De bisschop was zo slim om andere bisdommen te vragen of zij een christelijke bestemming voor het gebouw wisten, anders zou het worden verkocht. Dat was in 1999. Destijds werkte ik voor een NGO in Marseille. De regering stond sympathiek tegenover onze zaak, maar de wetgeving gaf ons weinig mogelijkheden. Veel vrouwen die wij gered hadden, werden weggevoerd en opnieuw geëxploiteerd. Ik had het idee van een safehouse al wel bedacht, maar we hadden geen geld om een pand te kopen. Toen hoorden we over dit chateau. De bisschop verwelkomde ons met open armen. En zo is *Sanctuaire d'Espoir* ontstaan. Vertaald betekent dat: "Toevluchtsoord van Hoop."'

Met zijn drieën wandelden ze een pad af dat uitkwam bij een omheinde wei. Niet ver weg stonden twee raspaarden te grazen. Er woei een lichte zeebries uit het oosten.

'Hoe beslist de regering wie hierheen gaat?' wilde Thomas weten.

'De politie stuurt de meisjes die gevaar lopen hierheen. Dat zijn meestal vrouwen die gevangengehouden werden door criminele organisaties of van wie de handelaren zijn opgepakt. Ze blijven hier totdat hun zaak voorkomt of ze teruggaan naar huis. Vandaag de dag is de wetgeving beter dan in het begin. Een tijdelijke of permanente verblijfsvergunning behoort tegenwoordig tot de mogelijkheden, mits de meisjes meewerken met de autoriteiten.'

'Hoe gaat het met de nieuwe meisjes?' vroeg Julia.

Pater Gérard zweeg even. 'Ze zijn allemaal diep beschadigd en de een is sterker dan de ander. Een van de meisjes in het bijzonder. Zij heeft volgens mij ook de politie gewaarschuwd.'

Thomas keek de priester aan. 'Wanneer mag ik met hen praten?'

De pater ontmoette zijn ogen. 'Dat is een moeilijke kwestie. De meeste mensen zouden het een slecht idee vinden als ik al zo snel een gesprek toesta. Wat die vrouwen hebben moeten doorstaan, is gewoon niet voor te stellen. Maar u wilt hen spreken om iemands leven te redden en dat moet voorgaan, vind ik. Ik zal het regelen.'

De pater nam hen mee terug naar het chateau en leidde hen een ruime zitkamer in die was ingericht met antieke meubels en oude, voorname familieportretten. Hij gebaarde dat ze moesten gaan zitten. Een paar minuten later kwam hij terug met een van de mooiste jonge vrouwen die Thomas ooit had gezien. Ze was zo lang als een model en bewoog zich op een gracieuze manier, die niet aan te leren valt. Maar haar heldere blauwe ogen waren diepe poelen van verdriet. Toen ze Thomas aankeek, moest hij zijn ogen neerslaan, geraakt door haar kwetsbaarheid en de pijn in haar blik.

Ze ging tegenover hen zitten op een met brokaat beklede bank en keek de priester aan, alsof ze wachtte op een teken. Pater Gérard behandelde haar heel vriendelijk, maar kwam niet te dicht bij haar en raakte haar zeker niet aan. Hij begon in traag, duidelijk gearticuleerd Engels tegen haar te praten.

'Natalia, ik wil je graag voorstellen aan Thomas Clarke en Julia Moore.'
Het meisje knikte.
'Thomas komt uit de Verenigde Staten en Julia werkt op de Amerikaanse ambassade in Parijs.'
De jonge vrouw leek de Amerikaanse connectie niet te begrijpen. Ze bleef de priester aankijken, wachtend op verdere uitleg.
'Thomas wil je graag een paar vragen stellen. Is dat goed?'
Natalia knikte. 'Mijn Engels niet goed,' zei ze zacht. Ze had een zwaar accent. 'Ik probeer begrijpen, maar weet niet. Jij praat langzaam?'
'Doe ik,' zei Thomas. Hij haalde de foto die Ahalya hem had gegeven tevoorschijn en gaf hem aan Natalia. 'Ken je dit meisje?' vroeg hij, wijzend op Sita.
Natalia pakte de foto van hem aan en staarde er een hele tijd naar. Er sprongen tranen in haar ogen die langzaam over haar wangen naar beneden rolden. Ze veegde ze weg en keek Thomas met een vertederde uitdrukking op haar gezicht aan.
'Ja,' zei ze.
Thomas ademde scherp in. 'Weet je ook waar ze is?'
Natalia staarde naar de vloer. 'Er was... kamer,' begon ze. 'Hij neemt ons mee om verkrachten. Een dag hij laat mij alleen en dit meisje komt. Ze zegt...' Natalia stopte midden in haar zin en begon opnieuw te huilen. 'Ze zegt zij voor mij bidden. Ik dacht zij engel, maar zij Sita. Ze doet huishouden.' Natalia zweeg even. 'Ik zie haar weer, later. Ze vlucht. Maar niet... ontsnappen. Volgende dag zij weg.'
'Weet je waar ze naartoe ging?' vroeg Thomas, terwijl hij zijn emoties maar net kon beheersen.
Natalia schudde haar hoofd.
'Kan iemand anders van jullie haar hebben gesproken?'
Ze haalde haar schouders op. 'Misschien. Ik vraag voor jou.'
Ze stond op, liep de kamer uit en kwam even later terug met een andere jonge vrouw met Slavische trekken. De priester stond op en Thomas en Julia deden hetzelfde.
'Dit Ivanna,' zei Natalia. 'Zij niet Engels spreken, maar zij iets weten.'
Natalia zei iets in het Russisch tegen Ivanna. Ivanna knikte en antwoordde zachtjes.
'Zij zegt zij koken,' vertaalde Natalia. 'Sita helpen in keuken.'
De twee vrouwen wisselden nog wat onverstaanbare woorden uit.
'Zij zeggen Indiaas paar komt naar huis. Week hiervoor. Zij praten over reis naar Amerika.'

Ivanna's onthulling gaf Thomas weer hoop, maar ontmoedigde hem tegelijkertijd. Navins oom had Sita uit Frankrijk meegenomen en de Petroviches hadden daar iets mee te maken. Maar de Verenigde Staten? Er moesten wel vijftig vluchten per dag vanuit Parijs naar allerlei steden in Amerika gaan. En de enige echte hindernis was de immigratiecontrole op het vliegveld. Als iemand daar eenmaal doorheen was, kon een mens zomaar spoorloos verdwijnen.

'Hebben ze gezegd waar ze in de Verenigde Staten naartoe gingen?' vroeg hij.

Natalia vertaalde de vraag voor Ivanna en het meisje schudde haar hoofd.

'*Njet*.' Dat was het eerste en enige woord dat het meisje had gezegd dat Thomas begreep.

'Ik praten alle meisjes,' zei Natalia. 'Alleen Ivanna iets weten.'

'Dank je wel,' zei Thomas en hij probeerde zijn teleurstelling te verbergen. 'Het is in ieder geval iets.'

Natalia keek hem doordringend aan, haar ogen boorden zich in de zijne. 'Jij meisje vinden?'

'Ik doe mijn best,' antwoordde hij.

Ze pakte zijn hand. 'Dan jij vriend,' zei ze. '*Da svidaniya*.' En daarmee draaide ze zich om en verdween naar de hal.

Thomas' hand tintelde nog na van haar aanraking. Hoeveel mensen hadden er nu al op aangedrongen dat hij het onmogelijke deed? Ahalya. Greer. Priya. Julia. En nu Natalia. Geloofden ze echt dat het hem kon lukken? Of kwam het gewoon omdat hij de enige was die gek genoeg was om het te proberen? Wat hun redenen ook waren, Thomas wist dat zijn taak ver boven zijn macht lag. Als Parijs een slag in de lucht was geweest, dan was Amerika een zwart gat. Om Sita terug te vinden had hij meer nodig dan intuïtie, vermoedens en de hulp van vrienden.

Daar was een godswonder voor nodig.

26

In de overvloed van uw handel,
was u vervuld van geweld en hebt u gezondigd.
Het boek van Ezechiël, Oude Testament

Elizabeth, New Jersey

Na Sita's ontsnappingspoging verzekerde Alexi zich ervan dat Sita opgesloten bleef in Igors verkrachtingskamertje. Iedere avond na het sluiten van de club kwam hij persoonlijk de deur op slot doen. Laat in de ochtend kwam hij dan weer terug om haar wat restjes eten te brengen. Hij zei geen woord tegen haar en zij keek bijna nooit op als hij er was.

Met het voorbijgaan van de tijd sloot de duisternis haar in. Ze gaf het op om haar gedichten te citeren, woordspelletjes te doen, net te doen alsof Ahalya naast haar zat, fantaseerde niet meer over geluk, dacht niet meer aan vroeger. Het grootste deel van de tijd zat ze naar de muur te staren en te piekeren over de onbegrijpelijkheid van haar karma.

Op een zondagavond, voordat de club openging, kwam Alexi haar halen. Hij bleef in de deuropening staan en zei maar één woord: 'Kom.'

Gehoorzaam stond ze op en liep achter hem aan de gang door. Hij leidde haar door de kleedkamer – die nu helverlicht, maar verlaten was – naar de lounge erachter. Daar zat een blonde man in een chique broek en een donkere blazer in een van de fauteuils naar de paardenraces op de televisie te kijken. Hij knikte naar Alexi en gebaarde dat Sita voor hem moest komen staan.

In nauwkeurig gearticuleerd Engels met een licht accent zei hij: 'Ze is prachtig,' terwijl hij Sita van top tot teen opnam met een doordringende blik in zijn blauwe ogen. 'En heel jong. Ik moet je broer complimenteren met zijn aankoop.'

'Vasily wist dat ze u zou bevallen,' antwoordde Alexi.

De man liep om Sita heen, streek met zijn vingertoppen langs haar nek. Hij ging weer voor haar staan en glimlachte flauwtjes naar haar. 'Haar huidskleur is donker genoeg om exotisch te zijn, maar licht genoeg om te verleiden. Ze zal een hoge prijs opleveren.'

Sita's maag draaide zich om en ze had het gevoel dat ze flauw ging vallen. De mannen praatten over haar alsof ze een paard was dat verhandeld werd op de markt.

'Ik koop haar voor twintigduizend,' zei de man.

Alexi zette zijn stekels op. 'Ze is veertig waard en ik doe haar niet voor minder weg.'

Er begon een gebekvecht over de prijs en Sita sloot haar ogen. Ze werd wéér verkocht. De onbekende was de volgende schakel in de ketting van haar lot.

De verkoopprijs werd afgemaakt op dertigduizend dollar. De blonde man betaalde meteen; hij had een envelop vol cash bij zich. Toen verdween hij door de deur van de club.

De volgende twee nachten gingen redelijk rustig voorbij. Sita hoorde Igor in de gang grauwen tegen de meisjes, maar hij bleef weg uit haar kamertje. Haar eenzame afzondering werd alleen onderbroken door Alexi's korte bezoekjes. Sita begon zich af te vragen of ze de transactie in de lounge misschien verkeerd had begrepen. Misschien had de blonde man Alexi wel betaald omdat hij haar überhaupt had weten te verkrijgen. Maar dat verklaarde haar aanwezigheid in de club niet, of Alexi's gewelddadige optreden tegen Igors toenaderingen. Igor had gezegd dat Alexi haar bewaarde voor Dietrich. Wie was Dietrich in hemelsnaam?

Een deel van het antwoord op dat raadsel kwam die dinsdag, in de persoon van een zwarte man met een donkere zonnebril en een dikke gouden ketting om zijn hals.

'Deze chick gaat helemaal naar Harrisburg?' vroeg hij, toen Alexi de deur van Sita's kamertje opende.

'Ja,' antwoordde Alexi. 'De anderen gaan naar Philly.'

'Ja, voor de techconventie. Manuel heeft me er alles over verteld.' Hij keek Sita bozig aan. 'Klaar, liefje?'

Sita wierp een blik op Alexi en wachtte op een seintje van hem.

'Jij gaat nu met Darnell mee,' zei hij.

'Precies,' bevestigde de man die Darnell heette. 'En ik heb geen tijd of geduld met bitches die moeilijk doen.' Hij deed zijn jas open om haar te laten zien dat hij een 9-mm-pistool bij zich had. 'Als je lastig bent, zorg ik ervoor dat het ophoudt. Begrepen?'

Sita knikte bevend en trok haar jas aan. Darnell pakte haar arm beet en nam haar mee de club uit, naar een busje dat op de parkeerplaats stond. Er zaten al drie meisjes uit de club op het achterste bankje. Op de passagiersstoel zat een pezige latino. Hij was helemaal verdiept in een tijdschrift en had geen enkele interesse in Sita.

Sita ging op het bankje voor de drie meisjes zitten en staarde uit het raampje naar de straat. Het was bijna middag en druk. Niemand zou een doodnormaal busje of zijn menselijke vracht opmerken. Er reed een politieauto langs, maar ook die verdween net als de rest weer uit het zicht. Darnell sprong op de chauffeursstoel en reed het busje de parkeerplaats af. De straten in de stad zaten verstopt, maar zodra ze op de tolweg waren, hadden ze ruim baan. Zonder te stoppen reden ze anderhalf uur. Sita had dorst en moest naar de wc, maar durfde het niet te vragen. De meisjes achterin zeiden helemaal niets en Sita keek ook niet naar hen om.

Toen nam Darnell de brug, reed Philadelphia binnen en de afslag naar Broad Street op. Daar parkeerde hij langs de stoep in de buurt van het Marriott Hotel en belde vervolgens iemand met zijn mobiele telefoon. Even later kwam er een blanke man in een krijtstreeppak het hotel uit hun kant op lopen. Hij begroette Darnell en bekeek de meisjes die uit het busje stapten goedkeurend.

De blanke man overhandigde Darnell een envelop en zei: 'Hier is het voorschot. De rest krijg je als je ze ophaalt.'

Darnell gromde: 'Laat ze werken, die bitches.'

De blanke man glimlachte dunnetjes. 'Werken zullen ze. We hebben al tweeëndertig klanten geboekt en de conventie is nog niet eens begonnen.'

'Zo wil ik het horen.'

De blanke man liep met de meisjes naar het hotel en de latino nam zijn plek op de passagiersstoel weer in. Darnell keerde het busje en voegde zich weer in het verkeer. Bij een benzinestation hielden ze even halt om Sita de gelegenheid te geven naar de wc te gaan, maar daarna reden ze meteen weer door. Zo ging het de hele middag; ze stopten alleen om te tanken en eten te halen bij een McDonald's drive-in. Sita had vreselijke honger, maar kokhalsde bijna van de hamburger die Darnell haar gaf. Het vette vlees en de zoetzure garnituur waren een aanslag op haar smaakpapillen.

Een halfuur voor zonsondergang bereikten ze Harrisburg. Darnell ging de snelweg af en reed de parkeerplaats van een vrachtwagenstandplaats op, die halfvol stond met enorme vrachtwagencombinaties.

'Die bitch weet niet half hoe goed ze het heeft,' mompelde Darnell tegen Manuel. 'Als ik de baas was, moest ze nu de hoer gaan spelen. Dat zal haar respéct leren!'

Manuel lachte. 'En daarom ben jíj nou degene die het busje bestuurt.'

'Hou je kop, verdomme,' antwoordde Darnell.

Na een korte stop voor de receptie van het motel waar Manuel een sleutel haalde, reden ze door naar de achterkant ervan en parkeerden daar. Manuel maakte de deur van een kamer open. Darnell sleurde Sita het busje uit en gooide haar op het bed. Sita kwam snel weer overeind en klemde een kussen tegen zich aan, bang dat ze haar gingen verkrachten. Darnell staarde haar een hele tijd dreigend aan en barstte toen in een schaterlach uit.

'Kijk nou, Manuel,' zei hij. 'Ze is bang.'

Manuel negeerde hem en zette de televisie aan. Darnell pakte een tijdschrift en sloot zich, nog steeds lachend, in de badkamer op.

De duisternis viel in en het werd nacht. Darnell haalde eten bij Burger King, dat Sita met lange tanden opat. Om tien uur ontving Manuel een telefoontje op zijn mobiel. Hij bromde iets en liep naar het raam, waar hij door een spleet in het gordijn naar buiten tuurde.

'Daar zijn ze,' zei hij, terwijl hij de gordijnen opentrok om een bestelbusje te laten zien dat naast een rij vuilcontainers stond geparkeerd. Sita zag zeven meisjes uitstappen die zich verspreidden over de parkeerplaats waar het nu vol stond met vrachtwagens. Ze leken allemaal minderjarig.

'Een hoop hoeren vanavond,' was Darnells commentaar. 'Hoeveel denk je dat ze vanavond binnenhalen?'

Manuel dacht even na. 'Tweeduizend, misschien meer. De parkeerplaats staat helemaal vol.'

Darnell grinnikte. 'Die vrachtwagenchauffeurs zijn vannacht niet eenzaam.'

Sita bestudeerde de verschoten sprei onder haar. De aanblik van die parkeerplaatshoertjes brak het laatste restje dat nog heel was van haar hart. Wat voor monsters waren dit; mensen die grappen maakten over kindermisbruik? Weer vroeg ze zich af wat ze toch met háár wilden. Wat kon in vredesnaam een prijs van dertigduizend dollar waard zijn?

Om middernacht ontving Manuel weer een telefoontje op zijn mobiel. Hij luisterde even en keek Darnell vervolgens aan. 'Ze zijn klaar om te gaan.'

Darnell zette de televisie uit en pakte Sita's arm ruw beet. 'Tijd om te vertrekken.'

Manuel deed de deur open en Sita zag het bestelbusje een paar meter verderop staan. Het stond met draaiende motor achter een rij auto's geparkeerd. Bij de achterkant stond een dikke vrouw met haar armen over elkaar te wachten. Darnell duwde Sita tussen de geparkeerde auto's door en leverde haar af aan de vrouw. De vrouw duwde Sita op haar beurt in de richting van een man met een sigaret in zijn mond die uit de achterklep van het bestelbusje leunde en Sita aan haar jas naar binnen trok. Terwijl haar ogen zich aanpasten aan het donker, besefte Sita dat ze niet alleen was. Om haar heen zaten de parkeerplaatshoertjes.

De man gooide de klep van het busje dicht en draaide die op slot. Geen van de meisjes zei iets, maar een van hen zat te huilen. Het busje kwam in beweging. Het loeien van de motor overstemde het verdriet van het onzichtbare meisje. Sita sloeg haar armen om haar bovenlijf en deed haar ogen dicht. Haar gedachten waren verward en vaag, en haar ademhaling ging snel en oppervlakkig.

De auto was een minuut of twintig onderweg en stopte toen om daarna een paar meter achteruit te rijden. Toen de motor werd afgezet, luisterde Sita naar de stilte. Ergens in de verte blafte een hond. Dichterbij passeerde een auto. De meisjes bleven in het donker zitten totdat de man met de sigaret de klep opende. Het busje stond met de achterklep voor de ingang van een soort garage geparkeerd. De meisjes stonden op en stapten het busje uit. De man gebaarde dat Sita mee moest komen.

Sita liep door de garage achter een jong zwart meisje met smalle heupen aan dat een rokje met luipaardprint droeg. Ze volgde haar de trap af naar een kelder, waar een kaal peertje aan het plafond hing. De meisjes bleven daar allemaal op een kluitje naar de vloer staan staren. De dikke vrouw kwam de trap af en schoof een geweerrek weg, waarachter een verborgen deur tevoorschijn kwam. Die draaide ze van het slot en de deur zwaaide open. Sita zag dat de vloer van de kamer erachter vol lag met dekens. De meisjes liepen gedwee de kelderkamer in en de dikke vrouw draaide de deur achter hen op slot.

Onmiddellijk brak er een gevecht uit tussen de meisjes. Sita trok zich terug in een hoekje, waar ze zich langs de muur omlaag liet glijden totdat haar knieën haar kin raakten, en beschermde haar hoofd met haar armen.

'Rot op, bitch,' riep een van de meisjes.

'Dit is míjn plek, gemeen kutwijf,' gilde een ander.

'Cassie, Latisha, hou je kop! Stop met ruziemaken!' kwam een ferme stem tussenbeide.

De meisjes kalmeerden wat.

'Wat is er verdomme met jullie aan de hand?' vroeg de ferme stem. 'Het is hier al erg genoeg zonder dat gezeik van jullie.'

'Ze pikt altijd mijn plek in,' klaagde een van de meisjes.

'En jij ligt altijd half op me,' zei de ander.

'Ik kan er niet meer tegen hier,' klonk een verstikte, vierde stem.

De ferme stem antwoordde: 'Als je wilt, kun je vluchten, maar daarmee riskeer je je eigen huid. De laatste keer dat ik dat probeerde, hebben ze sigarettenpeuken op me uitgedrukt.'

Sita sloot haar ogen en vocht om niet te kokhalzen. De kamer stonk naar zweet en oude urine. Haar hand omklemde Hanoeman in de zak van haar jas en de tranen begonnen over haar wangen te biggelen. In haar hoofd probeerde ze de beelden en geluiden van de Coromandelkust op te roepen, maar de herinneringen glipten steeds weg. In plaats daarvan zag ze Suchir, Navin, Dmitri, Igor en de ingebeelde gezichten van de vrachtwagenchauffeurs die betaalde seks hadden gehad met de meisjes hier.

Het was koud in de kelder. Sita legde haar hoofd tegen de muur achter zich en wreef over haar armen in een poging warm te worden. Hoe ze ooit in slaap zou komen was haar een raadsel: ze zat opgevouwen en ongemakkelijk in haar hoekje gedrukt. Na een tijdje bewoog het meisje dat het dichtste bij haar lag en voelde Sita dat ze de punt van een deken in haar hand gedrukt kreeg. Langzaam trok ze de deken over haar knieën en ze begon iets warmer te worden. Na een tijdje draaide het meisje zich om en liet haar arm tegen Sita's been rusten.

Sita ademde diep in en deed haar ogen dicht.

Op de een of andere manier zou ze de nacht wel doorkomen.

27

De waarheid is zelden puur en nooit eenvoudig.
OSCAR WILDE

Parijs, Frankrijk

THOMAS EN JULIA KOCHTEN TICKETS terug naar Parijs voor de late middagtrein. Thomas vond een internetcafé in Quimper en boekte een vlucht naar Mumbai voor de volgende ochtend. Hij verzond twee e-mails vanaf het station: de eerste naar Andrew Porter, om hem te informeren dat Sita blijkbaar naar de Verenigde Staten was verhandeld, en de tweede naar Jeff Greer bij CASE, met de belofte dat hij maandag weer terug zou zijn op kantoor. Daarna belde hij Priya om haar de informatie over zijn vlucht van de volgende dag door te geven. Toen hun trein werd omgeroepen deed hij zijn best om het mislukken van hun missie van zich af te zetten en stapte in.

Op Julia's uitnodiging overnachtte hij in haar kleine flat in het Vijftiende Arrondissement. Ze bood hem de bank aan, maar hij kon niet slapen, gevangen in zijn eigen gepieker. Iedere minuut die verstreek raakte Sita verder van hem vandaan. Hij overwoog even om op een vliegtuig naar Washington te stappen om te overleggen met Porter, maar hij besefte dat dat een belachelijke onderneming was. Hij had nauwelijks een aanwijzing en zijn toegang tot informatie bij Justitie zou uiterst beperkt zijn.

Ergens na middernacht stond hij van de bank op en begon hij door het appartement te ijsberen. Hij voelde zich terneergeslagen en in de ban van een onverklaarbare onrust. In de keuken deed hij de koelkast open, om daarna slechts te beseffen dat hij helemaal geen honger had. Vervolgens wandelde hij weer terug naar de woonkamer en keek uit het raam naar de lichtjes van Parijs. Onder normale omstandigheden zou het uitzicht hem hebben geboeid, maar die nacht werd hij te veel in beslag genomen door andere dingen om het op te merken.

Waar ben je, Sita Ghai? dacht hij. *Waar hebben ze je nu weer naartoe gebracht?*

Plotseling voelde hij een hand op zijn schouder. Hij draaide zich om en zag Julia voor zich staan, gekleed voor de nacht in een hemdje en slipje. In het schemerduister keek ze hem met haar grote ogen aan en hij zag het medeleven in haar blik. Ze pakte zijn hand en omklemde die stevig. Alles gebeurde zo onverwacht dat Thomas er niet bij nadacht, geen adem haalde, en haar alleen maar kon aankijken.

'Gaat het wel?' vroeg ze fluisterend.

Hij overwoog even om te doen alsof, maar kon het niet. 'Ik heb me wel eens beter gevoeld,' zei hij.

Julia deed een stap naar hem toe en sloeg haar armen om hem heen. 'Ik weet hoe je je voelt,' zei ze, terwijl ze met haar hoofd tegen zijn borstkas leunde. 'Zo was het ook toen mijn zusje opeens weg was.'

Thomas stond als bevroren, gevangen in twijfel. Hij dacht aan Priya in Mumbai, zesduizend kilometer ver weg. Hij dacht aan Cambridge, Charlottesville en Georgetown, en de jaren die ze samen hadden gedeeld. Maar zijn herinneringen konden niet tegen de kracht van Julia's warmte op. Zijn afweer verbrokkelde totdat zijn hoofd en lichaam nog maar één ding wilden: haar omhelzen. Zijn armen sloten zich als vanzelf om haar heen en hij begroef zijn gezicht in haar geurende haren.

Zo bleven ze een tijdje in elkaars armen staan, totdat Julia met een vraag in haar ogen naar hem opkeek. Hij besefte dat ze op een moment waren aanbeland waarna er geen weg terug meer was. De alarmbellen rinkelden in zijn hoofd, maar hij maakte zich niet van haar los. Toen ze haar lippen op de zijne drukte, trok hij zijn hoofd niet terug. En toen ze hem door de hal meenam naar haar slaapkamer, protesteerde hij niet. Even flitste het door zijn hoofd dat het zo ook met Tera was gegaan. Maar hij was het punt dat hem dat nog iets kon schelen voorbij. Hij wílde dit. Hij had dit nódig.

Toen ze in haar slaapkamer waren, draaide Julia zich om en pakte allebei zijn handen beet. Ze trok hem naar zich toe en hief haar hoofd op om hem opnieuw te kussen. Op dat moment viel zijn oog op de flakkerende kaars op het kastje en de antieke spiegel erachter. Er schoot een beeld door zijn hoofd. Kaarslicht voor spiegelend glas, de vlam die de duisternis verdreef.

Priya op het bed, wachtend tot hij de liefde met haar zou bedrijven. Het opgaan in elkaar, de vreugde van de ontlading. De nacht dat Mohini was gemaakt.

Hij liet Julia's handen los en raakte het plekje waar zijn trouwring ooit had gezeten even aan. Die had hij afgedaan toen Priya bij hem was weggegaan en in de haast voor zijn vertrek naar Mumbai vergeten mee te nemen. De gedachte aan de ring herinnerde hem aan zijn trouwgelofte. *Ik, Thomas, neem jou, Priya...* Hij was naïef geweest, maar dat was iedereen die trouwde. *Met deze ring trouw ik je.* Het drong tot hem door dat naar bed gaan met Julia niet alleen verraad aan zijn huwelijk zou zijn, uitgerekend op het moment dat dat weer een beetje begon op te bloeien, maar ook verraad aan de herinnering aan Mohini en alle goede dingen die hij nog overhad in zijn leven.

'Ik kan dit niet doen,' fluisterde hij.

Julia deed een stap naar achteren en kruiste haar armen voor haar borst. 'Waarom niet?'

Hij ademde diep in. 'Ik ben getrouwd. Mijn vrouw zit in Mumbai.'

Julia ging op bed zitten en sloeg haar armen om haar knieën. Hij bleef naar haar staan kijken. Het drong tot hem door dat hij niet eerlijk tegen haar was geweest. Er was een emotionele band tussen hen ontstaan en hij had dat laten gebeuren. Iedere idioot had kunnen bedenken dat dit de volgende stap zou zijn. En toen zij die volgende stap, afgaand op haar intuïtie en vanuit haar gevoel, had gezet, was hij plotseling afgehaakt en had hij haar afgewezen.

De stilte strekte zich uit totdat Julia weer iets zei. 'Hoe heet ze?'

'Priya.'

'Is ze Indiaas?'

'Ja. Maar ze heeft het grootste gedeelte van haar leven in het Westen gewoond.'

Julia dacht even na. 'Hou je van haar?'

In het besef dat hij werkelijk van Priya hield, knikte hij langzaam.

Julia draaide haar gezicht af, haar wangen kleurden licht.

'Het spijt me,' zei Thomas, weer in staat iets te zeggen. 'Ik had het je moeten zeggen.'

Julia stond langzaam van het bed op.

'Ja,' zei ze. 'Je had het me moeten zeggen. Maar ik weet niet zeker of het iets had uitgemaakt.' Ze gaf hem een kusje op zijn wang. 'Het zou leuk zijn geweest,' fluisterde ze.

Thomas deed zijn ogen dicht en moest zich opnieuw schrap zetten om niet toe te geven aan het verlangen alles te vergeten en haar weer in zijn armen te sluiten.

'Welterusten, Julia,' zei hij, en hij liep de gang in.

Hij keerde terug naar de bank en legde een kussen over zijn hoofd, om het tikken van de klok niet te horen. Hoewel hij zijn best deed om in slaap te komen, lukte dat niet omdat haar omhelzing door zijn hoofd bleef spoken. De minuten werden uren en de nacht ging over in de ochtend. Toen het licht begon te worden, voelde dat als een bevrijding.

Na een snelle douche pakte Thomas zijn spullen in, terwijl Julia koffie voor hem zette en verse croissants besmeerde met boter. Tijdens het ontbijt praatten ze over koetjes en kalfjes. Toen ze klaar waren, liep Julia drie straten met hem mee naar het station. Ze bleven staan bij de ingang en keken elkaar aan. Even later verbrak Julia de betovering en gaf hem een knuffel.

'Het spijt me van Sita,' zei ze.

'We hebben ons best gedaan. Niemand had het beter kunnen doen.'

Ze keek hem bemoedigend aan. 'Misschien komt er via Andrew wel iets.'

'Wie weet.' Hij zweeg even. 'Pas goed op jezelf, Julia.'

Ze glimlachte op die goedlachse manier van haar. 'Ga naar huis, Thomas.'

Hij knikte en liep het metrostation in, getroffen door haar woordkeus.

Thomas nam de trein naar Charles de Gaulle en stapte een tijd later op de late ochtendvlucht van Air France naar Mumbai. Uitgeput door zijn slapeloze nacht trok hij het schermpje voor het raampje omlaag en probeerde in slaap te komen. Het lukte niet.

Toen hij er genoeg van had om met zijn ogen dicht te zitten, haalde hij Ahalya's foto tevoorschijn. Sita keek hem voor de honderdste keer glimlachend aan, een kind dat op het punt stond te veranderen in een vrouw. Sita was alles wat hij zich had gedroomd voor zijn eigen dochtertje, Mohini. Die gedachte voelde als een openbaring. Was hij daardoor naar Frankrijk gedreven? Was het de schaduw van zijn eigen overleden dochter die het redden van een ander leven zo belangrijk voor hem maakte?

Om halftwaalf 's avonds landde het vliegtuig in Mumbai. De donkere, vochtige warmte boven de stad was zwaar van de smog. 's Nachts was het nu maar een paar graden minder heet dat overdag. Hij trof Priya bij de bagageband en ze verraste hem met een omhelzing.

'Welkom terug,' zei ze met glinsterende ogen. 'Ik heb je gemist.'

'Echt?' vroeg hij, verrast door de opluchting die hij bij haar voelde.

Ze knikte en pakte zijn hand. 'Ik heb iets voor je.' Ze stak haar hand in haar tas en haalde er twee Jet Airways-tickets uit.

'Goa!' zei hij, zijn stem opgewekter.

'Morgen gaan we op vakantie. Ik moet echt weg uit deze stad.'

Ze keek hem zo verwachtingsvol aan dat hij onwillekeurig moest glimlachen.

'Een heel goed idee.' Plotseling werd hij overrompeld door een allesomvattend gevoel van liefde voor haar. 'Je ziet er prachtig uit,' zei hij.

Priya knipperde even met haar ogen bij zijn opmerking, die zomaar uit de lucht leek te komen vallen. Toen begon ze stralend te grijnzen. 'Kom, laten we maken dat we hier wegkomen,' zei ze, en ze trok hem met zich mee naar de uitgang.

De nacht brachten ze door in Dinesh' appartement in Bandra. De jonge bankier was op zakenreis en Thomas had de slaapkamer van zijn vriend tot zijn beschikking. Na haar liefdevolle begroeting op het vliegveld, hoopte hij dat Priya bij hem zou komen liggen. Maar zoveel geluk had hij niet. Priya gaf hem een knuffel en met een ondeugend lachje verdween ze naar de logeerkamer.

Voor de tweede nacht op rij sliep hij slecht. Om een uur of drie in de ochtend schrok hij wakker in de overtuiging dat Mohini lag te stikken in de kamer ernaast. Hij schoot paniekerig overeind en keek verward rond, totdat hij besefte waar hij was. Daarna luisterde hij naar de geluiden van de stad, peinzend over de paradoxen in zijn leven. Hoe kon het dat hij, iemand die eerbaarheid hoog in het vaandel had staan, zich oneerbaar had gedragen? Hoe kon het dat hij ervan overtuigd was geweest dat de liefde weg was, maar dat die nu weer opbloeide? Hoe kon het dat dezelfde pijn die eerst zoveel verwoest had, nu positieve dingen voortbracht? De Jogeshwarizaak. De redding van Ahalya. De zoektocht naar Sita. Priya vredig slapend in de kamer naast die van hem. Het vooruitzicht op een vakantie in Goa. Hoe kon het zijn dat hij nu al dertig jaar op deze planeet rondliep, twee universitaire studies achter de rug had en tegenwoordig meer vragen dan antwoorden had?

's ochtends trof hij Priya in T-shirt op het terras aan; ze nam kleine teugjes van een kop dampende chai. Ondanks het vroege uur brandde de zon al, maar gelukkig bracht een briesje vanaf zee enige verkoeling.

'Je ziet er moe uit,' zei Priya, toen hij op een terrasstoel ging zitten.

'Ik heb weinig geslapen,' bekende hij, in zijn ogen wrijvend.

'Vanwege Sita?'

Hij koos voor de eenvoudigste verklaring en knikte.

'Dinesh heeft een mooi appartement,' merkte ze op.

'Hij heeft goed geboerd.'

'Hij lijkt zich in Mumbai wel thuis te voelen.' Er sprak melancholie uit haar toon.

'Jij niet dan?'

'Dat wisselt met de dag en de stemming.'

'Zou je hier voorgoed willen wonen?' vroeg hij, op zoek naar de richting waarin haar toekomstplannen gingen.

'Dat weet ik niet echt. En jij?'

Hij haalde zijn schouders op, wilde niet liegen. 'Ik weet het ook niet.'

Priya stond geeuwend op en streek even met haar vingertoppen over zijn hand. 'Kom mee. We moeten ons klaarmaken.'

'Ik moet nog één ding doen voordat we vertrekken,' zei hij.

Ze keek hem nieuwsgierig aan. 'Het vliegtuig vertrekt om twaalf uur.'

'Geen probleem. Ik moet alleen iemand bellen.'

In het schoolgebouw op de ashram zat Ahalya achter haar tafeltje in het niets te staren. Het was halfnegen in de ochtend en haar lerares – zuster Elizabeth – was bezig de sinus en cosinus uit te leggen. Dat wekte nogal wat verwarring bij de andere meisjes, maar Ahalya kende de stof. Die was een jaar geleden tijdens de wiskundeles op St. Mary's al aan haar uitgelegd. De begeleider die CASE voor haar had geregeld daagde haar uit met werk voor gevorderden, maar kwam alleen op maandag en woensdag. De andere dagen eisten de zusters van Ahalya dat ze, samen met de andere meisjes, gewoon de lessen in de hoogste klas van de middelbare school bijwoonde.

Zoals haar gewoonte was geworden, trok Ahalya zich terug in het verleden. Ze kon zich de dingen tot in de kleinste details herinneren en focuste zich tegenwoordig op de gezichten en de manier van doen van de inwoners van haar geheugen, totdat ze ze bijna levensecht voor zich zag. Ze projecteerde haar geliefden in een toekomst die er voor hen had moeten zijn, stelde zich de rimpels in het gezicht van haar moeder op hoge leeftijd voor, beeldde zich haar vader in op de dag van haar bruiloft, zag Sita voor zich als een volwassen vrouw. Haar verbeelding ging met haar op de loop en ze verloor alle besef van tijd. Tegenwoordig gebeurde het zelfs zo vaak dat Ahalya volkomen afhaakte, dat ze er standjes voor kreeg van de zusters van de ashram.

'Ahalya,' zei zuster Elizabeth nu, terwijl ze haar ogen tot spleetjes kneep. 'Wat is de sinus van negentig graden?'

'Een,' antwoordde ze.

'En de cosinus van honderdtachtig graden?'
'Min een,' zei ze. Ze zag de golffuncties voor zich in haar hoofd.
Zuster Elizabeth zuchtte diep en keerde zich weer om naar het bord.
Om kwart voor negen stond zuster Ruth opeens in de deuropening. De leerlingen keken haar bezorgd aan en vroegen zich af waarom het hoofd van de school een onverwacht bezoek bracht.
'Ahalya,' zei zuster Ruth, 'loop je even met me mee?'
Ahalya keek verbaasd op over de ernstige toon waarop ze het vroeg. Ze stond op en liep achter zuster Ruth aan het schoolgebouw uit. De non liep zwijgend het pad af in de richting van de ingang van de ashram. Ahalya begon zich met iedere stap meer af te vragen wat er aan de hand zou zijn. Het was niets voor zuster Ruth om zo onmededeelzaam te zijn. Ze had immers altijd wel iets te vertellen.
Toen ze bij de vijver kwamen waar Ahalya haar lotus had geplant, bleef zuster Ruth staan en wees ze naar een bankje.
'Ga daar maar zitten,' zei ze. 'Er komt bezoek.'
'Wie dan?' vroeg Ahalya, tegelijkertijd opgewonden en doodsbang. Anita van CASE kwam altijd op dinsdag. En nu was het donderdag. Dit moest een bijzondere bezoeker zijn.
Zuster Ruth antwoordde niet. In plaats daarvan draaide ze zich om en liep ze naar de toegangspoort. Ahalya ging op het bankje zitten en probeerde de misselijkheid die haar nu al wekenlang plaagde te negeren. Ze bekeek haar lotusplant, de bloempot was goed te zien onder de waterspiegel. Er hadden zich twee leliebladeren gevormd, maar voor een bloem was het nog veel te vroeg in het jaar. Ahalya stak haar hand uit en raakte het water even aan. Er zat in ieder geval leven in de plant, hij groeide. De lotus zou gaan bloeien. Dat moest wel, want de plant droeg Sita's geest in zich.
Groei! beval ze de plant. Jij bent de reden dat ik 's morgens opsta!

Zuster Ruth ontmoette Thomas bij de ingang van de ashram. Thomas vond haar ongewoon serieus. 'Mr. Jeff belde dat u onderweg was,' zei ze, met een korte blik op Priya die in de taxi zat. 'Hebt u nieuws voor Ahalya?'
Thomas knikte.
'Over Sita?' vroeg zuster Ruth.
'Ja,' bekende hij.
'Als het slecht nieuws is, kan ze het beter niet horen. Ze is heel kwetsbaar op het moment.'
'Ik heb goed nieuws, maar ook slecht.' Thomas voelde even aan de rakhi-armband om zijn pols. 'Ik ben haar de waarheid schuldig. Ik denk dat ze wil dat ik niets achterhoud.'

De non dacht er even over na en knikte. 'Het is een meisje met een sterk karakter. Ze praat over niets anders dan haar zusje. Als ze al praat, tenminste.'

'Ik heb maar vijf minuten nodig,' zei hij.

De non maakte de poort open en gaf Thomas toegang tot het terrein. 'Ze zit bij de vijver.'

Ahalya zat op het bankje naar het water te staren. Toen ze dichterbij kwamen, keek ze op: haar ogen werden groot. Ze kwam overeind en liep naar hem toe.

'U bent terug,' zei ze. 'Er is vast nieuws over Sita.'

Toen hij in haar ogen keek, voelde Thomas haar triestheid zwaar op zich drukken. 'Misschien moeten we even gaan zitten,' zei hij, met een gebaar naar een van de bankjes.

Ahalya sloeg haar armen over elkaar. 'Ze is niet meegekomen.'

'Nee,' antwoordde hij.

Hij ging op een bankje zitten en tuurde naar het bos, ergens in de takken boven hem zongen de vogels.

'De man die haar van Suchir heeft gekocht, heeft haar meegenomen naar Frankrijk. De afgelopen twee maanden heeft ze daar in een restaurant gewerkt. De politie van Mumbai heeft die man uiteindelijk kunnen oppakken, maar was niet snel genoeg. Sita is een paar dagen geleden meegenomen naar de Verenigde Staten. Niemand weet waarheen of waarom.'

Ahalya barstte in snikken uit, haar lichaam schokte als een zaailing in een stevige bries. Thomas moest diep inademen en vroeg zich af of zuster Ruth misschien gelijk had gehad toen ze zich afvroeg of het wel goed was dat hij dit allemaal aan Ahalya vertelde. Misschien had hij beter niet kunnen komen.

Thomas tuurde naar de lotusplant, op zoek naar een manier om haar een beetje op te vrolijken.

'Ik heb de foto die ik van je heb gekregen doorgestuurd naar een vriend op het Amerikaanse ministerie van Justitie,' zei hij uiteindelijk. 'En ik heb erbij gezegd dat Sita nu in de Verenigde Staten is. Ik weet zeker dat hij de FBI zal inlichten. Er zal naar haar worden uitgekeken.'

Ahalya bleef een tijdlang strak naar de waterspiegel staren en kreeg haar emoties langzaam weer onder controle. Ze keerde zich naar hem toe, haar ogen roodomrand en haar wangen nat van de tranen.

'Ik heb een boodschap voor uw vriend,' fluisterde ze, terwijl ze voor hem neerknielde.

Hij knikte. 'Die zal ik hem overbrengen.'

Ahalya legde haar hand op haar buik. 'Zeg hem dat er nu twee zijn die op Sita wachten.'

En toen stond ze op en begon over het pad terug te lopen in de richting van het schoolgebouw.

Thomas keek zuster Ruth in verwarring aan.

De non beantwoordde zijn vraag voordat hij die had gesteld. 'Het is een moedig meisje. De meesten zouden u dat niet hebben verteld.'

'Wat verteld?'

'Ze is zwanger.'

Hij ademde scherp in. 'Van het bordeel?' vroeg hij.

De non knikte. 'Dat gebeurt vaak. We hoopten dat het niet zo zou zijn, omdat ze er niet zo lang heeft gezeten.'

Er sloeg een golf van afkeer door hem heen. 'En ze houdt de baby?'

Zuster Ruth staarde hem doordringend aan. 'Het is een léven,' zei ze op onverzettelijke toon. Maar toen verzachtte ze enigszins. 'Zoals het er nu naar uitziet is het kind nog haar enige familie.'

Thomas keek Ahalya na, terwijl ze tussen de bomen verdween. Ze zag er net zo uit als elke jonge, bijna volwassen vrouw in India met haar lichtgroene churidaar en sandalen. Ze was mooi, slim, goed opgeleid en sprak vlekkeloos Engels. Vóór de tsunami was ze voorbestemd geweest voor een geweldige toekomst; de universiteit, medicijnen of rechten waarschijnlijk, en op zijn minst een gunstig huwelijk. Nu was ze in verwachting van de man die haar haar onschuld had ontstolen. Vóór die zwangerschap was haar toekomst al uiterst onzeker geweest, maar nu was die volkomen geruïneerd.

'Denkt u dat Sita gevonden zal worden?' vroeg de non.

'Het kán,' antwoordde hij. 'Maar waarschijnlijk is het niet.'

Zuster Ruth sloeg een kruis. 'Soms begrijp ik Gods wegen niet.'

'Dan zijn we met z'n tweeën.'

De vlucht van Jet Airways naar Goa was gelukkig kort. Priya had een kamer gereserveerd op een afgelegen resort, ver in het zuiden en een eind van de toeristische massa in Noord-Goa vandaan. Hij vertelde haar weinig over zijn ontmoeting met Ahalya en voor één keer was ze niet nieuwsgierig. Het was lang geleden dat hij haar zo vrolijk had gezien en hij was niet van plan om de stemming te bederven.

De taxirit naar Agonda Beach nam het grootste gedeelte van de middag in beslag. Thomas draaide het raampje omlaag en liet zich door het landschap afleiden van alle problemen die op zijn schouders drukten. Zijn aandacht voor de voorbijglijdende bungalows en eucalyptusbossen bleek te helpen om niet aan Ahalya's baby te denken, of aan Sita, of aan de armband om zijn pols. Of aan Tera en Clayton en de leugens die hij zijn vrouw had verteld. Zijn enige troost was het feit dat hij zich in Parijs had weten te beheersen. In de slaapkamer van een prachtige vrouw die hem begeerde, was hij standvastig gebleven.

Even over vieren die middag sloeg de taxi een onverharde weg in die werd geflankeerd door winkeltjes en strandhuisjes. Wat later zette de chauffeur hen aan het eind van het strand af voor de ingang van het Getway Resort en Hotel. De plek was precies zoals die in de advertenties werd beschreven: schoon, zonder pretenties en vlak bij de zee.

De beheerder, een vriendelijke witharige man in een opzichtig hawaïshirt, begroette hen in vloeiend Engels. 'Huwelijksreis?' vroeg hij.

'Ja,' antwoordde Priya tot Thomas' verrassing. 'Onze tweede.'

'Op een nieuw begin dan,' zei de man, terwijl hij hun de sleutels overhandigde.

Hand in hand liepen ze naar hun huisje. Nadat ze hun spullen hadden uitgepakt, verdween Priya naar de badkamer om zich te verkleden. Even later kwam ze tevoorschijn in een wit linnen bloesje met een gebloemde sarong eronder. Ze bekeek Thomas van top tot teen: zijn surfshort, Birkenstocks en zijn Russell Athletic T-shirt. Toen deed ze een stap naar hem toe, sloeg haar armen om hem heen en wreef haar gezicht tegen zijn borstkas aan. Hij omhelsde haar met een passie waardoor hij opeens besefte hoe erg hij haar had gemist.

Na een tijdje deed ze een stap naar achteren en zei: 'Kom, laten we een eind gaan wandelen.'

'Waar?'

'Langs het strand.'

Ze namen een hobbelig zandpad dat in de schaduw van een rij palmbomen lag en over een duinenrij naar de zee leidde. Op het strand deden ze hun schoenen uit en blootsvoets liepen ze verder naar de waterlijn. Het zand was dik en voelde lekker onder hun voeten. De tropische zon hing vlak boven de horizon en gaf het water een gouden gloed.

Priya pakte zijn hand en samen slenterden ze naar een groepje rotsblokken even verderop. Daar klom ze naar de top van de grootste. Thomas deed hetzelfde en naast elkaar genoten ze van de ondergaande zon. Thomas sloeg zijn arm om haar heen en Priya leunde tegen hem aan.

'Waarom moet het leven toch zo moeilijk zijn?' vroeg ze.

'Zo is het leven nou eenmaal,' antwoordde hij. 'Maar wat wij hebben geprobeerd is niet gemakkelijk.'

'Ik heb van zoveel dingen spijt,' zei ze zachtjes.

'Sst,' zei hij, terwijl hij zijn vinger op haar lippen legde.

'Nee, ik wil het juist graag zeggen.' Met verstikte stem vervolgde ze: 'Ik heb je gekwetst. Ik was vreselijk om mee te leven en had geen idee wat ik met mijn verdriet aan moest. Ik dacht dat het thuis in India beter zou gaan, maar dat was niet zo. Iedere ochtend hoor ik haar stemmetje, zie ik haar kleine gezichtje en voel haar zachte haartjes. En dan herinner ik me weer hoe het was om van haar te bevallen.'

Thomas had het gevoel alsof hij werd verscheurd. Hij hield nog altijd van zijn vrouw, besefte hij. Dat was hij altijd blijven doen. Zelfs toen hun kind was gestorven en ze hem had gehaat en neergesabeld met haar woorden. Hij zou zo weer met haar trouwen. Ze was het allerbeste in zijn leven.

'Ik denk niet dat dat gevoel ooit over zal gaan,' zei hij. 'Ze is een deel van ons en het verdriet om haar hoort bij ons leven.'

Priya dacht erover na. 'Heb je wel eens nachtmerries?'

Hij knikte. 'Ik word zwetend wakker en hoor haar huilen. Thuis was het nog erger. Daar had ik het gevoel dat ik samen met geesten woonde.'

Ze staarden naar de zon die in de zee zakte en de lucht een roze blos gaf.

'Ze zeggen dat het mogelijk is om opnieuw te beginnen,' zei ze, terwijl ze zijn hand pakte en die streelde met haar vingertoppen. 'Ik weet niet of ik dat wel geloof.'

'Dat komen we alleen te weten als we het proberen.'

Samen bleven ze op de rots zitten totdat de zon helemaal verdwenen was en de eerste sterren aan de zwarte hemel pinkten.

'Heb je honger?' vroeg ze.

'Als jij honger hebt,' fluisterde hij, terwijl hij zich naar haar toekeerde en haar parfum van seringen en jasmijn opsnoof. Die geur bracht herinneringen terug, die stuk voor stuk mooi waren.

Priya keek hem diep in de ogen en haar lippen weken uiteen. Hij kuste haar, eerst nog aarzelend, maar algauw gepassioneerd, en trok haar dicht tegen zich aan.

'Waarom vergeten we het diner niet gewoon?' fluisterde ze.

Hij nam haar gezicht in beide handen. 'Dat is nou precies wat ik wilde horen.'

Goa gaf weer glans aan hun leven. De zee was nooit blauwer geweest, het zand nooit zachter en de zon nooit stralender dan in die drie dagen. Ze brachten net zoveel tijd in het huisje door als erbuiten. Priya leek geen genoeg van zijn liefkozingen te krijgen en Thomas voldeed maar al te graag aan haar wensen. Iedere keer dat hij zijn vrouw tegen zich aan trok, had hij het gevoel dat ze weer een draad ontwarden uit de kluwen van problemen die hen uit elkaar had gedreven.

Op de ochtend van de tweede dag huurden ze een scooter bij een winkel in Agonda. Priya zat achterop met haar armen losjes om zijn middel geslagen. Opgegroeid met een broer die gek was op motoren, voelde ze zich thuis achter op een tweewieler. Ze reden noordwaarts langs de ruige kustweg richting het Coba de Rana Fort. De lucht was vochtig en zout, en de hemel een enorme koepel die de blauwe en de groene horizon met elkaar verbond.

Ze volgden de borden naar Margao en reden over een kronkelweggetje dat hen langs rijstvelden en palmbossen voerde omhoog. Uiteindelijk belandden ze op een dor plateau dat boven de boomgrens lag. In het westen zagen ze het heldere blauw van de zee. Het fort lag veertien kilometer van Agonda vandaan, maar de tweetaktmotor overbrugde die afstand zonder enige moeite. Aan het einde van de weg kwamen ze terecht bij de eeuwenoude ruïnes van een kasteel dat afwisselend in handen was geweest van Hindoe, Mongoolse en Portugese heersers.

Ze parkeerden de scooter en klommen langs de afbrokkelende muren omhoog naar een verlaten geschutsemplacement dat uitkeek over een baai. Het landschap dook steil omlaag naar een kust van zwart basalt. De golven sloegen tegen de rotsen en zorgden voor fonteinen van waterdruppels die hoog in de lucht spatten. Priya en Thomas bleven een hele tijd staan genieten van het uitzicht.

'Op plekken als deze is het moeilijk voor te stellen dat de wereld zo afgrijselijk kan zijn,' constateerde Thomas.

'Dit is hoe de wereld hoort te zijn,' antwoordde Priya. 'Het is onze schuld dat hij zo afgrijselijk is.'

Rond vijf uur namen ze de kustweg verder naar het zuiden richting Palolem, een dorpje aan de kust dat vier kilometer verder dan Agonda lag. Daarvandaan namen ze het weggetje naar het strand waaraan allerlei winkeltjes lagen en het druk was met straatverkopers die hun waren aanprezen. Ze parkeerden aan het einde ervan en liepen over het strand naar een rij op het zand liggende vissersbootjes.

Het strand bij Palolem was breder dan dat bij Agonda en ook drukker. Inwoners van Goa, gekleed in sari's met lange mouwen, wandelden met hun kinderen over het strand, terwijl er net zo goed vakantiegangers uit Europa, Australië en Amerika in zwemkleding rondliepen en op luide muziek dansten in de strandtentjes. Het contrast had niet groter kunnen zijn, maar het leek niemand te bevreemden of te storen.

Op het terras van een cocktailbar bestelden ze pina colada's. De zon zonk langzaam naar het schiereiland dat de baai omarmde. Op het strand stond een Indische jongen naast een geïmproviseerde wicket met een houten bat te zwaaien. Hij draaide zich om en gebaarde heftig naar de kustlijn, terwijl hij iets schreeuwde wat werd overstemd door de wind. Algauw verzamelde zich een bont groepje jongens rondom de wicket. Ze praatten even en verspreidden zich om een spelletje cricket te beginnen.

Het geïmproviseerde cricketspel fascineerde Thomas. Na een tijdje haalde hij een notitieblokje uit zijn rugzak en schreef een klein verhaaltje over wat hij voor zich zag.

Toen hij dat aan Priya voorlas, merkte ze op: 'Je moet gaan schrijven. Vergeet dat hele juridische gedoe gewoon. Er zijn al genoeg juristen op de wereld.'

Hij pakte haar hand vast en keek haar lachend aan. 'Daar hou ik je misschien wel aan.'

Ze staarden naar de lichtjes op het strand die her en der begonnen op te gloeien.

'Het is goed om hier met je te zijn, Thomas,' zei ze eenvoudig.

Hij keek haar aan en zei: 'Betekent dat dat ik vooruitgang boek?'

Met twinkelende ogen zei ze: 'Wat denk je?'

Zondagmorgen werd Thomas wakker met het geluid van zingende vogels en ritselende palmbladeren in zijn oren. Hij draaide zich om in bed en merkte dat Priya weg was. Dat baarde hem geen zorgen. Thuis was ze vaak vroeg opgestaan om de dag te begroeten. Hij wreef over zijn slapen. Ze waren de avond daarvoor tot laat uit geweest op Palolem Beach en hij had een drankje te veel genomen – wat hem nu een barstende hoofdpijn opleverde.

Hij luisterde of hij de douche hoorde, maar nee, niets. Ze was vast een ommetje gaan maken. Hij ging naar de badkamer en bekeek zichzelf in de spiegel. Hij had zich in vier dagen niet geschoren en zijn stoppels begonnen een baard te worden. Dus zocht hij zijn scheerapparaat op en begon zichzelf weer toonbaar te maken. Vanmiddag zouden ze weer naar Mumbai vliegen. Hij zag er niet naar uit om terug te gaan, maar een vakantie kon natuurlijk niet eindeloos duren. Er moest nou eenmaal gewerkt worden.

Hij liep naar zijn weekendtas en trok een zwembroek en T-shirt aan. Ze hadden de ochtend nog. Het had geen zin om nu al naar het vliegveld te gaan. Hij keerde zich om en liep naar de deur in de verwachting dat hij Priya wel op het strand zou aantreffen. Toen viel zijn oog op zijn BlackBerry.

Er lag een vel papier onder. Hij staarde naar het papier en zijn ogen schoten wijd open van schrik.

In haastige hanenpoten had Priya geschreven: 'Hoe kón je?'

Hij pakte de telefoon op. Die stond in stand-bymodus. Hij drukte op een knop en het schermpje kwam tot leven. Zodra hij de e-mail zag, snapte hij wat er fout was gegaan. Tera had geschreven:

> Thomas, ik weet nu waarom je bent vertrokken. Ik had wel een vermoeden, maar tot nu toe geen bewijs. Ze hebben je een ultimatum gesteld, is het niet? Ze hadden een zondebok nodig. Mijn god, ik vind het ongelooflijk dat ze zoiets hebben gedaan. Maar daardoor valt alles op zijn plaats. Als je je afvraagt hoe ik het weet: een paar dagen geleden heeft een schoonmaakploeg Mark Blake met een juridisch medewerkster betrapt op zijn kantoor. De firma heeft geëist dat hij ontslag neemt. Ik heb rondgevraagd en stuitte op iemand die me wel wilde vertellen wat er was gebeurd. Je hoeft je niet meer geheim te houden, Thomas. De lucht zal opgehelderd worden en de zaak zal worden vergeten. Sinds je weg bent, ben ik steeds meer gaan beseffen hoe graag ik met jou wil zijn. Alsjeblieft, hul je niet weer in stilte. We zijn een goede combinatie met elkaar.

Hij smeet de telefoon op het bed. Hoe dúrfde Priya zijn e-mails te lezen? Hoe dúrfde Tera rond te snuffelen in zijn privézaken? Hoe dúrfde het lot hem zo slecht te behandelen? Zijn liefde voor Priya was echt. Hij was met gemengde gevoelens en motieven naar India gekomen, ja, maar zijn hoop op een hereniging was oprecht. De afgelopen dagen waren niet zomaar een illusie. Ze hadden zelfs over de toekomst gepraat, verdomme. Tera was een ernstige beoordelingsfout van hem geweest, maar onder de omstandigheden een begrijpelijke, en hij had geprobeerd de banden met haar te verbreken.

Hij griste de telefoon van het bed en liep met grote stappen het huisje uit in de richting van het strand. Dat bleek bijna leeg toen hij er aankwam. Er woei een gestage wind vanaf de zee, de golven hadden een witte kuif. Hij zag haar bij de waterlijn zitten. Hij sjokte naar haar toe en probeerde te bedenken wat hij zou gaan zeggen, maar alles klonk belachelijk of onbeschoft.

Priya zag hem al van verre aankomen en stond op. Ze begon van hem vandaan te hollen. Ze was best snel, maar hij was sneller. Hij haalde haar vlak bij de rotsen in waarop ze een paar dagen geleden de eerste kus van hun hereniging hadden uitgewisseld.

‘Ga weg!’ schreeuwde ze, terwijl ze haar arm wegrukte van zijn hand. ‘Hoe kón je, Thomas? Hoe kón je? Ik vertrouwde je!’

Ze rende weer weg.

‘Stop, verdomme,’ riep hij, terwijl hij haar de weg versperde. ‘We moeten erover praten!’

‘Er valt niks te praten!’ zei ze. ‘Je hebt tegen me gelogen over Tera en je hebt tegen me gelogen over Clayton. Dus zowat over alles.’

‘Dit weekend was geen leugen,’ zei hij smekend.

‘Dit weekend was de grootste leugen van allemaal. Ik ben met je naar bed geweest, ik begon weer in een toekomst voor ons te geloven. En nu?’ Ze schudde haar hoofd. ‘Mijn vader heeft al die jaren gelijk gehad.’

Thomas was verbijsterd. ‘Hoe kun je dat nou zeggen? Hoe kun je dat in vredesnaam zeggen? Fellows Garden was geen leugen. Ons trouwen was geen leugen. Mohini...’

‘Zeg haar naam niet!’ gilde Priya, terwijl de tranen in haar ogen sprongen. ‘Hoe durf je haar naam uit te spreken, klootzak. Ik ben degene die van haar is bevallen, ik ben degene die voor haar heeft gezorgd, terwijl jij zat te zwoegen bij een vijfhonderd dollar per uur circus dat zichzelf een juridische firma noemt. Ik ben degene die haar heeft zien groeien, terwijl jij de tijd van je leven had in Tera's slaapkamer.’

Thomas balde zijn vuisten. ‘Ik ging niet met haar naar bed, Priya. Ik heb je de waarheid verteld. Ik had niemand om mee te praten. Jij was verlamd van verdriet en Tera had een luisterend oor, iets wat ik op dat moment heel hard nodig had.’

Ze deed een stap in zijn richting en wees beschuldigend met haar vinger. ‘Kijk me recht aan en vertel me dat je nooit naar bed bent geweest met Tera Atwood.’

Zijn schuldbewuste blik verraadde hem.

‘Ik wist het!’ raasde ze. ‘Ik wist het de hele tijd al. Daarom heb ik je e-mails gelezen. Ik wist dat je tegen me loog.’

‘Je hebt mijn e-mails gelezen omdat je paranoïde was!’ antwoordde hij, nu zo woedend dat hij zich niet meer kon inhouden. ‘Ik ben pas met haar naar bed geweest toen jij naar je pappie was gevlucht.’

Ze vloog op hem af en bonkte met haar vuisten op zijn borstkas. ‘Rot op!’ riep ze. ‘Laat me met rust!’

Ze deden allebei een stap naar achteren en keken elkaar aan.

‘Weet je,’ zei hij, zichzelf beheersend. ‘Het is jammer, omdat ik echt van je hou, Priya. Ik heb fouten gemaakt, maar ik ben hier met goede bedoelingen. Ik wilde verder met je. Tera heeft me die e-mail gestuurd omdat ze nog niet kan accepteren dat ik er een streep onder heb gezet. Ik kan haar teleurstelling niet oplossen en haar niet laten verdwijnen, maar ze zit aan de andere kant van de wereld. Ik ben hier in Goa, met jou. Ik was dit weekend heel gelukkig, zo gelukkig als ik in jaren niet ben geweest. Ik wíl die toekomst waar we het over hadden. Maar ik neem aan dat dat niet voldoende is.'

Priya staarde naar de oceaan, haar donkere haar bolde op in de wind. Zijn liefdesverklaring had haar geraakt, dat zag hij. Maar ze was niet van plan zich over te geven.

'Je bent zo'n enorm egocentrische zak, Thomas Clarke,' zei ze. 'Voor jou is een excuus niet meer dan het toegeven van een kleine tekortkoming. Ik walg van je.'

'Dus je wilt dat ik ga?' vroeg hij, terwijl hij zijn handen naar haar uitstak.

Ze schudde bedroefd haar hoofd. 'Kan me niet schelen. Ik wil je gewoon niet meer zien.'

Hij bleef staan totdat hij er zeker van was dat ze niet van gedachten zou veranderen.

'Jij wint,' zei hij. Hij draaide zich om en begon terug te lopen naar de bungalow, overrompeld door verdriet.

'Zoals altijd,' fluisterde hij in zichzelf.

28

De hemelse genade en rechtvaardigheid keren zich van hen af.
Laten we die niet bediscussiëren; kijk en loop eraan voorbij.
DANTE

Harrisburg, Pennsylvania

SITA DUTTE IN EN SCHROK IEDERE KEER WAKKER als het meisje naast haar bewoog. Ze had geen idee hoeveel uren er voorbij waren gegaan toen de dikke vrouw de deur naar de kelder weer opende. De vrouw zette een kan water en een zak appels neer en verdween weer, de deur ging weer achter haar op slot. Net zoals over de slaapplaatsen, begonnen de meisjes nu te ruziën over het eten. Sita's maag rommelde, maar ze wilde zich niet in de strijd mengen. Ze wachtte stilletjes in haar hoekje af, in de hoop dat een van de meisjes zo vriendelijk zou zijn met haar te delen. Dat gebeurde niet.

De tijd verstreek. De meisjes deden alleen hun mond open als ze iets te klagen hadden. Sita wilde eigenlijk weten of ze wisten waar ze waren, maar ze was te bang om haar mond open te doen. Uiteindelijk kwam de dikke vrouw weer terug en mochten ze gebruikmaken van een smerige wc onder de keldertrap. Het toilet trok niet door en de pot stroomde bijna over. Sita kneep haar neus dicht en deed alles zo snel mogelijk, bang dat de stinkende derrie over de rand zou gutsen.

Doordat er nu licht de kelder in scheen kon Sita de andere meisjes beter zien. Er waren vier zwarte meisjes en drie blanke. Sommigen waren wel knap, maar ze zagen er stuk voor stuk ongezond uit. Sita vermoedde dat de jongste (een tenger meisje met een ziekelijke huid en slordig rood haar) een jaar of dertien was, en de oudste (de ferme stem van de avond daarvoor) achttien.

Nadat het roodharige meisje naar de wc was geweest, kwam de dikke man de trap af, pakte het meisje bij haar arm, en nam haar mee naar boven. Het meisje boog haar hoofd en ging onderdanig met hem mee. De dikke vrouw keek hen boos na. Een van de meisjes schuifelde met haar voeten. De vrouw draaide zich op slag om en gaf haar een klap in haar gezicht.

'Ik zei niks,' riep het meisje uit, met haar hand op haar wang.

'Geen grote mond tegen mij, trut!' krijste de vrouw. Ze sloeg het meisje nog een keer en nog een keer, totdat ze daar te moe voor werd. Zwaar hijgend liet ze zich op een traptree neerzakken en wachtte daar totdat het roodharige meisje de trap weer af kwam. Het meisje bewoog zich langzaam en hield haar ogen strak op de grond gericht. In de kelder liep ze door naar een plekje helemaal achter in de kamer en ging daar, met haar gezicht in haar handen verborgen, op de vloer zitten.

'Naar binnen, verdomme!' krijste de vrouw, terwijl ze de rest van de meisjes ruw naar de deur duwde.

Sita wist nog net buiten haar bereik te blijven en ging gauw naast het meisje met de rode haren zitten. De anderen dromden de kamer binnen en de vrouw draaide de deur weer op slot; ze zaten opnieuw in het donker. Sita sloeg haar arm om het meisje heen. Het huilen ging nog een hele tijd door, voordat ze eindelijk wat kalmer werd.

Toen legde ze haar hand over die van Sita en liet die daar liggen.

Een tijdje later ging de deur weer open en dirigeerde de vrouw hen de trap op. De dikke man stond bovenaan en de kettingroker wachtte hen op bij de achterbumper van het bestelbusje. De meisjes gingen in de laadruimte zitten. Sita had geen idee hoe laat het was, maar het was in ieder geval donker buiten. De dikke man mompelde tegen de kettingroker dat ze de hele nacht wel zouden moeten rijden. Sita keek om zich heen naar de gezichten van de meisjes en vroeg zich af of zij wisten waar ze heen gingen.

Het oudste meisje zei: 'Daar gaan we weer.'

Het busje werd gestart en de kettingroker gooide de achterklep dicht. Het roodharige meisje zat naast Sita en hield haar hand vast. Aangemoedigd door de vriendelijkheid van het meisje, stelde Sita haar wat vragen. Ze sprak net hard genoeg om boven het lawaai van de motor uit te komen.

Sita kreeg te horen dat het meisje Elsie heette en vijftien jaar oud was – geen dertien zoals Sita had gedacht – en dat ze uit een klein dorpje ergens in de bergen rondom Pittsburgh kwam. Haar verhaal was één grote nachtmerrie. Ze was jarenlang, met medeweten van haar moeder, door haar stiefvader misbruikt. Toen de man hetzelfde met haar jongere zusje begon te doen, had Elsie gezegd dat ze naar de politie zou gaan, waarop haar stiefvader haar met een mes had bedreigd en had gezegd dat hij Elsie aan flarden zou snijden als ze ook maar één woord tegen wie dan ook durfde te zeggen. De volgende dag was ze weggelopen.

'Waar naartoe?' fluisterde Sita.

'Ik nam de bus naar New York City,' zei Elsie. 'Ken je die serie *Top Model*?'

Sita schudde haar hoofd.

'In ieder geval, dat programma was op zoek naar talent en ik dacht: ik probeer het gewoon. Misschien kom ik niet zover, maar dan leer ik in ieder geval mensen kennen en kan ik vriendinnen maken en dan helpen die me vast wel.' Elsies stem klonk verstikt en ze kneep in Sita's hand: 'Maar toen kwam ik bij Rudy terecht...'

Rudy bleek ergens voor een warenhuis een gesprekje met haar te zijn begonnen en gezegd te hebben dat hij haar werk als model kon bezorgen. En zo ging ze met hem mee naar een loods waar hij haar verkrachtte en dat vastlegde op video. Toen had hij gedreigd die opnames naar haar ouders te sturen als ze hem niet gehoorzaamde. Rudy nam haar mee naar zijn appartement en verkrachtte haar net zolang totdat hij genoeg van haar had. Daarna verkocht hij haar aan een man die haar meenam naar een huis ergens verder weg en haar daar opsloot in de kelder. Daar bleken nog drie andere meisjes te zijn. Laat op de avond kwamen er mannen naar dat huis om seks met hen te hebben.

Een paar weken later werden de meisjes overgebracht naar een ander bordeel. En elke twee weken werden ze verplaatst. Soms kwamen er meisjes bij of verdween er een. En regelmatig werden ze gedwongen naakt voor een camera te poseren en seksuele handelingen te verrichten.

Sita dacht terug aan Vasily's kantoortje en huiverde. 'Wat doen ze dan met die foto's?'

'Op internet zetten, denk ik,' antwoordde Elsie. 'Mijn vader keek ook altijd naar plaatjes op internet toen ik klein was. En dan wilde hij dat ik er ook naar keek.'

Het afgelopen jaar was Elsie door het hele oostelijke gedeelte van het land gesleurd. Even pauze was er nooit, zelfs niet als ze ziek was. En hoewel de klanten tussen de veertig en honderdtwintig dollar betaalden voor haar diensten, zag zij nooit iets van dat geld. Er leek een onuitputtelijke voorraad aan klanten te zijn. Ze hadden een voorkeur voor haar omdat ze jong was en mooie ogen had, of dat zeiden ze in ieder geval. Ooit was ze wel eens eerder als hoer op de truckersparkeerplaats van Harrisburg geweest, maar ze wist niet meer precies wanneer.

Sita vroeg waar de mannen hen mee naartoe namen.

Elsie haalde haar schouders op. 'Kan overal zijn.'

Het busje reed uren- en urenlang door en stopte alleen voor benzine en één keer bij een weiland zodat de meisjes konden plassen. Elsie vroeg Sita naar haar verhaal en Sita vertelde haar over de tsunami en hoe ze uit India hier was beland.

'Je spreekt verdomd goed Engels voor iemand uit India,' zei Elsie.

'Dat leerden we op school,' antwoordde Sita. 'En we spraken het thuis ook, om te oefenen.'

'Waarom praatte je niet in je eigen taal?'

'Omdat de hele wereld Engels spreekt,' zei Sita.

Elsie knikte. 'Dat komt omdat Amerika het beste land op aarde is.'

Op een gegeven moment begon de bestelbus vaart te minderen en stopte uiteindelijk. De kettingroker tilde de achterklep omhoog. Buiten was het grijs en schemerig. Ze waren in een buurt met verwaarloosde huizen, kapotte trottoirs en verlaten gebouwen. Aan de overkant van de straat zag Sita een uithangbord met daarop: WIJNSUPERMARKT. DE BESTE VAN ATLANTA.

De kettingroker gebaarde dat de meisjes moesten uitstappen. Toen Sita dat ook wilde doen, stak hij zijn hand op en schudde zijn hoofd.

Elsie wierp een snelle blik op haar. 'Zie je wel weer,' fluisterde ze.

Ze reden nog een uur, voordat het busje opnieuw stopte. Sita hoorde gedempt dat er buiten een gesprek werd gevoerd en toen maakte de kettingroker de achterklep weer open. Het busje stond op een geasfalteerde oprijlaan met hoge pijnbomen erlangs. Naast de kettingroker stond een in het zwart geklede, onbekende man. Hij had Aziatische trekken en donkere ogen. Hij knikte vluchtig in Sita's richting.

'Uitstappen,' beval de kettingroker haar. 'Je bent nou van Li.'

De kettingroker hielp haar de bestelbus uit en duwde haar naar de Aziaat. De man die Li heette nam haar over en liep met haar over de oprijlaan naar een elegant plantagehuis. Rondom het huis waren grote gazons en bloemperken. Sita hoorde het geraas van verkeer in de verte, maar het terrein werd begrensd door pijnbomen en ze kon niet zien wat daarachter lag.

Ze liep achter Li aan de hal binnen, waar een magere blonde vrouw van middelbare leeftijd hun tegemoetkwam. Ze bekeek Sita van top tot teen.

'Wel, wel,' zei ze met een zangerig accent. 'Dietrich zei al dat hij een klein bruin meisje voor me had. Nou, we zijn niet racistisch hier, hoor, voor ons is multicultureel juist prima. Vertel eens, schatje, hoe heet je?'

'Sita Ghai,' antwoordde Sita, terwijl ze probeerde het trillen van haar handen tegen te houden. Dat ze Dietrichs naam hoorde, maakte haar bang. Ze herinnerde zich onmiddellijk waar ze die eerder had gehoord en er ging een huivering door haar heen: de blonde man in de seksclub die een opmerking had gemaakt over de tint van haar huid. Ze is prachtig, had hij gezegd. Ze zal een hoge prijs opleveren. Was die blonde man Dietrich?

De vrouw kwam voor haar staan en veegde een denkbeeldig stofje van de schouder van haar jas. 'Sita Ghai,' herhaalde ze. 'Leuk.' Haar blik verhardde. 'Voor we verdergaan, moet je één ding heel goed begrijpen. Luister je?'

Sita knikte.

'Goed.' De vrouw keek haar doordringend aan. 'Vanaf nu bestaat Sita Ghai niet meer. In dit huis is geen plaats voor kinderen met een verleden.' Ze keek even naar Li. 'Breng haar weg.'

Sita stond als verlamd vastgenageld op haar plek. Li beval dat ze hem moest volgen, maar ze reageerde niet. Hij vloekte in een taal die ze niet kende, greep haar ruw bij haar arm en sleurde haar met zich mee. Nadat ze door een woonkamer vol antieke meubels en een gang met schilderijen aan de muren waren gelopen, gingen ze een trap af naar een wijnkelder waar honderden flessen in moderne wijnkasten lagen.

Li liep naar de verste muur van de kelder en maakte daar een van de wijnkasten open die tegen de achterwand stonden. Nadat hij een fles bourgogne had omgekeerd, hoorde Sita een klik en het gebrom van een motortje. De kast begon langzaam los te komen van de muur en zwaaide aan onzichtbare scharnieren open. Erachter bleek een gang met een rij deuren te zijn, allemaal voorzien van een elektronisch slot met tiptoetsen. Li liep naar een deur aan het einde van de gang, toetste een vijfcijferige code in, deed de deur open en duwde Sita een ruimte in die eruitzag als een fotostudio.

Li zei dat ze in het midden van de kamer moest gaan staan. Hij liet haar haar jas uit doen en gooide die op een bank die tegen de muur aan stond. Toen deed hij een stap naar achteren en in zichzelf mompelend nam hij haar uitgebreid op. Na ongeveer een minuut leek hij een besluit te nemen. Hij liep naar een enorme inloopkast en rommelde daar door rekken vol kleren, waarna hij na een tijdje weer tevoorschijn kwam met een nauwsluitende, witte stretch body, versierd met glittersteentjes. Hij gooide het ding voor haar op de grond.

'Trek aan,' zei hij, terwijl hij de kamer uit liep en de deur achter zich dichttrok.

Sita tuurde naar de body alsof ze daar een besmettelijke ziekte van zou krijgen. Ze kon zich er niet toe zetten het kledingstuk op te pakken. Toen Li terugkwam, stond ze er nog steeds wezenloos naar te staren. Hij barstte uit in een scheldkanonnade. Toen haalde hij een mes tevoorschijn, zwaaide ermee voor haar gezicht en zei dreigend in het Engels met een zwaar buitenlands accent: 'Jij aantrekken, anders ik snij kleren weg. Vijf minuten, ik terug.'

Sita boog haar hoofd en knielde neer om de stretch body te pakken. Ze maakte de sari die Aunti-ji voor haar had gekocht los en liet die op de vloer vallen. Ze had hem twee weken aangehad zonder dat ze in bad was geweest en de stof rook naar lichaamsgeur en sigarettenrook. Toen trok ze het stretchpakje met mechanische bewegingen aan en negeerde hoe ongemakkelijk de strakke stof aanvoelde.

Li kwam terug met de blonde man van de seksclub. Net als eerst was hij gekleed in een keurige blazer en broek. Net als eerst glimlachte hij flauwtjes naar haar, zijn ogen zo koud als ijs. Dit keer wist ze echter wie hij was. In haar hoofd hoorde ze weer wat er over hem was gezegd door Dmitri: *Mijn vader heeft een deal met Dietrich gesloten die meer oplevert.* En Igor: *Alexi zegt ik jou niet aanraken. Dietrich komt.*

Dietrich liep naar de bank toe en ging zitten. Nu hij hier was, sloeg Sita's onderdrukte angst om in een allesoverheersend gevoel van dodelijke wanhoop. Ze herinnerde zich nog een stem, die van Sumeera: *Accepteer de wil van God en misschien word je dan in je volgende leven op een betere plek geboren.*

Li liep op haar af en knipte met zijn vingers, waardoor ze uit haar trance opschrok.

'Oké,' zei hij, terwijl hij haar arm pakte. 'Kom.'

Hij nam haar mee naar een bed dat was opgemaakt met paarse zijden lakens en zei dat ze daarop moest gaan zitten. Hij zette een knop om, waardoor ze bijna verblind werd door een felle lamp. Toen hij achter de lamp vandaan kwam, had hij een digitale camera in zijn hand.

'Geen glimlach,' zei hij. 'Kijk hier.'

Sita keek naar Li terwijl hij om het bed heen bewoog en foto's van haar maakte. Hij vroeg haar de ene pose na de andere aan te nemen; zei dat ze bijvoorbeeld met haar knieën opgetrokken achterover in de kussens moest leunen, of plat op haar buik moest gaan liggen. Op een gegeven moment gaf hij haar een teddybeer die ze vast moest houden en daarna een lolly. Het fotograferen duurde ongeveer een halfuur.

Toen Li vond dat het voldoende was, knipte hij het licht weer uit en legde hij een T-shirt en een joggingbroek op het bed.

'Aantrekken,' zei hij.

Hij pakte een tijdschrift van het tafeltje bij de bank en deed net of hij daarin verdiept was. Dietrich stond echter op en liep naar haar toe.

'Aantrekken, Sita,' zei hij. 'Het is nergens voor nodig om verlegen te doen.'

Sita stond nog een lang moment bewegingloos en gehoorzaamde toen. Li bladerde door het tijdschrift, maar Dietrich bestudeerde iedere beweging die ze maakte. De schaamte die ze voelde terwijl ze zich voor zijn ogen uitkleedde was overweldigend. Ze wilde verdwijnen, deze ellendige wereld achter zich laten.

Toen ze klaar was, stak Dietrich zijn hand uit en nam haar kin in zijn hand.

'Je wordt een succes,' zei hij.

Hij wisselde een blik met Li en ging de kamer uit. Sita stond als aan de grond genageld. Het was alsof hij haar met zijn ogen had verkracht.

Li gooide het tijdschrift weer op het tafeltje en wenkte haar. Ze liep achter hem aan de gang door, waar Li een van de deuren opende. Hij knipte het licht aan en Sita zag een spartaans ingericht kamertje zonder ramen; er stond alleen een bed, en er waren een stapel tijdschriften en een tv op een standaard met een videorecorder eronder.

'Wc einde gang. Alleen als eten komt. Film kijken en *Seinfeld*.' Om de een of andere reden vond hij het grappig wat hij zei en hij lachte in zichzelf.

Toen Li weg was, ging Sita op het bed zitten. Ze staarde naar de muur en deed de hele fotosessie in gedachten nog een keer over. Elke foto die hij van haar had genomen, iedere houding die haar lichaam had moeten aannemen, alle schaduwen op de muur, hoe de lakens hadden aangevoeld, het verblindende licht, het krullerige bont van de teddybeer en de smaak van de lolly – alles stond in haar geheugen gegrift. Noch Li, noch Dietrich had haar gevraagd iets onfatsoenlijks te doen, maar ze wist dat er een reden moest zijn voor die foto's, een doel waarvoor ze gebruikt zouden worden en waarvoor Dietrich dertigduizend dollar had overgehad. Alles op deze godvergeten plek had een doel.

Sita liet zich achterover in de kussens zakken en sloot haar ogen. Ze dacht aan Hanoeman in de zak van haar jas, op de bank in de studio aan het einde van de gang. Net zoals alles in haar leven, was hij nu ook weg. Haar ademhaling begon zwaarder te worden en ze dommelde weg. Door de onrustige nacht in de kelder van de dikke vrouw en de lange rit in het bestelbusje was ze uitgeput.

Zelfs de akelige herinneringen uit het verleden of haar angst voor de toekomst waren niet sterk genoeg om haar wakker te houden.

DEEL VIER

29

Het zwaard van rechtvaardigheid heeft geen schede.
ANTOINE DE RIVAROL

Goa, India

THOMAS GOOIDE ZIJN SPULLEN IN ZIJN TAS en vertrok haastig uit Agonda Beach. Hij zag Priya niet meer, maar dat had hij ook niet verwacht – niet na alles wat ze had gezegd. De eigenaar van het resort belde een taxi naar het vliegveld voor hem en Thomas gaf de chauffeur een flinke fooi om daar zo snel mogelijk te zijn. De man zag zijn beloning als een vergunning om alle verkeersregels te overtreden, maar dat interesseerde Thomas geen zier. Er was helemaal niets wat hem nog een zier interesseerde.

Hij arriveerde een kleine veertig minuten voordat de middagvlucht naar Mumbai zou vertrekken, kocht een ticket en ging zitten wachten in de lounge. Daar las hij Tera's e-mail nog eens over en voelde zich opnieuw woedend worden. Het liefst zou hij haar met een paar trefzekere woorden eens flink op haar plaats zetten, maar daarmee bereikte hij toch niets. De schade was al aangericht.

Hij scrolde verder door zijn inbox en zag dat zijn vader hem een bericht had gestuurd. De rechter ging behoedzaam om met de digitale technologie en stuurde alleen persoonlijke e-mails als hij iets echt belangrijks te vertellen had. Hij schreef:

Thomas, ik heb gisteren Max Junger gesproken. Het probleem met Mark Blake lijkt zich vanzelf te hebben opgelost. Ik zal niet in details treden, maar Max heeft een lans gebroken voor je bij de partners. Je bent wanneer je maar wilt weer welkom bij Clayton. Max heeft bewondering voor je, zoon. Hij zegt dat je een van de beste jonge procesvoerders bent die hij ooit heeft gekend. Dat is een zeldzaam compliment voor een man die de bijnaam 'Cirkelzaag' heeft. Ik hou je niet langer op, maar wilde je laten weten dat je weer in de gratie bent bij Clayton. Als je dat soort vrienden als Max Junger blijft maken, zul je merken dat je die rechtershamer eerder in je hand houdt dan je had gedacht.

Thomas leunde naar achteren in zijn stoel. Hij wist dat hij zich opgetogen zou moeten voelen, maar het nieuws van zijn vader zorgde er alleen maar voor dat hij nog erger van zijn stuk raakte dan hij al was. Dus de directie was er eindelijk achter dat de man die verantwoordelijk was voor Whartons dreigende aanklacht wegens professionele nalatigheid, al die tijd gewoon in hun midden had gezeten. Maar zijn vader had het niet over excuses gehad. Clayton|Swift had hem aan de schandpaal genageld en had het niet over een schadeloosstelling. Niets anders dan een uitnodiging om zich weer bij de gelederen aan te sluiten.

Hij staarde uit het raam naar de landingsbaan in de verte. Wilde hij echt wel bij een firma als Clayton|Swift werken? Zijn uiteindelijke doel was rechter worden natuurlijk, maar dat duurde nog jaren. Jaren waarin werkdagen van twaalf uur normaal waren, met nauwelijks vrije tijd in de weekends, een onafzienbare reeks aan cocktailparty's, oneindig veel netwerken, en steeds maar weer op je donder krijgen van cliënten als Wharton Coal, die miljoenen dollars over de balk gooiden alsof het niks was en verwachtten dat hun advocaten wonderen konden verrichten. Hij kende het uit zijn jeugd, toen zijn vader zo'n leven had moeten volhouden. De rechter zou zeggen dat het 't allemaal waard was geweest, maar hij betwijfelde of zijn moeder dat ook zou vinden en wist zeker dat zijn jongste broer het er niet mee eens was. Hoeveel belangrijke dingen had zijn vader gemist door het nastreven van zijn doel?

Thomas hoorde dat zijn vlucht werd omgeroepen en ging in de rij voor de gate staan. Hij wilde net zijn BlackBerry uitschakelen, toen het toestel een seintje gaf omdat er een e-mail was. Die bleek van Andrew Porter.

Zijn vriend had geschreven:

Thomas, sinds wanneer check je je e-mail niet meer? We hebben Sita gevonden! Ze zit in een hel! We gaan proberen haar daaruit te bevrijden. Als je daarbij wilt zijn, moet je nu op het vliegtuig naar Atlanta stappen. Nu. Bel me, maakt niet uit hoe laat.

Hij staarde naar het schermpje en voelde een vlaag van opwinding door zich heen gaan. Na het wonder in Parijs en de mislukking in Bretagne... kon Sita echt binnen hun bereik zijn? Waarom Atlanta? En wat bedoelde Porter ermee dat ze in een hel zat?

Thomas' vingers vlogen over het toetsenbord en hij verzond twee e-mails. Aan Porter schreef hij:

Ik ben er morgenochtend. Mail vanavond exacte vluchtinfo.

En aan Jeff Greer berichtte hij:

Doorbraak. Heb nog een week nodig. Hou je op de hoogte.

Nadat hij beide berichten had verzonden, stapte hij op vlucht 737 van Jet Airways en wenste dat het een supersonisch vliegtuig was.

Die avond nam hij een Emirates-vlucht naar Dubai en om middernacht stapte hij op de Deltaconnectie naar Atlanta. Het reusachtige vliegtuig landde in het grauwe licht van de vroege ochtend op Hartsfield-Jackson Atlanta International Airport. Thomas passeerde de douane vlot en haalde zijn enige koffer van de band. Andrew Porter zat buiten in een regeringsauto op hem te wachten.

Thomas gooide zijn bagage in de achterbak en ging naast Porter op de passagiersstoel zitten. Porter gaf meteen gas en voegde de auto in het verkeer.

'Alles wat ik je nu ga vertellen is vertrouwelijk,' begon Porter. 'Ik heb aan heel wat touwtjes moeten trekken zodat je hierbij kunt zijn. Mijn verzoek is tot in de hoogste regionen gegaan en bij de procureur generaal van de Criminal Division terechtgekomen, die toevallig weer een vroegere vriend van de onderdirecteur van de FBI bleek te zijn en bovendien een bewonderaar van je vader.'

'Heb ik je ooit verteld dat jij mijn favoriete mens op deze aarde bent?' zei Thomas grijnzend.

Porter rolde met zijn ogen. 'Heb je ooit gehoord van iets wat "MIRC" heet?'

'Vaag.'

'Dat is een programma op internet waardoor iemand kan deelnemen aan een internetchat.'

'Als afkorting klinkt het indrukwekkender, vind ik.'

'Blijf je flauwe grappen maken, of wil je horen wat ik je te vertellen heb?'

'Sorry.'

'MIRC is niet bepaald het huis-tuin-en-keuken soort chatservice. Het is in kanalen verdeeld, die wel lijken op chatrooms, maar het is veel moeilijker om er toegang toe te krijgen. Sommige sites zijn exclusief: de host bepaalt wie voor het feest wordt uitgenodigd. Sinds MIRC bestaat, controleert de ICT-afdeling van de FBI het op kinderporno. Het is het nieuwe wilde Westen: geen regels, absolute privacy, en het internet binnen handbereik. Het heeft de onderwereld met elkaar verbonden. Kinderpornoliefhebbers zijn meestal eenlingen. Voordat internet bestond, opereerden ze in hun eentje, maar nu maken ze contact met elkaar.'

'Klinkt super,' zei Thomas. 'Een wereldwijde club van engerds.'

'Ja, zo kun je het wel beschouwen. In ieder geval, er zit een vent bij de FBI in Washington die DeFoe heet. Hij is superslim – heeft bij de Groene Baretten gezeten en weet alles van computers. Hij spoort al jarenlang kinderporno op internet op. Niemand begrijpt hoe hij het volhoudt, maar hij komt iedere keer weer door de psychologische gezondheidstests. DeFoe is een MIRC-goeroe. Hij slaapt nooit. En hij is al ik weet niet hoe lang bezig in te breken bij een of ander kanaal dat XanaduFuk heet.'

'Waarvan de gebruikers vast en zeker keurige, gerespecteerde burgers zijn,' merkte Thomas op.

'Exact. Een zootje beroepsverkenners,' antwoordde Porter. 'Dus die jongens met wie DeFoe gezellig zat te chatten hadden het over die site, maar niemand vertelde hem hoe je er toegang kon krijgen. Het bleek een soort geheime club: je vraagt niet om er toegelaten te worden, maar de host nodigt je uit. En wonder boven wonder kreeg DeFoe ongeveer een maand geleden een berichtje van die host: een vent die zich op het net Spartacus noemt.'

'Dat is origineel,' zei Thomas.

'De creativiteit van die vent ligt op andere gebieden. Dat hoor je zo wel. DeFoe zat aan één stuk door te chatten op XanaduFuk en ontdekte algauw dat de gebruikers daar sekstoeristen moesten zijn, omdat ze het hadden over plekken als Thailand, Cambodja en Moldavië. Maar ze hadden het nooit over kinderen. Het ging altijd over dure wijnen. DeFoe is geheelonthouder, dus schafte hij een boek over wijnen aan. Hij begon er tijdens het chatten over te lullen en dat opende een heel nieuwe wereld. Het is verbijsterend wat mensen vertellen als ze denken dat ze anoniem zijn.'

'Zijn ze dat niet dan?'

'Ja en nee,' antwoordde Porter, terwijl hij een langzaam rijdende, grote vrachtwagen inhaalde. 'Geduld. Nu komt het mooiste gedeelte. Na ongeveer een week werd er gechat over een bepaalde Italiaanse wijn en dat een van de chatroombezoekers die ergens in de Verenigde Staten had gedronken. Uiteindelijk vroeg DeFoe aan Spartacus hoe hij aan die wijn zou kunnen komen. En toen werd het spannend: de host nodigde DeFoe uit voor een een-op-eengesprek. Zonder getuigen. Helemaal privé. En daarin stelde hij hem de vraag die de schapen van de bokken moest scheiden: of DeFoe het lekker vond om kinderkutjes te likken.'

'Mijn god,' zei Thomas.

'Ja, zeg dat wel. Maar DeFoe is een prof en hij gaf precies het juiste antwoord. Het antwoord beviel Spartacus zo goed, dat hij DeFoe een cadeautje stuurde: een link naar een website. Toen hij die link aanklikte, kwam hij terecht op een pornosite die gespecialiseerd was in Oost-Europese meisjes. De site had een betaalmogelijkheid en was alleen toegankelijk via een wachtwoord. DeFoe probeerde het wachtwoord dat Spartacus hem had gegeven en kwam in een vunzig seksriool terecht. Een plek die Kandyland heet.'

'Wat was het?'

'Een plek waar prachtige kinderen aan perverselingen worden verkocht.'

Thomas deed zijn ogen dicht en luisterde naar het fluiten van de wind langs de autoraampjes. 'Bedoel je definitief verkocht?'

'Nee, ik had het preciezer moeten uitdrukken. Ze worden gehuurd.'

Thomas deed zijn ogen weer open. 'En hoe past Sita in dit alles?'

'Dat leg ik je zo uit. Maar eerst moet je nog een andere kant van het verhaal horen. Justitie is al bijna twee jaar op jacht naar Kandyland. We hebben laag na laag ontrafeld en iedere pooier heeft ooit wel gehoord van Kandyland, maar niemand weet waar het is. Wij zijn de laatste twaalf maanden bezig geweest met het verzamelen van bewijzen over wat het grootste mensenhandelnetwerk van de Oostkust lijkt te zijn. Het is werkelijk ongelooflijk op welke plekken dat netwerk allemaal levert! Truckersparkeerplaatsen, striptenten, escortservices, ondergrondse bordelen, vanaf Maine tot aan Miami Beach.'

Porter zweeg even en manoeuvreerde de auto door een opeenhoping van bestelwagens.

'Zes maanden geleden kregen we een tip van een van onze bronnen dat er ene Dietrich Klein bij betrokken is. Onze technische afdeling heeft hem, na een hoop kunst- en vliegwerk, weten te vinden. Hij is oorspronkelijk afkomstig uit Oost-Duitsland, waarschijnlijk voormalig agent van de Stasi, na de val van Berlijn geëmigreerd naar de Verenigde Staten, getrouwd met een schoonheidskoningin die exotisch danseres is geworden. Wat een verrassing, hè? Ze wonen in een chique buitenwijk ten noorden van hier. Hij heeft in investeringen en onroerend goed gezeten en handelt nu als "succes consultant", wat dat ook mag betekenen. Hij reist veel. Is een gerespecteerd man in zijn omgeving. Betaalt keurig belasting. Het inkomen dat hij opgeeft is lager dan je zou verwachten, maar niet te laag.'

'Tja, het stikt van de consultants in de nieuwe economie.'

Porter lachte. 'Ja, iedereen is tegenwoordig consultant. In ieder geval, Klein leek te deugen. Wij dachten dat onze bron maar wat had verzonnen, maar hij bleef volhouden. Toen besloten we om Kleins mobiele telefoontjes te volgen. Dat duurde even want die vent is uiterst geraffineerd. Maar we kregen de puzzel in elkaar en toen was het raak. Hij belde heel regelmatig met vaste telefoonaansluitingen in vijf grote steden aan de Oostkust: Newark, Harrisburg, Baltimore, Memphis en Atlanta. Toen we die aansluitingen natrokken, bleken die allemaal banden te hebben met de seksindustrie.'

'En hoe past Kandyland daarin?'

'Daar kwam ik net aan toe. DeFoe kreeg ongeveer een maand geleden voor het eerst toegang op de site. De knijperds die honderd dollar per maand betalen, krijgen alleen foto's te zien. Prepuberale meisjes die dingen doen waar je liever niet over wilt nadenken. De perverselingen die meer geld willen betalen krijgen toegang tot een ander gedeelte van de site. Daar worden ze uitgenodigd om persoonlijk aanwezig te zijn bij het feest. Voor duizend dollar per uur kunnen ze een fotosessie krijgen met een meisje. Voor ergens tussen de twintig- en veertigduizend dollar, kun je zo'n kind een nacht helemaal voor jezelf krijgen. Veel van de kinderen worden aangeprezen als maagd. Die zijn het meeste waard.'

'Dit is verdomme nogal wat.'

'Ja, zeg dat wel.'

'Waar gaan we trouwens naartoe?' vroeg Thomas. Even daarvoor hadden ze de afslag naar Roswell en Alpharetta genomen.

'Dat zie je gauw genoeg. Laat me mijn verhaal afmaken.'

'Graag, ja. Volgens mij ben je bijna bij de clou.'

Porter vertelde verder. 'DeFoe heeft een aantal van die foto's naar het National Center for Missing and Exploited Children gestuurd en heeft ze ook door iemand laten vergelijken met de database van Interpol. Er was een aantal duidelijke matches. Intussen deed DeFoe wat alleen DeFoe kan: in minder dan vierentwintig uur wist hij de Kandylandsite te traceren naar een computer in Tsjechië.'

'De Oost-Europese connectie.'

'Waarschijnlijk. De computer staat op de universiteit in Praag en is geïnfecteerd met een virus dat de Trojan Horse wordt genoemd. Dat virus maakt het mogelijk dat een hacker een computer in zijn "slaaf" verandert, om bijvoorbeeld data over te brengen en zelfs programma's vanaf een afstand te kunnen starten. De "slaaf"computer voorkomt dat de hacker geïdentificeerd kan worden. Het is een soort digitaal identiteitsschild.'

'Oké.'

'Dus heeft DeFoe een verzoek om assistentie naar de hogere regionen van de organisatie gestuurd, waarop de FBI contact heeft gelegd met de Tsjechische politie. De Tsjechen kregen van de universiteit toegang tot die computer en de FBI heeft een speciaal team van computerdeskundigen naar Praag gestuurd. Die jongens hebben de gegevens aan DeFoe doorgespeeld en DeFoe heeft die naar een internetprovider ergens in North Carolina weten te herleiden. DeFoe was intussen de held van de dag en iedereen volgde zijn opdrachten op zonder vragen te stellen. DeFoe is erheen gevlogen in de veronderstelling dat hij een link naar de server van Kandyland zou vinden. Maar toen bleek dat deze server zijn klanten absolute privacy garandeert: anoniem toegang tot het internet. Geen digitale sporen.'

'En dat is legaal?'

'Het is het wilde Westen, weet je nog? De wetgeving loopt lichtjaren achter op alle nieuwe ontwikkelingen. Maar na wat spiervertoon van de Amerikaanse procureur-generaal, heeft de serviceprovider DeFoe de codes tot hun centrale computer gegeven. Na twee weken had hij een reeks computers gevonden die data naar Praag verstuurden. En bovendien wisten hij en zijn team honderden computers op te sporen die data uit Praag ontvingen.'

'Bedoel je de computers van die sicko's?' vroeg Thomas.

Porter knikte. 'Precies. Er moest eerst huiszoekingsbevel geregeld worden en toen die er was vond hij de bron, de centrale server. De verzendende computers waren geregistreerd onder een account dat valt onder een van Dietrich Kleins nepbedrijven. Dat wist DeFoe toen nog niet, dus zond hij de gegevens naar een hele reeks organisaties waar men er misschien iets over zou kunnen weten. Zodra wij die gegevens ontvingen, wisten we dat een gedeelte van het Kandylandmysterie was opgehelderd.'

Thomas dacht even na en besefte toen dat er een zwakke schakel in Porters verhaal zat. 'Maar het feit dat het duidelijk is dat Klein erbij is betrokken, zorgt er nog niet voor dat we weten waar de meisjes zitten.'

'Klopt,' beaamde Porter. 'Er blijkt alleen uit dat hij aan het hoofd staat van een van de uitgebreidste mensenhandelnetwerken uit de geschiedenis van de Verenigde Staten.' Hij zweeg even. 'Nu de clou van het hele verhaal. Sita blijkt de sleutel te zijn geweest. Op woensdagavond vloog DeFoe terug naar Washington. Donderdagochtend logt hij in op de Kandylandsite. Daar zag hij dat er een nieuwe serie foto's was toegevoegd. Het meisje leek van Indiase afkomst. Hij stuurde een aantal van die foto's door naar het NCMEC en kreeg daar meteen een reactie op. Na jouw voicemail had ik – na toestemming te hebben gekregen om er gebruik van te maken – een bericht over Sita naar het enorme adressenbestand dat ons kantoor heeft verzonden. Daarmee werd zowat iedereen die iets met kinderuitbuiting in de Verenigde Staten te maken heeft erop geattendeerd naar haar uit te kijken.'

Thomas schudde verbijsterd zijn hoofd. 'Ik had geen idee dat jij de mogelijkheden voor zoiets had.'

Porter wuifde zijn compliment weg. 'Dus meldde het NCMEC DeFoes ontdekking aan mijn kantoor. Ik heb DeFoe toen rechtstreeks gebeld en hem ons verhaal uit de doeken gedaan. Laten we het erop houden dat het hem raakte. Hij blijkt zelf ook wees te zijn. DeFoe maakte een plan om Sita te bevrijden. We hebben dat voorgelegd aan de onderdirecteur van het kantoor in Washington, die weer contact opnam met de directeur zelf. In eerste instantie was die wat aarzelend: hij wilde geen actie ondernemen tegen de Kleins als ze niet de complete organisatie konden oprollen. Het heeft drie dagen gekost om alle losse eindjes aan elkaar te knopen en de boel uit te puzzelen, maar het is gelukt. Vanavond gaat het gebeuren. Het bureau werkt samen met de lokale politie in acht verschillende steden. En we hebben een SWAT-team, een speciale eenheid van de commando's, voor de inval in Atlanta.'

'Wat is het plan?' vroeg Thomas.

'Dat is eenvoudig. DeFoe heeft zich voorgedaan als een van die sicko's en Sita voor vanavond gehuurd. Hij heeft een flinke som geld naar een buitenlandse bank overgemaakt en een e-mail van de webmaster van Kandyland ontvangen, waarin hij wordt geïnstrueerd om naar een truckersparkeerplaats ten noorden van Atlanta te komen. De afspraak is om elf uur vanavond. Vanaf daar wordt hij ergens heen gebracht.'

Thomas verwonderde zich over het onverwachte toeval van de gebeurtenissen zoals Porter die aan hem had beschreven. 'Na alles wat we hebben ondernomen om haar te vinden, is dit uiteindelijk te danken aan één foto en één telefoontje.'

Porter nam de afslag naar het North Point winkelcentrum en draaide een enorme, voornamelijk lege, parkeerplaats op. Hij reed helemaal naar het uiteinde en parkeerde naast een enorm monster van een auto waarop stond: FBI MOBIEL COMMANDOCENTRUM.

De deur van het commandocentrum zwaaide onmiddellijk open toen ze uit de auto stapten. Ze werden begroet door een lange, zwarte man met een ernstige glimlach.

'Agent Pritchett,' zei de man, terwijl hij zijn hand uitstak en hen welkom heette in zijn mobiele kantoor. 'Ik ben *special agent* en heb de leiding over het kantoor in Atlanta.'

'Een genoegen,' zei Thomas, terwijl hij om zich heen keek.

Het commandocentrum werd bemand door zes agenten en er stond een duizelingwekkende verzameling aan elektronica, laptops en flatscreens. Iedereen was duidelijk extreem hard aan het werk, maar de meesten begroetten de nieuwkomers vluchtig.

'Een thuisbasis voor als we niet op de thuisbasis zijn,' zei Pritchett. Hij gebaarde naar de man die het dichtst bij de deur zat. 'Maak kennis met special agent DeFoe, het brein achter deze operatie.'

DeFoe had kortgeknipt haar en was op een ruige manier knap. Hij leek veel meer op de vroegere commando dan op de huidige computerjunk. Hij kwam overeind en greep Thomas' uitgestoken hand.

'Andrew heeft me verteld wat je in India en Frankrijk hebt gedaan. Indrukwekkend.'

'Dat gevoel is wederzijds,' antwoordde Thomas.

Pritchett bood hun een kop koffie aan en wees op een paar lege stoelen.

'Neem plaats,' zei hij. 'Het is hollen of stilstaan in dit werk.'

'Doe je zelf ook mee aan de inval?' vroeg Thomas aan DeFoe, terwijl Andrew en hij gingen zitten.

'Ik zou niet anders willen,' antwoordde hij met een ontspannen glimlach. 'Ik krijg tegenwoordig niet vaak meer de kans om mee te doen aan het echte werk.'

'Hoe schat je de kans op succes in?'

DeFoe vertrok geen spier. 'Geen garanties natuurlijk, maar ik denk dat we iedereen er wel levend uit kunnen krijgen, inclusief de verdachten. Die SWAT-jongens zijn het neusje van de zalm.'

Thomas keek even naar Pritchett. 'Denk je dat je weet waar de meisjes zitten?'

'We zijn er voor negentig procent zeker van,' antwoordde hij. 'Klein en zijn vrouw wonen in een buurt hier niet ver vandaan. Hij bezit twee huizen, in het ene woont hij en het andere is voor gasten. Wij volgen het komen en gaan daar al vanaf het begin dat we Klein in de gaten houden en het was ons al opgevallen dat het 's nachts en in de vroege ochtenduren bij het gastenverblijf een voortdurend komen en gaan van verkeer is. Toen we Klein met Kandyland wisten te verbinden, viel het allemaal op zijn plaats.'

'Zou die vent zo brutaal zijn?' Thomas was verbijsterd. 'Als ik een organisatie had die kinderporno verkocht, zou ik die zo ver mogelijk van mijn privéwoning vandaan willen houden.'

'Nee, wat hij doet is juist logisch. Als je in dit soort handel zit, laat je dat niet aan anderen over.'

'Oké. Hoe zit het verder met die vent? Hoe komt iemand in de slavenhandel terecht?'

'Zo ziet hij het niet. Voor hem is het allemaal een manier om rijk te worden.'

'Kan zijn, maar wat ik bedoel is dit: als ik mensen zou willen kopen en weer verkopen, zou ik niet weten waar ik moest beginnen.'

'Het meest voor de hand liggende antwoord is dat hij erin is gerold. Daarvoor moet je wat meer weten over wat er na de Koude Oorlog is gebeurd. Toen de Sovjet-Unie ineenstortte, ging niet alleen de regering ten onder. Het hele communistische systeem viel uit elkaar. Mensen hadden geen werk meer, waren verveeld en wanhopig. Iedereen werd ondernemer. Degenen die Ruslands natuurlijke bodemschatten controleerden, brachten hun connecties in stelling en werden oligarchen in de handel in die nieuwe wereldorde. Degenen die daarvoor hoge posities in de KGB en de inlichtingendiensten bekleedden, gebruikten hun kennis en contacten om een nieuwe maffia te vormen die groter, dodelijker en efficiënter is dan alles wat ooit uit Sicilië is gekomen. Wij vermoeden dat Klein hoog in de hiërarchie van de inlichtingendienst van het Oostblok heeft gezeten. Tegen het einde is hij overgelopen en naar de Verenigde Staten gekomen. Maar hij hield zijn contacten en is nog even gewiekst en slim.

'Maar wat ik van Andrew begrijp, is dat hij een Amerikaanse bende leidt, geen Oost-Europese. En we zitten hier niet in Hamburg of Milaan.'

'Dat zou je in eerste instantie inderdaad denken, maar het zit anders. Ongeveer de helft van de meisjes die door Kleins pooiers worden aangeboden, is afkomstig uit Oost-Europa. Zijn contacten van vroeger zijn de schakels in de landen waar de meisjes vandaan komen en waar ze doorheen reizen. Kleins ervaring als spion en de macht van zijn geld maakt hem tot een veelzijdig man. Hij kan zowat in ieder land op de wereld werken. Zijn mensen interesseert het niet wat voor accent hij heeft of welke kleur zijn huid heeft.

Ze werken voor hem omdat hij ze betaalt.'

'Hoe krijgt hij de meisjes dan hier? Ik heb begrepen dat de grensbeveiliging na 9/11 de pan uit is gerezen.'

'Jawel, maar criminelen vinden altijd weer nieuwe wegen om de boel te ontduiken. Zolang wij visa uitgeven aan bezoekers, zullen mensenhandelaars misbruik maken van het immigratieproces. En zolang onze grenzen open zijn, zullen de coyotes uit Mexico en Canada illegaal het land binnen blijven komen. De vraag naar goedkope, commerciële seks in de Verenigde Staten is extreem hoog. En de kracht van de markt zal uiteindelijk winnen. De handelaars zullen steeds vernieuwen om aan de vraag te kunnen voldoen.'

'Zo klinkt het alsof het een oorlog is die niet valt te winnen.'

'Ik probeer niet pessimistisch te zijn. De oorlog kán gewonnen worden. Maar niet door mensenhandelaars in de gevangenis te gooien. De mensenhandel zal pas ophouden als mannen geen vrouwen meer kopen. En tot die tijd kunnen we maar één slag per keer winnen.'

Pritchett was een geweldige gastheer en lichtte hen uitgebreid in over de operatie. Hij liet zijn gasten satellietbeelden van de huizen van de Kleins zien en een computersimulatie van het gastenverblijf dat door de techneuten met behulp van de bouwtekeningen plus wat eigen creativiteit in elkaar was gezet. Vervolgens legde hij Thomas uit welke apparatuur het SWAT-team zou gebruiken tijdens de inval.

Hoewel het bureau geen informatie had over de verdediging waartoe de Kleins in staat waren, planden ze de inval alsof het om het bevrijden van gegijzelden ging en waren ze voorbereid op een georganiseerde tegenaanval met automatische wapens en kinderen die daarbij als schilden konden worden gebruikt. Ze hadden een MD-530 Little Bird helikopter geregeld om de eerste lichting SWAT-commando's te droppen. De tweede lichting zou in tanks door de poort rijden. Pritchett bekende dat de zware inzet van mechanische vervoermiddelen misschien wel overdreven zou blijken te zijn, maar omdat er kinderen bij betrokken waren wilde hij geen enkel risico nemen.

Om zes uur verliet DeFoe het commandocentrum voor een briefing met de commandant van het SWAT-team. Thomas schudde hem de hand en wenste hem veel succes.

'Ik wou dat ik meekon,' zei hij en DeFoe glimlachte.

'Dat wil je echt niet. Dit zijn nietsontziende mensen en ik ben ongewapend.'

Pritchett schraapte zijn keel en keek Porter en daarna Thomas aan. 'Gezien de unieke omstandigheden van dit onderzoek, geef ik jullie toestemming om naar het gastenverblijf te gaan zodra dat veilig wordt verklaard. Na al jullie inspanningen verdienen jullie het om dat meisje persoonlijk te begroeten.'

'Echt?'

Pritchett knikte. 'Ik heb vroeger op het bureau in Washington gewerkt en ik ken je vader. Hij is een uitstekende rechter en een waarachtige patriot. Ik vertrouw er trouwens op dat jullie dit voor jezelf houden.'

Overrompeld kon Thomas slechts knikken.

'Dat dacht ik al,' antwoordde de special agent die de leiding had.

30

De Prins van de Duisternis is een heer.
WILLIAM SHAKESPEARE

Atlanta, Georgia

HET BEGON DONKER TE WORDEN en de lichten in Kleins woonhuis en gastenverblijf gingen aan. Het terrein eromheen bleef echter in duisternis gehuld. Sita zat op haar bed naar de muur te staren, terwijl het geluid van een herhaling van *Seinfeld* op de achtergrond dreunde. Het was bijna vier dagen geleden dat ze hier in het huis was aangekomen en na afloop van de fotosessie had ze bijna iedere minuut in haar eentje op haar kamer doorgebracht. De enige uitzonderingen waren de keren dat ze naar de wc mocht. Dietrich had ze niet meer gezien. Li wel zo nu en dan.

In de tweede nacht was ze badend in het angstzweet wakker geworden; ze had nauwelijks adem kunnen halen.

Toen ze de volgende ochtend voetstappen op de gang hoorde, was ze gaan hyperventileren. Terwijl de uren en dagen zich voortsleepten, begon ze last van hallucinaties te krijgen. Haar gedachten raasden door haar hoofd, ze had hartkloppingen en hoorde geluiden die er niet waren. Opnieuw speelde ze met de gedachte aan zelfmoord, maar de dood was voor haar nog afschrikwekkender dan het leven.

Toen Li haar die maandagavond kwam halen, was ze bereid alles te doen wat Dietrich en die blonde vrouw van haar wilden, als ze maar aan de verstikkende benauwdheid van haar eenzame opsluiting kon ontsnappen. Li nam haar door de wijnkelder mee naar de begane grond en daarna een trap op naar een gang met verscheidene gesloten deuren. Hij maakte de eerste open en duwde haar naar binnen.

Ze was in een kamer met overal donker hout en gedimde lichten. In het midden stond een hemelbed en verder zag ze een bank, een stoel, een kastje met drank en een enorme spiegel die voor een raam stond waarvan de gordijnen dicht waren. De blonde vrouw stond op haar te wachten. Ze liep naar Sita toe en begon op gedempte toon tegen haar te praten.

'Vanavond zul je een man ontmoeten. Hij zal dingen van je willen. Verzet je niet en vraag niets. Je verleden bestaat niet meer. Je wordt een courtisane. Kom, dan zal ik je iets laten zien.'

Ze pakte Sita bij de hand en nam haar mee naar twee louvredeurtjes waarachter een inloopkast bleek te zijn. De vrouw knipte het licht aan.

'Dit is je garderobe,' zei ze. 'De man vraagt je misschien iets aan te trekken wat hem bevalt. Je gehoorzaamt hem en verzet je niet.'

Daarna bracht de vrouw haar naar een badkamer met veel spiegels en luxueuze kranen. 'De man kan vragen of je met hem in bad gaat. Je doet wat hij vraagt en je verzet je niet.'

Toen keerden ze weer terug naar de slaapkamer en de vrouw maakte voordat ze vertrok nog een laatste opmerking. 'Dit is je nieuwe leven. Dietrich heeft veel geld voor je betaald. Zorg dat de mannen die wij naar je toe brengen tevreden over je zijn, anders komt het je duur te staan. Het laatste kind dat zich verzette, ligt hier in de tuin begraven. Begrepen?'

Sita knikte.

'Goed. Dan zal Li er nu voor zorgen dat je fatsoenlijk wordt gewassen en aangekleed.'

De vrouw verliet de kamer en de Aziatische man kwam weer binnen, met in zijn handen een van de prachtigste sari's die Sita ooit had gezien. Hij legde de sari op de salontafel neer, zette een paar glanzend gouden sandaaltjes voor de bank en gebaarde dat ze mee moest naar de badkamer.

'Zeep voor haar daar,' zei hij, terwijl hij naar een fles shampoo wees. 'Zeep voor huid. Alles wassen. Ik over tien minuut terug.'

Li was inderdaad na tien minuten weer terug. Sita was net klaar met haar bad en bezig zich in een handdoek te wikkelen, toen hij de kamer binnenkwam met een uitgebreide make-upkoffer bij zich. Hij kapte haar haren en maakte haar gezicht op alsof hij een professioneel visagist was. Toen hij klaar was, zei hij dat Sita de sari en de sandaaltjes moest aantrekken en ging de kamer weer uit. Net zoals hij bij de fotosessie had gedaan. Sita drapeerde de groen-witte stof om haar lichaam en dacht terug aan de sari die Sumeera aan Ahalya had gegeven op de avond dat ze Shankar zou ontmoeten. Mumbai was een halve wereld van haar verwijderd, maar hier ging het er hetzelfde aan toe als daar.

Na een paar minuten was Li weer terug, deze keer met allerlei sieraden. Hij maakte armbanden om Sita's polsen en enkels vast en een gouden band met een smaragd eraan om haar hals. Als laatste stak hij een rode hibiscus in haar haren. Toen deed hij een stap naar achteren en bekeek haar tevreden.

'Jij klaar,' zei hij. 'Ik zo terug.'

Hij keerde zich om en verdween naar de gang. De deur ging achter hem op slot.

Sita ging op de rand van het bed zitten. Dit was het einde van de weg. Ze had zoveel overleefd en doorstaan, maar aan haar karma was geen ontsnapping mogelijk. Vandaag zou ze haar onschuld verliezen. In een land vijftienduizend kilometer van haar geboorteplaats zou ze de *sar dhakna* ondergaan, de symbolische sluier van een beshya over haar hoofd krijgen. Heb jij je ook zo gevoeld, Ahalya? vroeg ze zich af. Is dit de wanhoop die ik in je ogen las? Sita begon te huilen en de tranen brandden heet op haar wangen.

Wat verlang ik ernaar om je stem weer te horen.

Om halftien verliet rechercheur DeFoe in een onopvallende, gehuurde Ford de loods waar het SWAT-team was bijeengekomen. Hij was gekleed in een oxford-overhemd en wollen broek en had instapschoenen met kwastjes aan, die hij de dag daarvoor bij Brooks Brothers had gekocht. Hij miste het bekende gevoel van zijn 9mm Glock in zijn broeksband, maar omdat hij zeker wist dat hij aan de deur gefouilleerd zou worden, was hij ongewapend. Het enige wat hij had was zijn intuïtie, plus een piepklein audioapparaatje en een gps-zendertje dat in zijn horloge was ingebouwd.

Om kwart voor tien arriveerde hij bij LeRoy's Pit Stop. De truckersparkeerplaats was een paar seconden verwijderd van de afslag op de I-85, en in het bijbehorende restaurant was het een drukte van belang met late eters. DeFoe drukte op het knopje van zijn horloge dat de opnameapparatuur en de transponder activeerde, liep het restaurant binnen en vroeg of hij gebruik kon maken van de wc. Een serveerster gebaarde naar een hoek achterin.

Hij keek zorgvuldig rond in de rokerige ruimte en merkte een magere man met een snor op, die in zijn eentje aan een tafeltje langs de muur zat, kleine slokjes van zijn biertje nam en de deur in de gaten hield. Hun ogen ontmoetten elkaar even en toen boog de man zijn hoofd naar de krant die voor hem lag. DeFoe wist dat de man op de uitkijk zat: hij moest controleren of DeFoe in zijn eentje was gekomen.

DeFoe ging naar de wc en waste daarna zijn handen. De man die op de uitkijk had gezeten kwam binnen en maakte gebruik van een van de urinoirs. DeFoe verliet het restaurant een minuut voor tien uur. Zodra hij buiten was, ging zijn mobiele telefoon. Degene die belde was een vrouw. DeFoe liep naar een overvolle vuilcontainer achter het restaurant en luisterde aandachtig.

'Mr. Simeon,' begon de vrouw, terwijl ze hem met zijn schuilnaam aansprak, 'over twee minuten wordt u opgehaald door een limousine. Het is een kort ritje. Onze wederzijdse vriendin verheugt zich op uw komst.'

'En ik ook,' antwoordde DeFoe. 'Hoe wordt de uiteindelijke betaling geregeld?'

'Als u de koopwaar hebt geïnspecteerd, kunt u gebruikmaken van onze computer om het geld over te maken naar het banknummer waarop u de aanbetaling aan ons hebt gedaan.'

'Prima.'

De vrouw verbrak de verbinding en op dat moment kwam de limo de parkeerplaats op rijden. DeFoe ging achterin zitten en zonk weg in de zachtleren bekleding. Het ritje duurde nog geen kwartier.

Zodra de limo stilstond, werd het achterportier opengedaan en werd DeFoe begroet door een keurig geklede Aziatische man, die voor het bordes van een elegant buitenhuis stond. DeFoe wist van de foto's dat dit Kleins gastenverblijf was.

'Mijn naam is Li,' zei de Aziaat. Hij fouilleerde DeFoe en gebaarde naar de voordeur. 'Volgt u mij maar.'

Li leidde DeFoe de hal in en zei dat hij daar moest wachten. Een paar seconden later verscheen er een blonde vrouw van middelbare leeftijd. Ze was gekleed in een zijden broekpak, droeg een parelsnoer om haar hals en haar haar was bijeengebonden in een verzorgde paardenstaart. Ze maakte een competente en georganiseerde indruk.

'Mr. Simeon, prettig u te ontmoeten.' Ze stak haar hand uit en DeFoe schudde die, verrast door de charme in haar stem.

'Insgelijks,' antwoordde hij.

'Ik neem aan dat u een prettige rit hebt gehad. We sparen kosten noch moeite voor onze gasten.'

'Ja, dank u.'

'Alstublieft,' zei ze, terwijl ze hem op een zithoek in de hal wees, 'maak het u gemakkelijk.'

DeFoe bleef naast een antieke schommelstoel staan, terwijl de vrouw de trap op ging. Na een minuut kwam ze glimlachend weer naar beneden. Ze ging naast DeFoe staan en keek verwachtingsvol omhoog.

Even later verscheen er een jonge vrouw boven aan de trap die elegant naar beneden kwam lopen. Ze zag eruit als een Indiase prinses: ze droeg een met een lotuspatroon bedrukte sari en met juwelen ingelegde sandaaltjes. Haar make-up was subtiel: net voldoende om haar ogen te benadrukken en haar wimpers en lippen beter uit te laten komen. Haar halsketting en arm- en enkelbanden schitterden in het licht en de stof van haar sari glansde bij iedere beweging.

DeFoe was verbluft. Deze vrouw leek weinig op het kind dat hij op de website van Kandyland had gezien. Op het eerste gezicht zou hij zelfs niet geweten hebben dat het hetzelfde meisje was, maar toen hij goed keek herkende hij haar verfijnde trekken.

Hij ontmoette Sita's blik en zag dat ze bloosde. Ze sloeg haar ogen neer. DeFoe speelde zijn rol, liep naar haar toe en raakte haar wang en hals even aan. Toen leunde hij naar voren en rook aan haar haar.

'Ze is voortreffelijk,' zei hij tegen de vrouw. 'Een zeldzaam juweel.'

'Ik ben blij dat ze u bevalt. Nu, wat de betaling betreft...'

Li bracht een laptop naar de zithoek en zette die op de salontafel. DeFoe nam plaats op de bank, logde in op de bankrekening die hij een dag tevoren had geopend en waarop hij het geld van de regering had gestort en maakte het geld over.

'Uitstekend,' zei de vrouw. 'Li zal u naar uw suite brengen en komt u weer halen als uw verblijf hier ten einde is. U dient om vijf uur morgenochtend te vertrekken.'

'Begrepen,' antwoordde DeFoe, terwijl hij een blik op Sita wierp alsof hij niet kon wachten tot hij met haar alleen kon zijn.

Terwijl ze toekeek hoe de vreemde man de gegevens in de computer invoerde, had Sita het gevoel alsof ze in een ander mens was veranderd. Het Indiase meisje dat ze was geweest, de vriendin van de schitterende zee en warme zon, had zich teruggetrokken in de duisternis en een nieuw meisje had haar plaats ingenomen, een meisje zonder een verleden en zonder toekomst. Het meisje was bang, maar ook in staat haar lot te accepteren; dit was haar karma. Ze deed haar best het gejaagde kloppen van haar hart te negeren en probeerde zich voor te stellen wat voor soort persoon deze man was. Is hij getrouwd? dacht ze. Heeft hij kinderen? Van hoe ver is hij gekomen, vanavond? Waarom heeft hij *míj* uitgekozen?

Toen de man klaar was met de computer, begeleidde Li hen naar boven, naar de gang met de deuren. Hij liet ze in de eerste suite binnen en sloot de deur achter hen. Met in haar hoofd de instructies van de blonde vrouw, liep Sita naar het midden van de kamer en keerde ze zich naar de man om. Haar onderlip trilde, maar ze deed haar best om haar angst niet te laten blijken. Wat de man ook van haar wilde, het was onontkoombaar. Er was geen uitweg meer. De enige werkelijke keuze die ze nog had was die tussen het accepteren van haar lot of de dood.

De man pakte haar bij haar pols en leidde haar naar het bed. Hij zei dat ze moest gaan zitten en begon de knoopjes van zijn overhemd los te maken. Sita leunde tegen de kussens en bestudeerde hem; ze voelde zich als verdoofd. Het viel haar op dat de man op het middelste knoopje van zijn overhemd drukte, voordat hij de knoopjes verder naar onderen losmaakte. Ze had geen idee waarom. Ondanks zichzelf begon ze te beven.

Toen de man zijn shirt had uitgetrokken, kwam hij naast haar op het bed zitten. Hij streek met zijn vingertoppen over haar haar en haar lippen. Sita probeerde niet te huiveren onder zijn aanraking.

'Waar kom je vandaan?' vroeg hij.

Die vraag raakte de basis van haar nieuwe persoonlijkheid. Sita tuurde omlaag naar de sprei. Het maakt niet uit, dacht ze. Alles is weg.

Toen ze niet reageerde, boog de man zich naar haar toe en deed hij alsof hij haar in haar hals zoende. Maar hij zei iets, heel zachtjes. 'Ik heet DeFoe en ben hier om je te redden. Er komt zo een politie-inval. Blijf in je rol. Het wordt gevaarlijk, maar het is zo voorbij.'

De woorden drongen in eerste instantie niet tot Sita door en toen ze besefte wat de man had gezegd, had ze geen idee wat ze ervan moest denken. Hoewel ze een helikopter hoorde aankomen, verdween haar twijfel niet. Ze was te zeer gewend aan de wanhoop en de pijn die de wereld haar sinds de golven kwamen had gebracht. Ze had zichzelf voorbereid op een leven als beshya. Hoe kon haar lot nu plotseling veranderen?

Maar het geluid van de helikopter werd luider.

Sita wierp een blik op de onbekende man – DeFoe – en opeens viel haar overtuiging dat ze vanaf nu een courtisane was als een tweede huid van haar af. Aan de ogen van de man kon ze zien dat hij de waarheid sprak. Hij was niet hier om haar te verkrachten. Hij was hier om haar te redden.

En op dat moment besloot ze dat ze hem geloofde.

Even later hoorde DeFoe geschreeuw op de gang. De deur naar de suite werd opengegooid en Li kwam zwaaiend met een pistool naar binnen rennen.

'Wat is er verdomme aan de hand?' vroeg DeFoe kwaad, terwijl hij verschoof om Sita met zijn lichaam af te schermen.

'Meekomen, nu,' beval de Aziaat.

'En het meisje?' vroeg DeFoe gebiedend. 'Ik heb een fortuin voor haar betaald!'

'Geen tijd voor praten!' riep de Aziaat uit, terwijl hij met zijn wapen gebaarde.

DeFoe stond op en gromde: 'Dan wil ik verdomme mijn geld terug.'

'Niet geld terug!' riep Li, terwijl hij het pistool op DeFoe richtte. 'Politie!'

DeFoe vloekte luid en maakte een sprong in de richting van de deur, alsof hij geschrokken was en wilde vluchten. Maar zodra hij vlak bij Li was, sloeg hij het pistool uit zijn handen en gaf hem een harde trap in zijn kruis. Li zakte door zijn knieën. DeFoe pakte het pistool en ramde met de kolf er van tegen Li's slaap, waarna de Aziaat bewusteloos tegen de grond sloeg. Toen draaide DeFoe de pistoolloop naar voren en rende naar de deur.

Opeens stond hij oog in oog met een vuurwapen dat uit het niets leek te komen. Er klonk een schot en DeFoe voelde de inslag van de kogel. Hij stond stil, pijn verspreidde zich door zijn borstkas. Toen vuurde het wapen nog een keer. DeFoe viel op de vloer neer.

Dietrich Klein kwam met grote stappen de kamer in. Zijn voorhoofd was bezweet, maar verder was hij een toonbeeld van kalmte. DeFoe begon wazig te zien. Hij keek naar Sita en probeerde zich te herinneren waar zijn pistool was. Klein deed de deur dicht, schoof de grendel ervoor en richtte het pistool op Sita. DeFoe wilde iets zeggen, maar zijn mond werkte niet.

'Blijf waar je bent,' hoorde hij Klein zeggen. 'En hou je stil.'

Het laatste wat DeFoe zag was dat Klein zijn mobiele telefoon uit zijn zak haalde.

31

Een schot, vlieg snel en ver, o pijl gescherpt met gebeden.
RIG VEDA

Atlanta, Georgia

IN DE MOBIELE COMMANDOPOST ZAT THOMAS naast Porter en Pritchett te luisteren naar het radioverkeer, terwijl het SWAT-team het huis binnenviel. Er werden weinig woorden gebruikt; de commando's waren kortaf. Het team wist wat er van hen werd verwacht en alles verliep vakkundig en foutloos.

Drie minuten na de start van de inval maakte de commandant van het grondteam, John Trudeau, contact.

'Al een teken van de meisjes?' vroeg Pritchett.

'Nog niet, sir.' Hoewel Trudeaus stem licht vervormd werd door statisch geknetter, was het duidelijk dat hem dat bevreemdde. 'We zijn nog aan het zoeken.'

Pritchett vloekte. 'En de Kleins?'

'Geen idee, sir,' antwoordde Trudeau. 'Het huis is griezelig stil.'

'En DeFoe?'

'Een moment.' Een paar seconden later was hij weer terug: 'Striker vertelt dat de deur op slot was en DeFoe niet reageerde toen hij en Evans aanklopten.'

Pritchett duwde het microfoontje weg van zijn mond en richtte zich tegen de chauffeur voor in de auto. 'Actie!' schreeuwde hij naar de chauffeur. 'Breng me er meteen naartoe!'

Het enorme vehikel kwam brullend tot leven. Thomas greep zich stevig vast toen de chauffeur het gaspedaal intrapte en naar de uitrit van de parkeerplaats racete.

Pritchett sprak weer in zijn microfoon. 'Zeg tegen Striker en Evans dat ze de deur moeten intrappen als het nodig is. DeFoe is daar met het meisje. De gps bevestigt dat.'

'En als de Kleins bij hen in die kamer zijn?' vroeg Trudeau.

Pritchett kneep zijn ogen tot spleetjes. 'Wacht nog maar even.'

Plotseling ging Pritchetts mobiele telefoon. Geïrriteerd hield hij het toestel tegen zijn oor, maar zijn geërgerde gezichtsuitdrukking veranderde op slag: hij zag er opeens nerveus en gespannen uit.

'Ja, sir,' sprak hij in de telefoon. Hij luisterde even en toen viel zijn mond langzaam open. 'Mijn god. Oké, verbindt hem door.'

Pritchett drukte op een knop en zette de telefoon op de speaker. Toen het gesprek doorkwam, hoorden ze de stem van een man. Hij had een heel licht Europees accent.

'Met Dietrich Klein,' zei hij. 'Spreek ik met degene die de leiding heeft?'

'Dat klopt. Agent Pritchett.'

'Mooi. Ik wil dat je heel goed naar me luistert, Pritchett. Je agent ligt hier op de vloer met twee kogels in zijn borst. Ik heb iemand gegijzeld – een meisje – en mijn vrouw heeft er nog meer. Die zullen sterven als je niet exact doet wat ik vraag. Begrepen?'

Pritchetts ogen schoten vuur en hij omklemde de telefoon zo hard dat zijn knokkels helemaal wit werden.

'Begrepen,' zei hij.

'Er is een klein vliegveld in Cartersville. Over drie kwartier wil ik daar een volgetankte Gulfstream op de startbaan hebben staan. De piloot moet een burger zijn. Als hij gewapend is, zijn de meisjes er geweest. Er staat hier een auto in de garage waarin wij naar het vliegveld gaan. Jouw team zorgt dat de weg erheen vrij is. Als ik onderweg ook maar iemand zie, gaan de meisjes eraan. Ik ben niet van plan met jou of wie dan ook te praten, totdat dat vliegtuig klaarstaat. De afspraak is simpel. Ik geef de piloot na het opstijgen de bestemming waar hij naartoe moet vliegen. Als we daar geland zijn, laat ik de meisjes achter in het vliegtuig. Duidelijk?'

'Duidelijk,' blafte Pritchett. 'Is dat alles?'

Maar de verbinding was al verbroken.

Sita keek toe terwijl Dietrich Klein de verbinding verbrak. Ze kon het trillen van haar lichaam niet onderdrukken. De man zonder overhemd lag op de vloer, de man die had beloofd haar te redden. Maar hij had zich niet meer bewogen, nadat hij op de grond was gevallen. Ze wist zeker dat hij dood was.

Klein stopte de telefoon terug in zijn zak. Toen ging hij in een stoel aan de andere kant van de kamer zitten en richtte het pistool op haar.

'Jij bent mijn gast,' zei hij. 'En ik sta erom bekend dat ik mijn gasten goed behandel. Als je doet wat ik zeg, zal je niets gebeuren.'

Sita staarde hem aan en deed haar best om niet te trillen.

Klein glimlachte. 'Ja, ja, ik snap dat je bang bent. Maar ik ben gewoon een zakenman. Dat moet je begrijpen. Ik hou helemaal niet van wapens.' Hij richtte zijn pistool naar boven en legde het toen op het tafeltje naast zich. 'Je denkt dat ik een monster ben, hè? Dat ik geen hart heb?'

Sita gaf geen antwoord, maar dat leek Klein niets uit te maken.

Hij stelde haar weer een vraag. 'Weet je waarom je hier bent?'

Sita ontmoette zijn blik. Ze wilde hem antwoorden, eindelijk de wanhopige kreet uitschreeuwen die zich al in haar binnenste had opgebouwd vanaf het moment dat Kanan de stoffige weg naar Chako's flat op was gereden en haar als slavin had verkocht. Maar ze deed het niet. Ze had geen stem.

Klein beantwoordde zijn eigen vraag. 'Je bent niet hier omdat ik ervan geniet om seks te verkopen. Jij bent hier omdat mannen ervan genieten om seks te kopen. Ik ben gewoon de handelaar. Sommige zakenmannen verkopen dingen, andere kennis en ik verkoop fantasieën. Het is in wezen allemaal hetzelfde.'

Hij keek op zijn horloge. 'Ze hebben nog een halfuur.' Hij hield zijn hoofd luisterend scheef en checkte of hij iemand hoorde. Het huis was doodstil.

'Ben je ooit in Venezuela geweest?' vroeg hij, terwijl hij haar weer aankeek. 'Het is een vreselijke plek, maar wel een plek met bepaalde voordelen. Binnenkort kun je het zelf zien.'

De mobiele commandopost arriveerde tien minuten nadat Klein de verbinding had verbroken bij het terrein. Pritchett was in een beer veranderd, die boos in zijn microfoon gromde. Thomas zag die transformatie met een angstig voorgevoel aan. Pritchetts slechte humeur kon maar één ding betekenen: dat Klein aan de winnende hand was.

'Michaels,' riep Pritchett naar een vrouw aan de andere kant van het voertuig. 'Hoe zit het met het vliegtuig?'

'Er staat een Gulfstream IV op Hartsfield-Jackson,' antwoordde ze. 'Het is een zakentoestel. Van een biotechbedrijf. We proberen de eigenaar te bereiken. En er staat een piloot stand-by.'

'Wie is de piloot. Kunnen we hem vertrouwen?'

'Haar, om precies te zijn,' verbeterde Michaels hem. 'Ze heeft vroeger bij de luchtmacht gevlogen en doet nu zakelijke charters. Toen ik belde, was ze in de hangar.'

Pritchett knikte. Stuur er politie heen. Als we over twee minuten de eigenaar van het vliegtuig nog niet hebben bereikt, verbind je me door met de hoofdcommissaris. Dan moeten die het vliegtuig confisqueren – ik neem de verantwoording wel.'

Pritchett zei weer iets in zijn microfoon. 'Trudeau, waar zit Kowalski?'

'Hij is bezig zijn positie in te nemen,' antwoordde Trudeau.

'Zeg hem dat hij moet opschieten,' zei Pritchett. 'De tijd raakt op.'

Aan de andere kant van het terrein van de Kleins luisterde agent Kowalski naar Trudeau die het bevel doorgaf dat hij moest opschieten.

'Nog maar een paar meter,' fluisterde hij in zijn microfoon. 'Ik kan het raam zien, maar heb geen goede hoek.'

Hij schoof voorzichtig over de tak van een eik, centimeter voor centimeter. De grond was zo'n acht meter onder hem, een heel lange val, zeker met een geweer op zijn rug. De boom was de hoogste op het terrein met duidelijk uitzicht op de ramen van de bovenste etage van het gastenverblijf, dat op ongeveer zestig meter afstand lag.

Het kostte hem vier minuten om de plek te bereiken die hij eerder, vanaf de grond, had bepaald. Halverwege de stam en het einde van de tak was er een gedeelte waar de buitenste takken wegdraaiden en er een vrije opening was. Als hij een kans wilde maken, moest hij een vrij schootsveld hebben.

Hij boog door zijn knieën en plantte zijn voeten stevig op de takken. Toen tilde hij het geweer van zijn rug en zette dat tegen de tak vóór hem. Hij bevestigde een driepoot onder de geweerlade en zette die om de tak. Nadat hij het had geladen, keek hij door de warmtekijker. Hij draaide met de kolf tot hij de bovenste verdieping van het gastenverblijf kon zien.

Hij zag hen meteen.

Vier warmtebronnen.

De eerste was compact en leek boven de vloer te zweven. Waarschijnlijk het meisje dat op het bed zat, dacht hij. De tweede en derde lagen op de vloer, maar de warmtesignalen die ze afgaven waren verschillend: de ene was normaal, de andere zwak. Kowalski vloekte. DeFoe was geveld, precies zoals Klein had beweerd. Wie is die andere die daar knock-out ligt? vroeg hij zich af. Het vierde lichaam was lang en groot en leek op een stoel te zitten.

'Ik heb je, klootzak,' zei hij hardop en dacht erachteraan: Nou alleen nog een manier vinden om je naar het raam toe te krijgen.

De radio kraakte. 'Kowalski is op zijn post,' meldde Trudeau. 'Hij kan ze zien, maar Klein is niet in de buurt van het raam.'

Pritchett keek op zijn horloge. 'We hebben nog vijfentwintig minuten. Het vliegtuig is aan het tanken. De eigenaar heeft toestemming gegeven. We zijn bezig het luchtruim vrij te maken, maar de vlucht zal tien minuten in beslag nemen.'

'Hoe lang duurt het voordat het vliegtuig op de startbaan is?' vroeg Kowalski door het statisch geknetter heen.

'De piloot zegt dat ze nog tien minuten nodig heeft totdat de tanks helemaal zijn gevuld. En het duurt vijf minuten om naar de startbaan te taxiën.'

'Dat geeft ons weinig ruimte.'

'Vertel mij wat. Wie is het dichtst bij het raam?'

Een paar seconden later kwam Trudeaus antwoord: 'Striker.'

'Zeg tegen Striker dat hij een paar stenen zoekt en als de donder maakt dat hij onder de dakrand komt.'

Binnen kropen de minuten folterend langzaam voorbij. Sita zat op het bed, haar ogen strak op de gebloemde sprei gericht, en deed haar best niet in tranen uit te barsten. De adrenaline die ze eerder die avond door haar lichaam had voelen stromen, was weg. Ze dacht aan alle doden die ze had gezien. Haar ouders, verdronken in de golven. Haar grootmoeder in de zitkamer. Jaya in de keukenkast, niet snel genoeg om te ontsnappen. De heldhaftige man vóór haar op de vloer, met twee kogels in zijn borst. De wereld was onbegrijpelijk.

'Een kwartier,' zei Klein, terwijl hij haar aankeek en zijn vingertoppen over het wapen liet glijden. 'Denk je dat ze het halen?'

Sita haalde haar schouders op en sloeg haar armen om haar bovenlijf. De hibiscus viel uit haar haar op het bed. Toen de bloem zo plotseling voor haar lag, kon ze haar tranen opeens niet meer inhouden en ze deed niets om ze weg te vegen, maar dacht terug aan de dag waarop Ambini een hibiscus uit de tuin had geplukt en die in Ahalya's haar had gestoken. Dat was op de zestiende verjaardag van haar zusje geweest en de bloem was het symbool voor haar ontluikende vrouwelijkheid. 'Er zullen veel jongens voor je langskomen,' had Ambini gezegd. 'Maar er zal er maar één je echtgenoot worden. Wacht op hem. De dag zal komen dat je in het rood gekleed de saptapadi danst. Ahalya had in de woorden van Ambini geloofd. Dat hadden ze allemaal gedaan. En nu was Ahalya een beshya in Mumbai en zat Sita zelf aan het andere eind van de wereld, met een man met een pistool tegenover zich.

Pritchett keek op zijn horloge en vloekte weer. 'Tien minuten,' raasde hij, 'en het vliegtuig is nog niet opgestegen. Waarom duurt het verdomme zo lang?'

Michaels antwoordde: 'Het staat op de startbaan. De piloot moest een andere taxibaan nemen, omdat de normale taxibaan vol was.'

'Godverdomme!' Pritchett vroeg aan Trudeau: 'Is Striker op zijn plek?'

'Bevestigd. Met wat steentjes van een kiezelpad achter het huis.'

'En is Kowalski klaar?'

'Kowalski is klaar.'

'Tijd voor plan B. Zeg tegen Striker dat hij net genoeg geluid moet maken om Kleins aandacht te trekken. En zeg tegen Kowalski dat alles is toegestaan. Als hij hem maar uitschakelt, dood of levend.'

Sita knipperde met haar ogen toen ze het geluid voor de eerste keer hoorde. Ze luisterde ingespannen en hoorde het nog een keer. Een vreemd soort geratel. Ze zag dat Dietrich Klein zijn hoofd naar het raam keerde en zijn pistool van het tafeltje pakte. Hij wachtte tot het geluid voor de derde keer klonk en stond toen langzaam op.

Klein wierp een korte blik naar haar en Sita staarde naar hem terug. Ze zag dat hij voor een raadsel stond, maar zijn zelfvertrouwen was nog even groot. Voorzichtig sloop hij de kamer door, zijn ogen strak op het raam gericht. Sita hoorde het geluid voor de vierde keer, dit keer klonk het meer als geratel dan als gerammel. Klein bleef staan. Hij dacht na. Toen bewoog hij zich dichter naar het raam toe, zijn wapen opgeheven in zijn hand.

Kowalski tuurde door de nachtkijker en zag dat Klein opstond uit de stoel en de kamer door sloop. De stoel stond in een schuine baan van het raam af, dus kon hij pas schieten als Klein recht voor het raam stond. Kowalski mat de wind nog een keer en berekende nogmaals het schot over de afstand van zestig meter. Het was een minuscuul verschil met daarvoor, maar dat was de marge waarin zijn schot mocht afwijken ook.

Plotseling bleef Klein stilstaan. 'Kom op,' mompelde Kowalski gefrustreerd. 'Kom op!'

Klein kwam weer in beweging.

Kowalski spande zijn vinger om de trekker. 'Nog een halve meter...'

Zijn stem stierf weg en zijn ogen tuurden strak naar Kleins lichaam. Plotseling was hij er: hij stond voor het raam, zijn lichaam op de rand van zijn schootsveld, zijn armen voor zich uitgestrekt, alsof hij een wapen vasthad. Een schot in de borst was niet genoeg. De enige optie was een kogel door zijn hoofd. Kowalski richtte het kruispunt in zijn vizier rechtstreeks op het warmste punt van Kleins hoofd.

En toen haalde hij de trekker over...

Sita schrok doodsbang op toen het schot werd afgevuurd. In de stilte was de scherpe knal een aanslag op haar zintuigen. Toen Dietrich Klein voor het raam op de grond neerzakte, werd ze nog banger. Er gutste bloed uit zijn hoofd. Een hele tijd bleef ze als verlamd op het bed zitten, totdat ze op de begane grond lawaai hoorde. Stampende laarzen en schreeuwende stemmen. Toen de zware voetstappen de trap op bonkten, begon Sita verdoofd van angst heen en weer te wiegen.

Een paar seconden later werd de deur ingetrapt en kwam er twee mannen in zwarte en kakikleding zwaaiend met machinegeweren de kamer in stormen. Een van de mannen rende meteen naar het lichaam van Dietrich Klein en voelde zijn pols. Een andere deed Li de handboeien om; hij was nog steeds buiten westen. Toen draaide de man zich om naar DeFoe, knielde naast hem neer en drukte zijn ogen voorzichtig dicht.

'Veilig!' riep de eerste man.

'Veilig!' echode de tweede.

De eerste man liep naar het bed en trok zijn masker weg. 'Jij moet Sita zijn,' zei hij.

Ze keek hem verdwaasd aan. Met zijn helm op en in gevechtstenue zag hij eruit als een angstwekkend monster. Maar zijn stem klonk als die van een gewone man.

Sita aarzelde en durfde weer adem te halen. 'Ja,' zei ze.

'Ben je in orde?'

Ze knikte.

'Ik heet Evans,' zei de agent. 'En dat is Garcia. Kun je zelf lopen?'

Sita zwaaide haar benen over de rand van het bed en stond op. 'Ja, het gaat.'

Ze liep achter hen aan naar de gang. In het gastenverblijf krioelde het van de in het zwart geklede mannen met geweren. Evans nam haar mee de trap af en de woonkamer in. Garcia liep achter haar. Evans gebaarde dat Sita op de bank moest gaan zitten en toen spraken hij en Garcia met een andere man. Sita hoorde wat ze zeiden.

'Waar zijn de andere meisjes?' vroeg de derde man.

Evans haalde zijn schouders op. 'Ze was alleen.'

Sita stond op en raakte zijn schouder aan. 'Neem me niet kwalijk,' zei ze.

De mannen draaiden zich om.

'De andere meisjes zitten verstopt.'

'Waar dan?' vroeg Evans vriendelijk.

'In de kelder.'

De derde man stelde zich voor: 'Ik ben agent Trudeau. Ik heb de leiding hier. Vertel ons maar wat je weet, dan gaan wij op onderzoek uit.'

Sita schudde haar hoofd, ze voelde zich bijna gewichtloos nu ze vrij was. 'Het is ingewikkeld uit te leggen. Ik kan het beter laten zien.'

'Weet je zeker dat je dat wilt doen?' vroeg Trudeau.

Sita knikte.

'Wat je wilt. Ik ga voorop.'

Sita ging als een door bodyguards omringde beroemdheid de aardedonkere wijnkelder in. Agent Trudeau liep met zijn geweer in de aanslag voor haar en Evans en Garcia waren vlak achter haar. Trudeau vond het lichtknopje. Flessen wijn glansden in het licht, maar verder was de kelder leeg. Ze bleven staan om te luisteren, maar er was geen geluid te horen.

Sita liep naar de andere kant van de ruimte en opende de deur van de kast waarvan ze zich herinnerde dat Li die destijds ook had geopend. Daarna bestudeerde ze het rek aandachtig en was blij dat ze zo'n geheugen voor details had. De fles die Li had omgekeerd had een zwart met gouden etiket. Toen ze die had gevonden, draaide ze hem om. Het motortje sloeg aan en de verborgen kamer ging open.

Agent Trudeau gebaarde dat Sita moest blijven waar ze was en hij en Evans slopen de gang in, hun wapens op de deuren gericht. Ze bleven nog een keer staan om te luisteren, maar hoorden niets. Daarna klopten Trudeau en Evans op elke deur en riepen ze: 'FBI! Openmaken!' Maar geen van de deuren ging open.

Evans kwam bij Sita staan en schermde haar af met zijn lichaam.

'Ik heb hem de code zien intoetsen bij de kamer aan het einde van de gang.'

'Weet je het nummer?'

Ze deed haar ogen dicht en probeerde het zich te herinneren. 'Ik weet alleen waar de toetsen zaten.'

Evans wenkte Trudeau en gaf die informatie aan hem door.

Trudeau keek Sita aan. 'Wil je de code voor ons intoetsen?'

'Ja,' fluisterde ze en ze liep achter hem aan naar de deur van de studio.

Daar deed ze haar ogen dicht en probeerde ze voor zich te zien welke vijf toetsen Li had ingedrukt. Ze bleek zijn bewegingen feilloos te herhalen: ze hoorden de grendel wegglijden. Toen tilde Evans haar op en droeg haar terug naar de wijnkelder. Even later hoorde ze het oorverdovende geluid van een schot. Toen was alles stil.

Garcia stak zijn hoofd om de deur. 'Dit moeten jullie zien.'

Sita greep Evans' hand vast en liep met hem naar de studio. Toen ze de kamer binnenkwamen, zagen ze de blonde vrouw op de grond voor het bed liggen, een pistool in haar hand. Er zat een meisje met kastanjebruin haar voor haar op de grond, trillend van angst.

'Ze gebruikte het meisje als gijzelaar,' zei Garcia hoofdschuddend.

Er waren nog vijf kinderen tussen de twaalf en zestien jaar in de kamer: ze lagen met hun polsen en enkels vastgebonden op het bed, hun mond afgeplakt met tape. Ze kwamen een voor een moeizaam overeind en keken met grote en angstige ogen naar Sita. Sita stond een lang moment als verlamd naar hen te kijken. In haar oren klonk het geluid van Li's camera weer en ze voelde de schaamte opnieuw van toen ze zich voor de ogen van Dietrich Klein had moeten uitkleden. Toen schudde ze met haar hoofd. Het was voorbij! Klein was dood!

Sita liep door de ruimte naar het jongste kind en haalde voorzichtig de tape van haar mond. Het meisje keek haar angstig aan, maar Sita stelde haar gerust met een glimlach.

'Het is goed,' zei ze. 'Jullie zijn veilig, nu.'

Toen alle meisjes waren losgemaakt en weer konden lopen, namen Trudeau en Garcia hen mee naar boven. Sita vroeg Evans echter even te wachten en raapte haar jas op, die in een van de hoeken van de studio op de grond lag. Ze trok de jas over haar sari aan, stak haar hand in de binnenzak en streek langs de contouren van Hanoeman. Ze haalde diep adem en beloofde zichzelf dat ze Shyam nooit zou vergeten. Toen liep ze achter Evans aan de trap op.

Evans ging op een stoel in de eetkamer zitten en legde een verklaring af bij een man die met een klembord zwaaide. Sita zat naast hem, maar kon haar aandacht niet houden bij wat hij zei. In plaats daarvan dwaalden haar gedachten af. Ze herinnerde zich dat haar vader op het strand voor hun bungalow stond en gebaarde dat ze moest komen om naar de zonsondergang te kijken. Ze wist nog dat ze het strand op was gelopen en dat haar ouders op haar stonden te wachten. Ahalya was bij het water trompetschelpen aan het zoeken. Het was een dag als alle andere – een goede dag.

Ze keek op toen twee mannen in burgerkleding het huis binnenkwamen. De ene was lang, had donker haar en vriendelijke ogen, de andere was kleiner en gespierder. Sita staarde naar de lange man. Ze had hem eerder gezien. Ze groef in haar geheugen en opeens wist ze het. Op straat, in Parijs, voor Dmitri's flat. Hij was achter de auto aan gehold.

Plotseling vielen alle puzzelstukjes op hun plaats. Hij was naar haar op zoek geweest! Maar hoe wist hij van haar? En waarom deed hij zoiets? Ze wist zeker dat ze elkaar nooit eerder hadden ontmoet. Ze volgde hem met haar ogen en vroeg zich af of ze de kans zou krijgen hem dat te vragen.

Thomas stond in de hal en zocht tussen de door elkaar lopende agenten of hij ergens een teken van Sita zag.

'Waar is ze, denk je?' vroeg hij aan Porter.

'Waarschijnlijk hebben ze alle meisjes bij elkaar gezet,' antwoordde Porter, terwijl hij in de richting van de zitkamer tuurde. 'Ik zal kijken of ik agent Trudeau kan vinden.'

Thomas wilde net achter hem aan lopen, toen hij naar links keek. Aan een geboende mahoniehouten tafel zaten een reusachtige SWAT-commando, een in colbert geklede agent en een fijn gebouwd Indiaas meisje dat was gekleed als een prinses. Het meisje keek met haar prachtige, grote ogen naar hem. Ze was ouder dan op de foto in zijn binnenzak, maar ze wás het. Hij herkende haar meteen.

Even bleef hij verstijfd staan en voelde aan de armband om zijn pols. Toen liep hij langzaam naar haar toe.

'Ben jij Sita Ghai?' vroeg hij.

'Ja,' antwoordde Sita.

Thomas maakte de rakhi-armband los en legde die op de tafel voor haar neer.

'Ik ben Thomas Clarke. Je zusje heeft me gevraagd deze armband aan je te geven.'

Hij zag dat de tranen in haar ogen sprongen. 'Kent u Ahalya?'

Hij knikte, nauwelijks in staat om adem te halen. 'We hebben haar uit Suchirs bordeel kunnen redden. Ze wacht op je in een ashram in Mumbai.'

Sita's gezicht begon te stralen alsof de dageraad over haar gezicht streek. Toen omklemde het meisje de armband en barstte in snikken uit. Het was alsof alle angst, twijfels, wanhoop en verloren moed van de afgelopen tweeenhalve maand zich hadden samengebald in een enorme tranenvloed.

Thomas voelde een hand op zijn schouder. Het was Porter. 'Zo te zien heb je haar gevonden,' zei hij.

Thomas liet zijn ingehouden adem ontsnappen en glimlachte.

'Goed gedaan,' zei Porter.

Toen haar tranenvloed enigszins was gestelpt, maakte Sita de armband om haar pols vast. 'Deze heb ik vorig jaar voor haar verjaardag gemaakt,' fluisterde ze. 'Ze zei dat ze hem altijd zou dragen.'

'Dan moet je die maar gauw aan haar terug gaan geven.'

Sita keek even peinzend voor zich uit, voelde toen in de zak van haar jas en haalde Hanoeman tevoorschijn. Ze hield het beeldje eerbiedig vast en zette het toen op tafel.

'Kent u het verhaal van Ramayana?' vroeg ze hem.

Thomas knikte en staarde naar het kleine beeldje.

'Hanoeman was een vriend van Rama. Hij vond Sita. Dit beeldje behoort aan u.'

Thomas pakte het Hanoemanfiguurtje op. Hij herinnerde zich wat Surekha tijdens het mendhifeest over Priya's vader had gezegd: *Toen Priya klein was heeft hij tegen me gezegd dat de man die met haar zou trouwen het karakter van Lord Rama moest hebben. In het hindoeïsme is Rama een man die vrij van schuld is.* Thomas wist dat hij nooit aan die hoge standaard zou kunnen voldoen. Maar Rama was niet de echte held van het verhaal. Dat was Hanoeman, die de oceaan was overgestoken en de prinses van Mithila had gered.

'Dank je wel,' zei hij. Ze zou nooit weten hoe belangrijk haar geschenk voor hem was.

Sita keek om zich heen naar de FBI-agenten. 'Laten zij me wel gaan?' vroeg ze.

Agent Evans probeerde haar vraag te beantwoorden. 'Het is gecompliceerd, maar we zullen er alles aan doen om je zo snel mogelijk thuis te krijgen.'

Thomas keek Porter aan. 'Op de zesentwintigste is het Holifeest. Het is op een na het belangrijkste feest in India. Bestaat er een kans dat jij nog aan wat touwtjes kan trekken zodat wij daarvóór op het vliegtuig kunnen stappen?'

Porter lachte. 'Ik heb al aan zoveel touwtjes getrokken de laatste tijd dat ik erover denk om een carrière als marionettenspeler te beginnen. Ik zal een verzoek indienen en kijken wat de hogere regionen ervan vinden. Er zal een heleboel afhangen van de Indiase regering. Ze zullen haar daar moeten opvangen.'

'En wat gebeurt er nu?' vroeg Sita, met een blik op Thomas en Evans.

'We zullen je onder bescherming stellen en een heleboel vragen stellen,' antwoordde Evans. 'Want we hebben je hulp hard nodig om heel wat boeven achter de tralies te krijgen.'

'Blijft u dan bij me?' vroeg Sita aan Thomas.

Thomas knikte. Hij hield Hanoeman in zijn hand en genoot van de zoete smaak van de overwinning.

'Ik blijf net zo lang bij je totdat je thuis bent.'

32

Het teken van wijsheid is de werkelijkheid achter elke verschijningsvorm te kunnen zien.
THIRUVALLUVAR

Atlanta, Georgia

THOMAS ZAT IN EEN SAAIE VERGADERRUIMTE in het FBI-kantoor in Atlanta. Tegenover hem zaten twee agenten in burger en Andrew Porter, die de taak had gekregen om als tussenpersoon van Justitie op te treden tijdens het onderzoek in Atlanta. Het gesprek, dat zich al meer dan drie dagen voortsleepte, werd opgenomen door een digitaal apparaat dat midden op tafel stond.

'Ik weet dat het hele gedoe veel tijd in beslag neemt,' merkte special agent Alfonso Romero, een Italiaanse Amerikaan uit Brooklyn, op. 'Maar ik denk dat we er nu bijna zijn.'

Terwijl Romero zijn aantekeningen bekeek, moest Thomas zijn ergernis onderdrukken. Af en toe had dit gesprek meer geleken op een verhoor en zijn geduld was al een hele tijd bijna op. Maar hij was het aan Porter verschuldigd hieraan mee te werken. Dat was de prijs die hij moest betalen omdat hij bij de inval had mogen zijn.

'Vertel nog eens waarom je naar Parijs ging,' begon Romero weer. 'Je vrouw zat in Mumbai. Je had je werk in Mumbai. Waarom moest je zo nodig uit Mumbai vertrekken om naar een meisje op zoek te gaan dat op dat moment wel overal had kunnen zijn?'

'Hebben we dit niet al besproken?'

'Misschien wel, ja, maar het zit me nog steeds niet lekker.'

'Het beste wat ik daarover kan zeggen is dat ik op m'n gevoel afging. Ik had Ahalya een belofte gedaan en volgde een aanwijzing op die in wezen een slag in de lucht was. Op de een of andere manier bleek het raak te zijn.'

Romero schudde zijn hoofd en keek zijn aantekeningen nog een keer door. Hij wisselde een blik met special agent Cynthia Douglas, een havikachtige brunette die alle persoonlijke vragen had gesteld. Vragen die Thomas niet echt had willen beantwoorden. Douglas schudde haar hoofd.

'Oké, voorlopig zijn we klaar,' zei Romero. 'Maar ik ben ervan overtuigd dat we meer vragen zullen hebben als het onderzoek vordert. Zorg ervoor dat u ons op de hoogte houdt van uw verblijfplaats en laat het weten als er iets verandert in uw contactinformatie.'

'Geen zorgen,' zei Thomas, met een vleugje sarcasme in zijn stem. 'Ik houd u op de hoogte.'

'Hebt u nog iets?' vroeg Romero aan Porter.

Porter knikte. 'Maar het is iets persoonlijks, dus dat zou ik liever privé met hem bespreken.'

'Geen probleem,' zei Romero en hij verliet samen met Douglas de kamer.

Thomas deed zijn ogen dicht en wreef over zijn slapen. 'Ik begon al te denken dat hij nooit op zou houden.'

Porter grinnikte. 'Zijn vasthoudendheid was indrukwekkend, hoewel misschien een beetje overijverig.' Hij boog naar voren. 'Ik heb twee keer goed nieuws en één keer slecht. Wat wil je eerst horen?'

Thomas deed zijn ogen weer open en tuurde naar het gezicht van zijn vriend. Porter keek ernstig.

'Het slechte nieuws eerst.' Thomas zette zich schrap.

Porter leunde naar achteren. 'Ik heb net bericht gekregen van rechercheur Morgan uit Fayetteville. Gisteren heeft hij met zijn team een inval gedaan in een caravanpark in de buurt van Fort Bragg. Hij verwachtte daar acht kinderen aan te treffen. Maar het waren er maar vijf. Een van de kinderen die er niet waren, was Abby.' Hij zweeg even. 'Ze hebben haar vanmorgen gevonden.'

Thomas wist al wat er ging komen.

'Ze was in een ondiep graf tussen een groepje bomen begraven, niet ver van het caravanpark,' zei Porter. 'Daar heeft ze ruim een week gelegen.'

Thomas ademde diep in en langzaam weer uit. 'Waarom hebben ze dat gedaan?'

'Dat weet ik niet. Haar verhaal is volop in het nieuws geweest. Misschien zijn ze erachter gekomen hoe dicht de politie hun al op de hielen zat en zijn ze bang geworden. Misschien heeft ze geprobeerd te ontsnappen en wilden ze verder geen moeilijkheden met haar. Dat soort mensen is tot alles in staat.'

Thomas dacht aan de moeder van het meisje en voelde een akelige leegte vanbinnen. Haar ergste angsten waren uitgekomen. Ze was helemaal alleen op de wereld.

'Hoe zit het met die andere vermiste meisjes?' vroeg hij.

Porter schudde zijn hoofd. 'Die komen uit Mexico. We vermoeden dat ze zijn doorverkocht.'

'En zo gaat het verhaal steeds weer verder,' constateerde Thomas. 'Er komt nooit een einde aan, hè?'

Porter haalde zijn schouders op. 'Dat maken wij in ieder geval niet mee, ben ik bang.'

'Vertel, wat is het goede nieuws?'

Porter leefde wat op. 'Buiten het feit dat DeFoe is omgekomen, is de operatie tegen het Kleinnetwerk een enorm succes. Eenenzestig slachtoffers gered in acht steden, vijfendertig van hen minderjarig. Veertig daders achter de tralies. Kandyland opgeheven en alle computers in beslag genomen. Twintig miljoen dollar in overzeese banken om de schatkist mee te spekken. En de pers vindt het een geweldige opsteker voor de regering. Iedereen in Washington is er duizelig van.'

'Goed zo,' zei Thomas. Hij wilde zich er niet uitpraten, maar Abby's dood achtervolgde hem. Voor de honderdste keer wenste hij dat hij sneller was geweest en de zwarte SUV had kunnen vinden voordat die was verdwenen en het meisje uiteindelijk naar haar graf had gebracht.

'En het tweede?' vroeg hij.

Porter merkte in wat voor stemming zijn vriend was en stak zijn handen verontschuldigend op.

'Ik denk dat we Sita op tijd voor het Holifeest thuis kunnen hebben. De onderdirecteur is begaan met haar zaak, evenals de Indiase ambassadeur in Washington. We zijn hemel en aarde aan het bewegen in de bureaucratische molen en ik ben voorzichtig optimistisch dat het gaat lukken.'

Thomas knikte. 'Hoe gaat het met haar?'

Porter grijnsde. 'Dat kind is de laatste drie dagen gewoon een menselijke biljartbal van de autoriteiten geweest. Ze is ik weet niet hoe vaak heen en weer gesleept van het safehouse naar de kinderrechter van Fulton County naar een vergaderzaaltje ergens in het jeugdgerechtshof, en niemand heeft haar horen klagen. Er is iemand van slachtofferhulp aan haar toegewezen –

agent Dodd. Die ken ik als een heel zachtaardige, vriendelijke kinderpsychologe. En van wat ik ervan heb gehoord, mogen Sita en zij elkaar gelukkig en is er een vertrouwensband ontstaan. Ik kan je wel vertellen dat Sita een schat aan informatie heeft. We hebben dingen van haar gehoord waardoor we heel wat mensen uit het Kandylandcomplot in de gevangenis kunnen zetten.'

'Wanneer kan ik haar weer zien?' vroeg Thomas. In de nacht van de inval was Sita in een politieauto het Kleinterrein afgevoerd en om veiligheidsredenen had agent Pritchett al zijn verzoeken om haar te mogen bezoeken geweigerd.

'Waarschijnlijk pas weer als jullie terugvliegen,' zei Porter. 'Sorry.'

'In dat geval zijn er een aantal dingen die ik nog wil doen. Hakt Romero mijn kop eraf als ik een paar dagen de stad uit ga?'

Porter grinnikte. 'Ik hou hem wel in toom. Maar zorg ervoor dat je de drieëntwintigste terug bent. Als we geluk hebben, zitten Sita en jij de dag daarop in het vliegtuig naar Mumbai.'

Thomas trok zijn wenkbrauwen op. 'Met dank aan de federale overheid?'

Porter knikte. 'Op kosten van de belastingbetaler.'

'Nu je klaar met mij bent, mag ik dan eindelijk mijn telefoontje doen?'

Porter stond op. 'Vrijheid van spreken is een grondrecht. Hoe je dat gebruikt als je dit kantoor uit bent, is jouw zaak.' Hij zweeg even. 'En doe jezelf een plezier: maak dat je hier wegkomt, voordat Romero te binnen schiet wat hij je allemaal heeft vergeten te vragen.'

Om negen uur die avond toetste Thomas een internationaal nummer in op zijn BlackBerry. In Mumbai was het op dat moment halfacht in de ochtend. Jeff Greer nam bij de tweede keer overgaan al op. Thomas deed hem het verhaal van alles wat er die week was gebeurd met als hoogtepunt Sita's redding, en vroeg hem toen om een gunst en bepaalde informatie. Greer moest eerst even bijkomen van het nieuws, maar begon zijn bureau te doorzoeken, terwijl hij tegelijkertijd naar Thomas' plannen luisterde.

'Ik heb het,' zei hij terwijl hij door wat papieren bladerde. Hij gaf Thomas het telefoonnummer door en beloofde een paar dingen voor hem te regelen.

'Ik kan gewoon niet geloven dat het je is gelukt,' zei hij. 'Ik moet eerlijk zeggen dat ik dacht dat je geen schijn van kans had.'

Nadat het gesprek met Greer was beëindigd, toetste Thomas het nummer van Andheri in. Hij wachtte terwijl hij de telefoon eindeloos hoorde overgaan en wilde net de verbinding verbreken, toen hij een krakerig 'hallo?' hoorde. Ondanks de slechte verbinding wist hij bijna zeker dat hij zuster

Ruth aan de lijn had. Langzaam pratend vertelde hij haar het nieuws. Toen hij klaar was met zijn verhaal bleef de non zo lang stil, dat Thomas zich afvroeg of de verbinding was verbroken, maar toen hoorde hij gefluister – een flauwe echo tussen de continenten – dat leek op een gebed.

'Zuster Ruth?' vroeg Thomas. 'Wilt u dat aan haar vertellen?'

'Ja,' hoorde hij haar zeggen. De verbinding stoorde enorm, maar hij kon haar woorden door het gekraak en gezoem heen toch verstaan: 'Ik kan u... nooit genoeg... bedanken.'

'Zeg tegen haar dat ze geduld moet hebben,' zei hij. 'Het kan nog wel even duren.'

Toen hing hij op en vertrok naar het vliegveld.

Diep in de nacht schrok Ahalya wakker uit een koortsachtige slaap. Haar voorhoofd was vochtig, haar nachthemd was doorweekt van het zweet en in haar hoofd spookten nog de laatste beelden van haar droom. Ze keek de kleine slaapkamer rond die ze met drie andere meisjes deelde. Niemand verroerde zich. Alles in het huis was stil. Ahalya keek naar het raam. De hemel was grijsblauw als voorbode van de ochtend. Ze haalde diep adem om kalm te worden. Maar de droom was zo pijnlijk echt geweest dat ze niet kon geloven dat ze zich die had ingebeeld.

Zachtjes sloop ze de slaapkamer uit naar de gemeenschappelijke ruimte. Het was zaterdag en er was nog niemand. Zuster Ruth was wakker, dat wist Ahalya wel zeker, maar de non sliep in een ander gebouw en kwam meestal pas rond halfacht naar het opvanghuis toe. Ahalya deed haar best om geen geluid te maken en liep op haar tenen om de krakende plekken van de vloer heen. Eigenlijk mocht ze niet zonder toestemming van de nonnen het huis uit, maar aan die regel werd alleen streng de hand gehouden als een meisje dreigde weg te lopen.

Ahalya ging de trap af en liep het bos met de hoge bomen in. Er zongen wat krekels in de takken en af en toe hoorde ze de roep van een vogel. Het pad voor haar was verlaten en gehuld in schaduwen. Ze keek om zich heen, bang dat een van de zusters haar zou zien en terug zou sturen, maar er was niemand.

Op weg naar de vijver dacht ze na over haar droom. Sita was bij de vijver geweest. Ze had op een bankje gezeten en iets in het water bewonderd. Toen Ahalya dichterbij kwam, had ze opgekeken, haar gezicht een en al vreugde. Haar zusje was opgestaan en had geroepen dat Ahalya moest opschieten. Aan de rand van de vijver had Sita haar zusjes hand gepakt en omlaag naar de vijver gekeken, naar de plek die haar zusje aanwees. Daar had ze een knop tussen de leliebladeren gezien, een bloem die binnenkort zou gaan bloeien.

Ahalya liep gespannen naar de vijver toe. Het wateroppervlak was een gladde spiegel op deze windloze morgen. Ze knielde naast de vijver neer en voelde de pijn vanbinnen groter en groter worden. Niets. Ze zag niets. Ze keek nog een keer heel goed, misschien was de lotusbloem kleiner dan in haar droom.

Misschien...

Plotseling werd ze heel duizelig. Ze greep zich aan een rots naast de vijver vast. Maar ze wilde niet aan haar zwangerschap denken. Haar verlangen was heel eenvoudig en puur. Ze wilde alleen maar een knop tussen de bladeren zien.

Nogmaals zocht ze alle bladeren grondig af, om te zien of er misschien ergens een verdikking te ontdekken viel, maar ze zag niets. De droom was een illusie geweest, een kwellende leugen. Sita was niet in de ashram en de lotus had nog altijd geen knop. Voor haar lag een toekomst die ze niet echt wilde. Lakshmi was haar vergeten. Rama had haar verlaten. Ze was van steen, net zoals de Ahalya van de Ramayana.

Er rolden tranen over haar wangen en ze was zich nauwelijks bewust van het lied van de vogels om haar heen, de geluiden van de ontwakende ashram en het verre rumoer op de straat achter het hek. Na een tijdje was ze weer wat kalmer en kwam moeizaam overeind, ze wapende zich tegen weer een weekend zonder Sita.

Toen ze het pad afliep, bleef ze plotseling staan. Voor zich ontvouwde zich een eigenaardig tafereel. Ze knipperde met haar ogen, bang dat de droom haar in war had gebracht. Maar wat ze zag was echt.

Zuster Ruth rende over het pad naar haar toe.

Haar nonnensari wapperde als een cape achter haar aan en haar ogen straalden zo opgetogen als die van een kind. Toen ze bij Ahalya was, kwam ze hijgend en puffend tot stilstand.

'Sorry,' zei Ahalya, omdat ze zich schuldig voelde over het feit dat ze een van de regels had overtreden. 'Ik moest even een ommetje maken.'

Zuster Ruth schudde haar hoofd, haar ronde gestalte deed verwoede pogingen om op adem te komen. 'Nee, nee,' zei ze, nog steeds worstelend om de woorden uit te brengen. 'Sita...'

Ahalya keek haar als aan de grond genageld aan. Ze werd overspoeld door een mengeling van verwarring, hoop en afgrijzen.

Eindelijk was de non zover op adem dat ze Thomas' boodschap kon overbrengen.

Voor de tweede keer die ochtend viel Ahalya op haar knieën, maar deze keer schoten haar ogen niet vol tranen. Nee, ze staarde naar het oosten, naar de opkomende zon. Ze hief haar hoofd op naar het licht dat zich binnen in haar verspreidde en haar huid begon te tintelen. Ze begon te lachen en wist opeens weer hoe goed dat voelde. Haar lach echode over het terrein, vulde het bos en zelfs de vogels zwegen.

De droom was waar. Sita leefde!

En ze kwam naar huis.

Twee dagen later stond Thomas in de koude regen moed te verzamelen voor een luxueus appartementengebouw in Washington. Hij was slechts twee keer eerder in het exclusieve Capitol Hill geweest, maar beide keren 's nachts. De herinnering aan die bezoeken stond nog onrustbarend levendig in zijn geheugen gegrift. Thomas omklemde zijn paraplu en tuurde door het regengordijn naar de hal van het gebouw. De ingang was verlaten. Het was acht uur op een zondagmorgen – het enige moment van de week waarvan hij bijna zeker wist dat ze thuis was.

Hij nam de lift naar de zesde verdieping. Haar appartement was rechtsachter in de gang. Nummer 603. Hij bleef minstens een minuut nerveus voor haar deur staan, maar ten slotte klopte hij aan.

Met gespitste oren luisterde hij of hij voetstappen hoorde. Eerst hoorde hij niets en hij bedacht dat ze misschien een weekendje naar de Caymaneilanden was of, nog beter, een nieuwe vriend had en bij hem logeerde. Maar toen hoorde hij haar toch naar de deur toe komen. Hij zette zich schrap en keek naar het kijkgaatje. De woede die hij in Goa had gevoeld was een verre herinnering, nu voelde hij alleen nog spijt en bezorgdheid.

Het duurde lang voordat ze de deur opendeed. Toen stond Tera voor hem, in een badjas en met haar natte haren in een paardenstaart. Ze zette grote ogen op en haar lippen weken verrast uiteen. Zonder iets te zeggen keek ze hem aan. Thomas' hart bonkte, maar hij maakte geen beweging in haar richting.

'Thomas,' zei ze na een tijdje. De seconden verstreken. Toen nam ze een besluit en deed de deur verder open. 'Ik dacht dat ik je nooit meer zou zien.' Ze deed een stap opzij.

Thomas ging op haar uitnodiging in en liep haar flat binnen. De inrichting was avant-gardistisch – alles was zwart of wit met scherpe lijnen, abstract werk aan de muren, gerichte spots en snuisterijen uit de hele wereld. Tera had een graad in kunstgeschiedenis gehaald voordat ze rechten in Chicago was gaan doen. Op dat gebied – op meerdere gebieden eigenlijk – leek ze veel op Priya.

In de zitkamer liep Thomas naar het raam. De regen was iets minder nu en in de verte kon hij de vage contouren van het Capitool zien. Tera stond een paar passen achter hem met haar handen in de zakken van haar badjas.

'Waar ben je geweest?' vroeg ze. 'Het is bijna drie maanden geleden.'

Hij keek haar aan. 'In India,' zei hij onomwonden.

Haar lichaam verstrakte. 'India,' herhaalde ze.

'Je had gelijk wat betreft de firma,' zei hij. 'Ze stelden me een ultimatum en ik heb een sabbatical genomen. Een jaar in de loopgraven van Mumbai.'

'Dus je bent niet vanwege Priya naar India gegaan?' vroeg ze, met een vleugje optimisme in haar stem.

'Ik ben erheen gegaan om voor CASE te gaan werken. Maar ook om mijn vrouw te vinden.'

Ze dacht na over zijn woordkeus. 'En is dat gelukt?'

'Dat weet ik niet zeker. Maar ik wil het wel,' zei hij.

Tera hield haar hoofd schuin. 'Waarom ben je dan hier?'

'Omdat ik het verkeerd heb gedaan. Ik ben je een excuus schuldig.'

Ze ging op het puntje van de bank zitten. 'Ik heb nergens spijt van,' zei ze.

'Luister eerst even,' zei hij, terwijl hij zijn handen opende. 'Dan kun je daarna besluiten wat je ervan vindt.'

Ze wachtte af en liet niets blijken.

Hij ploegde verder. 'Jij was er op het donkerste ogenblik van mijn leven. Ik had hulp nodig en jij gaf me die. Dat zal ik nooit vergeten. Maar het was stom van me om de dingen zover te laten komen. Priya was anders waarschijnlijk ook bij me weggegaan, maar dan was ik haar wel trouw gebleven, zoals ik haar ook bij ons huwelijk heb beloofd. Die eerste nacht hier was verkeerd. Ik was totaal van slag en ik reken jou niets aan. Het was mijn fout en ik heb er ons alle drie pijn mee gedaan. Jou, mezelf, Priya. Jij verdient beter. Vergeef me alsjeblieft.'

Tera stond op, liep naar het raam en keek over de doorweekte stad uit. Ze duwde een lok achter haar oor. Misschien kon hij eigenlijk maar beter gaan, schoot het door hem heen, maar hij deed het niet. Hij kon niet nóg een keer zomaar weglopen.

Ten slotte keek ze hem aan. 'Je hoeft je niet te verontschuldigen,' zei ze. 'Ik ben een grote meid en ik wist waar ik aan begon.' Ze zweeg even. 'Priya had nooit bij je weg moeten gaan. Ik hoop dat ze nu beseft hoe stom ze is geweest.'

Thomas staarde haar aan en probeerde een passend antwoord te bedenken. Tera zag er prachtig uit in het fletse, grijze licht. Even had hij de neiging haar in zijn armen te nemen, als troost, zoals zij bij hem had gedaan. Maar hij besefte dat dat zeker uit de hand zou lopen en weerstond zijn impuls.

'Vaarwel, Tera,' zei hij.

Toen ze niet reageerde, haalde hij zijn schouders op en liep de gang door naar de voordeur. Op het moment dat hij de deurknop vastgreep, hoorde hij haar zijn naam zeggen.

'Thomas,' zei ze, terwijl ze in de deuropening van de zitkamer bleef staan. 'Doe me een plezier, oké?'

'En wat is dat?'

'Wat je ook besluit, hou je er deze keer aan.'

Hij knikte en glimlachte flauwtjes. Het was een minder hard verwijt dan hij had verdiend. Toen deed hij de voordeur open en liet haar achter, omlijst door het raam en de regen.

Hij reed naar het zuiden van de stad en was een minuut of twintig later in de buurt waar zijn ouders woonden. Behalve wat verkeer van mensen die op weg waren naar de kerk, waren de straten verlaten. Hij reed zijn Audi de oprit op en stapte uit. De regen was overgegaan in mist en hij liet zijn paraplu in de auto. Nadat hij op de deur had geklopt, hoorde hij zware voetstappen naderen. Thomas' hart begon heftiger te kloppen en opnieuw vroeg hij zich af hoe hij zijn besluit moest uitleggen. De rechter opende de deur en staarde hem aan. Hij was gekleed in krijtstreeppak en droeg een kleurige, wollen das. De mis begon over een halfuur.

Toen lichtten de ogen van de rechter op. 'Thomas! Kom binnen, jongen.'

Elena kwam de hal in lopen, elegant gekleed in een zachtpaarse jurk en een zwart vest. Ze hield hem lange tijd in een omhelzing gevangen.

'Je bent nat,' zei ze. Ze wees op zijn haar en nam hem mee de keuken in. 'Kom, dan zet ik een kop thee.'

Terwijl Elena druk doende was bij het fornuis, ging Thomas ernaast op een stoel zitten. Zijn vader nam plaats aan de ontbijttafel. Deze opstelling – zijn moeder bezig iets klaar te maken, zijn vader wachtend aan de tafel om zijn advies te kunnen geven – was hem zo bekend als een paar oude schoenen. Hoe vaak hadden ze in zijn jeugd wel niet zo gezeten?

'Hoe gaat het met Priya?' vroeg Elena over haar schouder. Vanuit Parijs had hij haar een e-mail gestuurd met een vrij vaag, maar opgewekt verhaal over hoe alles verliep. Maar dat was vóór Goa geweest.

'Op dit moment niet zo goed.'

Zijn moeder was teleurgesteld, maar vroeg niet verder. 'Jammer om te horen.'

Thomas haalde zijn schouders op en keek naar zijn vader. 'Ik weet niet zeker of ik naar Clayton terugga.'

De ogen van de rechter vernauwden zich. 'Heb je mijn e-mail ontvangen?'

Thomas knikte.

'Max rolt de rode loper voor je uit. Hij zegt dat je binnen een jaar partner in de firma kunt worden.'

'Ik weet niet zeker of ik dat nog wel wil,' zei Thomas.

Zijn vader was sprakeloos, iets wat heel zelden voor kwam.

Elena zei in plaats daarvan: 'Wat wil je dan wél, lieverd?'

Thomas greep de rand van het kookeiland vast. 'Daar ben ik nog niet uit.'

De rechter stond op. 'Ik kan mijn oren niet geloven. Op je vijftiende heb je me verteld dat je rechter wilde worden. Ik heb alles gedaan wat in mijn macht lag om te zorgen dat dat gaat lukken. Ik heb je door Yale en Virginia Law geloodst. Ik heb je een baantje als griffier bezorgd. Ik heb de raderen bij Clayton voor je gesmeerd. En nou kom je me vertellen dat je het voor gezien houdt? Gewoon, zonder blikken of blozen?'

'Rand,' onderbrak zijn moeder de rechter, maar die legde haar met een boze blik het zwijgen op.

'Ik wil een duidelijk antwoord,' zei hij. 'Dat heb ik wel verdiend.'

Thomas haalde diep adem en keek zijn vader recht aan. 'Ik weet dat ik dat allemaal wilde, vader. En ik weet wat je daarvoor hebt opgeofferd. Maar dingen kunnen veranderen. Als je nu een antwoord wilt, zal ik je dat geven. Ik wil mijn jaar bij CASE afmaken en een manier vinden om mijn vrouw ervan te overtuigen dat ze beter af is mét dan zonder mij.'

De rechter gooide geïrriteerd zijn armen in de lucht. 'Je hebt het over één jaar uit je leven, hooguit twee. Hoe zit het met je tóékomst, Thomas? Waar zit je over tien jaar, over twintig jaar? Wat wil je dan hebben bereikt?'

Thomas voelde zich woedend worden. 'Ik heb geen idee. Maar ik weet één ding zeker: dat ik niet meer terug wil naar die ratrace!'

'Geweldig! Nu vergelijk je mijn leven al met ongedierte.'

Thomas' ogen schoten vuur. 'Dit gaat niet over ú, vader. Dit gaat over míj. Wilt u weten waarom ik in Amerika terug ben? Omdat hier een meisje uit India was verkocht. We hebben haar zusje uit een bordeel in Mumbai bevrijd. Het meisje, Sita heet ze, gaat over een paar dagen naar huis en ik ga met haar mee. Ik heb geen kritiek op de keuzes die u hebt gemaakt, ik zeg alleen dat ik wellicht niet hetzelfde wil als u.'

Thomas nam een slok thee uit de mok die zijn moeder voor hem had neergezet. Hij zag dat zijn vader nadacht en wist al hoe dit verder zou gaan.

De rechter zou het gesprek abrupt en opzettelijk beëindigen totdat hij tot een besluit was gekomen, waarna hij dat in een langdradige monoloog aan zijn zoon zou mededelen, net zoals dat in de rechtszaal ging.

En ja hoor: zijn vader keek op zijn horloge. 'Over een kwartier begint de mis,' zei hij op vaste toon. 'We hebben het hier later nog over.'

Elena keek Thomas met een verontschuldigende en vragende blik in haar ogen aan. Toen vroeg ze: 'Hoe lang blijf je?'

'Lang genoeg,' zei hij. 'Ik heb me gekleed voor de kerk.'

Zijn moeder zette grote ogen op. Sinds de middelbare school was hij niet meer met ze naar de kerk gegaan.

'Ik zit vol verrassingen vandaag, vind je niet?' vroeg hij, terwijl hij haar bij de arm nam.

Later die dag keerde Thomas weer naar Washington terug. Hij wilde nog één ding doen voordat de dag voorbij was. Na een korte stop om bloemen te kopen – margrieten ter ere van het naderende voorjaar – reed hij via de achteringang het Glenwood kerkhof op en volgde het kronkelige pad tussen de bomen door naar het graf. Daar parkeerde hij, maar sloot de auto niet af. Het was niet ver lopen.

Hij ademde de frisse lucht in en genoot van de eenzame plek. Hoewel de regen van die ochtend was opgehouden en het zonnetje weer scheen, was het kerkhof bijna verlaten. Het graf lag op een heuvel die uitkeek over de engelentuin. Toen hij de steen zag, kwam het verdriet weer even heftig naar boven als altijd. Lieve, lieve Mohini. Ze was veel te jong gestorven.

De begrafenis van het kleine meisje was het onderwerp van een bitter gevecht geweest. Zijn ouders – als keurige katholieken – hadden bezwaren tegen een crematie, maar Priya was even fel tegen begraven. 'Kiezen jullie de rivier maar uit, dat maakt me niet uit,' had ze gezegd, 'maar ik wil mijn kind een fatsoenlijke laatste rustplaats geven.' Thomas had al zijn energie besteed aan het vinden van een compromis. Uiteindelijk was Mohini gecremeerd en haar as uitgestrooid in de monding van de Hudsonrivier. Maar de urn was bijgezet in het familiegraf van de Clarkes op Glenwood.

Thomas knielde en legde de margrieten bij de grafsteen. Destijds had hij verwacht dat het grafschrift ook strijd zou opleveren, maar Priya had zich zonder commentaar neergelegd bij de inscriptie die de voorkeur van zijn moeder had: MET DIEP GELOOF IN DE WEDEROPSTANDING. Terwijl hij voor het graf neerknielde vroeg hij zich af hoe een baby er na de wederopstanding uit zou zien: of ze dan het lichaam en een persoonlijkheid van een volwassen persoon zou hebben, of dat ze nog volwassen zou moeten worden alsof ze nooit dood was gegaan. Hoe dan ook, het geloof zat vol mysteries.

'Het is al een tijdje geleden, mijn lieve meisje,' zei hij, terwijl hij de eerste tranen voelde komen. Plotseling zat zijn keel dicht en hij wachtte tot dat gevoel weer wegebde. 'Er is een meisje met wie ik je heel graag had laten kennismaken. Ze heet Sita en komt uit India, net als mama.' Zo bleef hij een tijdje doorpraten, hij zei gewoon wat er in hem opkwam. Hij vertelde haar over Mumbai, Priya's familie, en over Ahalya en Sita.

Toen hij niets meer te vertellen had, kuste hij de grafsteen teder. 'Ik moet nu gaan, kleine meid,' zei hij. Hij deed zijn ogen dicht en het verdriet sloeg weer als een golf door hem heen. 'Ik hou van je, Mohini,' zei hij.

Thomas ging terug naar zijn auto en bleef daar een hele tijd stil voor zich uit zitten staren. Toen reikte hij naar zijn rugzak, haalde daar een vel papier en een pen uit en probeerde zijn verdriet te temperen door een brief te schrijven aan een onbekende vrouw over wie hij niets wist, behalve één ding.

Beste Allison,

Mijn naam is Thomas Clarke en ik was erbij op de dag dat Abby verdween. Een vriend van me heeft me verteld wat er is gebeurd en ik moest je schrijven. Ik kan je weinig troost bieden: voor jouw lijden bestaat geen medicijn en wat het nog moeilijker maakt is dat er geen verklaring voor is en je het nooit zult kunnen begrijpen. De wereld heeft jou en Abby in de steek gelaten. Toen het kwaad toesloeg, stond het goede machteloos. Dat vind ik heel verdrietig voor je.

Wat ik je kan bieden is een vooruitzicht waarvan ik uit eigen ervaring weet dat het er is. Hoewel het nu onmogelijk lijkt, komt er een volgende dag. Aan de andere kant van de duisternis gloort het licht. Ik weet dat omdat ik zelf niet lang geleden mijn dochtertje heb verloren. Ik ben vandaag naar haar graf geweest. Iedere keer als ik haar naam op de grafsteen lees, breekt mijn hart opnieuw. Ik kon haar niet beschermen, net als jij Abby niet kon beschermen. Maar Mohini en Abby hebben iets wat wij niet hebben. De dood heeft geen greep meer op hen.

Waar ze ook zijn, ze hebben vrede gevonden.

Nadat hij had ondertekend vouwde hij het papier op en liet dat in een envelop glijden die was geadresseerd aan Andrew Porter op het ministerie van Justitie. Porter had zich voor de zoveelste keer niet aan het protocol gehouden en hem haar naam gegeven en met rechercheur Morgan geregeld dat de brief persoonlijk door de politie van Fayetteville zou worden afgeleverd.

Na nog een laatste blik op het graf reed hij terug naar de toegangspoort. In het voorbijgaan keek hij op naar de engelen met hun geluidloze trompetten tegen hun lippen, die klaarstonden om de dag dat iedere traan zou worden weggeveegd te begroeten. Hij voelde even aan de envelop in zijn schoot en wenste dat die dag zou komen.

Een week later zat Thomas in de boardinglounge op Dulles te wachten op zijn vroege avondvlucht naar Atlanta. Hij had de laatste zes dagen gespendeerd aan het regelen van zijn zaakjes en het oplossen van de schade die een gesprongen waterleiding in zijn huis had veroorzaakt. Op de vloer van de eetkamer had zich een grote plas water gevormd die was doorgesijpeld naar de kelder. De nachtmerrie was pas voorbij toen de laatste werkman, met zijn geld in zijn hand, het pand had verlaten.

Thomas haalde zijn BlackBerry tevoorschijn en checkte zijn e-mail. Er zat een hele reeks spam in zijn inbox, plus wat berichtjes van vrienden, maar niets van Priya. Ze had al veertien dagen geen enkele poging ondernomen om contact met hem te leggen. Natuurlijk was het haar goed recht om van hem te walgen. Maar hun weekend samen had in zijn ogen bewezen dat ze echt van elkaar hielden. Was dat niet voldoende?

Door het raam keek hij naar de spelende wolken op de wind en hij dacht aan de gedichten die Priya hem in Goa had voorgelezen uit het boekje dat Elena haar had gegeven. Ze had er een gewoonte van gemaakt om dat iedere keer als ze de liefde hadden bedreven te doen. In het begin had hij zijn ogen ten hemel geslagen, maar Priya had volgehouden en door het ritme van de woorden had hij zich gewonnen gegeven. Of misschien kwam dat wel doordat ze tijdens het voorlezen naakt op bed had gelegen. Ondanks zichzelf moest hij glimlachen bij de herinnering.

Toen kreeg hij plotseling een idee. Hoe zou ze het vinden als hij een gedicht voor haar schreef? Niet een of ander Byronachtig liefdessonnet, maar een paar zinnen die recht uit zijn hart kwamen, zoals een gedicht van Naidu of een van die Soefiwijsheden die ze altijd citeerde. Maar toen verwierp hij de gedachte weer. Waarom zou een stuntelige, amateuristische poging tot poëzie haar aanspreken? Ze zou er vast om lachen, als ze het al zou lezen.

Hij keek omhoog naar een televisiescherm en volgde het nieuws totdat hij er genoeg van had. Toen keek hij weer uit het raam en zag een vliegtuig opstijgen: het toestel klom steeds hoger de lucht in en vloog voor de zon langs. Opeens kwam er een zin in zijn hoofd op: we lopen over de zon. Op de een of andere manier sprak het beeld hem aan. Wat betekende dat?

Thomas maakte zijn BlackBerry open en probeerde zich er een voorstelling van te maken. Hij worstelde met een paar ideeën en breidde het onderwerp wat uit. Na een tijdje vormden de woorden in zijn hoofd zich tot zinnen en werden de zinnen een strofe. Hij staarde naar zijn gedicht.

We lopen over de zon
en onze schaduw valt
op de wijzerplaat van de tijd
onze namen helder in het licht
dat ons het leven geeft.

Thomas sloeg zijn woorden in zijn BlackBerry op en stond op om zijn benen te strekken. Over twintig minuten konden ze aan boord. Hij ging naar de toiletruimte en was even later weer terug op zijn plek. Rusteloos pakte hij de foto van Priya uit zijn portefeuille en las zijn gedicht nog eens door. Het was geen Tagore, maar zo slecht was het nou ook weer niet. Toen hij de foto terugstopte in zijn portefeuille, besloot hij gewoon alle voorzichtigheid overboord te gooien. Hij typte tot zijn vingers er pijn van deden. Toen hij klaar was, las hij de e-mail nog eens over. Hij had geschreven:

Lieve Priya,
Ik wilde dat ik je dit kon zeggen terwijl ik je in de ogen keek, maar helaas zal het via de e-mail moeten. Toen ik uit Goa vertrok, was ik een compleet wrak. Ik heb je nooit verdriet willen doen. Ik ben een eersteklas idioot. Ik zou niet weten hoe ik het beter kan formuleren. Het spijt me heel erg dat ik je ontrouw ben geweest. Het spijt me van de puinhoop die ik ervan heb gemaakt met Tera. Je verdiende het om de waarheid te weten, maar ik schaamde me.
Ik zit nu in de Verenigde Staten. We hebben Sita gevonden. Als je wilt, zal ik je het hele verhaal op een dag vertellen. Maar nu wil ik me niet aan je opdringen. Ik weet niet hoe het verder zal gaan, alleen dat ik haar naar India terug moet brengen en mijn jaar bij CASE moet afmaken. Verder kan ik niet kijken. Behalve dan dat ik hoop – geloof me alsjeblieft – dat jij deel van mijn toekomst zult uitmaken.

Een paar minuten geleden heb ik een gedicht geschreven. Ik weet niet precies wat het betekent, maar op de een of andere manier zegt het, meer dan wat dan ook, iets over mijn leven. Ik zal het invoegen bij deze mail. En of je me nou terugschrijft of niet: weet dat ik van je houd.

Thomas verzond het bericht en hoorde dat zijn vlucht werd omgeroepen. Toen wierp hij een blik uit het raam en zag dat de wolken het laatste licht van de dag reflecteerden. Hij pakte zijn laptoptas en ging in de rij staan, en koesterde zich in de gedachte dat hij vanaf nu weer op zoek zou gaan naar het licht.

33

Laat uw hart niet bezwaren door wat voorbij is.
THE RAMAYANA

Atlanta, Georgia

Op de ochtend van 24 maart gaf het gerechtshof van Fulton County toestemming voor het vertrek van Sita naar India. Zowel de Amerikaanse als de Indiase regering was van mening dat Sita door agent Dodd van slachtofferhulp naar huis moest worden begeleid en dat Thomas werd aangewezen als hun officiële escorte.

De zaakwaarnemer bij de Indiase ambassade regelde dat ze op het vliegveld van Mumbai zouden worden opgewacht door iemand van het CBI. Nadat het onderzoek van de Internationale Organisatie van Migratie was afgerond, zou Sita bij haar zusje Ahalya geplaatst worden in het opvangtehuis van de Zusters van Genade. Op Thomas' aandringen diende agent Pritchett een speciaal verzoek in om alles vóór het Holifeest af te ronden, iets wat geestdriftig door de diplomaat werd toegejuicht.

Toen alle puzzelstukjes eindelijk op hun plaats lagen, bracht Pritchett hen naar het vliegveld. Agent Dodd, een moederlijke vrouw van ergens in de veertig, zat voorin in de passagiersstoel en Thomas en Sita zaten achterin. Na zestien dagen gevangen te hebben gezeten in een wirwar van bureaucratische regels, liep Sita over van de vragen over haar zusje. Thomas beantwoordde ze stuk voor stuk zo goed hij kon, zonder de dingen mooier te maken dan ze waren. Het enige waar hij niets over zei was Ahalya's zwangerschap, omdat hij dacht dat Ahalya dat liever zelf aan haar zusje zou willen vertellen.

Op het vliegveld escorteerde Pritchett hen door de beveiliging en bracht hen naar de gate. Uiteindelijk schudde hij Thomas de hand en herinnerde hij hem er met een verontschuldigend lachje nog eens aan dat hij een geheimhoudingsverklaring had ondertekend. Toen hurkte hij voor Sita neer en gaf haar een speldje van de vlag van Amerika.

'Weet je,' zei hij, 'ik heb een dochter van jouw leeftijd. Ze is het licht in mijn leven. Ook af en toe een lastpak, maar dat hoort erbij. Mag ik je uit naam van alle agenten die jou hebben ontmoet zeggen dat het een eer is je te mogen kennen?'

Sita omhelsde Pritchett verlegen en liep toen achter Thomas en agent Dodd aan naar de rij passagiers die stonden te wachten om aan boord te gaan.

De volgende avond laat vlogen ze boven de uitgestrekte, met lichtjes bestrooide stad Mumbai. Er stonden twee CBI-agenten bij de gate op Thomas en Sita te wachten. Die loodsten hen door de douane en namen hen mee naar een langs de stoeprand geparkeerde landrover. Een van de agenten haalde hun bagage van de band en toen vertrokken ze.

Sita keek de hele weg ingespannen naar de middernachtelijke stad. Nu ze weer in Moeder India terug was, wekte dat veel tegengestelde emoties in haar op: woede en medelijden over Ahalya's verkrachting, opnieuw het verdriet om de dood van haar familie, verwarring over de toekomst, en angst omdat ze wist dat Suchir in de buurt was. Maar ondanks alle vrees die haar terugkomst ook met zich meebracht, kon haar overweldigende gevoel van opluchting door niets worden tenietgedaan. Het weer kunnen inademen van de zware, plakkerige lucht van Mumbai was heerlijk: het herinnerde haar aan alles waarom ze zoveel van haar land hield. Dit was haar volk, dit was haar land.

India had haar verwond, maar ze dankte er haar leven aan.

De CBI-agenten – die zich hadden voorgesteld met hun achternamen: Bhuta en Singh – brachten hen naar het Taj Land's End hotel, iets ten zuiden van de Bandstand in Bandra. In de lobby stond Dinesh met een bos bloemen in zijn handen op hen te wachten.

'Leuk optrekje,' zei hij, terwijl hij Thomas een hand gaf. 'Jouw idee zeker?'

Thomas knikte, geroerd dat Dinesh er was.

'De regering wilde haar in een of ander derdeklas hotel aan de rand van het vliegveld stoppen,' antwoordde hij. 'Maar ik vond niet dat dat kon. Niet de eerste nacht dat ze weer terug in India is.' Hij zweeg even. 'Wat doe je hier eigenlijk? We hadden toch afgesproken dat ik naar jouw appartement toe zou komen?'

'Ik ben hier helemaal niet voor jou,' zei zijn vriend met een brede grijns. 'Ik ben hier om Sita te ontmoeten.'

'Sita,' zei Thomas, terwijl hij zich naar haar toe keerde, 'dit is Dinesh. Dinesh, Sita.'

'*Gara mem svagata hai, chotti bahana*,' zei Dinesh. Hij wenste haar welkom thuis en gebruikte daarbij het familiaire koosnaampje 'zusje'. 'Je zult het hier heerlijk vinden.' Hij gaf de bloemen aan Sita. 'Deze zijn voor op je kamer.'

Sita bloosde en was meteen gecharmeerd van hem. Dinesh en zij begonnen in hun eigen taal met elkaar te kletsen, terwijl Bhuta ze incheckte.

Na een paar minuten verscheen de manager van het hotel die hen naar een suite op de bovenste etage bracht. Na een beetje heen en weer gepraat met de twee CBI-agenten mocht Dinesh met hen mee de kamer in. De manager liet hun een ruime suite zien en overhandigde de sleutels aan de twee agenten. Agent Dodd, die tijdens de vlucht maar heel weinig had geslapen, vond een bank in de slaapkamer en hield de avond voor gezien. Intussen liep Sita naar een van de ramen die uitkeken op de Arabische Zee. Ze bleef daar stilletjes staan en genoot van de aanblik van de sluimerende stad.

'Waar is Ahalya?' vroeg ze aan Thomas. 'Wanneer kan ik haar zien?'

'Ze is in de ashram in Andheri,' zei hij. 'Morgen zul je haar zien.'

Sita knikte. 'Het is prachtig hier.'

Na een tijdje begon ze te geeuwen.

'De grote slaapkamer is voor jou,' zei Thomas. 'Onze vrienden van de regering vinden wel een ander plekje.'

'En jij dan?' vroeg ze.

'Ik logeer bij Dinesh. Zijn appartement is hier vlakbij. Morgenochtend ben ik er weer.'

'Welterusten dan,' zei ze en ze zwaaide even terwijl ze de kamer uitging.

De volgende ochtend maakte Dinesh een verrukkelijk ontbijt met gefrituurd Indiaas brood, kikkererwten en *Mahim halwa* – een stevige boterkoek – dat hij en Thomas meenamen naar het hotel om samen met Sita te gaan ontbijten. Agent Dodd, die er verfrist en tevreden uitzag na een goede nachtrust, koesterde haar halwa en nipte van haar glas chai. Toen ze zag dat Sita naar haar keek, probeerde ze het uit te leggen.

'In Amerika leef ik op Chinese afhaalmaaltijden,' zei ze. 'Dit is heel wat lekkerder.'

Dinesh schoot in de lach. 'Dan moet je nog maar eens terugkomen naar India.'

'Misschien doe ik dat wel,' antwoordde de FBI-agente.

Na het ontbijt haalden de CBI-agenten de landrover en pikten ze iedereen voor het hotel op. Thomas herinnerde agent Singh eraan dat ze om negen uur in de ashram werden verwacht. De CBI-agent keek hem enigszins bevreemd aan en wisselde een blik met Dinesh. Thomas had niet in de gaten dat Singh zijn aanwijzingen niet opvolgde totdat ze de oprit naar de Western Express Highway voorbijreden en de weg langs Mahim Bay bleven volgen.

'De ashram is de andere kant op, hoor!' riep Thomas uit, terwijl hij Singh op zijn schouder tikte.

De agent reageerde niet.

Thomas wierp een blik op Dinesh, die nogal slinks voor zich uit keek. 'Er is iets aan de hand,' zei Thomas. 'Wat ben je van plan?'

'*Ik* was het niet,' antwoordde Dinesh. 'Je zult het wel zien.'

Op zaterdag was het verkeer in de stad een reusachtige chaos. Ondanks Singhs roekeloze manoeuvres kostte de rit naar Malabar Hill hun bijna anderhalf uur. Toen ze bij Breach Candy op Warden Road waren, vroeg Thomas aan Dinesh: 'We gaan naar Vrindavan, is het niet?'

'Vrindavan?' vroeg Sita. 'De bossen waar Krishna speelde?'

Dinesh haalde zijn schouders op en Thomas ging achterover in zijn stoel zitten, terwijl er duizend gedachten door zijn hoofd raasden.

'Het is een beetje anders,' zei hij tegen haar. 'Maar er zijn overeenkomsten.'

Toen de landrover het terrein van het huis van Priya's grootvader opreed, wist Thomas niet wat hij zag. Langs de oprijlaan stond het vol mensen die hen verwelkomden. Hij herkende veel gezichten uit Priya's omvangrijke familie en in de schaduw van een baniaanboom zag hij Jeff Greer, Nigel, Samantha en de hele staf van CASE staan. Naast Anita stond zuster Ruth, haar bruine habijt wapperde in de wind.

Surya en Surekha Patel wachtten hen op aan het einde van de oprijlaan. Priya's vader zag er prachtig uit in een wit linnen pak, en haar moeder was gekleed in een jadegroene sari en straalde iets koninklijks uit. Agent Singh liet de landrover tot stilstand komen en Bhuta opende de achterportieren. Dinesh stapte uit en Thomas wendde zich tot Sita.

Haar ogen waren groot van verbazing. 'Wie zijn al deze mensen?' vroeg ze.

'Sommigen zijn familie van mijn vrouw,' antwoordde hij. 'En anderen zijn de mensen die je zusje hebben gered.'

'Waarom zijn ze hier?'

Thomas schudde zijn hoofd en probeerde te snappen hoe zijn plannen om Holi in de ashram te vieren waren gekaapt en waarom Vrindavan als de nieuwe locatie was gekozen.

'Ze zijn hier allemaal voor jou,' zei hij, dat wist hij tenminste zeker.

Thomas stak zijn hand naar Sita uit, maar het meisje leek diep na te denken.

'Je hoeft dit niet te doen, hoor,' zei Thomas, terwijl hij haar onderzoekend aankeek. 'We kunnen de auto keren en ergens heen rijden waar je Ahalya helemaal alleen kunt ontmoeten.'

Sita keek uit het raampje naar alle mensen die zich hadden verzameld. 'Nee,' zei ze. 'Het is Holi. Het is goed om het zo te doen.' Ze legde haar hand in die van Thomas.

'Welkom thuis,' zei hij met een glimlach, en hij trok haar het zonlicht in.

Toen Sita tevoorschijn kwam, barstte de menigte in applaus uit. Ze omklemde Thomas' hand en hij gaf haar een geruststellend kneepje, terwijl hij de gezichten afzocht op zoek naar Priya. Ze moet hier zijn, dacht hij. Het is niets voor haar om Holi te missen.

Plotseling ontdekte hij een ander gezicht in de menigte. Het gezicht van Ahalya die uit het groepje CASE-vrijwilligers opdook. Ze rende op Sita af terwijl de tranen over haar wangen stroomden. Ahalya droeg een zonnebloemgele churidaar en op haar voorhoofd een bindi in de vorm van een roos.

Sita liet Thomas' hand los en rende haar oudere zusje halverwege tegemoet. Hun omhelzing was bijna te intiem om naar te kijken, maar Thomas kon zijn ogen er ook niet van afhouden.

De zusjes hielden elkaar eindeloos lang vast, zich onbewust van hun omgeving. Toen ging het moment voorbij en Ahalya liep naar Thomas toe. Ze knielde voor hem neer en raakte zijn voet aan, als teken van diep respect. Daarna stond ze op en keek hem stralend van dankbaarheid aan.

'Dank u,' fluisterde ze. 'U hebt mijn leven gered.'

'Heel veel mensen hebben eraan meegeholpen,' zei hij, terwijl hij zijn ogen vochtig voelde worden.

'Misschien. Maar u had mijn armband om. Ik zal het nooit vergeten.'

Op het terras begon een muziekgroep traditionele Hindoestaanse muziek te spelen en Surya Patel kwam naar hen toe, hij hield een gouden schaal in zijn handen. Thomas keek de professor in de ogen, op zoek naar een teken van een oordeel of afkeuring, maar zag niets van dat alles. In plaats daarvan stak Surya zijn hand op en vroeg om de aandacht van de babbelende aanwezigen. Familie en vrienden zwegen onmiddellijk.

Surya sprak hen met luide stem in het Engels toe. 'Zoals jullie allen weten, heeft het Holifeest vele betekenissen. Het is een dag waarop plezier voorop-staat, we gedenken Krishna en de goedmoedige pret die hij had toen hij met de maagden van het woud speelde. Het is ook de dag waarop we de wisseling van de seizoenen vieren: het einde van de winter en het begin van de lente.'

Hij hief de glanzende schaal omhoog. In onze familie is het traditie om ieder jaar een kind te kiezen dat de *tilak* op het voorhoofd van een volwassene mag plaatsen. Daarna kan het feest van de kleuren beginnen en iedereen – zelfs degenen die liever schoon blijven – doet mee. Dat kind is dit jaar natuurlijk Sita Ghai.'

Hij keerde zich naar Sita toe en hield de kom lager, zodat Sita het helderrode poeder erin kon zien.

'Gelukkige Holi,' zei Surya. 'Je zusje en jij zijn altijd welkom in ons huis.'

Breed glimlachend stak Sita haar duim in het poeder en ging op haar tenen staan om een tilak op Thomas' voorhoofd te tekenen.

'Voor mij zul je altijd Dada zijn, mijn oudere broer,' zei ze. 'Gelukkige Holi.'

Het publiek begon te juichen. En toen waren er opeens overal zakjes met poeder en glinsterde de lucht van de kleuren. Rode, gele, paarse, blauwe, groene en gouden tinten. Het palet van Holi was het palet van India: koninklijk, zonder schaamte, luisterrijk en waarachtig.

Surya was echter nog niet helemaal klaar: hij stak zijn hand in het poeder en smeerde Thomas' gezicht helemaal onder. Thomas moest lachen en hoesten tegelijk en deed zijn best om de korreltjes uit zijn ogen te vegen.

'Gelukkige Holi,' zei Surya. 'Ik geloof dat er iemand op je wacht.'

Toen draaide hij zich om en begon het rode poeder naar zijn familie te gooien. Surekha had een grote mand die gevuld was met zakjes poeder in allerlei kleuren, waarmee Ahalya en Sita zich bewapenden. Ahalya giechelde toen Sita lavendelblauw poeder in haar haren strooide. Ahalya nam op haar beurt Sita's gezicht in haar handen, en er bleven twee oranje handafdrukken op achter.

Thomas was intussen op zoek naar Priya. Uiteindelijk ontdekte hij haar op de veranda. Ze stond naar hem te kijken. Zijn hart kneep samen. Hij zigzagde tussen de gasten door en ging de trap op. Een paar passen van haar vandaan bleef hij staan, niet wetend wat hij moest zeggen.

Priya brak het ijs: 'Het ziet ernaar uit dat mijn vader je heeft geaccepteerd,' zei ze.

Hij raakte de rode verf op zijn gezicht aan. 'Ja. Maar waarom?'

Priya wendde haar ogen af. 'Je hebt indruk op hem gemaakt. En je deed hem aan Ramayana denken.' Ze wachtte een seconde en vervolgde toen: ''Toen ik je mail ontvangen had, heb ik hem het nieuws over Sita verteld. Ik heb hem nog nooit zo emotioneel gezien. Tegen mijn moeder heb ik hem zelfs horen zeggen dat hij je verkeerd had beoordeeld, dat je iets had gepresteerd wat de hoogste eer verdient.'

Thomas haalde adem en dacht aan het beeldje van Hanoeman dat Sita hem had gegeven. Er kwam een woord in zijn hoofd op, bijna alsof het hardop werd uitgesproken. Een woord dat Priya had gekoesterd. Serendipiteit. De gave om bij toeval waardevolle dingen te ontdekken. Een variant op 'voorzienigheid'. Ja, dacht hij. Er is licht achter de duisternis.

'Dus dit was allemaal een idee van je vader?' vroeg hij.

Priya knikte. 'Ironisch, hè? Jij hebt Sita uit het gevaar gered en hij bereidt haar een koninklijk welkom.'

Ze liep naar het andere eind van de veranda en hij liep achter haar aan. Ze gingen de trap af en staken het gras over naar een groepje bloeiende bomen. Priya bleef naast een fontein staan.

'Het was een mooi gedicht,' zei ze, toen ze alleen waren.

'Niet om over naar huis te schrijven.'

'Het ontroerde me,' antwoordde ze. 'Ik besefte dat je al het andere wat je hebt gezegd ook meende.' Ze draaide zich om en keek naar het stromende water. 'Je moet begrijpen dat ik nooit meer wegga bij mijn familie.'

Hij knikte. 'Ja, dat besef ik nu.'

'En ik sta niet toe dat je mij in de steek laat vanwege je werk. Wat je ook besluit te gaan doen, ik moet weten dat ik altijd op de eerste plaats kom.'

Er verscheen een glimlach op Thomas' gezicht. 'Betekent dit dat je me vergeeft?'

Priya sloot haar ogen. 'Ik ben je op het strand al beginnen te vergeven, toen je zei dat je van me hield,' zei ze. 'Maar ik moest weten of het ook echt waar was.'

Thomas stak zijn hand uit en raakte haar gezicht aan. Priya draaide zich naar hem toe en hij zag dat er tranen in haar ogen stonden. Toen deed ze een stap naar hem toe, en nog een, tot ze nog maar een paar centimeter van hem af stond. Thomas trok haar in zijn armen.

'Ik ben zo blij dat je naar Mumbai bent gekomen,' zei ze. 'Ik dacht dat ik je kwijt was.'

Hij keek op haar neer en veegde haar haren uit haar ogen.

'Denk je dat je een man wilt kussen die onder de rode poeder zit?' vroeg hij.

Haar glimlach begon bij haar mondhoeken en verspreidde zich over haar gezicht totdat dat helemaal straalde.

'Volgens mij passen onze kleuren prima bij elkaar,' fluisterde ze en ze bewees hem dat ze gelijk had.

Epiloog

Mumbai, India

Het telefoontje kwam op 7 oktober om zes uur in de ochtend. Thomas' BlackBerry lag op het nachtkastje. Hij had hem bij de tweede keer overgaan al in zijn hand en hield hem luisterend tegen zijn oor.

'We zijn er over veertig minuten,' zei hij en hij verbrak de verbinding.

'Is het zover?' vroeg Priya, terwijl ze zich omdraaide en naar hem opkeek. Haar gezicht baadde in het blauwachtige licht van de dageraad. De zon was nog niet op.

Hij knikte. 'Ze zei dat het op zijn hoogst nog een uur zou duren.'

Ze kleedden zich snel aan, Thomas in een katoenen broek met een linnen overhemd, Priya in een zwart-rode salwar kameez. Ze namen de lift naar de garage waar hun Toyota SUV op hen wachtte. Priya ging op de passagiersstoel zitten en Thomas startte de auto en reed de oprit af, met een zwaai naar de nachtwaker die bij de toegangspoort zijn charas stond te roken.

Ze reden noordwaarts langs de Bandstand totdat de weg naar het oosten draaide. Daarna tien minuten over Hill Road naar S.V. Road, een kwartier op de Western Express Highway naar Andheri en toen nog vijf minuten naar de ashram. Hoewel het vrijdagochtend was, was het niet erg druk. De meeste vervoermiddelen waren riksja's en Thomas kwam daar gemakkelijk tussendoor.

Priya pakte zijn hand van de versnellingspook en legde die op haar buik.

'Hoe zullen we haar noemen?' vroeg ze. De week daarvoor had Priya haar twintigwekenecho gehad en de dokter in Breach Candy was er zeker van dat het een meisje was.

'Ik weet niet,' zei hij, met een korte blik op haar.

Ze glimlachte. 'Ik neig naar Pooja.'

'Geen denken aan,' zei hij. 'Ieder meisje hier in Mumbai heet Pooja. Ze moet een originele naam krijgen.'

Priya schoot in de lach. 'Je bent ook zo gemakkelijk op de kast te krijgen. Ik heb een veel beter idee.'

'Vertel.'

'Nee, dat doe ik pas op het juiste moment.'

Na een tijdje begonnen Thomas' gedachten af te dwalen naar de gebeurtenissen van de dag ervoor. Na negen maanden van vertragingen die veroorzaakt waren door corruptie, was Ahalya eindelijk opgeroepen om tegen Suchir, Sumeera en Prasad te getuigen. De bordeeleigenaar en zijn zoon waren in de rechtszaal aanwezig, wat ongebruikelijk was. Maar hun strategie werd al snel duidelijk. Toen Ahalya in het getuigenbankje stapte, met haar dikke buik duidelijk zichtbaar onder de stof van haar churidaar, waren Suchir en Prasad opgestaan om haar strak en dreigend aan te kijken. Zelfs op een afstand van een meter of vijf was hun dreiging tastbaar geweest. De aanklager maakte bezwaar, maar de verdediger diste een idioot verhaal op dat ze niet in staat waren om lange tijd achtereen te blijven zitten. De rechter, duidelijk geïrriteerd vanwege de discussie, gebaarde dat de aanklager door moest gaan en stond toe dat de malik en zijn zoon hun intimiderende houding konden voortzetten.

Thomas kon de angstige blik in Ahalya's ogen zelfs helemaal achter in de rechtszaal zien. Maar ze had moedig standgehouden en uiteindelijk klonk haar getuigenis als een klok. Ze vertelde het hele verhaal, vanaf de tsunami in Chennai tot aan het moment dat ze in Mumbai was beland, eerst in vloeiend Engels en daarna nog een keer in net zo helder Hindi. Ze vertelde over de eerste keer dat ze werd verkracht door Shankar en de tweede keer door een jonge jongen omdat ze aan hem cadeau was gedaan voor zijn verjaardag. Tot op dat moment stonden Suchir en Prasad schouder aan schouder tegenover haar. Maar toen beschreef Ahalya de nacht dat Prasad naar haar toe was gekomen en de hele reeks verkrachtingen die daarop waren gevolgd. Suchirs gezichtsuitdrukking veranderde niet, maar hij draaide zijn hoofd een klein beetje in de richting van zijn zoon, en mompelde iets waardoor Prasad verbleekte.

Daarna volgde het kruisverhoor. De advocaat van de verdediging begon een schandalige aanval op Ahalya's geloofwaardigheid. Hij insinueerde zonder een greintje bewijs dat ze als schoolmeisje al promiscue was geweest en een hele reeks liefdesaffaires met jongens had gehad. Toen Ahalya dat ontkende, was de advocaat van de tegenpartij alleen maar harder gaan praten, benadrukte dat het kind in Ahalya's baarmoeder het resultaat was van vrijwillige seks buiten het bordeel. Ahalya had geduldig verklaard dat ze nog maagd was geweest toen Suchir haar kocht en dat de enigen van wie ze zwanger kon zijn Shankar was, die een hogere prijs had betaald om geen condoom te hoeven gebruiken, of Prasad, die altijd zo koortsachtig snel was geweest dat bescherming niet eens aan de orde was geweest. De advocaat van de verdediging steigerde, gesticuleerde en schreeuwde op een gegeven moment zelfs naar Ahalya, maar het kwaad was geschied. Ahalya stond als overwinnaar in de getuigenbank en zelfs de rechter, die uitgeput aan de hoorzitting was begonnen, wierp uiteindelijk een bestraffende blik op Suchir en Prasad.

Het past dat het telefoontje uitgerekend vandaag kwam, dacht Thomas, terwijl hij gas gaf om een riksja te passeren. Ze reden langs het internationale vliegveld en namen Sahar Road naar Andheri. Toen ze op hun bestemming aankwamen, maakte zuster Ruth de poort open en stond ze hun toe binnen het hek op het terrein te parkeren.

'Kom,' zei de non, terwijl ze haastig het pad opliep. 'Het duurt niet lang meer.'

De opkomende zon zette het terrein in een gouden gloed en het beloofde opnieuw een bloedhete dag te worden. De moessonregens waren dit jaar korter geweest dan anders, van eind mei tot eind augustus, en de hitte en vochtigheid waren in september meedogenloos teruggekeerd. Het was nog niet eens halfacht 's ochtends, maar Thomas voelde de zweetdruppeltjes al op zijn voorhoofd parelen terwijl hij achter zuster Ruth aan liep.

'Hoe gaat het met haar?' vroeg Priya.

'Ze heeft het zwaar gehad,' zei de non. 'Maar het is bijna achter de rug.'

Omdat ze zo'n haast hadden, waren ze bijna aan Ahalya's vijver voorbijgelopen zonder te zien wat daar was gebeurd. Maar Thomas ving een glimp ervan in zijn ooghoek op.

'Wacht!' riep hij uit.

Zuster Ruth bleef zo plotseling stilstaan, dat Priya bijna tegen haar op botste. De non volgde Thomas' blik en begon te glimlachen. Op het glanzende wateroppervlak van de vijver lag een stervormige lotusbloem. De blaadjes ervan waren zo blauw als de hemel en vingen de schuine stralen van de opkomende zon.

'Die was er nog niet toen ik vorige week hier was,' merkte hij op.

'De bloem is gisteren opengegaan,' antwoordde zuster Ruth.

'Heeft ze hem vóór de rechtszaak gezien?'

'Ja,' bevestigde de non, 'ik was erbij.'

Thomas schudde zijn hoofd. De lotus was de reden waarom Ahalya zo onaantastbaar was geweest in de getuigenbank. Ze had het feit dat de bloem open was beschouwd als een goddelijk teken en besloten dat haar overwinning daarmee vaststond. En omdat ze daar zo heilig in had geloofd, hád ze ook gewonnen.

Ze liepen het ziekenhuis in en hoorden het huilen van het kind al door de hoge ruimte galmen. Priya kneep in Thomas' hand. Zuster Ruth nam hen mee naar een kleine wachtruimte naast de verloskamer.

'Wacht hier maar,' zei ze, 'dan kom ik terug als het kind toonbaar is.'

Even later verscheen er een ander gezicht om het hoekje van de deur van de verloskamer.

'Thomas!' riep Sita uit en ze rende naar hem toe om hem te begroeten.

In de zes maanden die verstreken waren sinds hij Sita voor het eerst had gezien was ze gegroeid. Destijds was ze een mager meisje geweest, mooi maar frêle. Nu begon ze een gevuld figuur te krijgen op alle plaatsen die typisch vrouwelijk waren. Haar stem klonk zekerder, haar zelfvertrouwen was gegroeid en haar grote ogen stonden helder. De nonnen zouden haar wat betreft de jongens in de gaten moeten houden. Hoewel, dacht Thomas, zal ze ooit wel willen trouwen na alles wat ze heeft meegemaakt?

Hij omhelsde haar en deed een stap naar achteren. 'Hoe is het met Ahalya?' vroeg hij, terwijl hij Priya's hand weer pakte.

Sita straalde. 'Ze was sterk en de baby is gezond. Kom mee, dan kun je ze zien.'

Op dat moment kwam zuster Ruth de verloskamer uit en wenkte dat ze mochten komen. De ruimte was uitgerust met een paar bedden, een grote wasbak en een wagentje met allerlei medische apparatuur. Ahalya zat rechtop, haar hoofd rustte tegen de kussens. De baby lag rustig in haar armen en twee verpleegsters waren haar aan het verzorgen. Sita liep naar haar zusje toe en pakte haar hand vast.

Thomas en Priya liepen ook naar het bed en Ahalya zei: 'Dank je wel dat jullie zijn gekomen.'

'We hadden dit nooit willen missen,' zei Thomas. 'Heb je al een naam voor haar?'

Ahalya glimlachte en haar vermoeidheid leek wat minder te worden. 'Zij is Kamalini, mijn kleine lotus.'

Hij glimlachte. 'We zagen je bloem toen we langs de vijver liepen.'

'Het is een wedergeboorte,' zei ze onverwacht krachtig. 'Een nieuw begin.'

De hartstocht in haar stem verraste Thomas. Maandenlang had ze de baby als een noodzakelijk kwaad beschouwd, als een last die ze nou eenmaal moest dragen. Hij had haar ambivalentie wel begrepen. Het kind was het levende bewijs van haar uitbuiting. Bij het groeien van het kind in haar buik had hij wel kleine veranderingen in haar houding opgemerkt, maar hij had nooit verwacht dat ze het kind zou omarmen als echt van haar. Maar nu hij haar zo zag, begon hij het te begrijpen. Geconfronteerd met de keuze tussen verbittering en liefde, had Ahalya liefde gekozen. En door die beslissing had ze de kleine Kamalini veranderd van een kind dat uit het duivelse zaad van een verkrachter was geboren, in het nieuwste lid van de Ghai-familie.

'Wil je haar vasthouden?' vroeg Ahalya aan Priya.

'Mag ik?' vroeg Priya. Alleen Thomas hoorde de trilling in haar stem. De laatste keer dat ze een kind in haar armen had gehouden was in de nacht dat Mohini stierf.

Een van de verpleegsters wikkelde het kindje in een doek en legde haar in Priya's armen. Er begonnen stille tranen over haar wangen te stromen terwijl ze de baby zachtjes heen en weer wiegde. Toen begon ze het liedje te zingen dat haar eigen moeder haar had geleerd toen ze nog een kind was. Hetzelfde liedje dat ze op de dag dat hun dochtertje was geboren had gezongen voor Mohini.

Mijn lieve schat,
Ben je als
de opkomende zon?
een lieflijke lotus?
honing in een bloem?
het schijnsel van de maan?

Ze gaf de baby weer aan Ahalya terug en zei: 'Ze is prachtig. Ze lijkt precies op jou.'

Ahalya glimlachte. 'Heb je al een naam voor jullie baby?'

'Daar hadden we het net in de auto nog over,' zei Thomas.

Priya legde haar hand op zijn schouder en keek de meisjes aan. 'Ik denk van wel. Als jullie het goedvinden, willen we haar graag Sita noemen.'

Thomas hield zijn adem in en knikte. Die naam was nooit in hem opgekomen, maar een betere was er niet.

'Het is een goede naam,' zei Ahalya met glinsterende ogen. 'Wat vind jij?' vroeg ze aan haar zusje.

Sita begon te lachen. Een lach die klonk als een tinkelend klokje in de wind. Even later begon Thomas met haar mee te lachen en toen volgden Ahalya en Priya, en algauw lachten zelfs de verpleegsters mee, al wisten ze niet waarom.

'Ik heb altijd al een klein zusje gewild,' zei Sita, terwijl ze Priya's hand pakte, 'en nu krijg ik er zelfs twéé!'

Nawoord van de auteur

Weliswaar is *Gestolen onschuld* een verhaal dat niet echt is gebeurd, de handel in mensen is maar al te waar. Het is een criminele onderneming waarmee bijna ieder land op deze wereld te maken heeft, die zo'n dertig miljard dollar per jaar aan winst oplevert, en waarin miljoenen mannen, vrouwen en kinderen worden gedwongen in de prostitutie te werken of slavenarbeid te verrichten. Toch blijft het een mysterie en wordt het vaak niet begrepen omdat het clandestien gebeurt. Bij het schrijven van dit boek heb ik veelvuldig gebruikgemaakt van verslagen in de literatuur over mensenhandel, plus van bronnen die ik tijdens mijn reizen heb leren kennen. Dat heb ik op een zorgvuldige en integere manier proberen te doen, met respect voor de waarheid. Het is niet nodig om de hedendaagse slavernij sensationeler te maken dan die is. De werkelijkheid is al afgrijselijk genoeg.

De non-profitorganisatie CASE is een product van mijn verbeelding, hoewel ze veel overeenkomsten vertoont met de wereldwijde mensenrechtenorganisatie International Justice Mission, of IJM, mijn onderzoekspartner in India (www.ijm.org). Onlangs vernam ik dat er nu minstens twee organisaties zijn die de woorden 'Coalition Against Sexual Exploitation' in hun naam hebben opgenomen. De fictieve organisatie die ik heb geschapen, heeft geen relatie met zo'n werkelijk bestaande organisatie. Hetzelfde geldt voor *Le Projet de Justice*, de non-profitonderzoeksgroep die ik in Parijs ten tonele voer.

Veel van mijn eerste lezers hebben me na het lezen van mijn roman gevraagd hoe ze meer te weten konden komen over mensenhandel en zich konden inzetten voor de bestrijding ervan. Er zijn veel bruikbare informatiebronnen over mensenhandel, maar er zijn er een paar die ik eruit vind springen. Ieder jaar brengt het United States Department of State, (ministerie van Buitenlandse Zaken), een verslag uit dat *Trafficking in Persons Report* heet, waarin wordt beschreven hoe honderden landen proberen de mensenhandel te bestrijden door het vervolgen van handelaars, pooiers en slavenbezitters, en hoe er voor de slachtoffers wordt gezorgd. Het TIP *Report* biedt een onschatbaar overzicht van de hedendaagse slavernij naast een aantal hartverscheurende waargebeurde verhalen vanuit de hele wereld. Al die verslagen zijn beschikbaar op de website van het ministerie (www.state.gov/g/tip).

Een van de beste non-gouvernementele gegevensbronnen over mensenhandel is het Polaris Project in Washington D.C. (www.polarisproject.org). Andere waardevolle websites worden bijgehouden door Shared Hope International (www.sharedhope.org) en Fondation Scelles (www.fondationscelles.org). Deze sites geven een indicatie van de omvang en reikwijdte van de handel, met de daarbij horende markten van vraag en aanbod die de mensenhandel aansturen. Daarbij beveel ik CNN's blog Freedom Project aan voor de verhalen en het weloverwogen commentaar erop (http://thecnnfreedomproject.blogs.cnn.com).

Voor degenen die dieper willen graven, beveel ik de volgende boeken aan: *A Crime So Monstrous* door Benjamin Skinner, *The Natashas* van Victor Malarek, *Sex Trafficking* door Siddharth Kara, *Smuggling and Trafficking in Human Beings* door Sheldon Zhang en *Disposable People* door Kevin Bales. Ik beveel ook de volgende wetenschappelijke artikelen aan, waarvan het grootste deel op internet beschikbaar is: *Sex Trafficking of Women in the United States* door Janice Redmond en Donna Hughes; *Demand: A Comparative Examination of Sex Tourism and Trafficking in Jamaica, Japan, the Netherlands and the United States* door Shared Hope International; *Desire, Demand and the Commerce of Sex* door Elizabeth Bernstein; en *Sex Trafficking and the Mainstream of Market Cultur* door Ian Taylor en Ruth Jamieson.

Er zijn meerdere documentaires met hartverscheurende beelden en indringende interviews met slachtoffers, politie en mensenhandelaars. Ik beveel *At the End of Slavery* aan, uitgegeven door de International Justice Mission; *Sex Slaves*, een Frontline Television Exclusive over de handel in Oost-Europa die te krijgen is via Fondation Scelles op www.fondationscelles.org; *Demand*, een exposé over mensenhandel in Europa en Amerika, verkrijgbaar bij Shared Hope via www.sharedhope.org; en *Born in Brothels*, een indringende film over de hoerenbuurt van Calcutta.

Voor degenen die zich daadwerkelijk willen inzetten voor de strijd tegen de moderne slavernij heb ik drie suggesties. Ten eerste: Gebruik je stem. Hoe meer we van ons laten horen en hoe beter geïnformeerd we de discussie over dit onderwerp voeren, hoe groter de kans dat we de oren en het hart bereiken van beleidsmakers en besluitvormers: wetgevers, politici, rechters, de politie, en de mannen op straat die betalen voor seks.

Ten tweede: Geef geld aan een van de vele antimensenhandelorganisaties die wereldwijd opereren. Mijn vrouw en ik zijn enthousiaste aanhangers van IJM. Opsporingsmedewerkers van IJM riskeren iedere dag hun veiligheid door overal op de wereld in rosse buurten op zoek te gaan naar sporen, bewijzen te verzamelen en met de lokale politie samen te werken om meisjes te bevrijden uit de handen van pooiers en mensenhandelaars. Een investering in IJM is een investering in hoop.

En ten derde: Gebruik je kennis. Als je juridisch onderlegd bent en rechtvaardigheid hoog in het vaandel hebt staan, kunnen organisaties als IJM je goed gebruiken. Als je in de media werkt of toegang hebt tot een bepaald publiek, zelfs al is het maar zoiets eenvoudigs als een blog, kun je dat gebruiken om mensen bewust te maken van het probleem. Als je de middelen hebt, zou je een internationale adoptie kunnen overwegen, omdat weeskinderen, vooral Oost-Europese meisjes, een deprimerende grote kans maken opnieuw ten prooi te vallen aan de verlokkingen van mensenhandelaars, zodra ze niet meer onder de zorg van de regering vallen.

De nood is hoog en de uitdagingen lijken soms overweldigend. Maar voor alles is een oplossing. Wij kunnen een verschil maken – al is het maar één woord, één gift, één leven tegelijk.

CORBAN ADDISON, juli 2011

Woord van dank

VANAF HET EERSTE IDEE IS *Gestolen onschuld* een gezamenlijk project – geholpen door een veelheid aan stemmen en handen. Een dankwoord als dit is lang niet toereikend om uit te drukken hoe groot mijn dank is.

In India wil ik het heldhaftige team van opsporingsdeskundigen, juristen, sociaal werkers en vrijwilligers van de International Justice Mission bedanken voor het feit dat ze mij hebben laten meekijken in hun werk. Ik wil ook Shanmugam, Grace Pillai en Sadhanna Shine in Chennai bedanken voor hun gastvrijheid en hun verhalen over de tsunami.

In Europa wil ik graag Elias Mallon en Michael Mutzner van Franciscans International bedanken omdat ze me in Frankrijk met de juiste mensen in contact hebben gebracht. In Parijs bedank ik Gérard Besser van Amicale du Nid en Jean-Sébastien Mallet van Fondation Scelles voor hun geweldige, boeiende interviews wat betreft mensenhandel in de Europese Gemeenschap.

In Washington D.C. wil ik Pamela Gifford en haar team op het hoofdkantoor van IJM bedanken, omdat ze me toegang heeft verleend tot IJM's Indiase operaties. Het was een voorrecht om samen aan dit project te werken. Dank ook aan Amy Lucia, Holly Burkhalter en Amy Roth van IJM voor het feit dat zij ervoor zorgden dat dit boek in belangrijke handen terechtkwam en voor jullie enthousiaste steun bij het uitgeven ervan. Heel veel dank aan March Bell van het ministerie van Justitie die me een inkijkje gaf in de mensenhandel hier in de Verenigde Staten en aan Charles Colson en Mariam Bell van PFM, die me in contact brachten met March.

In Virginia wil ik mijn netwerkgoeroes en goede vrienden Nate en Sara Hagerty bedanken, Jonathan en Julie Baker, omdat ze mijn naam hebben doorgegeven aan de juiste mensen bij IJM; David Roberts omdat hij mij in contact heeft gebracht met Nathan Wilson van Project Meridian Foundation; Mark Johansen omdat hij me introduceerde bij zijn vrienden in Chennai; Bill Finley, Matt Brumbelow, Eric Nelson en Charles Dumaresq voor jullie steun en aanmoediging, Ash Sing die me over India heeft geleerd en allerlei boeken heeft aangeraden, Stephen Scott, Bob Kroner, Lamar Garren, Neil Walters en Chip Royer die me de professionele ruimte gaven om naar India te reizen; Scott en Palm Feist en Rick en Sue Shiflet voor het planten van zaadjes en hun vertrouwen in de goedheid van de aarde; Michael O'Brien voor zijn vriendelijkheid en inspiratie, en al mijn vrienden en familie die financieel hebben bijgedragen om dit project mogelijk te maken.

Dank aan Wade Bradshaw, Keith en Claire Hume, Christy Tennant en Alex Mejias die de belangrijkste contacten legden om dit boek gepubliceerd te krijgen. Enorm veel dank aan John Grisham omdat hij een risico wilde nemen met een onbekende auteur door het manuscript te lezen en me daarna een geweldige aanbeveling gaf die vele deuren voor me heeft geopend. Dank ook aan Eric Stanford van Edit Resource, LLC, omdat hij een uitzonderlijke boekendokter is.

Dank aan mijn literair agent en manager, Dan Raines van Creative Trust, aan mijn agent voor het buitenland, Danny Baror van Baror International, en aan hun geweldige personeel, voor hun geloof in het boek, hun opbouwende feedback en het presenteren ervan aan de juiste mensen, zodat het uitgebracht werd in de wereld. Het is een eer om jullie vrienden te mogen noemen.

Dank aan mijn fantastische redacteuren aan beide kanten van de Atlantische Oceaan: Jane Wood en Jenny Ellis van Quercus Books in Londen; Lorissa Sengara van Harper Collins Canada en Nathaniel Marunas van Sterling Books in New York. Ik heb jullie de beste versie die ik kon schrijven gegeven en jullie hebben die zelfs nog beter gemaakt. Dank ook aan mijn uitgevers omdat jullie het een goed verhaal vonden, de boodschap alle aandacht kreeg en jullie je kennis en kunde hebben geïnvesteerd.

Als laatste en belangrijkste wil ik mijn diepste dank uitspreken aan mijn vrouw, Marcy, die altijd aan mijn zijde heeft gestaan en vele offers heeft moeten brengen om dit project te laten slagen. Ik zal de dag nooit vergeten dat je tegen me zei dat ik dit boek moest gaan schrijven en dat ik daarvoor naar India moest. Dank uit de grond van mijn hart dat je in me hebt geloofd, me hebt gestimuleerd mijn droom na te jagen, me naar het andere einde van de wereld liet gaan om India aan den lijve te ondervinden, me de tijd hebt gegeven dit verhaal te schrijven en te herschrijven. Zonder jouw ruimhartigheid en wijsheid was dit boek er niet. Zonder jouw liefde was ik slechts een schaduw van mezelf.